KB081858

자바
스프링 프레임워크와
스프링 부트

원리부터 실전까지 2024

| 허진경 지음 |

BOOKK

자바 스프링 프레임워크와 스프링 부트 - 원리부터 실전까지 (2024)

발 행 | 2024년 3월 18일

저 자 | 허진경

펴낸이 | 한건희

펴낸곳 | 주식회사 부크크

출판사등록 | 2014.07.15.(제2014-16호)

주 소 | 서울특별시 금천구 가산디지털1로 119 SK트윈타워 A동 305호

전 화 | 1670-8316

이메일 | info@bookk.co.kr

ISBN | 979-11-410-7687-0

www.bookk.co.kr

ⓒ 허진경 2024

본 책은 저작자의 지적 재산으로서 무단 전재와 복제를 금합니다.

이 책은 자바 개발자가 스프링 프레임워크와 스프링 부트 프레임워크를 활용하여 시스템을 구축하는 필수 내용을 이론과 함께 실전 코드로 설명하고 있습니다. 페이지당 결정되는 책의 가격 정책으로 인해 많은 내용이 함축적으로 설명되고 있습니다. 그러므로 스프링 프레임워크와 부트를 처음 배우면서 독학하려는 사용자에게 권하지 않습니다. 이 책은 전문 강사의 도움을 받아 학습에 사용하는 책입니다.

주요 내용은 다음과 같습니다.

1장: 스프링의 개념 및 빈(Bean) 생성, 관리, 의존성 주입에 관한 내용입니다. 이 내용을 이해하는 것이 후속 장의 핵심 기반입니다.

2장: 관점지향 프로그래밍(AOP)에 관한 내용으로, AOP 관련 용어를 이해하고 이를 통해 트랜잭션 처리를 할 수 있습니다.

3장: 데이터베이스 프로그래밍에 중점을 둔 Spring JDBC를 이용한 데이터 프로그래밍 방법을 학습합니다.

4장: 스프링 웹 MVC 프레임워크를 사용한 웹 애플리케이션 개발에 관한 내용으로, 웹 개발을 위한 중요한 내용을 다룹니다.

5장: 파일 업로드 및 다운로드 방법을 설명하며, 업로드한 파일은 데이터베이스에 저장하는 방법과 파일시스템에 저장하는 방법을 다룹니다.

6장: 스프링에서 마이바티스 프레임워크를 활용한 데이터베이스 프로그래밍 방법을 소개합니다.

7장: 데이터베이스를 활용한 파일 첨부, 댓글 기능, 회원 관리가 있는 멀티게시판 프로젝트를 상세히 설명합니다.

8장: 스프링 부트를 활용한 프로젝트를 소개하며, 7장의 스프링 프레임워크 프로젝트를 스프링 부트와 타임리프를 사용하는 프로젝트로 전환하는 방법을 다룹니다.

9장: 8장의 프로젝트에 스프링 시큐리티를 활용한 인증 및 인가를 설명합니다.

부록 1: 스프링을 활용한 개발환경 설정에 관한 내용입니다.
부록 2: 버전 관리 시스템과 깃허브를 활용한 버전관리에 관해 설명합니다.
부록 3: JDBC 연결 정보 암호화, 폼 입력값 검증, 비동기 요청 처리, 웹소켓 및 SSE, 단독 톰캣 실행과 같이 유용한 몇 가지 기술들을 다룹니다.

Github: https://github.com/hjk7902/spring

이 책의 소스코드는 전자정부표준프레임워크 개발환경 4.1 버전에서 작성되었습니다. 그렇다 하더라도 STS(Spring Tool Suite) 4버전을 사용해도 됩니다. 전자정부표준프레임워크 개발환경 4.1 버전은 아래의 주소에서 내려받을 수 있습니다.
  - https://www.egovframe.go.kr/home/sub.do?menuNo=94

이 책의 소스코드는 https://github.com/hjk7902/spring에 있습니다.

전체 프로젝트의 압축파일은 아래의 주소에서 내려받을 수 있습니다.
  - https://github.com/hjk7902/spring/archive/refs/heads/master.zip

압축파일을 풀었을 때 보이는 프로젝트는 이클립스에 Import 기능을 이용해서 이클립스 프로젝트로 가져올 수 있습니다.
File 〉 Import 〉 General 아래의 Existing Projects into Workspace 선택하고 Next 〉 [Select root directory:]에 압축 푼 프로젝트 디렉토리를 선택하면 [Project:] 항목에 Import 할 프로젝트가 선택됩니다. 여기서 [Finish]를 클릭하면 이클립스에 프로젝트 가져오기가 완료됩니다.

만일 프로젝트를 선택할 수 없는 상태라면 이클립스의 프로젝트를 저장하는 디렉토리에 같은 이름의 프로젝트가 있기 때문입니다. 기존의 프로젝트와 디렉토리를 삭제하고 다시 Import 하세요.

● Class not found [config set: /web-context] 에러
만일 pom.xml 파일에 Class not found [config set: /web-context] 형식의 에러가 있을 경우는 프로젝트에서 마우스 오른쪽 버튼을 누르면 보이는 Spring Tools 메뉴에서 [Remove Spring Project Nature]를 선택한 후 다시 [Add Spring Project Nature]를 선택하면 사라집니다.

● 이 책에서 사용한 폰트는 나눔고딕, 나눔바른고딕, 나눔명조, D2Coding입니다.

● 마지막 업데이트: 2024. 1. 19.

〈제목 차례〉

부록 3. 알아두면 쓸모 있는 기술들 ································· 543

1. JDBC 연결정보 암호화 ··· 544

2. 폼 입력값 유효성 검증 ··· 548

〈표 차례〉

〈그림 차례〉

다음은 스프링 프레임워크 또는 스프링 부트를 이용해서 개발 시 발생할 수 있는 오류들입니다.

```
Exception in thread "main" org.springframework.beans.factory.BeanCreationException: Error creating bean
with name 'helloController': Injection of autowired dependencies failed; nested exception is
org.springframework.beans.factory.BeanCreationException: Could not autowire field:
com.coderby.myapp.hello.service.IHelloService com.coderby.myapp.hello.controller.HelloController.service;
nested exception is org.springframework.beans.factory.NoSuchBeanDefinitionException: No unique bean of type
[com.coderby.myapp.hello.service.IHelloService] is defined: expected single matching bean but found 2:
[helloService, niceService]
```

같은 타입의 빈이 2개 있어 의존성 주입이 안 됨

```
Exception in thread "main"
org.springframework.beans.factory.BeanDefinitionStoreException: IOException parsing
XML document from class path resource [applicaton-config.xml]; nested exception is
java.io.FileNotFoundException: class path resource [applicaton-config.xml] cannot
be opened because it does not exist
```

XML(application-config.xml) 파일의 경로가 잘못됐을 경우

```
Exception in thread "main" org.springframework.beans.factory.BeanCreationException:
Error creating bean with name 'memberController' defined in class path resource
[application-config.xml]: Cannot resolve reference to bean 'memberService' while
setting bean property 'memberService'; nested exception is
org.springframework.beans.factory.NoSuchBeanDefinitionException: No bean named
'memberService' is defined
```

의존하는 빈을 찾지 못했을 경우

```
Exception in thread "main" java.lang.NullPointerException
        at com.kosa.member.MemberController.printInfo(MemberController.java:12)
        at com.kosa.member.MemberMain.main(MemberMain.java:12)
```

의존성 설정이 누락되어 빈 의존성 주입이 안 됐을 경우

● JDK 9버전 이상에서 [error at ::0 can't find referenced pointcut xxx] 오류가 발생하면 aspectjweaver 버전을 1.9.1 이상으로 바꿔주세요.

```
Caused by: java.lang.IllegalArgumentException: error at ::0 can't find referenced pointcut helloPointcut
        at org.aspectj.weaver.tools.PointcutParser.parsePointcutExpression(PointcutParser.java:301)
        at org.springframework.aop.aspectj.AspectJExpressionPointcut.buildPointcutExpression(AspectJExpressi
        at org.springframework.aop.aspectj.AspectJExpressionPointcut.checkReadyToMatch(AspectJExpressionPoin
        at org.springframework.aop.aspectj.AspectJExpressionPointcut.getClassFilter(AspectJExpressionPointcu
```

[error at ::0 can't find referenced pointcut xxx] 에러

● [ZipFile invalid LOC header] 오류가 발생할 때도 aspectjweaver 버전을 1.9.1로 바꿔주세요. 이 오류는 라이브러리(.jar)가 손상되었을 때도 발생합니다.

● Java 8을 사용한다면 스프링 프레임워크의 버전은 4.0.1 이상이어야 합니다. 그렇지 않으면 다음과 같은 오류가 발생할 수 있습니다.

Exception in thread "main" java.lang.ArrayIndexOutOfBoundsException: 22282 at org.springframework.asm.ClassReader.readClass(Unknown Source)

● pom.xml에서 Exception java.lang.ExceptionInInitializerError: Cannot access defaults field of Properties [in thread "Worker-8: Building"] 오류 또는 Could not initialize class org.apache.maven.plugin.war.util.WebappStructureSerializer 오류가 발생하면 〈build〉〈plugins〉에 〈maven-war-plugin〉 설정을 추가하세요.

```
<plugin>
    <groupId>org.apache.maven.plugins</groupId>
    <artifactId>maven-war-plugin</artifactId>
    <version>3.3.2</version>
</plugin>
```

● cvc-id.3: A field of identity constraint 'web-app-filter-name-uniqueness' 에러가 발생하면 〈web-app〉 태그의 java.sun.com을 xmlns.jcp.org로 수정하고 스키마 버전도 수정하세요. Servlet 3.1/JSP 2.3(Tomcat 8, Java 7)부터 네임스페이스와 스키마가 java.sun.com에서 xmlns.jcp.org로 바뀌었습니다. 톰캣 버전별 Servlet/JSP Spec은 https://tomcat.apache.org/whichversion.html를 참고하세요.

● [cvc-etl.1: 'beans' 요소의 선언을 찾을 수 없습니다.] 오류가 발생하는 이유는 https://www.springframework.org 사이트가 보안 패치로 인해 TLS 1.0, TLS 1.1 버전 지원을 차단하였고, TLS 1.2, TLS 1.3을 통해서 접속할 수 있게 바뀌었기 때문입니다. JDK 1.7은 TLS 1.2를 지원하지만, 기본값은 TLS 1.0입니다. 그런데 톰캣이 JDK 1.7로 구동된다면 TLS 1.0을 기본으로 통신하므로 접속할 수 없어서 오류가 발생합니다. JDK 1.8은 TLS 1.2가 기본값입니다. 해결하는 방법은 두 가지가 있습니다.
1. 쉬운 방법으로 설정 파일에서 XML 스키마 URL의 https를 http로 변경하거나,
2. 톰캣의 catalina.sh 파일에 다음 내용을 추가해서 TLS 버전을 1.2로 지정할 수 있습니다.

```
JAVA_OPTS="$JAVA_OPTS -Dhttps.protocols=TLSv1.2 -Djdk.tls.client.protocols=TLSv1.2"
```

● 스프링 부트 프로젝트 생성 후 다음처럼 UnKnown 에러가 발생하면 properties 태그 안에 maven-jar-plugin.version을 추가하세요.

```
<properties>
    <maven-jar-plugin.version>3.1.1</maven-jar-plugin.version>
    <java.version>17</java.version>
</properties>
```

1장. 스프링 프레임워크

이 장에서는 스프링 프레임워크의 핵심 기능 중 하나인 의존성 주입(Dependency Injection)에 관해 설명하며, 의존성 주입을 구현하는 주요 방법인 XML을 이용한 의존성 주입, 어노테이션을 이용한 의존성 주입, 그리고 자바 설정 파일을 이용한 의존성 주입에 대해 학습할 것입니다.

1. 스프링 프레임워크 개요

1.1. 자바의 객체 생성과 메모리 로딩

자바의 특징 중 "동적(Dynamic)"이라는 단어와 관련된 두 가지 개념은 "동적 로딩 (Dynamic Loading)"과 "동적 프로그래밍 (Dynamic Programming)"입니다. 동적 로딩은 자바에서 필요한 클래스가 실행 시점에 동적으로 로딩될 수 있어 프로그램의 유연성과 확장성을 높입니다. 반면에, 동적 프로그래밍은 자바에서 동적으로 클래스를 로드하고 링크하여 실행 중에 프로그램의 동작을 변경할 수 있는 기능을 제공합니다. 그런데 애플리케이션이 동작하는 중에 동적으로 객체 생성 및 메모리 로딩이 반복되면 시스템에 다음과 같은 영향을 줄 수 있습니다.

1) 메모리 사용량 증가: 객체가 반복적으로 생성되고 메모리에 로딩될 때마다 메모리 사용량이 증가합니다. 이는 특히 대규모 애플리케이션에서 많은 객체가 생성될 때 중요한 요소입니다. 너무 많은 객체가 메모리를 차지하면 메모리 부족 현상이 발생할 수 있습니다.

2) 가비지 컬렉션 부하: 객체가 더 이상 필요하지 않을 때 해당 객체의 메모리를 회수하기 위해 가비지 컬렉션이 수행됩니다. 객체 생성 및 로딩이 반복되면 불필요한 객체가 많아져 가비지 컬렉션의 부하가 증가할 수 있습니다. 이는 애플리케이션의 성능을 저하시킬 수 있습니다.

3) 프로그램 실행 속도 저하: 객체 생성 및 메모리 로딩은 시스템의 자원을 소비하므로, 반복적으로 이러한 작업이 수행되면 프로그램 실행 속도가 저하될 수 있습니다. 특히 객체 생성에 시간이 많이 소요될 때는 이러한 영향이 더욱 크게 나타날 수 있습니다.

4) 메모리 단편화: 반복적으로 객체가 생성되고 소멸하면 메모리 단편화가 발생할 수 있습니다. 이는 메모리의 일부 영역이 작은 조각으로 나뉘어 있어서 메모리를 효율적으로 사용하지 못하게 됩니다. 메모리 단편화는 가비지 컬렉션의 성능에도 영향을 미칠 수 있습니다.

이러한 영향들을 고려하여 객체의 생성 및 메모리 로딩을 최적화하여 시스템의 성능을 향상시키는 것이 중요합니다. 예를 들어, 객체 풀링이나 캐싱 등의 기법을 사용하여 객체 생성을 최소화하고 메모리 사용을 최적화할 수 있습니다. 앞으로 배우게 될 스프링 프레임워크는 애플리케이션에서 사용하는 객체들의 생명주기를 관리해서 객체 생성과 소멸을 최소화합니다.

1.2. 개요

- 엔터프라이즈 애플리케이션 구축을 위한 솔루션입니다.
- 모듈화되어 있어 필요한 부분만 사용할 수 있습니다.
- 선언적 트랜잭션 관리가 가능합니다.
- 완전한 기능을 갖춘 MVC 프레임워크를 제공합니다.
- AOP 기능을 사용할 수 있습니다.

스프링 프레임워크(Spring Framework)는 2002년에 Rod Johnson이 출판한 "Expert One-on-One J2EE Design and Development"의 코드를 기반으로 하여 개발되었습니다. 이 프레임워크는 EJB(Enterprise Java Beans)[1] 사용 시 겪었던 불편을 해소하고자 만들어졌으며, 2003년 6월에 Apache 2.0 License 하에 공개되었습니다.

Spring은 기업용 애플리케이션을 구축할 수 있는 가벼운 솔루션을 제공하면서도, 모듈화된 구조를 통해 개발자가 필요한 부분만을 선택해 사용할 수 있게 합니다. 이 프레임워크의 핵심 장점 중 하나는 IoC(Inversion of Control) 컨테이너를 제공하여, 빈(Bean)의 생명주기 관리를 쉽게 합니다. 그래서 "스프링 컨테이너"라고도 불립니다.

Spring Framework는 XML이나 Annotation을 사용한 선언적 트랜잭션 관리, 웹 서비스를 통한 원격 액세스, 데이터 보존을 위한 다양한 옵션 등을 지원합니다. 또한, 완전한 기능을 갖춘 MVC 프레임워크를 제공하고, AOP(Aspect-Oriented Programming)를 소프트웨어에 투명하게 통합할 수 있는 기능을 포함합니다.

Java 애플리케이션 개발을 위한 포괄적인 인프라 지원을 제공하는 이 플랫폼은 개발자가 애플리케이션 개발에 더 집중할 수 있도록 인프라 처리를 담당합니다. 예를 들어, 메서드 단위로 데이터베이스 트랜잭션을 설정하고 처리할 수 있어 개발자는 트랜잭션 처리를 더욱 간단하고 효율적으로 할 수 있습니다.

POJO(Plain Old Java Object)[2]를 사용하여 응용프로그램을 구축하는 것이 가능하며, 이를 통해 기존 코드를 수정하지 않고도 엔터프라이즈 서비스를 적용할 수 있습니다. 이는 Java SE 프로그래밍 모델과 Java EE 모두에 적용되는 유연성을 제공합니다.

---

1) Enterprise Java Beans(이하 EJB)은 자바 기반의 엔터프라이즈 애플리케이션 개발을 위한 서버 측 컴포넌트 모델입니다. EJB는 Java EE(Java Platform, Enterprise Edition) 스펙의 일부로 정의되어 있으며, 기업환경에서 확장성이 뛰어난 분산 애플리케이션을 개발하기 위한 표준 기술로 널리 사용되었습니다. EJB의 핵심은 애플리케이션에서 사용하는 빈들의 재사용입니다.
2) Plain Old Java Object : 클래스를 만들 때 어떤 클래스 또는 인터페이스를 상속 또는 구현해야 하는 규칙이나 재정의해야 하는 규칙 등이 없는 자바 클래스를 의미합니다.

1.3. 장점과 단점

1) 장점

제품을 생산할 때 가장 중요한 요소로 생산성, 유지 보수성, 그리고 품질 보증을 꼽을 수 있습니다. 소프트웨어 개발 분야에서도 이 세 가지는 핵심 쟁점입니다. 스프링 프레임워크를 사용하면 애플리케이션의 생산성을 향상시킬 수 있고, 품질 보증 및 유지 보수의 용이성을 달성할 수 있습니다.

- **생산성**
스프링 프레임워크는 엔터프라이즈 애플리케이션 구축에 적합한 가벼우면서도 모듈화된 솔루션을 제공합니다. 필요한 부분만 선택하여 사용할 수 있으며, POJO 클래스와 간단한 설정만으로 개발이 가능하여 개발 생산성을 크게 향상시킵니다. 실제로 스프링을 사용할 경우, 비슷한 기능을 구현하는 데 필요한 코드 양이 1/3로 줄어듭니다.

- **품질보증**
스프링 프레임워크는 검증된 다양한 아키텍처 및 디자인 패턴을 적용하여 제작되었습니다. 따라서 개발자는 아키텍처 구현이나 디자인 패턴 적용을 위해 별도의 코드를 작성할 필요가 없습니다. 이는 개발 과정에 일관성을 부여하며 소프트웨어의 품질을 보장합니다.

- **유지보수**
스프링 프레임워크는 다양한 프레임워크 중에서도 업계 표준으로 인정받고 있습니다. 스프링을 사용하여 개발된 애플리케이션은 유지 보수에 필요한 인력과 시간을 줄여주며, 이는 장기적인 프로젝트 관리에 있어 큰 이점을 제공합니다.

2) 단점

스프링 프레임워크는 강력한 기능을 제공하나, 몇 가지 단점도 존재합니다. 가장 큰 단점은 `학습곡선`입니다. 스프링의 방대한 기능과 모듈을 이해하고 사용하기 위해선 상당한 시간과 노력이 필요합니다. 두 번째 단점은 `설정의 복잡성`입니다. 초기 XML 기반 설정의 복잡성은 자바 설정과 애노테이션으로 개선되었으나, 여전히 복잡한 설정이 필요한 경우가 많습니다. 이 외에도 스프링의 추상화 수준이 애플리케이션 구조를 복잡하게 만들고, 디버깅을 어렵게 할 수 있으며, 여러 외부 라이브러리와의 의존성이 증가하므로 프로젝트 관리를 복잡하게 만드는 단점들이 있습니다. 이런 단점에도 불구하고 적절한 대응을 통해 스프링은 여전히 유용한 프레임워크입니다.

1.4. 주요 구성요소

스프링 프레임워크는 다양한 모듈로 구성되어 있어 개발자가 유연하게 필요한 기능을 선택하여 사용할 수 있습니다. 주요 구성요소는 다음과 같습니다:

- **Spring Core Container**
스프링의 핵심을 이루는 컨테이너로, BeanFactory를 포함하여 의존성 주입(Dependency Injection) 기능을 제공합니다. 이를 통해 객체 생성과 객체 간의 관계 설정이 쉬워집니다.

- **Spring AOP (Aspect-Oriented Programming)**
관점지향 프로그래밍을 지원하여, 트랜잭션 관리, 로깅, 보안 등의 서비스를 애플리케이션의 핵심 로직에서 분리하여 관리할 수 있게 합니다.

- **Spring MVC (Model-View-Controller)**
웹 애플리케이션을 개발하기 위한 모델-뷰-컨트롤러 구조를 제공합니다. 이를 통해 개발자는 웹 애플리케이션의 각 부분을 분리하여 개발할 수 있습니다.

- **Spring Data Access/Integration**
JDBC, JPA, JMS 등 다양한 데이터 액세스 기술을 추상화하여 제공합니다. 이를 통해 데이터베이스 작업을 쉽고 효율적으로 할 수 있습니다.

- **Spring Web Flow**
복잡한 웹 애플리케이션 흐름을 정의하고 관리할 수 있는 프레임워크입니다. 웹 애플리케이션에서 다단계 워크플로우를 구현할 때 유용합니다.

- **Spring Security**
인증과 권한 부여를 위한 포괄적인 보안 프레임워크입니다. 세밀한 보안 정책을 적용할 수 있으며, 웹 및 메서드 수준에서 보안을 관리할 수 있습니다.

이 교재에서는 스프링의 모든 모듈을 설명하지 않습니다. 그러나 개발 시 필요한 대부분의 핵심 기능을 설명했습니다. 더 자세한 스프링 프레임워크에 관한 참고 문서는 다음 주소를 참고하세요.
- https://docs.spring.io/spring-framework/reference/

다음 표는 스프링 프레임워크의 주요 구성요소들에 대한 설명입니다.

표 1. 스프링 프레임워크 모듈

모듈	설명
spring-beans	스프링 컨테이너를 이용해서 객체를 생성하는 기본 기능을 제공합니다.
spring-context	객체 생성, 라이프 사이클 관리, 스키마 확장 등의 기능을 제공합니다.
spring-aop	프록시 기반 AOP 기능을 제공합니다.
spring-web	REST 클라이언트, 데이터 변환 처리, 서블릿 필터, 파일 업로드 지원 등 웹 개발에 필요한 기반 기능을 제공합니다.
spring-webmvc	스프링 기반의 웹 MVC 프레임워크입니다. 웹 애플리케이션을 개발하는데 필요한 컨트롤러와 뷰 구현을 제공합니다.
spring-websocket	스프링 MVC에서 웹소켓을 사용하기 위한 기능을 지원합니다.
spring-oxm	XML과 자바 객체 간의 매핑을 처리하기 위한 API를 제공합니다.
spring-tx	트랜잭션 처리를 위한 추상 레이어를 제공합니다.
spring-jdbc	JDBC 프로그래밍을 보다 쉽게 할 수 있는 템플릿을 제공합니다. 이를 이용하면 JDBC 프로그래밍에서 반복적으로 입력해야 하는 코드를 줄일 수 있습니다.
spring-orm	하이버네이트, JPA, MyBatis 등과의 연동을 지원합니다.
spring-jms	JMS 서버와 메시지를 쉽게 주고받을 수 있도록 템플릿과 아노테이션 등을 제공합니다.
spring-context-support	스케줄링, 메일 발송, 캐시 연동, 벨로시티 등 부가 기능을 제공합니다.

참고: https://github.com/spring-projects/spring-framework/wiki/Spring-Framework-Artifacts

그림 1. 스프링 프레임워크 모듈

1.5. 특징

스프링은 EJB, Struts 등을 제치고, 업계 표준으로 자리 잡았고, 일반 사용자를 위한 웹 기반 애플리케이션뿐만 아니라 기업환경의 애플리케이션까지 활용됩니다. 아래에 스프링 프레임워크의 주요 특징들을 나열했습니다.

- POJO(Plain Old Java Object) 기반의 프레임워크입니다. 자바 객체의 생명주기를 스프링 컨테이너가 직접 관리하며, 스프링 컨테이너로부터 필요한 객체를 얻어올 수 있습니다.
- 의존성 주입(DI; Dependency Injection)을 지원합니다. 각 계층이나 서비스들 사이 또는 객체들 사이에 의존성이 존재할 때 스프링 프레임워크가 서로를 연결해 줍니다. 이는 클래스들 사이에 약한 결합을 가능케 합니다.
- 관점지향프로그래밍(AOP; Aspect Oriented Programming)을 지원합니다. 이를 통해 트랜잭션, 로깅, 보안 등 여러 모듈에서 공통으로 지원하는 기능을 분리하여 사용할 수 있습니다.
- 확장성이 높습니다. 스프링 프레임워크의 소스는 모두 라이브러리로 분리해 놓음으로써 필요한 라이브러리만 가져다 쓸 수 있습니다.
- Model2 방식의 MVC Framework를 지원합니다.

Instructor Note: EJB와 Struts란?

EJB(Enterprise Java Bean)는 엔터프라이즈급 자바 애플리케이션을 개발하기 위한 서버 측 컴포넌트 모델입니다. EJB는 비즈니스 로직의 구현을 위한 컴포넌트를 제공하여 개발자가 비즈니스 로직에 집중할 수 있도록 도와줍니다. EJB는 대규모 시스템에서 확장 가능하고 안정적인 애플리케이션을 개발하기 위해 사용된다. 이런 EJB는 스프링의 IoC (Inversion of Control) 컨테이너는 EJB 컨테이너와 비슷한 역할을 하며, DI (Dependency Injection)를 통해 관리되는 빈은 EJB와 유사한 기능을 제공합니다. 또한 스프링은 트랜잭션 관리, 보안, AOP (Aspect-Oriented Programming) 등의 기능을 제공하여 EJB의 여러 측면을 대체할 수 있습니다.

Struts(스트럿츠) 프레임워크는 MVC(Model-View-Controller) 아키텍처를 기반으로 하는 웹 애플리케이션 프레임워크입니다. Struts는 웹 애플리케이션의 구조를 정리하고, 비즈니스 로직과 프레젠테이션 레이어를 분리하여 유지보수성을 향상시킨다. Struts는 사용자 요청을 컨트롤러에서 받아 처리하고, 모델과 뷰를 관리하여 클라이언트에게 응답을 제공한다. 스프링 WEb MVC는 MVC 아키텍처를 따르며, 컨트롤러, 모델, 뷰를 분리하여 웹 애플리케이션을 구축할 수 있도록 돕습니다. 스프링 Web MVC는 유연성과 확장성이 높으며, 다양한 기능을 제공하고 있어 Struts를 대체할 수 있습니다.

2. 의존성 주입 개요

스프링 프레임워크의 가장 중요한 특징은 객체의 생성에서부터 소멸까지의 생명주기를 스프링 컨테이너가 관리한다는 것입니다. 그래서 스프링 컨테이너를 IoC(Inversion of Control)[3] 컨테이너라고 부르기도 합니다. 스프링 컨테이너는 빈을 관리하기도 하지만 간단한 설정을 통해 객체 의존성 주입(Dependency Injection)을 지원합니다.

의존성 주입(Dependency Injection)은 빈을 필요로 하는 곳에 해당하는 빈을 만들어 전달해 주도록 하는 것을 의미합니다. 의존성 주입을 설명하기 위해 다음 클래스 다이어그램을 설명하겠습니다.

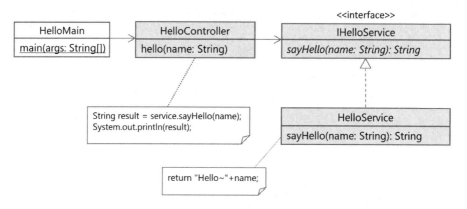

그림 2. Hello 예제에서 사용하는 클래스와 관계

HelloMain 클래스는 HelloController 클래스의 hello() 메서드를 호출해야 합니다. hello() 메서드는 이름을 인자로 입력받아 HelloService 클래스의 sayHello() 메서드를 호출하고 그 결과를 출력해야 합니다. hello() 메서드에서 sayHello() 메서드를 호출하기 위해서 HelloController 클래스는 IHelloService 타입 객체가 필요합니다.

위의 그림에서라면 HelloController에게 HelloService 객체를 전달해 주는 것이 의존성 주입입니다. 이제 HelloController가 HelloService 객체를 사용할 수 있는 방법들을 설명하면서 의존성 주입에 대한 개념을 설명하겠습니다.

---

3) Inversion on Control(제어의 역전) : 객체의 생명주기 관리 및 의존객체의 주입을 컨테이너에게 위임했으므로 객체의 생성 및 소멸의 제어권이 컨테이너에게 있음을 의미합니다.

2.1. 의존성 주입을 사용하지 않는 코드

앞의 Hello 클래스 다이어그램을 코드로 만들어 놓으면 다음과 같습니다. 이 코드는 자바 프로젝트를 생성하고 코드를 작성해도 되고, 스프링 프로젝트에 코드를 작성해도 됩니다. 다만 실행은 자바 애플리케이션으로 해야 합니다.

먼저 Service 인터페이스와 클래스를 작성합니다.

IHelloService.java

```
1 package com.example.myapp.di;
2
3 public interface IHelloService {
4     String sayHello(String name);
5 }
```

HelloService.java

```
1 package com.example.myapp.di;
2
3 public class HelloService implements IHelloService {
4
5     @Override
6     public String sayHello(String name) {
7         System.out.println("HelloService.sayHello() 메서드 실행");
8         String message = "Hello~~~" + name;
9         return message;
10    }
11 }
```

다음 코드는 Service를 사용할 클래스입니다. 이 Controller 클래스는 Service 클래스에 의존합니다.

HelloController.java

```
1 package com.example.myapp.di;
2
3 public class HelloController {
4
5     IHelloService helloService = new HelloService();
6
7     public void hello(String name) {
8         System.out.println("HelloController : " + helloService.sayHello(name));
9     }
10 }
```

필요한 객체를 직접 생성해서 사용함

여러분이 스프링을 배우기 전, 그리고 의존성 삽입의 개념을 배우기 전까지는 HelloController 클래스에서 HelloService 객체를 직접 생성하는 방식으로 코딩했었을 것입니다. 그런데 만일 위 클래스에서 HelloService 클래스가 구현되지 않은 상황이라면 HelloController 클래스에서 HelloService 클래스를 이용하여 객체를 생성하는 코드(new HelloService())를 포함할 수 없을 것입니다. HelloController 클래스는 IHelloService 인터페이스를 이용해 기능을 사용하고 싶어도 HelloService 클래스가 없다면 더이상 어떤 코드도 테스트를 통과할 수 없을 것입니다. 이것은 HelloController 클래스와 HelloService 클래스가 강한 의존관계가 되게 만듭니다. 이런 상태가 되지 않도록 HelloService 클래스가 완성되고 나면 HelloService 객체를 생성하여 HelloController 클래스에게 줄 수 있습니다.

2.2. 의존성 주입을 사용한 코드

앞의 HelloController 클래스를 수정해 보겠습니다.

1) 생성자를 이용한 의존성 주입

생성자를 이용해서 필요한 객체를 전달받을 수 있습니다. 다음은 HelloController 클래스에 생성자를 추가하고 생성자를 이용해 HelloService 객체를 전달하도록 구현했습니다.

HelloController.java

```
 1 package com.example.myapp.di;
 2
 3 public class HelloController {
 4
 5     IHelloService helloService;          객체를 저장할 수 있도록
 6                                          인터페이스로 선언만 함
 7     public HelloController(IHelloService helloService) {
 8         this.helloService = helloService;
 9     }                                    필요한 객체를 전달받을
10                                          수 있도록 생성자를
11     public void hello(String name) {     추가했음
12         System.out.println("HelloController : " + helloService.sayHello(name));
13     }
14 }
```

다음은 main 메서드가 있는 클래스를 작성했습니다.

HelloMain.java

```
1 package com.example.myapp.di;
2
3 public class HelloMain {
4     public static void main(String[] args) {
5         IHelloService helloService = new HelloService();
6         HelloController controller = new HelloController(helloService);
7         controller.hello("홍길동");
8     }
9 }
```

> Service 객체 생성, Controller에게 전달

```
□ Console ※  ▦ Progress  ▦ Problems  ◆ @Rec
<terminated> HelloMain [Java Application] C:\Program
HelloService.sayHello() 메서드 실행
HelloController : Hello~~~홍길동
```

HelloMain 클래스에서 HelloService 객체를 생성하고 이것을 HelloController 클래스의 생성자 인자로 전달하여 HelloController 객체를 생성했습니다. 이렇게 하면 HelloController에게 HelloService 객체를 전달할 수 있습니다. 이렇게 생성자를 이용하여 필요한 객체를 전달(inject)하는 방법을 생성자를 이용한 의존성 주입(Constructor based dependency injection)이라고 합니다.

main 메서드가 있는 클래스를 실행시키려면 Run -> Run As -> Java Application을 이용해야 합니다.

2) setter 메서드를 이용한 의존성 주입

생성자를 구현할 때 전달해야 할 객체가 많을 때 일일이 생성자를 구현하는 것은 매우 번거로운 일입니다. 다음 코드는 의존성 주입을 위해 setter 메서드를 사용한 예입니다.

HelloController.java

```
1 package com.example.myapp.di;
2
3 public class HelloController {
4
5     IHelloService helloService;
6
7     public void setHelloService(IHelloService helloService) {
8         this.helloService = helloService;
9     }
10
11    public void hello(String name) {
12        System.out.println("HelloController : " + helloService.sayHello(name));
13    }
14 }
```

> 객체를 저장할 수 있도록 인터페이스로 선언만 함

> 필요한 객체를 전달받을 수 있도록 set 메서드를 추가했음

앞의 코드를 실행시키기 위해 main 메서드가 있는 클래스는 아래와 같이 작성합니다.

HelloMain.java

```
 1 package com.example.myapp.di;
 2
 3 public class HelloMain {
 4     public static void main(String[] args) {
 5         IHelloService helloService = new HelloService();
 6         HelloController controller = new HelloController();
 7         controller.setHelloService(helloService);
 8         controller.hello("홍길동");
 9     }
10 }
```

> Service 객체 생성

> set 메서드 호출해서 객체 전달

```
Console ☒    Progre
<terminated> HelloMain [Java Application] C:\Progra
HelloService.sayHello() 메서드 실행
HelloController : Hello~~~홍길동
```

생성자를 이용한 의존성 주입에서는 생성자의 인자로 의존 객체를 전달했지만, setter 메서드를 이용한 의존성 주입에서는 setter 메서드를 이용하여 의존 객체를 전달합니다. setter 메서드를 이용하여 필요한 객체를 전달(inject)하는 방법을 setter 메서드를 이용한 의존성 주입(Setter based dependency injection)이라고 합니다.

그런데 스프링의 의존성 주입은 어떤 것을 의미할까요? 위의 예제에서 main() 메서드 안의 코드를 보면 HelloService와 HelloController 객체를 만들고 HelloController 객체에 HelloService 객체를 전달하고 있습니다. 이렇게 어떤 인스턴스가 만들어지고 전달되어야 하는지를 설정해 놓은 파일이 있고 이를 기반으로 인스턴스가 만들어지고 의존성 주입되도록 할 수 있다면 좋을 것 같습니다. 이것을 가능하게 해 주는 것이 스프링 프레임워크입니다. 그리고 스프링 프레임워크를 기반으로 만든 애플리케이션은 스프링에 의해 빈들이 만들어지고 관리되기 때문에 스프링 프레임워크는 빈을 관리하는 컨테이너의 역할을 합니다.

스프링 프레임워크는 컨테이너의 역할을 하므로 스프링 컨테이너라고 부르기도 합니다. 스프링은 필요로 하는 빈 들을 생성하여 컨테이너에 넣어 관리합니다. 그렇게 하려면 빈을 생성시키기 위한 설정과 의존 객체를 주입하기 위한 설정이 필요합니다.

다음 절에서는 스프링 프레임워크의 의존성 주입을 알아보겠습니다. 여러분은 스프링 의존성 주입을 확실히 이해해야 합니다. 스프링 의존성 주입은 스프링의 핵심 기능이기 때문입니다.

3. 스프링의 의존성 주입

스프링의 의존성 주입은 XML을 이용한 방법과 Annotation(아노테이션)을 이용한 방법, 그리고 자바 클래스(Config 파일)를 이용한 방법이 있습니다.

3.1. XML을 이용한 의존성 주입

XML을 이용한 의존성 주입은 다시 생성자를 이용한 의존성 주입 설정 방법과 setter 메서드를 이용한 의존성 주입 설정 방법이 있습니다. 그래서 XML을 이용해 의존성을 주입하기 위해서는 클래스에 생성자 또는 setter 메서드를 추가해야 합니다.

1) 설정 파일 추가

프로젝트의 src/main/resources에서 마우스 오른쪽 클릭 메뉴의 New > Spring Bean Configuration File 메뉴를 선택하고 스프링 설정 파일을 추가하세요. 이 메뉴는 Spring 퍼스펙티브를 선택하면 보입니다.

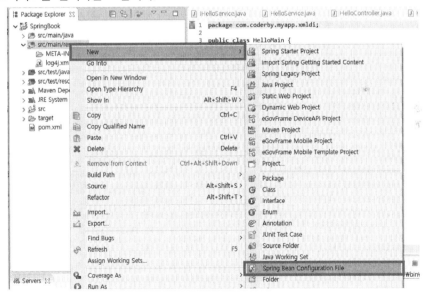

그림 2. 스프링 설정 파일 추가(New > Spring Bean Configuration File)

● Spring Legacy Project는 스프링 설정 파일이 자동으로 만들어집니다. 스프링 설정 파일의 기본 위치는 src/main/webb/WEB-INF/spring/root-context.xml이지만 지금은 새로운 파일을 만들어 사용합니다.

설정 파일 이름을 입력하고 [Finish]버튼을 클릭하세요. 파일명은 application-config.xml
파일로 하세요.

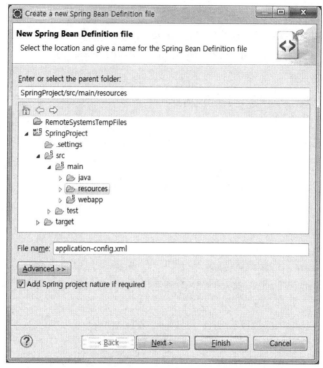

그림 3. 스프링 설정 파일 추가(application-config.xml)

프로젝트에 추가된 설정 파일은 xml 파일입니다. 이 파일에 빈(bean)들을 정의하고 빈들
의 의존성을 설정합니다.

그림 4. application-config.xml 파일

2) 빈 설정

스프링에는 빈이 스프링 IoC 컨테이너에 의해 관리되며, 이는 애플리케이션의 중추가 됩니다. 스프링은 설정 파일을 통해 인스턴스화하고 관리할 수 있습니다. 스프링을 IoC 컨테이너라고 부르는 이유가 여기에 있습니다. 스프링은 프레임워크이면서 동시에 컨테이너의 역할을 합니다. 빈을 생성하고 소멸하기까지 생명주기를 관리하기 위해 빈을 컨테이너에 로드하여 관리합니다. ⟨bean⟩ 태그를 사용한 XML 기반의 스프링 빈 설정 파일을 통해 인스턴스들을 관리 할 수 있습니다.

⟨bean⟩ 태그는 자바 객체를 정의합니다. 다음 표는 ⟨bean⟩ 태그의 주요 속성들입니다.

표 2. ⟨bean⟩ 태그의 주요 속성들

속성	설명
name 또는 id	이 속성은 bean 고유 식별자를 지정합니다. XML 기반 설정에서 id또는 name 속성을 사용하여 bean 식별자를 지정합니다.
class	이 속성은 필수이며 빈을 작성하는 데 사용할 클래스를 지정합니다. 패키지 이름을 포함한 클래스 이름을 지정해야 합니다.
scope	이 속성은 특정 빈 정의에서 생성된 객체의 범위를 지정합니다. 범위 값은 prototype, singleton, request, session이 될 수 있습니다. 기본값은 singleton이며 빈이 항상 하나만 생성되도록 합니다. prototype은 빈을 요청할 때마다 매번 새로운 객체를 생성하여 반환합니다. request와 session은 WebApplicationContext를 사용할 때 적용됩니다.
lazy-init	스프링 컨테이너가 구동되는 시점[4])이 아닌 해당 빈이 사용되는 시점에 인스턴스를 생성하도록 합니다. 속성의 값은 true 또는 false입니다.
init-method	인스턴스를 생성한 후 init-method 속성에 지정한 메서드를 실행합니다.
destroy-method	스프링 컨테이너가 빈을 삭제하기 직전 destroy-method 속성에 지정한 메서드를 실행합니다.

다음 코드는 스프링 설정 파일에 HelloService 클래스의 빈을 생성하기 위한 설정입니다.

application-config.xml

```
1 <?xml version="1.0" encoding="UTF-8"?>
2 <beans xmlns="http://www.springframework.org/schema/beans"
3     xmlns:xsi="http://www.w3.org/2001/XMLSchema-instance"
4     xsi:schemaLocation="http://www.springframework.org/schema/beans
  http://www.springframework.org/schema/beans/spring-beans.xsd">
5
6     <bean id="helloService" class="com.example.myapp.di.HelloService"/>
7     <!-- HelloSerivce helloService = new HelloService();와 같음 -->
8 </beans>
```

---

4) 스프링은 Pre-loading 방식을 사용합니다. 즉, ApplicationContext를 이용하여 컨테이너를 구동하면 컨테이너가 구동되는 시점에 스프링 설정 파일에 등록된 빈들 생성하고 컨테이너에 로드합니다.

3) 스프링 컨텍스트

스프링의 컨텍스트 클래스들은 객체를 생성하고 관리하는 컨테이너의 기능을 합니다. 컨테이너로부터 빈을 찾기 위해서는 컨텍스트가 있어야 합니다. 스프링의 컨텍스트는 BeanFactory 인터페이스를 구현한 클래스들과 이를 상속한 ApplicationContext 인터페이스를 구현한 클래스들로 나뉩니다. BeanFactory 인터페이스를 구현한 클래스들은 Lazy Loading 방식을 사용하기 때문에 클라이언트의 요청 시 빈이 생성되고 설정 파일에 등록된 빈을 생성하고 관리하는 기본적인 컨테이너 기능만 제공합니다. ApplicationContext는 Pre-Loading 방식을 사용하며, 빈을 생성하고 관리하는 기능 외에 트랜잭션 관리, 국제화 처리 등 많은 기능을 제공합니다.

다음 클래스 다이어그램은 컨텍스트 인터페이스와 클래스들의 상속도입니다. 실제 ApplicationContext를 구현한 클래스들은 매우 많습니다. 아래 다이어그램에 나타낸 컨텍스트들은 자주 사용되는 컨텍스트들만 표현한 것입니다.

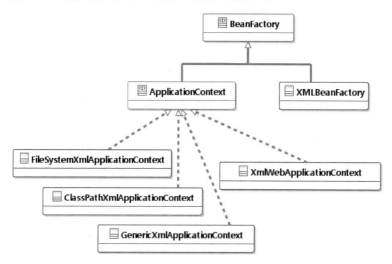

그림 6. 스프링 컨텍스트 상속관계

FileSystemXmlApplicationContext는 파일시스템 경로에 있는 XML 설정 파일을 로딩하는 컨테이너이며, ClassPathXmlApplicationContext는 클래스패스 경로에 있는 XML 설정 파일을 로딩하는 컨테이너입니다. GenericXmlApplicationContext는 파일시스템 경로에 있는 XML 설정 파일뿐만 아니라 클래스패스 경로에 있는 XML 파일을 로딩시킬 수 있습니다. 클래스파일 경로에 있는 XML 문서를 지정할 때에는 classpath: 접두어를 파일의 경로 앞에 붙이세요. XmlWebApplicationContext는 웹 애플리케이션 개발에 사용되지만 직접 생성하지는 않는 컨텍스트입니다.

다음은 위의 클래스 중에서 GenericXmlApplicationContext를 이용하여 컨텍스트를 생성하는 코드입니다.

HelloMain.java

```
1  package com.example.myapp.di;
2
3  import org.springframework.context.support.AbstractApplicationContext;
4  import org.springframework.context.support.GenericXmlApplicationContext;
5
6  public class HelloMain {
7
8      public static void main(String[] args) {
9          AbstractApplicationContext context =
10                 new GenericXmlApplicationContext("application-config.xml");
11
12         context.close();
13     }
14
15 }
```

다음은 위 메인 클래스를 실행시켰을 때 출력되는 로그입니다. 컨텍스트를 생성하는 것만으로 클래스패스 경로에 있는 application-config.xml 파일을 로드하여 helloService 빈을 싱글톤으로 인스턴스화하는 로그를 볼 수 있습니다. 마찬가지로 context.close() 메서드 호출로 인해 helloService 빈이 소멸되는 로그를 볼 수 있습니다.

```
INFO : org.springframework.beans.factory.xml.XmlBeanDefinitionReader - Loading XML
bean definitions from class path resource [application-config.xml]
INFO : org.springframework.context.support.GenericXmlApplicationContext -
Refreshing
org.springframework.context.support.GenericXmlApplicationCon[            ]p
date [Tue Jul 11 00:06:41 KST 2017]; root of context hierarc
INFO : org.springframework.beans.factory.support.DefaultListableBeanFactory -
Pre-instantiating singletons in
org.springframework.beans.factory.support.De                         25790e:
defining beans [helloService]; root of facto
INFO : org.springframework.context.support.G                    - Closing
org.springframework.context.support.GenericXmlApplicationContext@3581c5f3: startup
date [Tue Jul 11 00:06:41 KST 2017]; root of context hierarchy
INFO : org.springframework.beans.factory.support.DefaultListableBeanFactory -
Destroying singletons in
org.springframework.beans.factory.support.DefaultListableBeanFactory@7225790e:
defining beans [helloService]; root of factory hierarchy
```

클래스패스에 있는 XML 설정 파일을 불러옴

helloService 빈을 미리 만듦 (항상 1개만 만들어지도록 싱글톤으로 만듦)

4) 생성자를 이용한 의존성 주입

컨트롤러 클래스에 서비스 클래스의 인스턴스를 전달해 주기 위해 컨트롤러 클래스에 생성자를 추가합니다. 그러면 스프링은 설정 파일에서 생성자를 이용한 의존성 주입을 할 수 있습니다.

다음 코드는 컨트롤러 클래스에 생성자를 추가한 코드입니다.
HelloController.java

```
1 package com.example.myapp.di;
2
3 public class HelloController {
4
5     IHelloService helloService;
6
7     public HelloController(IHelloService helloService) {
8         this.helloService = helloService;
9     }
10
11    public void hello(String name) {
12        System.out.println("실행 결과 : " + helloService.sayHello(name));
13    }
14 }
```

스프링 설정 파일에 HelloController 클래스의 빈을 정의할 때 〈constructor-arg〉태그를 이용하여 의존성을 주입할 수 있습니다.
application-config.xml

```
1 <?xml version="1.0" encoding="UTF-8"?>
2 <beans xmlns="http://www.springframework.org/schema/beans"
3     xmlns:xsi="http://www.w3.org/2001/XMLSchema-instance"
4     xsi:schemaLocation="http://www.springframework.org/schema/beans
  http://www.springframework.org/schema/beans/spring-beans.xsd">
5
6     <bean id="helloService" class="com.example.myapp.di.HelloService"/>
7
8     <bean id="helloController" class="com.example.myapp.di.HelloController">
9         <constructor-arg ref="helloService"/>
10    </bean>
11 </beans>
```

〈constructor-arg〉 태그의 ref 속성은 의존성 주입할 다른 빈의 아이디를 지정합니다. 위 코드에서는 helloController 빈은 helloService 빈을 의존성 주입하도록 설정해야 합니다. 위 코드에서 ref 속성의 값인 helloService인 것은 빈의 아이디가 helloService로 정의돼 있는 빈을 찾도록 합니다.

코드를 테스트하기 위한 메인 클래스는 다음과 같습니다.

HelloMain.java

```
 1 package com.example.myapp;
 2
 3 import org.springframework.context.support.AbstractApplicationContext;
 4 import org.springframework.context.support.GenericXmlApplicationContext;
 5
 6 public class HelloMain {
 7     public static void main(String[] args) {
 8         AbstractApplicationContext context =
 9                 new GenericXmlApplicationContext("application-config.xml");
 9         HelloController controller =
 9                 context.getBean("helloController", HelloController.class);
10         controller.hello("JinKyoung");
11         context.close();
12     }
13 }
```

main() 메서드에서 컨트롤러 빈을 찾기 위해 getBean() 메서드를 이용했습니다. getBean() 메서드는 컨텍스트로부터 해당 빈을 찾아 반환합니다. 위 코드에서 9라인은 다음과 같이 작성할 수 있습니다.

```
 9        HelloController controller = context.getBean(HelloController.class);
```

● getBean(Class<T> requiredType) : T 메서드를 이용하면 메서드 인자로 지정한 유형 의 객체가 컨텍스트에 하나만 있을 때 해당 빈을 찾아 줍니다.

위 코드를 실행한 결과는 다음과 같습니다.

```
INFO : org.springframework.beans.factory.xml.XmlBeanDefinitionReader - Loading XML bean
definitions from class path resource [application-config.xml]
INFO : org.springframework.context.support.GenericXmlApplicationContext - Refreshing
org.springframework.context.support.GenericXmlApplicationContext@3581c5f3: startup date [Wed Jul
26 20:09:46 KST 2017]; root of context hierarchy
INFO : org.springframework.beans.factory.support.DefaultListableBeanFactory - Pre-instantiating
singletons in org.springframework.beans.factory.support.DefaultListableBeanFactory@52af6cff:
defining beans [helloService,helloController]; root of factory hierarchy
HelloService.sayHello() 메서드 실행
HelloController : Hello~~~JinKyoung
INFO : org.springframework.context.support.GenericXmlApplicationContext - Closing
org.springframework.context.support.GenericXmlApplicationContext@3581c5f3: startup date [Wed Jul
26 20:09:46 KST 2017]; root of context hierarchy
INFO : org.springframework.beans.factory.support.DefaultListableBeanFactory - Destroying
singletons in org.springframework.beans.factory.support.DefaultListableBeanFactory@52af6cff:
defining beans [helloService,helloController]; root of factory hierarchy
```

그림 7. 생성자 기반 의존성 주입 실행 결과

생성자에 전달하는 인수의 타입이 문자열(String)이거나 기본 데이터 타입일 때 value 속성을 이용합니다.

다음 코드는 생성자의 인자로 문자열을 전달받는 클래스의 예입니다.

```java
public class BasicDataSource implements DataSource {
    private String driverClassName;
    private String url;
    public DataSource(String driverClassName, String url) {
        this.driverClassName = driverClassName;
        this.url = url;
    }
    ... 생략 ...
}
```

생성자가 위 코드와 같이 문자열을 입력받아야 할 때 <constructor-arg>태그에 value 속성을 통하여 값을 전달합니다.

```xml
<bean id="dataSource" class="com.example.myapp.database.BasicDataSource">
    <constructor-arg value="oracle.jdbc.OracleDriver"/>
    <constructor-arg value="jdbc:oracle:thin:@localhost:1521:xe"/>
</bean>
```

<constructor-arg>태그의 index 속성을 이용하여 생성자에 전달할 인자의 순서를 명확히 할 수 있습니다. 위 코드는 다음과 같이 index 속성을 지정할 수 있습니다. index는 0부터 시작합니다.

```xml
<bean id="dataSource" class="com.example.myapp.database.BasicDataSource">
    <constructor-arg index="1" value="jdbc:oracle:thin:@localhost:1521:xe"/>
    <constructor-arg index="0" value="oracle.jdbc.OracleDriver"/>
</bean>
```

<constructor-arg> 태그의 속성으로 name 속성과 type 속성을 사용할 수 있습니다. name 속성은 생성자 파라미터 변수의 정확한 이름을 지정합니다. name 속성은 두 파라미터 변수가 같은 타입일 때 모호성을 피하고자 사용합니다. type 속성은 단일 인자를 갖는 생성자가 모두 String 타입으로 변환되는 모호함을 해결하기 위해 사용합니다. 아마도 여러분은 이 두 속성을 사용할 일은 없을 것입니다.

생성자의 인자로 전달하는 객체가 null일 때는 <null/> 태그를 이용합니다.

```xml
<constructor-arg>
    <null/>
</constructor-arg>
```

5) setter 메서드를 이용한 의존성 주입

의존성을 주입할 객체가 많을 때 클래스에 생성자를 중복 선언하는 것은 부담스러운 일입니다. 클래스에 set 메서드[5]를 선언하고 스프링 설정 파일에서 〈property〉 태그를 이용하여 의존 객체를 주입시킬 수 있습니다. set 메서드를 사용할 때는 기본생성자 외에 다른 생성자를 정의해서는 안 됩니다.

다음 코드는 set 메서드를 추가한 클래스입니다. 앞에서 작성한 HelloController 클래스에서 생성자를 주석처리하고 set 메서드를 추가했습니다. 코드에서 취소 선이 표시된 생성자는 삭제하거나 주석처리 하면 됩니다.

HelloController.java

```
1 package com.example.myapp.di;
2
3 public class HelloController {
4
5     IHelloService helloService;
6
7 // public HelloController(IHelloService helloService) {
8 //     this.helloService = helloService;
9 // }
10
11     public void setHelloService(IHelloService helloService) {
12         this.helloService = helloService;
13     }
14
15     public void hello(String name) {
16         System.out.println("실행 결과 : " + helloService.sayHello(name));
17     }
18 }
```

위 컨트롤러 클래스는 서비스 객체가 필요합니다. set 메서드를 이용한 의존성을 주입하기 위한 스프링 설정 파일의 태그는 〈property〉 태그입니다.
〈property〉 태그의 속성은 name, ref, value가 있습니다.
  - name 속성은 의존성 주입을 할 빈의 고유 이름을 지정합니다.
  - ref 속성은 의존성을 주입할 객체의 이름을 지정합니다.
  - value 속성은 값을 지정합니다.

---

[5] setter 메서드라고 부르며, 멤버변수의 값을 설정하기 위해 정의합니다. set 메서드의 리턴타입은 void 이며, 메서드 이름은 변수의 이름 첫 문자를 대문자로 하여 이름 앞에 set을 붙이면 됩니다. 예를 들면 변수 이름이 name이면 메서드 이름은 setName이 되고, 변수 이름이 hireDate 이면 메서드 이름은 setHireDate 가 됩니다.

다음 코드는 생성자를 이용한 의존성 주입을 위한 설정은 주석처리 했습니다. 그리고 ⟨property⟩ 태그를 이용하여 helloController 빈에게 필요한 helloService 빈을 설정한 예입니다. 취소 선이 표시된 부분은 삭제하거나 주석처리 하세요.

application-config.xml

```
1  <?xml version="1.0" encoding="UTF-8"?>
2  <beans xmlns="http://www.springframework.org/schema/beans"
3      xmlns:xsi="http://www.w3.org/2001/XMLSchema-instance"
4      xsi:schemaLocation="http://www.springframework.org/schema/beans
   http://www.springframework.org/schema/beans/spring-beans.xsd">
5
6      <bean id="helloService" class="com.example.myapp.di.HelloService"/>
7
8      <!--
9      <bean id="helloController" class="com.example.myapp.di.HelloController">
10         <constructor-arg ref="helloService"/>
11     </bean>
12     -->
13
14     <bean id="helloController" class="com.example.myapp.di.HelloController">
15         <property name="helloService" ref="helloService"/>
16     </bean>
17 </beans>
```

HelloMain을 실행시키면 출력 결과는 이전의 생성자 기반 의존성 주입의 실행 결과와 같습니다.

```
INFO : org.springframework.beans.factory.xml.XmlBeanDefinitionReader - Loading XML bean
definitions from class path resource [application-config.xml]
INFO : org.springframework.context.support.GenericXmlApplicationContext - Refreshing
org.springframework.context.support.GenericXmlApplicationContext@3581c5f3: startup date [Wed Jul
26 20:15:27 KST 2017]; root of context hierarchy
INFO : org.springframework.beans.factory.support.DefaultListableBeanFactory - Pre-instantiating
singletons in org.springframework.beans.factory.support.DefaultListableBeanFactory@3551a94:
defining beans [helloService,helloController]; root of factory hierarchy
HelloService.sayHello() 메서드 실행
HelloController : Hello~~~JinKyoung
INFO : org.springframework.context.support.GenericXmlApplicationContext - Closing
org.springframework.context.support.GenericXmlApplicationContext@3581c5f3: startup date [Wed Jul
26 20:15:27 KST 2017]; root of context hierarchy
INFO : org.springframework.beans.factory.support.DefaultListableBeanFactory - Destroying
singletons in org.springframework.beans.factory.support.DefaultListableBeanFactory@3551a94:
defining beans [helloService,helloController]; root of factory hierarchy
```

그림 8. setter 기반 의존성 주입 실행 결과

의존성 주입할 타입이 String 이거나 기본 데이터 타입일 때 ⟨property⟩ 태그에 value 속성을 이용하여 값을 지정합니다.

다음 코드는 setter 메서드를 이용하여 멤버변수의 값을 설정하는 전달받는 클래스의 예입니다.

```java
public class BasicDataSource implements DataSource {
    private String driverClassName;
    private String url;

    public void setDriverClassName(String driverClassName) {
        this.driverClassName = driverClassName;
    }

    public void setUrl(String url) {
        this.url = url;
    }
    ... 생략 ...
}
```

〈property〉 태그에 value 속성을 이용하여 String 타입 또는 기본 데이터타입에 대한 의존성을 주입시킬 수 있습니다.

```xml
<bean id="dataSource" class="com.example.myapp.database.BasicDataSource">
    <property name="driverClassName" value="oracle.jdbc.OracleDriver"/>
    <property name="url" value="jdbc:oracle:thin:@localhost:1521:xe"/>
</bean>
```

6) p 네임스페이스

Setter 의존성 주입을 사용할 때 p 네임스페이스를 이용하여 bean 태그의 속성으로 의존성 주입 설정을 할 수 있습니다. p 네임스페이스를 사용하기 위해 스프링 설정 파일 편집기의 Namespaces 탭에서 p 네임스페이스를 선택합니다. p 네임스페이스는 별도의 스키마(XSD) 파일이 없습니다. 그러므로 네임스페이스만 선언하고 사용할 수 있습니다.

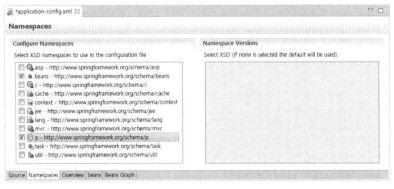

그림 9. p 네임스페이스 추가

p 네임스페이스를 이용하여 의존성을 주입할 때 속성의 이름과 값을 다음 형식처럼 사용합니다.

```
p: 변수명-ref="빈이름"
```

String 타입과 기본 데이터타입들은 다음 형식처럼 사용합니다.

```
p: 변수명="값"
```

setter 의존성 주입에 사용했던 스프링 설정 파일을 p 네임스페이스를 이용하여 수정하면 다음과 같습니다.

application-config.xml

```
 1 <?xml version="1.0" encoding="UTF-8"?>
 2 <beans xmlns="http://www.springframework.org/schema/beans"
 3     xmlns:xsi="http://www.w3.org/2001/XMLSchema-instance"
 4     xmlns:p="http://www.springframework.org/schema/p"
 5     xsi:schemaLocation="http://www.springframework.org/schema/beans
   http://www.springframework.org/schema/beans/spring-beans.xsd">
 6
 7     <bean id="helloService"
   class="com.example.myapp.hello.service.HelloService"/>
 8
 9     <bean id="helloController" p:helloService-ref="helloService"
         class="com.example.myapp.hello.controller.HelloController">
10     </bean>
11 </beans>
```

7) 컬렉션 타입 의존성 설정

의존성 주입해야 할 멤버변수의 타입이 배열, 컬렉션 타입 등일 때도 스프링 설정 파일을 통해 의존성 주입을 할 수 있습니다.

클래스가 다음처럼 List, Set, Map, Properties 타입 속성들을 가지고 있을 때 스프링 설정 파일에서 어떻게 의존성 주입을 하는지 알아보겠습니다.

```
import java.util.*;

public class Customer {
    private List<Object> lists;
    private Set<Object> sets;
    private Map<String, Object> maps;
    private Properties props;
    ... 생략 ...
}
```

스프링 설정 파일에 의존성 주입을 할 때 List 타입 또는 배열 타입은 〈list〉 태그를 사용합니다. Set 타입은 〈set〉 태그를 이용하고, Map 타입은 〈map〉 태그 그리고 Properties 타입은 〈props〉 태그를 이용합니다.

다음 표는 스프링의 태그들과 이 태그들이 지원하는 타입들을 보여줍니다.

표 3. 컬렉션타입 의존성 설정을 위한 태그들

태그	타입
〈list〉	java.util.List 또는 배열
〈set〉	java.util.Set
〈map〉	java.util.Map
〈props〉	java.util.Properties

◆ 〈list〉

배열 또는 List 타입 속성들을 의존성 주입하려면 〈list〉 태그를 사용합니다. 〈list〉 태그는 〈value〉, 〈ref〉 그리고 〈bean〉 태그를 자식 태그로 가질 수 있습니다.
 - 〈value〉 태그는 List가 가질 데이터의 타입이 String이거나 기본 자료형일 경우 사용합니다.
 - 〈ref〉 태그는 List가 이미 정의돼 있는 다른 빈을 가질 때 사용합니다.
 - 〈bean〉 태그를 이용하면 미리 정의돼 있는 빈이 아닌 새로운 빈을 직접 정의해 사용할 수 있습니다.

다음은 List 타입 속성에 〈list〉 태그를 이용하여 여러 객체를 전달하는 예입니다.

```
<property name="lists">
    <list>
        <value>1</value>
        <ref bean="personBean"/>
        <bean class="com.example.myapp.member.Person">
            <property name="name" value="HyunJeong"/>
            <property name="age" value="12"/>
        </bean>
    </list>
</property>
```

◈ ⟨set⟩

Set 타입 속성에 의존성 주입하려면 ⟨set⟩ 태그를 사용합니다. ⟨set⟩ 태그는 ⟨value⟩, ⟨ref⟩ 그리고 ⟨bean⟩ 태그를 자식 태그로 가질 수 있습니다.

- ⟨value⟩ 태그는 Set이 가져야 할 데이터의 타입이 String이거나 기본 자료형일 경우 사용합니다.
- ⟨ref⟩ 태그는 Set이 이미 정의돼 있는 다른 빈을 가져야 할 때 사용합니다.
- ⟨bean⟩ 태그를 이용하면 미리 정의돼 있는 빈이 아닌 새로운 빈을 직접 정의해 사용할 수 있습니다.

```
<property name="sets">
    <set>
        <value>2</value>
        <ref bean="personBean"/>
        <bean class="com.example.myapp.member.Person">
            <property name="name" value="HyunJun"/>
            <property name="age" value="11"/>
        </bean>
    </set>
</property>
```

◈ ⟨map⟩

Map 타입 속성에 의존성 주입하려면 ⟨map⟩ 태그를 사용합니다. Map은 Key와 Value 를 가져야 하므로 Key, Value 쌍을 함께 지정해 줘야 합니다. 이때 사용하는 태그가 ⟨entry⟩ 태그입니다. ⟨entry⟩ 태그는 key 속성으로 Map 데이터의 key를 지정합니다. Map의 value가 String 또는 기본 자료형이면 value 속성을 이용하며, 다른 빈을 참조해 야 할 때 value-ref 속성을 사용합니다. 맵의 엔트리가 새로운 객체를 정의해서 값으로 가 져야 한다면 ⟨entry⟩ 태그 안에 ⟨bean⟩ 태그를 사용할 수 있습니다.

다음은 ⟨map⟩ 태그를 이용하여 Map 타입 속성에 의존성을 주입한 예입니다.

```
<property name="maps">
    <map>
        <entry key="Key1" value="3"/>
        <entry key="Key2" value-ref="personBean"/>
        <entry key="Key3">
            <bean class="com.example.myapp.member.Person">
                <property name="name" value="HyunSoo"/>
                <property name="age" value="8"/>
            </bean>
        </entry>
    </map>
</property>
```

◈ 〈props〉

클래스의 변수가 Properties 타입으로 정의되어 있다면 스프링 설정 파일에서 〈props〉
태그를 이용합니다. 〈props〉 태그는 〈prop〉 태그를 자식 태그로 갖습니다.
 - 〈prop〉 태그를 이용하여 프로퍼티 항목을 설정합니다. 프로퍼티의 키는 〈prop〉 태그
   의 key 속성을 이용하며 프로퍼티 값은 〈prop〉 태그의 내용에 지정합니다.

다음은 〈props〉 태그를 이용하여 Properties 타입 속성에 의존성을 주입한 예입니다.

```
<property name="props">
    <props>
        <prop key="webmaster">webmaster@example.com</prop>
        <prop key="support">support@example.com</prop>
    </props>
</property>
```

◈ 예제 코드

다음 〈list〉, 〈set〉, 〈map〉, 〈props〉 태그들을 테스트하기 위한 코드입니다. Person 클
래스는 name, age 속성을 갖습니다.

Person.java

```java
1 package com.example.myapp;
2
3 public class Person {
4     private String name;
5     private int age;
6     public String getName() {
7         return name;
8     }
9     public void setName(String name) {
10        this.name = name;
11    }
12    public int getAge() {
13        return age;
14    }
15    public void setAge(int age) {
16        this.age = age;
17    }
18    @Override
19    public String toString() {
20        return "Person [name=" + name + ", age=" + age + "]";
21    }
22 }
```

Customer 객체는 List, Set, Map 그리고 Properties 타입 속성을 가지고 있습니다.

Customer.java

```
1 package com.example.myapp;
2
3 import java.util.List;
4 import java.util.Map;
5 import java.util.Properties;
6 import java.util.Set;
7
8 public class Customer {
9     private List<Object> lists;
10    private Set<Object> sets;
11    private Map<String, Object> maps;
12    private Properties props;
13
14    public List<Object> getLists() {
15        return lists;
16    }
17    public void setLists(List<Object> lists) {
18        this.lists = lists;
19    }
20    public Set<Object> getSets() {
21        return sets;
22    }
23    public void setSets(Set<Object> sets) {
24        this.sets = sets;
25    }
26    public Map<String, Object> getMaps() {
27        return maps;
28    }
29    public void setMaps(Map<String, Object> maps) {
30        this.maps = maps;
31    }
32    public Properties getProps() {
33        return props;
34    }
35    public void setProps(Properties props) {
36        this.props = props;
37    }
38
39    @Override
40    public String toString() {
41        return "Customer [lists=" + lists + ", sets=" + sets + ", maps=" + maps
    + ", props=" + props + "]";
42    }
43
44 }
```

설정 파일에서 Person 빈과 Customer 빈을 정의합니다. Person 빈에는 name과 age 파라미터에 의존성 주입합니다. Customer 빈에는 List<Object>, Set<Object>, Map<String, Object> 그리고 Properties 타입 속성의 값을 지정해야 합니다. List<Object> 타입 속성에는 1, personBean 그리고 Person 타입 인스턴스를 갖도록 의존성 주입합니다. Set<Object> 타입 속성에는 2, personBean, 그리고 Person 타입 인스턴스를 갖도록 의존성 주입합니다. Map<String, Object> 타입 속성에는 (Key1, 3), (Key2, personBean), (Key3, Person 타입 인스턴스)를 갖도록 의존성 주입합니다. 마지막으로 Properties 타입 속성에는 webmaster의 이메일 주소와 support 이메일 주소를 갖도록 합니다.

application-config.xml

```
1  <?xml version="1.0" encoding="UTF-8"?>
2  <beans xmlns="http://www.springframework.org/schema/beans"
3     xmlns:xsi="http://www.w3.org/2001/XMLSchema-instance"
4     xsi:schemaLocation="http://www.springframework.org/schema/beans
   http://www.springframework.org/schema/beans/spring-beans.xsd">
5
6     <bean id="personBean" class="com.example.myapp.Person">
7        <property name="name" value="JinKyoung"/>
8        <property name="age" value="30"/>
9     </bean>
10
11    <bean id="customer" class="com.example.myapp.Customer">
12       <property name="lists">
13          <list>
14             <value>1</value>
15             <ref bean="personBean"/>
16             <bean class="com.example.myapp.Person">
17                <property name="name" value="HyunJeong"/>
18                <property name="age" value="18"/>
19             </bean>
20          </list>
21       </property>
22
23       <property name="sets">
24          <set>
25             <value>2</value>
26             <ref bean="personBean"/>
27             <bean class="com.example.myapp.Person">
28                <property name="name" value="HyunJun"/>
29                <property name="age" value="17"/>
30             </bean>
31          </set>
32       </property>
33
34       <property name="maps">
```

```
35              <map>
36                  <entry key="Key1" value="3"/>
37                  <entry key="Key2" value-ref="personBean"/>
38                  <entry key="Key3">
39                      <bean class="com.example.myapp.Person">
40                          <property name="name" value="HyunSoo"/>
41                          <property name="age" value="14"/>
42                      </bean>
43                  </entry>
44              </map>
45          </property>
46
47          <property name="props">
48              <props>
49                  <prop key="webmaster">webmaster@example.com</prop>
50                  <prop key="support">support@example.com</prop>
51              </props>
52          </property>
53      </bean>
54  </beans>
```

메인에서 Customer 빈을 찾아 출력해 봅니다.

CustomerMain.java

```
1  package com.example.myapp;
2
3  import org.springframework.context.support.AbstractApplicationContext;
4  import org.springframework.context.support.GenericXmlApplicationContext;
5
6  public class CustomerMain {
7      public static void main(String[] args) {
8          AbstractApplicationContext context =
                  new GenericXmlApplicationContext("application-config.xml");
9          Customer cust = context.getBean(Customer.class);
10         System.out.println(cust);
11     }
12 }
```

다음은 실행 결과입니다.

```
INFO : org.springframework.beans.factory.xml.XmlBeanDefinitionReader - Loading XML bean
definitions from class path resource [application-config.xml]
INFO : org.springframework.context.support.GenericXmlApplicationContext - Refreshing
org.springframework.context.support.GenericXmlApplicationContext@3581c5f3: startup date [Wed Jul
26 20:25:45 KST 2017]; root of context hierarchy
INFO : org.springframework.beans.factory.support.DefaultListableBeanFactory - Pre-instantiating
singletons in org.springframework.beans.factory.support.DefaultListableBeanFactory@2cb4c3ab:
defining beans [helloService,helloController,personBean,customer]; root of factory hierarchy
Customer [lists=[1, Person [name=JinKyoung, age=30], Person [name=HyunJeong, age=12]], sets=[2,
Person [name=JinKyoung, age=30], Person [name=HyunJun, age=11]], maps={Key1=3, Key2=Person
[name=JinKyoung, age=30], Key3=Person [name=HyunSoo, age=8]}, props={support=support@coderby.com,
webmaster=webmaster@coderby.com}]
```

그림 10. 컬렉션 타입 의존성 실행 결과

8) prototype과 singleton

스프링 컨테이너는 빈을 생성할 때 컨테이너에 클래스당 한 개의 인스턴스만 생성합니다. 클래스에 싱글톤(singleton) 디자인 패턴을 적용하지 않아도 한 개 인스턴스만 생성합니다. 스프링의 싱글톤 패턴은 자바의 클래스에 싱글톤 패턴을 적용하여 구현하지 않습니다. 스프링에서는 싱글톤 레지스트리를 이용해서 일반 클래스도 싱글톤처럼 관리해 주는 방식을 제공합니다.

스프링은 〈bean〉 태그의 scope 속성을 이용하여 빈이 싱글톤으로 생성되게 할지 아니면 요청할 때마다 생성되게 할지 설정할 수 있습니다.

다음 표는 〈bean〉 태그의 scope 속성의 값에 대한 설명입니다.

표 4. 〈bean〉 태그의 scope 속성

scope 속성 값	설명
singleton	컨테이너에 한 개의 인스턴스만 생성합니다. 기본값입니다.
prototype	빈을 요청할 때마다 인스턴스를 생성합니다.
thread	스레드별로 생성되며, 현재 실행중인 스레드에 종속됩니다. 스레드가 죽으면 빈도 소멸됩니다.
request	HTTP 요청마다 빈 객체를 생성합니다. WebApplicationContext에서만 적용됩니다.
session	HTTP 세션마다 빈 객체를 생성합니다. WebApplicationContext에서만 적용됩니다.
application	Singleton 스코프와 유사합니다. 다만 이 스코프에 해당하는 빈은 java.servlet.ServletContext에도 등록됩니다.
globalSession	글로벌 HTTP 세션에 대한 빈 객체를 생성합니다. 포틀릿(Portlet)[6]을 지원하는 컨텍스트에만 적용 가능합니다. 글로벌 세션이 없으면 세션 스코프와 기능이 같습니다.

singleton과 prototype의 차이를 알아보기 위해 앞 2.1.7의 예제 코드에서 메인 메서드를 수정하여 실행해 보세요. 메인 코드에서 personBean 객체 두 개를 getBean() 메서드로 전달받아 두 객체의 동등 비교를 해 보며 두 객체의 동등 여부를 확인할 수 있습니다.

CustomerMain.java

```
1 package com.example.myapp;
2
3 import org.springframework.context.support.AbstractApplicationContext;
4 import org.springframework.context.support.GenericXmlApplicationContext;
5
6 public class CustomerMain {
```

---

6) 포틀릿은 복합페이지의 컨텍스트 내에 결집되기 위해 특별히 고안된 웹컴포넌트입니다.

```
 7    public static void main(String[] args) {
 8        AbstractApplicationContext context =
                new GenericXmlApplicationContext("application-config.xml");
 9        Person person1 = context.getBean(Person.class);
10        Person person2 = context.getBean(Person.class);
11        System.out.println(person1 == person2);
12    }
13 }
```

위 코드의 실행 결과는 true입니다.

```
INFO : org.springframework.beans.factory.xml.XmlBeanDefinitionReader - Loading XML bean
definitions from class path resource [application-config.xml]
INFO : org.springframework.context.support.GenericXmlApplicationContext - Refreshing
org.springframework.context.support.GenericXmlApplicationContext@3581c5f3: startup date [Wed Jul
26 20:49:00 KST 2017]; root of context hierarchy
INFO : org.springframework.beans.factory.support.DefaultListableBeanFactory - Pre-instantiating
singletons in org.springframework.beans.factory.support.DefaultListableBeanFactory@2cb4c3ab:
defining beans [helloService,helloController,personBean,customer]; root of factory hierarchy
true
```

그림 11. scope="singleton" 결과

그런데 다음 코드처럼 스프링 설정 파일에서 Person 빈을 정의하는 곳에 scope 속성을 추가하고 속성의 값은 prototype으로 설정하세요.

application-config.xml

```
   ... 생략 ...
 6    <bean id="personBean" class="com.example.myapp.Person" scope="prototype">
 7        <property name="name" value="JinKyoung"/>
 8        <property name="age" value="30"/>
 9    </bean>
   ... 생략 ...
```

scope 속성을 prototype으로 설정하고 메인 클래스를 실행시키면 false가 출력됩니다. 그 이유는 scope 속성이 prototype이면 스프링은 빈을 요청할 때마다 생성하기 때문입니다. prototype으로 지정할 때는 빈을 요청한 클라이언트마다 자신의 상태 값을 가져야 할 때입니다.

```
INFO : org.springframework.beans.factory.xml.XmlBeanDefinitionReader - Loading XML bean
definitions from class path resource [application-config.xml]
INFO : org.springframework.context.support.GenericXmlApplicationContext - Refreshing
org.springframework.context.support.GenericXmlApplicationContext@3581c5f3: startup date [Wed Jul
26 20:47:49 KST 2017]; root of context hierarchy
INFO : org.springframework.beans.factory.support.DefaultListableBeanFactory - Pre-instantiating
singletons in org.springframework.beans.factory.support.DefaultListableBeanFactory@2cb4c3ab:
defining beans [helloService,helloController,personBean,customer]; root of factory hierarchy
false
```

그림 12. scope="prototype" 결과

3.2. 아노테이션을 이용한 의존성 주입

1) 네임스페이스 추가 및 설정 파일 수정

XML 파일에 〈bean〉 태그를 이용해
설정하던 빈 생성 및 의존성 설정은 아
노테이션을 이용해서도 할 수 있습니
다. 이를 위해 설정 파일에 컨텍스트
(context) 네임스페이스를 추가해야 합
니다. 임스페이스 추가는 이클립스에서
설정 파일을 열고 화면 아래
[Namespaces] 탭에서 선택하면 간단
히 추가할 수 있습니다.

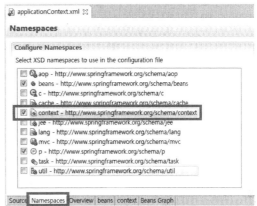

그림 13. context 네임스페이스 추가

네임스페이스를 추가하면 다음과 같이 XML 코드에 네임스페이스가 추가됩니다. 네임스
페이스가 추가되면 〈context:component-scan〉 태그를 이용하여 빈으로 등록될 클래스
들이 있는 패키지를 지정해 줘야 합니다.[7] 상위 패키지를 지정하면 하위 패키지까지 빈으
로 등록될 클래스를 찾습니다.

application-config.xml

```
 1  <?xml version="1.0" encoding="UTF-8"
 2  <beans xmlns="http://www.springframework.org/schema/beans"
 3      xmlns:xsi="http://www.w3.org/2001/XMLSchema-instance"
 4      xmlns:p="http://www.springframework.org/schema/p"
 5      xmlns:context="http://www.springframework.org/schema/context"
 6      xsi:schemaLocation="http://www.springframework.org/schema/beans
    http://www.springframework.org/schema/beans/spring-beans-3.2.xsd
 7      http://www.springframework.org/schema/context
    http://www.springframework.org/schema/context/spring-context-4.3.xsd">
 8
 9      <context:component-scan base-package="com.example.myapp.di"/>
10
11  </beans>
```

---

7) Java Config 파일로 스프링 설정 시 @ComponentScan(basePackages="a.b.c") 아노테이션을 추
   가합니다.

2) 빈 생성

빈 생성을 위한 아노테이션은 다음 네 가지 중 하나를 사용할 수 있습니다.

표 5. 빈 생성 아노테이션

아노테이션	설명
@Component	일반적인 컴포넌트로 등록되기 위한 클래스에 사용합니다. org.springframework.stereotype.Component
@Controller	컨트롤러 클래스에 사용합니다. org.springframework.stereotype.Controller
@Service	서비스 클래스에 사용합니다. org.springframework.stereotype.Service
@Repository	DAO 클래스 또는 리포지토리 클래스에 사용합니다. org.springframework.stereotype.Repository

다음 클래스들은 빈 설정을 위해 클래스 위에 아노테이션이 추가된 클래스들입니다. 빈의 이름은 클래스 이름에서 첫 문자만 소문자로 만들어지고 나머지는 그대로 사용됩니다. 예를 들면 HelloService 클래스의 빈 이름은 helloService입니다.

서비스 클래스는 @Service 아노테이션을 이용합니다.

HelloService.java

```
 1 package com.example.myapp.di;
 2
 3 import org.springframework.stereotype.Service;
 4
 5 @Service
 6 public class HelloService implements IHelloService {
 7
 8     @Override
 9     public String sayHello(String name) {
10         System.out.println("HelloService.sayHello() 메서드 실행");
11         String message = "Hello~~~" + name;
12         return message;
13     }
14 }
```

컨트롤러 클래스는 @Controller 아노테이션을 추가해 줍니다.

HelloController.java

```
 1 package com.example.myapp.di;
 2
 3 import org.springframework.stereotype.Controller;
 4
```

```
 5 @Controller
 6 public class HelloController {
 7
 8     IHelloService helloService;
 9
10     public void hello(String name) {
11         System.out.println("HelloController : " + helloService.sayHello(name));
12     }
13 }
```

설정 파일에 〈context:component-scan〉 태그를 올바르게 설정하였고, 클래스에 빈으로 등록되기 위한 아노테이션을 설정하면 프로젝트의 파일 아이콘이 🗋 모양처럼 'S' 문자가 붙는 것을 확인할 수 있습니다. 이것은 스프링 빈으로 등록이 되었음을 의미합니다.

3) 의존성 주입 설정

의존성 주입에 사용하는 아노테이션은 @Autowired, @Qualifier, @Resource, @Inject 가 있습니다.

표 6. 의존성 설정 아노테이션

아노테이션	설명
@Autowired	타입을 기준으로 의존성 주입을 설정합니다. 같은 타입 빈이 두 개 이상 있으면 변수 이름으로 빈을 찾습니다. org.springframework.beans.factory.annotation.Autowired
@Qualifier	빈의 이름으로 의존성 주입을 설정합니다. @Autowired와 같이 사용해야 합니다. org.springframework.beans.factory.annotation.Qualifier
@Resource	name을 속성을 이용하여 빈의 이름을 직접 지정합니다. JavaSE의 아노테이션입니다. javax.inject.Resource
@Inject	@Autowired와 같습니다. JavaSE의 아노테이션입니다. javax.inject.Inject

● @Autowired를 이용한 의존성 설정

@Autowired 아노테이션은 타입을 기준으로 의존성을 주입해 줍니다. 만일 같은 타입의 빈이 2개 이상 있을 때 변수의 이름과 같은 빈을 찾아 연결합니다.

HelloController.java

```
1 package com.example.myapp.di;
2
3 import org.springframework.beans.factory.annotation.Autowired;
4 import org.springframework.stereotype.Controller;
5
```

```
 6 @Controller
 7 public class HelloController {
 8
 9    @Autowired
10    IHelloService helloService;
   ... 생략 ...
```

● @Qualifier를 이용한 의존성 설정

다음 클래스처럼 IHelloService 인터페이스를 구현한 클래스가 하나 더 추가될 수 있습니다. 그러면 HelloService, NiceService 모두 같은 인터페이스를 구현한 클래스이므로 스프링 컨텍스트 안에 같은 타입 빈 helloService와 niceService가 만들어집니다.

NiceService.java

```
 1 package com.example.myapp.di;
 2
 3 import org.springframework.stereotype.Service;
 4
 5 @Service
 6 public class NiceService implements IHelloService {
 7
 8    @Override
 9    public String sayHello(String name) {
10        System.out.println("NiceService.sayHello() 메서드 실행");
11        String message = "Nice~~~" + name;
12        return message;
13    }
14 }
```

HelloController 클래스에서 HelloService 빈이 아닌 NiceService 빈을 전달하고 싶을 때 다음 코드처럼 @Qualifier[8] 아노테이션을 이용하여 빈의 이름을 지정할 수 있습니다.

HelloController.java

```
   ... 생략 ...
 3 import org.springframework.beans.factory.annotation.Autowired;
 4 import org.springframework.beans.factory.annotation.Qualifier;
   ... 생략 ...
10    @Autowired
11    @Qualifier("niceService")
12    IHelloService helloService;
   ... 생략 ...
```

---

8) org.springframework.beans.factory.annotation.Qualifier

● @Resource를 이용한 의존성 설정

@Resource[9] 아노테이션은 @Autowired와 @Qualifier를 같이 사용하는 것과 같습니다. @Resource 아노테이션은 name 속성을 이용하여 빈의 이름을 직접 지정할 수 있습니다. name 속성을 생략하면 변수의 이름과 같은 빈을 찾습니다. 그런데 만일 여러분이 Java 9버전을 사용한다면 @Resource는 사용할 수 없습니다. 자바 9버전 이상부터 @Resource 아노테이션을 포함하지 않습니다.[10]

HelloController.java

```
   ... 생략 ...
 3 import javax.annotation.Resource;
 4 import org.springframework.stereotype.Controller;
 5
 6 @Controller
 7 public class HelloController {
 8
 9     @Resource(name="niceService")
10     IHelloService helloService
   ... 생략 ...
```

다음 결과는 @Autowired 아노테이션과 @Qualifier 아노테이션을 사용하여 빈의 이름으로 의존성을 주입한 결과입니다. 마찬가지로 @Resource 아노테이션을 이용하여 빈의 이름을 이용한 의존성 주입도 같을 결과를 출력합니다.

```
INFO : org.springframework.beans.factory.xml.XmlBeanDefinitionReader - Loading XML bean definitions from class path
resource [application-config.xml]
INFO : org.springframework.context.annotation.ClassPathBeanDefinitionScanner - JSR-330 'javax.inject.Named' annotation
found and supported for component scanning
INFO : org.springframework.context.support.GenericXmlApplicationContext - Refreshing
org.springframework.context.support.GenericXmlApplicationContext@3581c5f3: startup date [Wed Jul 26 21:09:47 KST
2017]; root of context hierarchy
INFO : org.springframework.beans.factory.annotation.AutowiredAnnotationBeanPostProcessor - JSR-330
'javax.inject.Inject' annotation found and supported for autowiring
INFO : org.springframework.beans.factory.support.DefaultListableBeanFactory - Pre-instantiating singletons in
org.springframework.beans.factory.support.DefaultListableBeanFactory@490ab905: defining beans
[helloController,helloService,niceService,org.springframework.context.annotation.internalConfigurationAnnotationProces
sor,org.springframework.context.annotation.internalAutowiredAnnotationProcessor,org.springframework.context.annotation
.internalRequiredAnnotationProcessor,org.springframework.context.annotation.internalCommonAnnotationProcessor,org.spri
ngframework.context.annotation.ConfigurationClassPostProcessor$ImportAwareBeanPostProcessor#0]; root of factory
hierarchy
NiceService.sayHello() 메서드 실행
@HelloController : Nice~~~JinKyoung
INFO : org.springframework.context.support.GenericXmlApplicationContext - Closing
org.springframework.context.support.GenericXmlApplicationContext@3581c5f3: startup date [Wed Jul 26 21:09:47 KST
2017]; root of context hierarchy
INFO : org.springframework.beans.factory.support.DefaultListableBeanFactory - Destroying singletons in
org.springframework.beans.factory.support.DefaultListableBeanFactory@490ab905: defining beans
[helloController,helloService,niceService,org.springframework.context.annotation.internalConfigurationAnnotationProces
sor,org.springframework.context.annotation.internalAutowiredAnnotationProcessor,org.springframework.context.annotation
.internalRequiredAnnotationProcessor,org.springframework.context.annotation.internalCommonAnnotationProcessor,org.spri
ngframework.context.annotation.ConfigurationClassPostProcessor$ImportAwareBeanPostProcessor#0]; root of factory
hierarchy
```

그림 14. 빈의 이름을 이용한 의존성 주입 실행 결과

---

9) javax.annotation.Resource
10) 이 책의 설명은 자바 8 버전을 기준으로 합니다. 그러나 자바 9버전 이상에서 실행 시 추가하거나 변경해야 할 설정들은 부연 설명을 해 놓았습니다.

● @Inject를 이용한 의존성 설정

@Inject[11] 아노테이션은 @Autowired 아노테이션을 사용하는 것과 같습니다.

HelloController.java

```
    ... 생략 ...
 3  import javax.inject.Inject;
 4  import org.springframework.stereotype.Controller;
 5
 6  @Controller
 7  public class HelloController {
 8
 9      @Inject
10      IHelloService helloService;
    ... 생략 ...
```

@Inject 아노테이션 또는 @Autowired 아노테이션을 사용했을 때 같은 타입 빈이 두 개 이상 있을 때는 변수의 이름과 같은 이름을 갖는 빈을 찾습니다. 그런데 만일 변수의 이름과 같은 이름을 갖는 빈이 존재하지 않으면 다음과 같이 에러가 발생합니다.

만일 HelloController 클래스의 변수 이름이 helloService 또는 niceService 가 아닌 다른 이름으로 변수가 선언되었을 때는 IHelloService 타입 빈이 helloService, niceService 두 개 있지만 맞는 빈을 찾지 못해 자동 연결(autowire)할 수 없다는 에러를 출력합니다.

```
Exception in thread "main" org.springframework.beans.factory.BeanCreationException: Error creating bean
with name 'helloController': Injection of autowired dependencies failed; nested exception is
org.springframework.beans.factory.BeanCreationException: Could not autowire field:
com.coderby.myapp.hello.service.IHelloService com.coderby.myapp.hello.controller.HelloController.service;
nested exception is org.springframework.beans.factory.NoSuchBeanDefinitionException: No unique bean of type
[com.coderby.myapp.hello.service.IHelloService] is defined: expected single matching bean but found 2:
[helloService, niceService]
```

그림 15. Could not autowire field

Inject 또는 Autowired 아노테이션을 사용할 때 같은 타입의 빈이 2개 이상 있을 때 변수의 이름을 이용해서 빈을 참조합니다. 그러나 변수 이름과 같은 이름을 갖는 객체가 컨테이너에 없을 때 예외가 발생합니다. 다음 코드에서 변수의 이름이 helloService도 아니며 niceService도 아님을 확인하세요.

HelloController.java (잘못된 예)

```
 1  package com.example.myapp;
 2
 3  import javax.inject.Inject;
 4  import org.springframework.stereotype.Controller;
 5
```

11) javax.inject.Inject

```
 6  @Controller
 7  public class HelloController {
 8
 9      @Inject
10      IHelloService service; // 변수 이름이 helloService도 아니고 niceService도 아님
   ... 생략 ...
```

다음 결과는 위 코드를 이용해 Main을 실행했을 때 발생하는 에러입니다.

```
INFO : org.springframework.beans.factory.xml.XmlBeanDefinitionReader - Loading XML bean definitions from class path res
INFO : org.springframework.context.annotation.ClassPathBeanDefinitionScanner - JSR-330 'javax.inject.Named' annotation
INFO : org.springframework.context.support.GenericXmlApplicationContext - Refreshing org.springframework.context.suppor
INFO : org.springframework.beans.factory.annotation.AutowiredAnnotationBeanPostProcessor - JSR-330 'javax.inject.Inject
INFO : org.springframework.beans.factory.support.DefaultListableBeanFactory - Pre-instantiating singletons in org.sprin
INFO : org.springframework.beans.factory.support.DefaultListableBeanFactory - Destroying singletons in org.springframew
Exception in thread "main" org.springframework.beans.factory.BeanCreationException: Error creating bean with name 'hell
        at org.springframework.beans.factory.annotation.AutowiredAnnotationBeanPostProcessor.postProcessPropertyValues(
        at org.springframework.beans.factory.support.AbstractAutowireCapableBeanFactory.populateBean(AbstractAutowireCa
        at org.springframework.beans.factory.support.AbstractAutowireCapableBeanFactory.doCreateBean(AbstractAutowireCa
        at org.springframework.beans.factory.support.AbstractAutowireCapableBeanFactory.createBean(AbstractAutowireCapa
        at org.springframework.beans.factory.support.AbstractBeanFactory$1.getObject(AbstractBeanFactory.java:294)
        at org.springframework.beans.factory.support.DefaultSingletonBeanRegistry.getSingleton(DefaultSingletonBeanReg
        at org.springframework.beans.factory.support.AbstractBeanFactory.doGetBean(AbstractBeanFactory.java:291)
        at org.springframework.beans.factory.support.AbstractBeanFactory.getBean(AbstractBeanFactory.java:193)
        at org.springframework.beans.factory.support.DefaultListableBeanFactory.preInstantiateSingletons(DefaultListabl
        at org.springframework.context.support.AbstractApplicationContext.finishBeanFactoryInitialization(AbstractAppli
        at org.springframework.context.support.AbstractApplicationContext.refresh(AbstractApplicationContext.java:464)
        at org.springframework.context.support.GenericXmlApplicationContext.<init>(GenericXmlApplicationContext.java:71
        at com.coderby.myapp.hello.HelloMain.main(HelloMain.java:18)
```

그림 16. 의존성 주입 에러

다음은 몇 가지 에러 상황입니다. 참고하세요.

```
INFO : org.springframework.beans.factory.xml.XmlBeanDefinitionReader - Loading XML
bean definitions from class path resource [applicaton-config.xml]
Exception in thread "main"
org.springframework.beans.factory.BeanDefinitionStoreException: IOException parsing
XML document from class path resource [applicaton-config.xml]; nested exception is
java.io.FileNotFoundException: class path resource [applicaton-config.xml] cannot
be opened because it does not exist
```

그림 17. xml 파일의 경로가 잘못된 에러

```
org.springframework.beans.factory.support.DefaultListableBeanFactory@34b7bfc0:
defining beans [memberServicer,memberController]; root of factory hierarchy
Exception in thread "main" org.springframework.beans.factory.BeanCreationException:
Error creating bean with name 'memberController' defined in class path resource
[application-config.xml]: Cannot resolve reference to bean 'memberService' while
setting bean property 'memberService'; nested exception is
org.springframework.beans.factory.NoSuchBeanDefinitionException: No bean named
'memberService' is defined
```

그림 18. 빈 설정이 잘못된 에러

```
org.springframework.beans.factory.support.DefaultListableBeanFactory@2d3fcdbd:
defining beans [memberService,memberController]; root of factory hierarchy
Exception in thread "main" java.lang.NullPointerException
        at com.kosa.member.MemberController.printInfo(MemberController.java:12)
        at com.kosa.member.MemberMain.main(MemberMain.java:12)
```

그림 19. 의존성 설정이 누락된 에러

3.3. 자바 설정 파일을 이용한 의존성 주입

XML 문서 또는 아노테이션을 사용하지 않고 자바 클래스를 이용해서 빈 생성 및 의존성 주입을 할 수 있습니다. 스프링 프레임워크 기반 프로젝트라면 XML 문서를 이용한 설정을 더 많이 사용하지만, 스프링 부트 기반 프로젝트라면 자바 설정 파일과 아노테이션을 이용한 설정을 더 많이 사용합니다.

다음 코드는 자바 클래스를 이용한 설정 파일 예입니다.

```
 1  import org.springframework.beans.factory.annotation.Configurable;
 2  import org.springframework.context.annotation.Bean;
 3  import org.springframework.context.annotation.ComponentScan;
 4  import org.springframework.context.annotation.ImportResource;
 5
 6  @Configurable
 7  @ComponentScan(basePackages={"com.example.myapp"})
 8  @ImportResource(value={"classpath:application-config.xml"})
 9  public class AppConfig {
10      @Bean
11      IHelloService helloService() {
12          return new HelloService();
13      }
14      @Bean
15      HelloController helloController() {
16          return new HelloController(helloService());
17      }
18  }
```

- 컴포넌트 스캔
- XML 설정 파일 가져오기 (스프링부트는 value가 아닌 resources를 사용)
- @Bean(name="빈이름") 형식으로 빈의 이름 지정 가능
- 생성자를 이용한 helloService 빈 의존성 주입

빈 정의는 @Bean 아노테이션을 정의한 메서드를 통해 객체를 생성하도록 합니다. @Bean 아노테이션이 설정돼 있는 메서드의 이름이 빈의 이름이 됩니다.

```
10      @Bean
11      IHelloService helloService() {
12          return new HelloService();
13      }
```

해당 객체가 의존성 주입이 필요하다면 생성자 또는 setter를 이용해 의존성 주입 받도록 코딩하세요. 아래의 코드 예라면 HelloController는 생성자를 통해 HelloService 빈의 의존성을 주입받아야 합니다.

```
14      @Bean
15      HelloController helloController() {
16          return new HelloController(helloService());
17      }
```

클래스 선언부 위의 @ComponentScan은 XML 문서의 ⟨context:component-scan/⟩ 태그와 같은 기능을 합니다. 패키지를 여러 개 설정하려면 { }를 이용해서 배열 형식으로 지정하세요.

```
 6 @Configurable
 7 @ComponentScan(basePackages={"com.example.myapp"})
 8 @ImportResource(value={"classpath:application-config.xml"})
 9 public class AppConfig {
```

자바 설정 파일은 기존에 만들어져 있던 XML 문서를 불러올 수 있습니다. 이때 사용하는 아노테이션이 @ImportResources입니다. 이 아노테이션도 여러 개 XML 문서를 지정하려면 배열 형식을 사용하세요. 스프링 부트 프레임워크에서는 value 속성이 아닌 resources 속성을 이용해서 외부 XML 파일을 지정합니다.

```
 6 @Configurable
 7 @ComponentScan(basePackages={"com.example.myapp"})
 8 @ImportResource(value={"classpath:application-config.xml"})
 9 public class AppConfig {
```

자바 설정 파일을 이용해서 빈 설정과 의존성 주입 설정을 했다면 이를 이용해서 컨텍스트를 로드시키려면 AnnotationConfigApplicationContext 클래스를 사용해야 합니다.

```
 1 package com.example.myapp.di;
 2
 3 import org.springframework.context.annotation.AnnotationConfigApplicationContext;
 4 import org.springframework.context.support.AbstractApplicationContext;
 5
 6 public class HelloMain {
 7     public static void main(String[] args) {
 8         AbstractApplicationContext context =
 9                 new AnnotationConfigApplicationContext(AppConfig.class);
10         HelloController controller = context.getBean("helloController",
   HelloController.class);
11         controller.hello("JinKyoung");
12         context.close();
13     }
14 }
```

● 실행 결과는 XML을 이용한 방법과 같아야 하며, 실행 결과에서 아노테이션으로 설정한 빈과 XML을 이용해서 설정한 빈들이 컨텍스트에 로드되는 것을 실행 결과 로그에서 확인할 수 있어야 합니다.

```
$ImportAwareBeanPostProcessor#0,niceService,homeController,helloController,hello
Service,personBean,customer]; root of factory hierarchy
HelloSerivce.sayHello() 메서드 실행
실행 결과: Hello~~~홍길동
```

3.4. 빈 생성과 의존성 주입 비교

다음 표는 XML을 이용한 빈 생성 및 의존성 설정과 아노테이션을 이용한 빈 생성 및 의존성 설정을 비교하기 위해 작성한 것입니다. 참고하세요.

표 7. XML 설정과 아노테이션 설정 비교

		XML 설정 파일	Annotation
빈 생성		⟨bean id="빈이름" class="패키지명.클래스명"/⟩	설정 파일에 컴포넌트 스캔 태그 추가 ⟨context:component-scan base-package="패키지명"/⟩
			자바클래스 위에 @Controller, @Component, @Service, @Repository 중에서 하나 선언
			빈의 이름은 클래스 이름에서 첫 문자만 소문자로 바뀐 이름으로 지정됨
의존성 주입	생성자	자바클래스에 생성자 추가 ⟨constructor-arg name="변수명" ref="빈이름"/⟩	필드(멤버변수) 또는 생성자 또는 setter 메서드 위에 @Autowired, @Inject 아노테이션 중 하나 선언 (타입으로 의존성 주입)
	Setter	자바클래스에 setter 메서드 추가 ⟨property name="변수명" ref="빈이름"/⟩	인터페이스를 구현한 클래스가 두 개 이상이면 @Autowired 아래에 @Qualifier("빈이름") 추가하거나 @Resource(name="빈이름")으로 선언

빈 생성과 의존성 설정을 어떤 방법을 사용하더라도 결과는 같습니다. 그런데 지금 스프링 프레임워크를 배우는 사람이라면 XML 문서를 이용한 의존성 설정에 더 익숙해져야 합니다. 아노테이션이나 태그를 하나 더 외우는 것도 중요하지만 더 중요한 것은 의존성 주입의 개념입니다.

Instructor Note: 스프링 프레임워크의 버전별 자바의 버전은 어떻게 확인하죠?

스프링 프레임워크에서 지원하는 자바의 버전은 아래와 같습니다.

- Spring Framework 6.0.x: JDK 17-21, Jakarta EE 9-10(Servlet 5.0, JPA 3.0, Bean Validation 3.0)
- Spring Framework 5.3.x: JDK 8-19, Java EE 7-8(Servlet 4.0, JPA 2.2, Bean Validation 2.0)
- Spring Framework 4.3.x(2020년 12월 31일 지원 종료): JDK 6-8, Java EE 6-7(Servlet 3.0, JPA 2.0, Bean Validation 1.1)
- Spring Framework 3.2.x(2016년 12월 31일 지원 종료): JDK 5-6, J2EE 1.4 & JavaEE 5-6

더 자세한 내용은 아래 주소에서 확인할 수 있습니다.

https://github.com/spring-projects/spring-framework/wiki/Spring-Framework-Versions

4. 빈(Bean) 설정 파일

스프링은 XML 문서의 설정을 읽어 들여 빈을 생성하고 관리합니다. 스프링 설정 파일은 XML 문서를 이용하여 작성하며 〈beans〉 태그를 최상위 태그로 사용해야 합니다. 이클립스에서 스프링 설정 파일을 생성하면 〈beans〉 태그는 자동으로 최상위 태그가 됩니다.

XML 문서의 첫 라인은 빈 줄 또는 공백을 포함할 수 없으며 반드시 〈?xml로 시작해야 합니다. 이는 XML 문서가 Well-Formed Document[12]를 만족해야 하기 때문입니다.

4.1. 네임스페이스 추가

XML 문서 내에 태그를 사용하기 위해서 네임스페이스를 지정해야 합니다. XML 네임스페이스는 XML 요소 간의 이름에 대한 충돌을 방지해 주는 방법을 제공합니다. XML 네임스페이스는 요소의 이름과 속성의 이름을 하나의 그룹으로 묶어주어 이름에 대한 충돌을 해결합니다. 이러한 XML 네임스페이스는 URI(Uniform Resource Identifiers)로 식별됩니다. 다음 그림은 스프링에서 사용할 수 있는 네임스페이스들입니다. 이클립스에서 XML 문서를 열었을 때 네임스페이스 탭을 통해 문서에서 사용하려는 네임스페이스를 선택하면 소스코드에 네임스페이스 선언이 자동으로 추가됩니다.

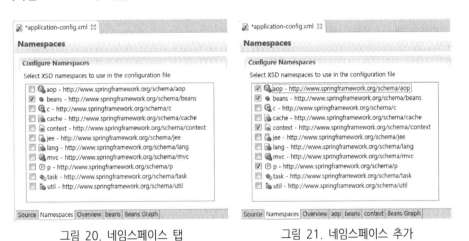

그림 20. 네임스페이스 탭   그림 21. 네임스페이스 추가

위의 오른쪽 그림처럼 이클립스의 XML 파일에서 네임스페이스를 선택하면 소스코드에 자동으로 네임스페이스 선언이 추가되는 것을 알 수 있습니다.

---

12) XML 1.0 권고안에 언급되어 있으며 XML 문법(Spec)을 잘 지켜서 작성된 문서를 의미합니다.

다음 코드는 〈beans〉 태그를 최상위 태그로 하며 aop, context, p 네임스페이스를 포함한 XML 문서입니다. XML 문서 내에서 주석은 〈!-- 와 -->를 사용합니다.

```
<?xml version="1.0" encoding="UTF-8"?>
<beans xmlns="http://www.springframework.org/schema/beans"
    xmlns:xsi="http://www.w3.org/2001/XMLSchema-instance"
    xmlns:context="http://www.springframework.org/schema/context"
    xmlns:aop="http://www.springframework.org/schema/aop"
    xmlns:p="http://www.springframework.org/schema/p"
    xsi:schemaLocation="http://www.springframework.org/schema/beans
http://www.springframework.org/schema/beans/spring-beans.xsd
        http://www.springframework.org/schema/context
http://www.springframework.org/schema/context/spring-context-3.1.xsd
        http://www.springframework.org/schema/aop
http://www.springframework.org/schema/aop/spring-aop-3.1.xsd">

    <!-- 여기는 주석입니다. -->
</beans>
```

4.2. 스프링 설정 파일 나누기

스프링 설정 파일은 여러 개 파일로 나누어 작성할 수 있습니다. 오른쪽 그림은 필자의 홈페이지에 사용한 빈 설정 파일 목록입니다. 아래의 그림은 빈 설정을 기능별로 여러 XML 파일로 나누어 설정한 것입니다.

오른쪽 그림처럼 기능별로 여러 개 설정 파일을 작성해서 사용하면 빈 설정관리를 더 쉽게 할 수 있습니다.

```
▲ 🎛 src/main/resources
  ▲ 📂 egovframework
    ▷ 📂 egovProps
    ▷ 📂 message
    ▲ 📂 spring
      ▲ 📂 com
          context-aspect.xml
          context-common.xml
          context-datasource.xml
          context-idgen.xml
          context-properties.xml
          context-security.xml
          context-sqlMap.xml
          context-transaction.xml
          context-validator.xml
    ▷ 📂 sqlmap
    ▷ 📂 validator
```

그림 22. 기능별로 나눈 스프링 설정 파일 예

4.3. 〈import〉 태그를 이용한 다른 빈 설정 파일 포함

〈import〉 태그를 이용하여 여러 설정 파일을 포함할 수 있습니다. 이렇게 하면 한 파일에 작성하는 것과 같은 효과를 가집니다. 아래 파일(예: context-main.xml)은 다른 xml 파일을 import 하고 있습니다.

context-main.xml

```xml
<?xml version="1.0" encoding="UTF-8"?>
<beans xmlns="http://www.springframework.org/schema/beans"
    xmlns:xsi="http://www.w3.org/2001/XMLSchema-instance"
    xsi:schemaLocation="http://www.springframework.org/schema/beans
http://www.springframework.org/schema/beans/spring-beans.xsd">
    <import resource="context-aspect.xml"/>
    <import resource="context-common.xml"/>
    <import resource="context-datasource.xml"/>
    <import resource="context-idgen.xml"/>
    <import resource="context-properties.xml"/>
    <import resource="context-security.xml"/>
    <import resource="context-sqlMap.xml"/>
    <import resource="context-transaction.xml"/>
    <import resource="context-validator.xml"/>
</beans>
```

4.4. 여러 개 설정 파일 지정

여러 개 설정 파일로 나누어 작성했을 때 설정 파일 지정을 위해 메타문자(*)를 사용할 수 있습니다. ApplicationContext를 이용해 빈 설정 파일을 추가할 때 파일의 이름에 * 문자를 이용하면 여러 개 설정 파일을 지정할 수 있습니다.

```java
package com.example.myapp.hello;

import org.springframework.context.support.AbstractApplicationContext;
import org.springframework.context.support.GenericXmlApplicationContext;

public class HelloMain {
    public static void main(String[] args) {
        AbstractApplicationContext context =
                new GenericXmlApplicationContext("context-*.xml");
        HelloController controller = context.getBean(HelloController.class);
        controller.hello("JinKyoung");
        context.close();
    }
}
```

만일 웹 애플리케이션에서 설정 파일을 지정해야 한다면 web.xml 파일을 이용해야 합니다. 이 경우도 * 문자를 이용하여 여러 개 설정 파일을 지정할 수 있습니다.

```xml
<?xml version="1.0" encoding="UTF-8"?>
<web-app xmlns:xsi="http://www.w3.org/2001/XMLSchema-instance"
xmlns="http://java.sun.com/xml/ns/javaee"
xsi:schemaLocation="http://java.sun.com/xml/ns/javaee
http://java.sun.com/xml/ns/javaee/web-app_2_5.xsd" version="2.5">
  <context-param>
    <param-name>contextConfigLocation</param-name>
    <param-value>classpath:/spring/context-*.xml</param-value>
  </context-param>
  <listener>
    <listener-class>
     org.springframework.web.context.ContextLoaderListener
    </listener-class>
  </listener>
  <servlet>
    <servlet-name>appServlet</servlet-name>
    <servlet-class>
     org.springframework.web.servlet.DispatcherServlet
    </servlet-class>
    <init-param>
      <param-name>contextConfigLocation</param-name>
      <param-value>/WEB-INF/spring/*.xml</param-value>
    </init-param>
    <load-on-startup>1</load-on-startup>
  </servlet>
  <servlet-mapping>
    <servlet-name>appServlet</servlet-name>
    <url-pattern>/</url-pattern>
  </servlet-mapping>
</web-app>
```

문자를 이용하여 설정 파일을 지정하지 않고 직접 모든 설정 파일을 하나하나 지정할 수 있습니다. 다음 코드는 설정 파일들의 이름을 모두 명시한 web.xml 파일의 설정 예입니다.

```xml
<context-param>
    <param-name>contextConfigLocation</param-name>
    <param-value>
        classpath:/spring/context-common.xml
        classpath:/spring/context-datasource.xml
        /WEB-INF/spring/database-config.xml
    </param-value>
</context-param>
```

● 이 코드를 직접 작성하고 실행할 필요는 없습니다. 참고만 하세요.

2장. Spring AOP

이 장에서는 관점지향 프로그래밍(Aspect-Oriented Programming)에 대한 설명을 다룹니다. 스프링의 AOP 프레임워크는 관점지향 프로그래밍을 더 쉽고 간결하게 구현할 수 있도록 도와줍니다. 이 장에서는 AOP와 관련된 용어를 먼저 소개하여 학습을 더욱 쉽게 시작할 것입니다.

1. AOP 개요

- AOP(Aspect Oriented Programming)은 문제를 바라보는 관점을 기준으로 프로그래밍 하는 기법입니다.
- 문제를 해결하기 위한 핵심 관심 사항과 전체에 적용되는 공통 관심 사항을 기준으로 프로그래밍하기 때문에 공통 모듈을 여러 코드에 쉽게 적용할 수 있도록 도와줍니다.
- AOP에서 가장 중요한 개념은 「횡단 관점의 분리(Separation of Cross-Cutting Concern)」입니다.

관점지향 프로그래밍의 개념을 설명하기 위해 1장에서 사용한 예를 다시 살펴보겠습니다.

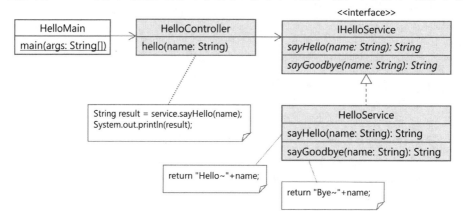

그림 1. Hello 예제에서 사용하는 클래스와 관계

프로젝트를 다시 생성하거나 코드를 다시 작성할 필요는 없습니다. 대신, 1장의 예제 코드를 수정하면서 AOP를 설명하겠습니다. 이전에 없던 새로운 요구사항이 추가되었는데, 이 요구사항은 <u>HelloService 클래스의 sayHello() 메서드가 실행되기 전에 현재 시각을 로그로 출력해야</u> 한다는 것입니다.

다음은 sayGoodbye() 메서드를 추가한 IHelloService 인터페이스입니다.

IHelloService.java

```
1 package com.example.myapp.aop;
2
3 public interface IHelloService {
4     String sayHello(String name);
5     String sayGoodbye(String name);
6 }
```

요구사항을 해결하기 위해 HelloService 클래스를 다음과 같이 작성할 수 있을 것입니다.
HelloService.java

```
 1 package com.example.myapp.aop;
 2
 3 public class HelloService implements IHelloService {
 4
 5    @Override
 6    public String sayHello(String name) {
 7       System.out.println(">>>LOG : " + new java.util.Date());
 8       String message = "Hello~~~" + name;
 9       return message;
10    }
11
12    @Override
13    public String sayGoodbye(String name) {
14       String message = "Goodbye~~~" + name;
15       return message;
16    }
17 }
```

위의 코드는 객체지향 관점에서도 문제가 있고 관점지향 프로그램 관점에서도 문제가 있습니다. 로그를 출력하는 코드(공통코드)와 name에 Hello~ 메시지를 붙여 반환하는 코드(핵심코드)가 분리되어 있지 않습니다.

1.1. AOP와 횡단 관점

1) 관심사의 분리

익숙할 개발자라면 로그를 출력하는 메서드를 별도의 클래스에 만들어 놓을 것입니다.

객체지향 프로그래밍에서는 횡단관점 분리를 위해 공통 기능들을 하나의 클래스라는 단위로 모으고 그것들을 모듈로부터 분리함으로써 재사용성과 보수성을 높이고 있습니다.

그림 2. 관심사의 분리

다음 코드는 공통 기능을 하는 log() 메서드를 HelloLog 클래스에 모듈을 분리했습니다.
HelloLog.java

```
1 package com.example.myapp.aop;
2
3 public class HelloLog {
4     public static void log() {
5         System.out.println(">>>LOG<<< : " + new java.util.Date());
6     }
7 }
```

2) 관심사를 호출하는 핵심코드

공통 관심사를 분리했다면 공통 관심사를 호출하는 코드가 포함되어야 합니다. 그림은 핵심코드에서 공통코드를 호출하고 있는 것을 의미합니다.

이렇게 핵심코드에 공통코드를 호출하는 코드를 포함하고 있는 것을 "횡단적 산재"라고 합니다.

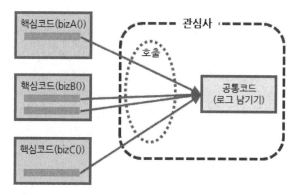

그림 3. 관심사를 호출하는 핵심코드(횡단적 산재)

위 코드를 실행시키기 위해 HelloService 클래스를 다음과 같이 작성할 수 있습니다.
HelloService.java

```
1 package com.example.myapp.aop;
2
3 public class HelloService implements IHelloService {
4
5     @Override
6     public String sayHello(String name) {
7         HelloLog.log();        //공통코드를 호출하는 코드가 포함됨
8         String message = "Hello~" + name;
9         return message;
10     }
11
12     @Override
13     public String sayGoodbye(String name) {
```

```
14          String message = "Goodbye~" + name;
15          return message;
16      }
17 }
```

위 코드들은 각 모듈로부터 공통 기능으로 분리하는 것으로 성공했지만 그 기능을 사용하기 위해 공통 기능을 호출하는 코드까지는 각 모듈로부터 분리할 수 없었습니다. 그러므로 분리한 공통 기능을 이용하기 위한 코드가 각 모듈에 존재하게 됩니다.

실행을 위한 컨트롤러와 메인 클래스 그리고 스프링 설정 파일은 다음과 같습니다.
HelloController.java

```
1 package com.example.myapp.aop;
2
3 public class HelloController {
4
5     IHelloService helloService;
6
7     public void setHelloService(IHelloService helloService) {
8         this.helloService = helloService;
9     }
10
11    public void hello(String name) {
12        String result = helloService.sayHello(name);
13        System.out.println(result);
14    }
15 }
```

HelloMain.java

```
1 package com.example.myapp.aop;
2
3 import org.springframework.context.support.AbstractApplicationContext;
4 import org.springframework.context.support.GenericXmlApplicationContext;
5
6 public class HelloMain {
7     public static void main(String[] args) {
8         AbstractApplicationContext context =
9                 new GenericXmlApplicationContext("application-config.xml");
10        HelloController controller = context.getBean(HelloController.class);
11        controller.hello("홍길동");
12        context.close();
13    }
14 }
```

application-config.xml

```
 1 <?xml version="1.0" encoding="UTF-8"?>
 2 <beans xmlns="http://www.springframework.org/schema/beans"
 3     xmlns:xsi="http://www.w3.org/2001/XMLSchema-instance"
 4     xsi:schemaLocation="http://www.springframework.org/schema/beans
   http://www.springframework.org/schema/beans/spring-beans.xsd">
 5
 6     <bean id="helloService" class="com.example.myapp.aop.HelloService"/>
 7
 8     <bean id="helloController" class="com.example.myapp.aop.HelloController">
 9         <property name="helloService" ref="helloService"/>
10     </bean>
11 </beans>
```

메인 클래스를 Java Application으로 실행시키면 sayHello() 메서드가 실행되기 전에 현재 시각이 출력됩니다. 그러나 이것이 우리가 원하는 코드는 아닐 것입니다.

3) AOP 프레임워크

AOP에서는 핵심 로직을 구현한 코드에서 공통 기능을 직접 호출하지 않습니다. AOP에서는 분리한 공통 기능의 호출까지도 관점으로 다룹니다. 그리고 이러한 각 모듈로 산재한 관점을 횡단 관점이라 부르고 있습니다. AOP에서는 이러한 횡단 관점까지 분리함으로써 각 모듈로부터 관점에 관한 코드를 완전히 제거하는 것을 목표로 합니다.

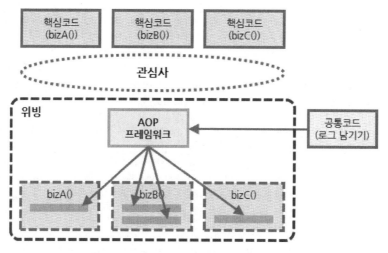

그림 4. 관점지향 프로그래밍에서 위빙을 통한 핵심코드에 공통코드 삽입

1.2. 프록시 클래스를 이용한 AOP 구현

- 요구사항
[HelloService 클래스의 sayHello() 메서드가 실행되기 전에 현재 시각을 출력]

위 요구사항을 다시 정의하면 HelloService 클래스의 sayHello() 메서드가 실행되기 전에 HelloLog 클래스의 log() 메서드를 실행하는 것이라고 할 수 있습니다.

다음 코드는 프록시 클래스를 이용하여 AOP를 직접 구현하고 테스트하기 위해 HelloService 클래스에서 log() 메서드를 호출하는 코드를 삭제하세요.

HelloService.java

```
 1 package com.example.myapp.aop;
 2
 3 public class HelloService implements IHelloService {
 4
 5     @Override
 6     public String sayHello(String name) {
 7 //      HelloLog.log();
 8         String message = "Hello~~~" + name;
 9         return message;
10     }
11
12     @Override
13     public String sayGoodbye(String name) {
14         String message = "Goodbye~~~" + name;
15         return message;
16     }
17 }
```

위 문제를 해결하기 위해 우리는 다음과 같이 프록시 클래스를 만들 수 있습니다.

HelloServiceProxy.java

```
 1 package com.example.myapp.aop;
 2
 3 public class HelloServiceProxy extends HelloService {
 4
 5     @Override
 6     public String sayHello(String name) {
 7         HelloLog.log();          //핵심코드 실행 전 공통코드를 실행합니다.
 8         String result = super.sayHello(name);      //핵심코드를 실행합니다.
 9         return result;
10     }
11 }
```

HelloController에서는 기존의 HelloService 빈을 참조하여 실행하지 않고 HelloService
클래스를 상속받아 구현한 HelloServiceProxy 빈을 참조하여 실행하면 공통코드와 핵심
코드를 분리하여 작성했더라도 핵심코드가 실행될 때 공통코드도 실행되게 할 수 있습니
다. 그렇게 하려면 다음 설정 파일에서처럼 HelloService 타입의 빈은 HelloServiceProxy
클래스를 이용해서 만들고, HelloController 클래스가 HelloServiceProxy 빈을 참조하도
록 의존성 설정해야 합니다.

application-config.xml

```
 1 <?xml version="1.0" encoding="UTF-8"?>
 2 <beans xmlns="http://www.springframework.org/schema/beans"
 3     xmlns:xsi="http://www.w3.org/2001/XMLSchema-instance"
 4     xmlns:aop="http://www.springframework.org/schema/aop"
 5     xsi:schemaLocation="http://www.springframework.org/schema/beans
   http://www.springframework.org/schema/beans/spring-beans.xsd
 6         http://www.springframework.org/schema/aop
   http://www.springframework.org/schema/aop/spring-aop-3.1.xsd">
 7
 8     <bean id="helloService" class="com.example.myapp.aop.HelloServiceProxy"/>
 9
10     <bean id="helloController" class="com.example.myapp.aop.HelloController">
11         <property name="helloService" ref="helloService"/>
12     </bean>
13
14 </beans>
```

메인 클래스를 실행하면 아래와 같이 sayHello() 메서드가 실행되기 전에 현재 날짜/시간
이 출력되는 것을 확인할 수 있습니다.

```
INFO : org.springframework.beans.factory.xml.XmlBeanDefinitionReader - Load
INFO : org.springframework.context.support.GenericXmlApplicationContext - R
INFO : org.springframework.beans.factory.support.DefaultListableBeanFactory
>>>LOG : Fri Jul 30 12:49:31 KST 2021
Hello~~~홍길동
INFO : org.springframework.context.support.GenericXmlApplicationContext - C
INFO : org.springframework.beans.factory.support.DefaultListableBeanFactory
```

그림 5. 프록시를 이용한 AOP 구현 결과

이것은 AOP 프레임워크를 사용하지 않고 관점지향 프로그래밍을 구현한 예입니다. 그런
데 관점지향 프로그래밍을 위해 개발자가 매번 프록시 클래스를 만들어야 한다면 개발자
로서 상당히 부담스러운 일입니다. AOP 프레임워크는 어떤 방법이든 개발자에게 부가적
인 코드를 작성하지 않도록 해야 합니다.

1.3. AOP 용어

스프링의 AOP 프레임워크에 대한 이해를 빠르게 하려면 AOP에 사용하는 용어들을 잘
알아둬야 합니다. AOP 용어들은 AOP 설정을 위해 XML 설정 파일을 이용하거나 아노테
이션을 이용할 때 사용됩니다.

표 1. AOP 용어

용어	설명	예
Target object	하나 또는 그 이상의 Aspect에 의해 Advice되는 객체입니다. 핵심 로직을 구현하는 클래스입니다.	HelloService 객체
JoinPont	애플리케이션을 실행할 때 특정 작업이 시작될 수 있는 시점을 의미합니다. 「클래스가 로드되는 시점」, 「인스턴스가 생성되는 시점」 그리고 「메서드 호출 시점」 등이 조인포인트에 해당합니다. 조인포인트는 어드바이스를 적용할 수 있는 시점들입니다. 스프링에서는 프록시 기반 AOP를 지원하기 때문에 메서드 호출 조인포인트만 지원합니다.	모든 biz() 메서드 sayHello(), sayGoodbye()
Pointcut	조인포인트의 부분집합입니다. 실제로 어드바이스가 적용되는 조인포인트들을 의미합니다. 스프링에서는 정규표현식이나 AspectJ의 문법을 이용하여 포인트컷을 정의할 수 있습니다.	sayHello()
Aspect	여러 객체에 공통으로 적용되는 공통 관심 객체를 의미합니다.	HelloLog 객체
Advice	핵심코드에 삽입되어 동작할 수 있는 공통코드와 시점을 의미합니다. 어드바이스 시점은 before, after, after-throwing, after-returning, around가 있습니다.	~ 전(before)에 log() 메서드를 실행
Weaving	Advice(공통코드+시점)를 핵심코드에 삽입하는 것을 의미합니다. 스프링은 런타임시 위빙을 지원합니다.	HelloServiceProxy 클래스를 만드는 것

1.4. 위빙 방법

AOP를 위해 반드시 프록시 클래스를 이용해서 해결할 수 있는 것은 아닙니다. 위빙 방법
은 3가지가 있습니다.

1. 컴파일시 위빙하기
   별도 컴파일러를 통해 핵심 관심사 모듈 사이에 관점(Aspect) 형태로 만들어진 횡단
   관심사 코드들이 삽입되어 관점(Aspect)이 적용된 최종 바이너리가 만들어지는 방식
   입니다. AspectJ 프레임워크가 컴파일 시 위빙 방법을 사용합니다.

2. 클래스 로딩 시 위빙하기
   별도의 Agent를 이용하여 JVM이 클래스를 로딩할 때 해당 클래스의 바이너리 정보

를 변경합니다. 즉, Agent가 횡단 관심사 코드가 삽입된 바이너리 코드를 제공함으로써 AOP를 지원하게 됩니다. AspectWerkz 프레임워크가 클래스 로딩 시 위빙 방법을 사용합니다.

3. 프록시 기반 런타임시 위빙하기

소스코드나 바이너리 파일의 변경 없이 프록시(Proxy)를 이용하여 실행 시 AOP를 지원하는 방식입니다. 이 방법은 프록시를 통해 핵심 관심사를 구현한 객체에 접근하게 되는데, 프록시는 핵심 관심사 실행 전후에 횡단 관심사를 실행합니다. 따라서 프록시 기반의 런타임시 위빙하는 방법은 메서드 호출 시만 AOP를 적용할 수 있습니다. Spring AOP 프레임워크는 프록시를 이용한 런타임시 위빙하는 방법을 사용합니다.

1.5. Spring에서 AOP

스프링에서는 자체적으로 런타임시 위빙하는 "프록시 기반의 AOP"를 지원하고 있습니다. 프록시 기반의 AOP는 메서드 호출 조인포인트만 지원합니다. 스프링에서 어떤 대상 객체에 대해 AOP를 적용할지는 설정 파일을 통해서 지정합니다. 스프링은 설정 정보를 이용하여 런타임에 대상 객체에 대한 프록시 객체를 생성하게 됩니다. 그리고 대상 객체를 직접 접근하는 것이 아니라 프록시를 통한 간접 접근을 하게 됩니다.

스프링은 완전한 AOP 기능을 제공하는 것이 목적이 아니라 엔터프라이즈 애플리케이션을 구현하는 데 필요한 기능을 제공하는 것을 목적으로 하고 있습니다. 그러므로 필드 값 변경 등 다양한 조인포인트를 이용하려면 AspectJ 등 다른 AOP 솔루션을 이용해야 합니다.

스프링에서는 다음 3가지 방식으로 AOP 구현을 지원합니다.
1. XML 기반의 POJO 클래스를 이용한 AOP 구현
2. AspectJ에서 정의한 @Aspect 아노테이션 기반의 AOP 구현
3. 스프링 API를 이용한 AOP 구현

● 스프링 API를 이용한 AOP 구현은 AOP와 관련된 스프링의 인터페이스를 이용한 방법입니다. 이를 이용한 AOP 구현은 권장하지 않습니다. 개발자가 직접 스프링 AOP API를 사용해서 AOP를 구현하는 때는 많지 않습니다. 그러므로 이 책에서는 스프링 API를 이용한 AOP 구현 방법은 언급하지 않습니다. 이 책은 XML 기반의 POJO 클래스를 이용한 AOP 구현방법과 Annotation 기반의 AOP 구현방법에 대하여 설명합니다.

2. XML을 이용한 AOP

2.1. AOP 라이브러리 의존성 추가

스프링 프레임워크에서 AOP를 사용하기 위해 pom.xml에 aspectjweaver 의존성[13] 설정을 추가하세요. 자바 버전은 1.8, 스프링 프레임워크 버전은 4.3.9를 사용했습니다.

pom.xml

```
 1 <?xml version="1.0" encoding="UTF-8"
 2 <project xmlns=...
   ... 생략 ...
11    <java-version>1.8</java-version>
12    <org.springframework-version>4.3.9.RELEASE</org.springframework-version>
   ... 생략 ...
36    <!-- AspectJ -->
37    <dependency>
38        <groupId>org.aspectj</groupId>
39        <artifactId>aspectjrt</artifactId>
40        <version>${org.aspectj-version}</version>
41    </dependency>
42    <dependency>
43        <groupId>org.aspectj</groupId>
44        <artifactId>aspectjweaver</artifactId>
45        <version>1.9.1</version>
46    </dependency>
   ... 생략 ...
```

2.2. 네임스페이스 추가

XML을 이용해서 AOP 설정을 하려면 aop 네임스페이스를 추가해야 합니다. 스프링 설정 파일의 [Namespaces] 탭에서 [aop] 네임스페이스를 선택하면 소스코드에 자동으로 네임스페이스 코드가 추가됩니다.

그림 6. aop 네임스페이스 추가

---

[13] 메이븐 리포지토리의 aspectjweaver 최신 버전은 다음 주소를 통해 확인할 수 있습니다.
https://mvnrepository.com/artifact/org.aspectj/aspectjweaver

application-config.xml

```
 1 <?xml version="1.0" encoding="UTF-8"?>
 2 <beans xmlns="http://www.springframework.org/schema/beans"
 3     xmlns:xsi="http://www.w3.org/2001/XMLSchema-instance"
 4     xmlns:aop="http://www.springframework.org/schema/aop"
 5     xsi:schemaLocation="http://www.springframework.org/schema/beans
   http://www.springframework.org/schema/beans/spring-beans.xsd
 6        http://www.springframework.org/schema/aop
   http://www.springframework.org/schema/aop/spring-aop-3.1.xsd">
 7
 8     <bean id="helloService" class="com.example.myapp.aop.HelloService"/>
 9     <bean id="helloController" class="com.example.myapp.aop.HelloController">
10         <property name="helloService" ref="helloService"/>
11     </bean>
12
13 </beans>
```

2.3. AOP 설정

HelloService 클래스의 sayHello() 메서드가 실행되기 전에 HelloLog 클래스의 log() 메서드를 실행하도록 직접 프록시 클래스를 작성하지 않고 스프링에서 설정 파일을 통해 몇 가지만 설정해 놓으면 스프링 컨테이너는 프록시 객체를 만들어 주고 이를 통해 핵심코드가 실행될 때 공통코드가 실행되도록 할 수 있습니다.

다음 설정 파일은 〈aop:config〉 태그를 이용하여 AOP 설정을 한 예입니다. HelloService 클래스의 sayHello() 메서드는 Pointcut 되고, helloLog는 Aspect, 그리고 log() 메서드는 포인트컷 메서드가 실행되기 전에 실행되는 before Advice입니다. 태그들에 대한 설명은 실행 결과를 확인한 뒤 설명됩니다.

application-config.xml

```
 1 <?xml version="1.0" encoding="UTF-8"?>
 2 <beans xmlns="http://www.springframework.org/schema/beans"
 3     xmlns:xsi="http://www.w3.org/2001/XMLSchema-instance"
 4     xmlns:aop="http://www.springframework.org/schema/aop"
 5     xsi:schemaLocation="http://www.springframework.org/schema/beans
   http://www.springframework.org/schema/beans/spring-beans.xsd
 6        http://www.springframework.org/schema/aop
   http://www.springframework.org/schema/aop/spring-aop-3.1.xsd">
 7
 8     <bean id="helloService" class="com.example.myapp.aop.HelloService"/>
 9
```

```
10   <bean id="helloController" class="com.example.myapp.aop.HelloController">
11       <property name="helloService" ref="helloService"/>
12   </bean>
13
14   <bean id="helloLog" class="com.example.myapp.aop.HelloLog"/>
15
16   <!-- 어떤 핵심코드에 어떤 공통코드가 언제 실행되는지 설정 -->
17   <aop:config>
18       <!-- 핵심코드(Pointcut) 설정 -->
19       <aop:pointcut id="hello"
            expression="execution(* com.example..HelloService.sayHello(..))"/>
20       <!-- hello 포인트컷에 before 어드바이스 설정 -->
21       <aop:aspect ref="helloLog">
22           <aop:before pointcut-ref="hello" method="log"/>
23       </aop:aspect>
24   </aop:config>
25
26 </beans>
```

다음은 Main을 실행한 결과입니다.

```
INFO : org.springframework.beans.factory.xml.XmlBeanDefinitionReader - Load:
INFO : org.springframework.context.support.GenericXmlApplicationContext - R(
INFO : org.springframework.beans.factory.support.DefaultListableBeanFactory
>>>LOG : Fri Jul 30 13:30:52 KST 2021
Hello~~~홍길동
INFO : org.springframework.context.support.GenericXmlApplicationContext - C
INFO : org.springframework.beans.factory.support.DefaultListableBeanFactory
```

그림 7. Main 실행 결과

1) ⟨aop:config⟩

AOP 설정을 위한 태그 중 ⟨aop:config⟩ 태그는 최상위 태그입니다. 스프링 설정 파일에 ⟨aop:config⟩ 태그는 여러 번 사용할 수 있습니다. ⟨aop:pointcut⟩, ⟨aop:aspect⟩, ⟨aop:advisor⟩ 태그를 포함할 수 있습니다.

다음 코드는 ⟨aop:config⟩ 태그의 사용 예입니다.

```
<beans xmlns=... >
    <aop:config>
        <aop:pointcut  id="hello" expression="..."/>
        <aop:aspect ref="helloLog">
            <aop:before pointcut-ref="hello" method="log"/>
        </aop:aspect>
    </aop:config>
</beans>
```

2) ⟨aop:pointcut⟩

⟨aop:pointcut⟩ 태그는 포인트컷을 지정하기 위해 사용합니다. ⟨aop:pointcut⟩ 태그는 ⟨aop:config⟩ 태그 안에 여러 개 정의할 수 있습니다. ⟨aop:pointcut⟩ 태그는 ⟨aop:config⟩ 태그 안에 정의되거나 ⟨aop:aspect⟩ 태그 안에 정의될 수 있습니다. ⟨aop:pointcut⟩ 태그는 id 속성과 expression 속성을 갖습니다.
- id 속성의 값은 각 포인트컷의 고유 아이디 값을 가져야 합니다.
- expression 속성은 포인트컷 표현식을 지정합니다. 포인트컷은 공통코드가 실행되어야 할 핵심코드를 지정할 때 사용합니다. 포인트컷을 지정하기 위한 표현식은 [2.7. Pointcut 표현식]에서 설명합니다.

포인트컷 아이디는 유일해야 하며, 어드바이스를 설정할 때 참조하도록 지정합니다. 다음 코드는 ⟨aop:pointcut⟩ 태그의 사용 예입니다.

```
<aop:config>
    <aop:pointcut
            id="hello"
            expression="execution(* com.example..HelloService.sayHello(..))/>
    <aop:aspect ...
```

위의 포인트컷은 com.example 패키지와 그 하위 패키지를 포함한 패키지 중에서 HelloService 클래스에 있는 sayHello() 메서드를 포인트컷으로 지정한 예입니다.

3) ⟨aop:aspect⟩

⟨aop:aspect⟩ 태그는 공통코드 객체를 지정하기 위한 태그입니다. ⟨aop:aspect⟩ 태그는 어드바이스와 포인트컷을 연결합니다.

⟨aop:aspect⟩ 태그는 id, order, ref 속성을 갖습니다.
- id 속성은 aspect 고유 아이디 값입니다.
- order 속성은 특정 포인트컷에 여러 개 어드바이스가 실행될 때 aspect의 순서를 제어 합니다.
- ref 속성은 공통 빈(Aspect)의 이름을 지정합니다.

⟨aop:aspect⟩ 태그 안에 ⟨aop:pointcut⟩ 태그와 ⟨aop:after⟩, ⟨aop:after-returning⟩, ⟨aop:after-throwing⟩, ⟨aop:around⟩, ⟨aop:before⟩ 등 어드바이스 태그를 가질 수 있습니다.

다음 코드는 〈aop:aspect〉 태그 사용 예입니다.

```
<aop:config>
    <aop:pointcut id="hello" expression="..."/>
    <aop:aspect ref="helloLog">
        <aop:before pointcut-ref="hello" method="log"/>
    </aop:aspect>
</aop:config>
```

2.4. 어드바이스

어드바이스(Advice)의 종류는 before, after, after-returning, after-throwing, around 가 있습니다. 이 5가지 어드바이스들은 스프링 설정 파일에 〈aop:before〉, 〈aop:after〉, 〈aop:after-returning〉, 〈aop:after-throwing〉 그리고 〈aop:around〉 태그를 이용하여 설정합니다.

어드바이스 설정 태그들은 method, pointcut, pointcut-ref, arg-names 속성을 가질 수 있습니다.
 - method 속성은 aspect 객체의 메서드 이름을 지정합니다. 이 메서드는 공통코드를 의미합니다.
 - pointcut 속성을 포인트컷 표현식을 지정하기 위한 속성입니다.
 - pointcut-ref 속성은 〈aop:pointcut〉 태그에 의해 미리 정의된 포인트컷의 아이디를 지정합니다.
 - arg-names 속성은 포인트컷 매개변수에 대응시킬 어드바이스 메서드 매개변수 리스트를 콤마(,)로 분리하여 나열합니다.

1) 〈aop:before〉

〈aop:before〉 태그는 before 어드바이스를 설정하기 위해 사용합니다. before 어드바이스는 핵심코드가 실행되기 전에 공통코드가 실행되도록 합니다. 이 태그는 method, pointcut, pointcut-ref, arg-names 속성을 갖습니다.

다음 코드는 〈aop:before〉 태그의 예입니다.
```
<aop:before pointcut-ref="hello" method="log"/>
```

2) ⟨aop:after⟩

⟨aop:after⟩ 태그는 after 어드바이스를 설정하기 위해 사용합니다. after 어드바이스는 핵심코드가 실행된 후(리턴값이 없을 때 또는 finally 블록이 실행된 후) 공통코드가 실행되도록 합니다.

⟨aop:after⟩ 태그는 method, pointcut, pointcut-ref, arg-names 속성을 갖습니다.

다음 코드는 ⟨aop:after⟩ 태그의 예입니다.
```
<aop:after pointcut-ref="hello" method="log"/>
```

3) ⟨aop:after-returning⟩

⟨aop:after-returning⟩ 태그는 after-returning 어드바이스를 설정하기 위해 사용합니다. after-returning 어드바이스는 핵심코드 메서드가 리턴한 다음 공통코드가 실행되도록 합니다.

⟨aop:after-returning⟩ 태그는 공통 속성 외에 returning 속성을 갖습니다.
 - returning 속성은 리턴 값이 전달 될 공통코드의 메서드 파라미터 이름을 지정합니다.

리턴 값을 받을 수 있는 파라미터를 다음과 같이 Object resultObj로 선언했다면….
```
public void resultLog(Object resultObj) { … }
```

태그 인자로 아래 코드처럼 returning="resultObj" 속성을 추가할 수 있습니다.
```
<aop:after-returning printcut-ref="hello" method="resultLog" returning="resultObj"/>
```

4) ⟨aop:after-throwing⟩

⟨aop:after-throwing⟩ 태그는 after-throwing 어드바이스를 설정하기 위해 사용합니다. after-throwing 어드바이스는 핵심코드에서 예외가 발생하면 공통코드가 실행되도록 합니다.

⟨aop:after-throwing⟩ 태그는 공통 속성 외에 throwing 속성을 갖습니다.
 - throwing 속성은 예외를 전달할 공통코드의 메서드 파라미터 이름을 지정합니다.

리턴 값을 받을 수 있는 파라미터를 다음과 같이 Exception ex로 선언했다면….

```
public void exceptionLog(Exception ex) { … }
```

태그 인자로 아래 코드처럼 throwing="ex" 속성을 추가할 수 있습니다.

```
<aop:after-throwing printcut-ref="xxx" method="exceptionLog" throwing="ex"/>
```

5) ⟨aop:around⟩

⟨aop:around⟩ 태그는 around 어드바이스를 설정하기 위해 사용합니다. around 어드바이스는 핵심코드가 실행되는 동안 공통코드가 실행되도록 합니다. before, after, after-returning, after-throwing 어드바이스를 around 어드바이스 하나로 해결할 수 있습니다. around 어드바이스에 지정할 공통코드 메서드는 반드시 ProceedingJoinPoint 변수를 파라미터로 선언해야 합니다. ProceedingJoinPoint 객체의 getSignature() 메서드는 타겟(핵심코드) 객체의 메서드 원형을 리턴합니다.

다음 코드는 메서드의 실행 시간을 계산하고 출력하는 공통코드(Aspect)입니다.

PerformanceAspect.java

```
 1 package com.example.myapp.aop;
 2
 3 import org.aspectj.lang.ProceedingJoinPoint;
 4 import org.aspectj.lang.Signature;
 5
 6 public class PerformanceAspect {
 7
 8     public Object trace(ProceedingJoinPoint joinPoint) throws Throwable{
 9
10         Signature s= joinPoint.getSignature();
11         String methodName = s.getName();
12         System.out.println("[Log]Before: " + methodName + " time check start");
13
14         long startTime = System.nanoTime();
15
16         Object result = null;
17         try{
18             result = joinPoint.proceed();
19         }catch(Exception e){
20             System.out.println("[Log]Exception: " + methodName);
21         }finally {
22             System.out.println("[Log]Finally: " + methodName);
23         }
24
```

```
25          long endTime = System.nanoTime();
26          System.out.println("[Log]After: " + methodName + " time check end");
27          System.out.println("[Log]" + methodName + ": " + (endTime-startTime) +
   "ns");
28          return result;
29      }
30 }
```

PerformanceAspect를 실행시키기 위한 설정 파일은 다음과 같습니다.

`application-config.xml`

```
 1 <?xml version="1.0" encoding="UTF-8"?>
 2 <beans xmlns="http://www.springframework.org/schema/beans"
 3    xmlns:xsi="http://www.w3.org/2001/XMLSchema-instance"
 4    xmlns:aop="http://www.springframework.org/schema/aop"
 5    xsi:schemaLocation="http://www.springframework.org/schema/beans
   http://www.springframework.org/schema/beans/spring-beans.xsd
 6        http://www.springframework.org/schema/aop
   http://www.springframework.org/schema/aop/spring-aop-3.1.xsd">
 7
 8    <bean id="helloService" class="com.example.myapp.aop.HelloService"/>
 9
10    <bean id="helloController" class="com.example.myapp.aop.HelloController">
11        <property name="helloService" ref="helloService"/>
12    </bean>
13
14    <bean id="helloLog" class="com.example.myapp.aop.HelloLog"/>
15    <bean id="performanceAspect" class="com.example.myapp.aop.PerformanceAspect"/>
16
17    <aop:config>
18        <!-- 어떤 핵심코드에 어떤 공통코드가 언제 실행되는지 설정 -->
19        <!-- 핵심코드(Pointcut) 설정 -->
20        <aop:pointcut id="helloPointcut"
              expression="execution(* com.example..HelloService.sayHello(..))"/>
21        <!-- hello 포인트컷에 before 어드바이스 설정 -->
22        <aop:aspect ref="helloLog">
23            <aop:before pointcut-ref="helloPointcut" method="log"/>
24        </aop:aspect>
25        <aop:aspect ref="performanceAspect">
26            <aop:around pointcut-ref="helloPointcut" method="trace"/>
27        </aop:aspect>
28    </aop:config>
29
30 </beans>
```

실행 결과의 이해를 돕기 위해 HelloService 클래스의 sayHello() 메서드에 print 문장을 하나 추가해 주세요.

HelloService.java

```
1 package com.example.myapp;
2
3 import org.springframework.stereotype.Service;
4
5 @Service
6 public class HelloService implements IHelloService {
7
8     @Override
9     public String sayHello(String name) {
10        String message = "Hello~~~" + name;
11        System.out.println("HelloService.sayHello 메서드 실행");
12        return message;
13    }
14
15    @Override
16    public String sayGoodbye(String name) {
17        String message = "Goodbye~~~" + name;
18        return message;
19    }
20 }
```

다음은 around 어드바이스를 테스트하기 위해 Main을 실행한 결과입니다.

```
INFO : org.springframework.beans.factory.xml.XmlBeanDefinitionReader - Load:
INFO : org.springframework.context.support.GenericXmlApplicationContext - Re
INFO : org.springframework.beans.factory.support.DefaultListableBeanFactory
>>>LOG : Fri Jul 30 14:56:22 KST 2021
[Log]Before: sayHello time check start
HelloService.sayHello 메서드 실행
[Log]Finally: sayHello
[Log]After: sayHello time check end
[Log]sayHello: 70900ns
Hello~~~홍길동
INFO : org.springframework.context.support.GenericXmlApplicationContext - C:
INFO : org.springframework.beans.factory.support.DefaultListableBeanFactory
```

그림 8. around 어드바이스 실행 결과

2.5. <aop:advisor>

<aop:advisor> 태그는 어드바이서를 설정할 때 사용합니다. 어드바이서(advisor)는 어드바이스(advice)와 포인트컷(pointcut)을 지정합니다. <aop:advisor> 태그는 앞에서 언급한 before, after, after-returning, after-throwing, around 어드바이스가 아닌 별도의

어드바이스를 만들었을 때 사용하는 태그입니다. 주로 트랜잭션 처리를 위한 어드바이스 (⟨tx:advice⟩)와 트랜잭션 처리 대상을 포인트컷으로 지정한 후 이를 묶어주는 용도로 사용합니다. 3장의 [4.2. XML을 이용한 트랜잭션 처리]에서 그 사용 예가 설명됩니다.

다음 코드는 ⟨aop:advisor⟩ 태그를 이용하여 어드바이스와 포인트컷을 묶는 예입니다.

```
<aop:config>
    <aop:pointcut id="txPointcut" expression="execution(* com..*Service.*(..))"/>
    <aop:advisor advice-ref="txAdvice" pointcut-ref="txPointcut"/>
</aop:config>
```

2.6. 핵심코드의 메서드 원형 사용하기

어드바이스 메서드의 첫 번째 매개변수로 JoinPoint를 정의하면 핵심코드 메서드의 원형을 알 수 있습니다. JoinPoint 클래스는 org.aspectj.lang 패키지에 있습니다.

```java
import java.lang.reflect.Modifier;

import org.aspectj.lang.JoinPoint;
import org.aspectj.lang.Signature;

public class HelloLog {
    public static void log(JoinPoint joinPoint) {
        Signature s = joinPoint.getSignature();
        System.out.println("핵심코드 메서드 이름 : " + s.getName());
        System.out.println("메서드가 선언된 곳 : " + s.getDeclaringTypeName());
        System.out.println("제한자 : " + s.getModifiers());
        System.out.println("제한자 : " + Modifier.toString(s.getModifiers()));
...
```

위 코드가 AOP 프레임워크에 의해 실행되면 다음과 같은 결과를 볼 수 있습니다. 아래의 예는 핵심코드 sayHello가 실행될 경우입니다.

```
핵심코드 메서드 이름 : sayHello
메서드가 선언된 곳 : com.abc.myapp.IHelloService
제한자 : 1025
제한자 : public abstract
```

● IHelloService 인터페이스의 sayHello()메서드는 public abstract로 선언되어 있습니다. Modifier 클래스에는 제한자들이 상수로 정의되어 있으며 PUBLIC은 1, ABSTRACT는 1024로 정의되어 있습니다. 그래서 getModifiers()의 실행 결과는 PUBLIC과 ABSTRACT의 합(비트 or)인 1025가 출력됩니다. Modifier 클래스의 toString() 메서드는 제한자 숫자를 문자로 반환합니다.

2.7. Pointcut 표현식

포인트컷은 조인포인트의 부분집합입니다. 어드바이스가 적용되는 조인포인트들을 의미합니다. 스프링에서는 정규 표현식이나 AspectJ의 문법을 이용하여 포인트컷을 정의할 수 있습니다.

포인트컷 표현식을 정의하기 위해 execution, within, bean을 사용할 수 있습니다.
 - bean 표현식은 빈의 이름을 이용하여 포인트컷을 지정합니다.
 - within 표현식은 지정한 패키지 또는 클래스 내의 모든 메서드를 포인트컷으로 지정합니다.
 - execution 표현식은 가장 일반적인 포인트컷 표현식입니다. execution 표현식은 메서드 시그니처[14]별로 포인트컷을 지정할 수 있습니다.

1) execution

Spring AOP 사용자는 execution 포인트컷 pointcut 지정자를 가장 자주 사용합니다. execution 식의 형식은 다음과 같습니다.

```
execution(modifiers-pattern?
        ret-type-pattern
        declaring-type-pattern?name-pattern(param-pattern)
        throws-pattern?)
```

리턴타입 패턴, 이름 패턴, 파라미터 패턴을 제외한 다른 패턴은 선택사항입니다. 각 패턴은 *을 이용해 모든 값을 표현할 수 있으며, ..은 0개 이상임을 표현할 때 사용합니다.

구문에서….
 - modifiers-pattern : public, protected 등 메서드의 제한자가 올 수 있으며, 생략이 가능합니다.
 - ret-type-pattern : 리턴타입이 무엇이어야 하는지 지정합니다. 클래스 이름을 표시하거나, `*`를 사용하여 모든 반환 타입을 표현하는 데 사용합니다.
 - declaring-type-pattern : 클래스 이름을 표기합니다. 클래스 이름은 생략가능합니다. 클래스 이름 패턴에서 패키지 이름 뒤에 ..을 사용하면 하위 패키지에서도 찾습니다. 같은 패키지일 때 패키지 이름을 생략할 수 있습니다. 클래스 이름뒤에 +를 붙이면 파생 클래스(자식 클래스)에서도 찾습니다.
 - name-pattern : 메서드 이름을 표기합니다. *를 이용하여 메서드 전부 또는 일부 이

---

14) 메서드 원형, 메서드 정의부 표현식을 의미하며 메서드 선언부 전체를 일컫는 말입니다.

름으로 사용할 수 있습니다.
- param-pattern : 매칭될 메서드 파라미터를 표기합니다. ()는 파라미터를 사용하지 않는 메서드를 찾습니다. (..)을 사용하면 파라미터가 0개 이상이 메서드를 찾습니다. (*)은 모든 타입 파라미터를 1개 포함해야 합니다. 만일 파라미터 패턴에 (*, *)로 하면 파라미터를 2개 포함해야 합니다. 파라미터 패턴을 (Integer, ..)로 하면 첫 번째 파라미터는 Integer 형이며, 1개 이상의 파라미터를 갖는 메서드를 찾습니다.
- throws-pattern : 예외를 throws 하는 클래스의 이름을 지정합니다.

포인트컷 표현식은 논리연산자 &&(and), ||(or), !(not) 사용이 가능합니다. 만일 XML 문서에 &&를 사용하려면 &&을 이용하거나 and 문자열을 이용하여 논리식을 표현합니다. 다음 몇 가지 예를 참고하세요.

```
execution(* com.exampple.myapp.*.*(..))
```
- com.example.myapp 패키지에 있는 모든 메서드를 포인트컷으로 지정합니다.

```
execution(* com.example.myapp.hr.EmployeeService.*(*))
```
- com.example.myapp.hr.EmployeeService에 있는 파라미터가 1개인 모든 메서드를 포인트컷으로 지정합니다.

```
execution(public * com.example.myapp..*Service.*(..))
```
- com.example.myapp 패키지 및 그 하위에 있고, 이름이 Service로 끝나는 인터페이스 또는 클래스의 메서드 중에서 파라미터가 0개 이상이고 public인 모든 메서드를 포인트컷으로 지정합니다.

```
execution(public Emp com.example.myapp.EmployeeService.*(Emp, ..))
```
- com.example.myapp.EmployeeService에 있는 메서드 중에서 public이고 리턴타입이 Emp이며, 첫 번째 파라미터가 Emp인 모든 메서드를 포인트컷으로 지정합니다.

```
execution(* some*(*, *))
```
- 이름이 some으로 시작하고 파라미터가 2개인 모든 메서드를 포인트컷으로 지정합니다.

```
execution(* com.example..*.*Service.*(..) || * com.example..*.*Repository.*(..))
```
- com.example 패키지와 그 하위 패키지에 있는 Service와 Repository의 모든 메서드를 포인트컷으로 지정합니다.

2) within

within 표현식은 특정 타입에 속하는 메서드를 포인트컷으로 설정할 때 사용합니다. 지정한 패키지 또는 클래스 내의 모든 메서드를 포인트컷으로 지정합니다.

```
within(패키지.클래스)
```

다음 표현식은 com.example 패키지와 그 하위 패키지의 클래스에 있는 모든 메서드를 포인트컷으로 지정합니다. 서브패키지는 ..으로 표기합니다.

```
within(com.example..*)
```

다음은 com.example.myapp.hr 패키지에 있는 모든 메서드를 포인트컷으로 지정합니다.

```
within(com.example.myapp.hr.*)
```

다음은 com.example.myapp.hr.HelloService 클래스에 있는 모든 메서드를 포인트컷으로 지정합니다.

```
within(com.example.myapp.hr.HelloService)
```

같은 패키지일 때 패키지 이름을 생략할 수 있습니다. HelloService 클래스에 있는 모든 메서드를 포인트컷으로 지정합니다.

```
within(HelloService)
```

+(plus 기호)를 사용하면 해당 클래스 또는 인터페이스를 상속받은 모든 클래스의 메서드를 포인트컷으로 지정합니다.

```
within(IHelloService+)
```

3) bean

스프링 2.5 버전부터 사용할 수 있으며, bean 표현식은 빈의 이름으로 포인트컷을 지정합니다.

```
bean(빈이름)
```

다음은 helloService 빈의 메서드들을 포인트컷으로 지정합니다.

```
bean(helloService)
```

다음은 Service로 끝나는 모든 빈의 메서드들을 포인트컷으로 지정합니다.

```
bean(*Service)
```

3. Annotation을 이용한 AOP

AspectJ 5 버전에 추가된 아노테이션을 이용해 AOP를 설정할 수 있습니다. 스프링 2.x 버전부터 Aspect 아노테이션을 지원합니다.

아노테이션을 이용한 AOP 구현과정은 XML 스키마 기반의 AOP를 구현하는 과정과 유사합니다. 아노테이션을 이용한 AOP 구현은 @Aspect 아노테이션을 이용해서 Aspect 클래스를 구현합니다. 이때 Aspect 클래스는 Advice를 구현한 메서드와 Pointcut을 포함합니다.

3.1. AOP 라이브러리 의존성 추가

1) aspectjweaver 라이브러리 추가

스프링 프레임워크에서 AOP를 사용하기 위해 pom.xml 문서에 aspectjweaver 의존성 설정을 추가해야 합니다. 이 예제는 자바 버전은 1.8, 스프링 프레임워크 버전은 4.3.9를 사용했습니다.

pom.xml

```
 1 <?xml version="1.0" encoding="UTF-8">
 2 <project xmlns=...
   ... 생략 ...
11    <java-version>1.8</java-version>
12    <org.springframework-version>4.3.9.RELEASE</org.springframework-version>
   ... 생략 ...
50       <!-- AspectJ -->
51       <dependency>
52          <groupId>org.aspectj</groupId>
53          <artifactId>aspectjrt</artifactId>
54          <version>${org.aspectj-version}</version>
55       </dependency>
56       <!-- AspectJ Weaver-->
57       <dependency>
58          <groupId>org.aspectj</groupId>
59          <artifactId>aspectjweaver</artifactId>
60          <version>1.9.1</version>
61       </dependency>
   ... 생략 ...
```

2) cglib 오류 시

스프링 3.x 버전에서 CGLib 오류가 발생할 때 pom.xml 파일에 cglib 라이브러리 의존성을 설정해야 합니다. cglib 라이브러리 의존성을 설정하지 않으려면 스프링의 버전은 4.0.0.RELEASE 이상으로 변경해야 합니다.

pom.xml

```
 1 <?xml version="1.0" encoding="UTF-8">
 2 <project xmlns=...

    ... 생략 ...

10    <properties>
11        <java-version>1.8</java-version>
12        <org.springframework-version>4.3.9.RELEASE</org.springframework-version>
13        <org.aspectj-version>1.6.10</org.aspectj-version>
14        <org.slf4j-version>1.6.6</org.slf4j-version>
15    </properties>
```

> 스프링 프레임워크 3.x 버전에서 CGLib 오류 발생 시 cglib 의존성을 추가해야 합니다.
> ```
> <dependency>
>     <groupId>cglib</groupId>
>     <artifactId>cglib</artifactId>
>     <version>3.2.5</version>
> </dependency>
> ```

3.2. AOP 아노테이션 사용 설정

아노테이션을 이용해 AOP 설정을 하기 위해서 XML 설정에 <aop:aspectj-autoproxy> 태그를 추가해야 합니다.[15]

application-config.xml

```
 1 <?xml version="1.0" encoding="UTF-8"?>
 2 <beans xmlns="http://www.springframework.org/schema/beans"
 3     xmlns:xsi="http://www.w3.org/2001/XMLSchema-instance"
 4     xmlns:context="http://www.springframework.org/schema/context"
 5     xmlns:aop="http://www.springframework.org/schema/aop"
 6     xsi:schemaLocation="http://www.springframework.org/schema/beans
   http://www.springframework.org/schema/beans/spring-beans.xsd
 7        http://www.springframework.org/schema/context
   http://www.springframework.org/schema/context/spring-context-3.1.xsd
 8        http://www.springframework.org/schema/aop
   http://www.springframework.org/schema/aop/spring-aop-3.1.xsd">
 9
10    <context:component-scan base-package="com.example.myapp"/>
11
12    <aop:aspectj-autoproxy/>
13
14 </beans>
```

---

15) Java Config 파일로 스프링 설정 시 @EnableAspectJAutoProxy 아노테이션을 추가합니다.

3.3. AOP 아노테이션

1) @Aspect

@Aspect[16] 아노테이션은 공통코드를 정의한 클래스에 사용합니다. 공통코드 객체가 빈으로 등록돼야 하므로 @Aspect 아노테이션과 @Component 아노테이션을 같이 사용합니다.

```
// 생략...
@Component
@Aspect
public class LogAspect {
    // 생략...
}
```

스프링 설정 파일에 <context:component-scan base-package="..."> 태그가 추가되어 있어야 @Component 아노테이션에 의해 빈으로 등록될 수 있음을 확인하세요.

2) @Pointcut

@Pointcut 아노테이션은 포인트컷을 지정할 때 사용합니다. Aspect 클래스 내에 아무 기능도 구현하지 않은 메서드를 추가하고 그 위에 @Pointcut 아노테이션을 이용하여 포인트컷 표현식을 작성합니다.

```
@Pointcut(value="execution(* com.example..*.sayHello(..))")
private void helloPointcut() {}

@Pointcut(value="execution(* com.example..*.sayGoodbye(..))")
private void goodbyePointcut() {}
```

3.4. 어드바이스

어드바이스에 사용하는 아노테이션은 @Before, @After, @AfterReturning, @AfterThrowing 그리고 @Around가 있습니다.

이들 아노테이션을 선언한 어드바이스 메서드는 파라미터로 JoinPoint 타입 변수를 선언할 수 있습니다. JoinPoint는 메서드의 첫 번째 파라미터로 정의되어야 합니다. JoinPoint

---

16) org.aspectj.lang.annotation.Aspect

객체의 getSignature() 메서드를 이용하여 호출하는 핵심코드 메서드의 원형을 알 수 있습니다. JoinPoint 파라미터는 선택사항입니다.

1) @Before

@Before 아노테이션은 before 어드바이스를 지정할 때 사용합니다. 핵심코드가 실행되기 전에 실행할 메서드에 정의합니다.

```java
@Before("helloPointcut()")
public void beforeLog(JoinPoint joinPoint) {
    Signature signature = joinPoint.getSignature();
    System.out.println("[Log: Before] 메서드 이름 : " + signature.getName());
}
```

2) @After

@After 아노테이션은 after 어드바이스를 지정할 때 사용합니다. 핵심코드가 실행된 후 실행됩니다. after 어드바이스는 메서드가 정상 종료될 때만 아니라 예외가 발생해도 실행됩니다.

```java
@After("helloPointcut()")
public void afterLog(JoinPoint joinPoint) {
    Signature signature = joinPoint.getSignature();
    System.out.println("[Log: After] 메서드 이름 : " + signature.getName());
}
```

3) @AfterReturning

@AfterReturning 아노테이션은 after-returning 어드바이스를 지정할 때 사용합니다. 핵심코드가 실행된 후 실행됩니다. after-returning 어드바이스는 메서드가 정상 실행한 후에만 실행합니다. after-returning 어드바이스는 예외 발생 시에는 실행되지 않습니다. 호출하는 핵심코드 메서드의 실행 결과를 알기 위해서 어드바이스 메서드 파라미터로 결과를 받을 타입으로 변수를 선언해 주고 @AfterReturning 아노테이션의 returning 속성에 어드바이스 메서드 파라미터 변수의 이름을 지정하면 어드바이스가 호출될 때 핵심코드가 실행한 결과가 메서드 파라미터로 전달됩니다.

```java
@AfterReturning(pointcut="helloPointcut()", returning="message")
public void afterReturningLog(JoinPoint joinPoint, String message) {
```

```
        Signature signature = joinPoint.getSignature();
        System.out.println("[Log: AfterReturning] 메서드 이름 : " +
signature.getName());
        System.out.println("[Log: AfterReturning] 메서드 리턴 값 : " + message);
    }
```

4) @AfterThrowing

@AfterThrowing 아노테이션은 after-throwing 어드바이스를 지정할 때 사용합니다. 예외가 발생하면 실행됩니다. 발생한 예외를 알고 싶다면 어드바이스 메서드에 Exception 타입 변수를 선언하고 @AfterThrowing 아노테이션의 throwing 속성의 값에 파라미터의 이름을 지정하면 어드바이스에서 예외가 발생할 때 예외가 어드바이스 메서드의 파라미터로 전달됩니다.

```
@AfterThrowing(pointcut="goodbyePointcut()", throwing="exception")
public void afterThrowingLog(JoinPoint joinPoint, Exception exception) {
    Signature signature = joinPoint.getSignature();
    System.out.println("[Log: AfterThrowing] 메서드 이름 : " + signature.getName());
    System.out.println("[Log: AfterThrowing] 예외 발생 : " + exception.getMessage());
}
```

5) @Around

@Around 아노테이션은 around 어드바이스를 지정할 때 사용합니다. 핵심코드가 실행되기 전과 후에 실행될 공통코드 메서드 위에 선언합니다. around 어드바이스는 메서드 첫 번째 파라미터로 ProceedingJoinPoint 타입 파라미터를 선언해야 합니다. 이 객체를 이용하여 공통코드가 실행되는 도중에 핵심코드를 실행시킵니다. around 어드바이스는 메서드 호출 전, 호출 후 그리고 예외가 발생할 때 작업이 실행될 수 있도록 합니다.

```
@Around("execution(* com.example..*.*(..))")
public Object trace(ProceedingJoinPoint joinPoint) {
    Signature s= joinPoint.getSignature();
    String methodName = s.getName();
    System.out.println("[Log: Around]Before: " + methodName + " time check start");

    long startTime = System.nanoTime();

    Object result = null;
    try{
        result = joinPoint.proceed();
    }catch(Throwable e){
```

```
            System.out.println("[Log: Around]Exception: " + methodName);
        }finally {
            System.out.println("[Log: Around]Finally: " + methodName);
        }

        long endTime = System.nanoTime();
        System.out.println("[Log: Around]After: " + methodName + " time check end");
        System.out.println("[Log: Around]" + methodName + " Processing time is " +
(endTime - startTime) + "ns");
        return result;
    }
```

3.5. 예제 코드

XML을 이용한 AOP 설정을, 아노테이션을 이용한 프로젝트로 만들어 보겠습니다. 프로젝트를 생성하고 pom.xml 파일에 라이브러리 의존성을 추가하고, AOP 아노테이션 사용을 설정하세요.

1) 서비스

IHelloService 인터페이스와 HelloService 클래스입니다.

IHelloService.java

```
1 package com.example.myapp.aop;
2
3 public interface IHelloService {
4     String sayHello(String name);
5     String sayGoodbye(String name);
6 }
```

HelloService 클래스의 sayGoodbye() 메서드는 50% 확률로 예외가 발생합니다.

HelloService.java

```
1 package com.example.myapp.aop;
2
3 import org.springframework.stereotype.Service;
4
5 @Service
6 public class HelloService implements IHelloService {
7
8     @Override
9     public String sayHello(String name) {
10        String message = "Hello~~~" + name;
```

```
11        System.out.println("HelloService.sayHello() 실행");
12        return message;
13    }
14
15    @Override
16    public String sayGoodbye(String name) {
17        String message = "Goodbye~~~" + name;
18        System.out.println("HelloService.sayGoodbye() 실행");
19        if(Math.random() < 0.5) {
20            throw new RuntimeException("Goodbye Exception");
21        }
22        return message;
23    }
24 }
```

2) 컨트롤러 클래스와 메인 클래스

HelloController 클래스는 HelloService의 메서드를 호출하여 화면에 출력합니다.

`HelloController.java`

```
1 package com.example.myapp.aop;
2
3 import org.springframework.beans.factory.annotation.Autowired;
4 import org.springframework.beans.factory.annotation.Qualifier;
5 import org.springframework.stereotype.Controller;
6
7 @Controller
8 public class HelloController {
9
10    @Autowired
11    @Qualifier("helloService")
12    IHelloService helloService;
13
14    public void hello(String name) {
15        System.out.println("HelloController : " + helloService.sayHello(name));
16    }
17
18    public void goodbye(String name) {
19        System.out.println("HelloController : " + helloService.sayGoodbye(name));
20    }
21 }
```

다음 코드는 프로그램을 실행하기 위한 메인 클래스입니다.

HelloMain.java

```
 1 package com.example.myapp.aop;
 2
 3 import org.springframework.context.support.AbstractApplicationContext;
 4 import org.springframework.context.support.GenericXmlApplicationContext;
 5
 6 public class HelloMain {
 7     public static void main(String[] args) {
 8         AbstractApplicationContext context =
 9                 new GenericXmlApplicationContext("application-config.xml");
10         HelloController controller = context.getBean(HelloController.class);
11         controller.hello("Eric");
12         System.out.println();
13         controller.goodbye("Dan");
14         context.close();
15     }
16 }
```

3) 공통코드(Aspect) 클래스

다음 클래스는 공통코드 클래스입니다. 핵심코드에서 호출해야 할 메서드와 포인트컷을 정의한 메서드를 포함합니다.

LogAspect.java

```
 1 package com.example.myapp.aop;
 2
 3 import org.aspectj.lang.JoinPoint;
 4 import org.aspectj.lang.ProceedingJoinPoint;
 5 import org.aspectj.lang.Signature;
 6 import org.aspectj.lang.annotation.After;
 7 import org.aspectj.lang.annotation.AfterReturning;
 8 import org.aspectj.lang.annotation.AfterThrowing;
 9 import org.aspectj.lang.annotation.Around;
10 import org.aspectj.lang.annotation.Aspect;
11 import org.aspectj.lang.annotation.Before;
12 import org.aspectj.lang.annotation.Pointcut;
13 import org.springframework.stereotype.Component;
14
15 @Component
16 @Aspect
17 public class LogAspect {
18
```

```
19      @Pointcut(value="execution(* com.example..*.sayHello(..))")
20      private void helloPointcut() {}
21
22      @Pointcut(value="execution(* com.example..*.sayGoodbye(..))")
23      private void goodbyePointcut() {}
24
25      @Before("helloPointcut()")
26      public void beforeLog(JoinPoint joinPoint) {
27          Signature signature = joinPoint.getSignature();
28          System.out.println("[Log: Before] 메서드 이름 : " +
     signature.getName());
29      }
30
31      @After("helloPointcut()")
32      public void afterLog(JoinPoint joinPoint) {
33          Signature signature = joinPoint.getSignature();
34          System.out.println("[Log: After] 메서드 이름 : " +
     signature.getName());
35      }
36
37      @AfterReturning(pointcut="helloPointcut()", returning="message")
38      public void afterReturningLog(JoinPoint joinPoint, String message) {
39          Signature signature = joinPoint.getSignature();
40          System.out.println("[Log: AfterReturning] 메서드 이름 : " +
     signature.getName());
41          System.out.println("[Log: AfterReturning] 메서드 리턴 값 : " + message);
42      }
43
44      @AfterThrowing(pointcut="goodbyePointcut()", throwing="exception")
45      public void afterThrowingLog(JoinPoint joinPoint, Exception exception) {
46          Signature signature = joinPoint.getSignature();
47          System.out.println("[Log: AfterThrowing] 메서드 이름 : " +
     signature.getName());
48          System.out.println("[Log: AfterThrowing] 예외 발생 : " +
     exception.getMessage());
49      }
50
51      @Around("execution(* com.example..HelloService.*(..))")
52      public Object trace(ProceedingJoinPoint joinPoint) throws Throwable{
53          Signature s= joinPoint.getSignature();
54          String methodName = s.getName();
55          System.out.println("[Log: Around]Before: " + methodName + " time check
     start");
56
57          long startTime = System.nanoTime();
58
```

```
59        Object result = null;
60        try{
61            result = joinPoint.proceed();
62        }catch(Exception e){
63            System.out.println("[Log: Around]Exception: " + methodName);
64        }finally {
65            System.out.println("[Log: Around]Finally: " + methodName);
66        }
67
68        long endTime = System.nanoTime();
69        System.out.println("[Log: Around]After: " + methodName + " time check
   end");
70        System.out.println("[Log: Around]" + methodName + " Processing time is "
   + (endTime - startTime) + "ns");
71        return result;
72    }
73 }
```

4) 실행 결과

sayGoodbye() 메서드에서 50% 확률로 예외를 발생시키므로 실행시킬 때마다 예외가
발생할 때도 있고 그렇지 않을 때도 있습니다. 몇 번 실행시키고 예외가 발생할 때와 그렇
지 않을 때 로그가 출력되는 것을 비교하고 어드바이스들의 실행 순서를 생각해 보세요.

◈ 예외가 발생할 때

```
[Log: Around]Before: sayHello time check start
[Log: Before] 메서드이름: sayHello
HelloService.sayHello() 실행
[Log: Around]Finally: sayHello
[Log: Around]After: sayHello time check end
[Log: Around]sayHello Processing time is 174767ns
[Log: AfterReturning] 메서드이름: sayHello
[Log: AfterReturning] 메서드리턴값: Hello~~~Eric
[Log: After] 메서드이름: sayHello
HelloController : Hello~~~Eric

[Log: Around]Before: sayGoodbye time check start
HelloService.sayGoodbye() 실행
[Log: Around]Exception: sayGoodbye
[Log: Around]Finally: sayGoodbye
[Log: Around]After: sayGoodbye time check end
[Log: Around]sayGoodbye Processing time is 361223ns
HelloController : null
```

⊙ goodbyePointcut을 위한 AfterThrowing 어드바이스는 Around 어드바이스에 의해 예외가 처리되므로 실행되지 않습니다.

◈ 예외가 발생하지 않을 때

```
[Log: Around]Before: sayHello time check start
[Log: Before] 메서드이름: sayHello
HelloService.sayHello() 실행
[Log: Around]Finally: sayHello
[Log: Around]After: sayHello time check end
[Log: Around]sayHello Processing time is 173342ns
[Log: AfterReturning] 메서드이름: sayHello
[Log: AfterReturning] 메서드리턴값: Hello~~~Eric
[Log: After] 메서드이름: sayHello
HelloController : Hello~~~Eric

[Log: Around]Before: sayGoodbye time check start
HelloService.sayGoodbye() 실행
[Log: Around]Finally: sayGoodbye
[Log: Around]After: sayGoodbye time check end
[Log: Around]sayGoodbye Processing time is 326441ns
HelloController : Goodbye~~~Dan
```

● JDK 9버전 이상에서 [error at ::0 can't find referenced pointcut xxx] 오류가 발생하면 aspectjweaver 버전을 1.9.1 이상으로 바꿔주세요.

```
Caused by: java.lang.IllegalArgumentException: error at ::0 can't find referenced pointcut helloPointcut
    at org.aspectj.weaver.tools.PointcutParser.parsePointcutExpression(PointcutParser.java:301)
    at org.springframework.aop.aspectj.AspectJExpressionPointcut.buildPointcutExpression(AspectJExpressi
    at org.springframework.aop.aspectj.AspectJExpressionPointcut.checkReadyToMatch(AspectJExpressionPoin
    at org.springframework.aop.aspectj.AspectJExpressionPointcut.getClassFilter(AspectJExpressionPointcu
```

그림 9. [error at ::0 can't find referenced pointcut xxx] 에러

● [ZipFile invalid LOC header] 오류가 발생할 때도 aspectjweaver 버전을 1.9.1로 바꿔주세요. 이 오류는 라이브러리(.jar)가 손상되었을 때도 발생합니다.

● pom.xml에서 Exception java.lang.ExceptionInInitializerError: Cannot access defaults field of Properties [in thread "Worker-8: Building"] 오류 또는 Could not initialize class org.apache.maven.plugin.war.util.WebappStructureSerializer 오류가 발생하면 <build> <plugins>에 <maven-war-plugin> 설정을 추가하세요.

```
<plugin>
    <groupId>org.apache.maven.plugins</groupId>
    <artifactId>maven-war-plugin</artifactId>
    <version>3.3.2</version>
</plugin>
```

3장. Spring JDBC

이 장에서는 스프링 JDBC 프레임워크를 활용하여 데이터베이스와 상호 작용하는 방법을 설명합니다. 스프링을 사용하면 JDBC 프로그래밍 시에 반복적으로 작성해야 하는 코드를 줄일 수 있으며, 이로 인해 코드를 더 간결하게 작성할 수 있는 경험을 할 수 있습니다.

1. Spring JDBC 개요

Spring JDBC를 이용하면 Connection, PreparedStatement, ResultSet 등의 객체 생성 및 자원 해제 코드 close()를 일일이 작성하지 않아도 됩니다. 그러므로 close()를 하지 않는 실수로 인해 메모리 누수가 발생할 일이 없습니다. SQL 쿼리(Query)를 전송하기 위해 JDBC의 Statement 클래스를 사용함으로써 SQL Injection의 위험이 없습니다. 그리고 스프링 JDBC는 높은 추상화 수준으로 SQL 구문이 간결해지고 이에 따라 유지 보수의 이점이 있습니다. 커넥션풀(Connection-Pool)을 지원하기 때문에 SQL 구문의 실행 속도가 빠르며, 동시성 문제 발생할 확률이 줄어들고 Connection을 분리함으로써 업무 단위의 트랜잭션(Transaction) 처리가 가능합니다.

표 1. JavaSE의 JDBC와 스프링 JDBC 비교

	Java SE의 JDBC	Spring-JDBC
Transaction 지원	O	O
Multi Transaction 지원	X	O
Connection 추상화 지원	X	O
Connection Pool 지원	X	O
Result Mapper 지원	X	O
Auto close 지원	X	O

스프링은 JDBC를 비롯하여 ORM 프레임워크를 지원하고 있으므로 JDBC뿐만 아니라 ORM 프레임워크를 스프링과 연동할 수 있습니다. 스프링은 JDBC, ORM 프레임워크 등의 다양한 기술을 이용해서 손쉽게 DAO 클래스를 구현할 수 있도록 지원합니다.

여러분은 실제 프로젝트 진행 전에 DAO를 어떤 방법으로 구현해야 할 것인가를 결정해야 합니다.
  - Java SE의 JDBC를 이용
  - 스프링의 JdbcTemplate 또는 JdbcDaoSupport 클래스를 이용
  - MyBatis의 Template 또는 DaoSupport 클래스를 이용
  - Hibernate의 Template 또는 DaoSupport 클래스를 이용
  - MyBatis SQL Mapper 이용
  - Hibernate ORM 이용

1.1. Java SE의 JDBC API를 이용한 코드

다음 코드는 Java SE의 JDBC API를 이용하여 DAO 클래스를 작성한 예입니다. 데이터베이스 연결이 필요한 모든 메서드에 반복적인 코드가 보입니다. 커넥션 생성하기, Statement 객체 생성하기, 쿼리 전송하기, 커넥션 닫기 등 메서드에서 쿼리문을 제외한 대부분 코드가 중복됩니다.

● 이 코드를 작성할 필요 없습니다. 기존 방법으로 DAO 클래스를 작성할 때 아래와 비슷한 형식으로 작성했었다는 것만 기억하세요.

```java
import java.sql.*;

public class EmpRepository implements IEmpRepository {

    static {
        try {
            Class.forName("oracle.jdbc.OracleDriver");
        } catch (ClassNotFoundException e) {
            System.out.println("드라이버로드실패");
        }
    }

    String url = "jdbc:oracle:thin:@localhost:1521:xe"
    String id = "hr" // 데이터베이스 사용자 아이디
    String pw = "hr" // 데이터베이스 사용자 비밀번호

    @Override
    public int getEmpCount() {
        Connection con = null
        try {
            con = DriverManager.getConnection(url, id, pw);
            String sql = "SELECT COUNT(*) FROM employees"
            PreparedStatement stmt = con.prepareStatement(sql);
            ResultSet rs = stmt.executeQuery();
            if(rs.next()) {
                return rs.getInt(1);
            }
        }catch(SQLException e) {
            throw new RuntimeException(e.getMessage());
        }finally {
            if(con!=null) try { con.close(); } catch(Exception e) { }
        }
        return 100;
    }
```

```
@Override
public int getEmpCount(int deptid) {
    Connection con = null
    try {
        con = DriverManager.getConnection(url, id, pw);
        String sql = "SELECT COUNT(*) FROM employees WHERE department_id=?"
        PreparedStatement stmt = con.prepareStatement(sql);
        stmt.setInt(1, deptid);
        ResultSet rs = stmt.executeQuery();
        if(rs.next()) {
            return rs.getInt(1);
        }
    }catch(SQLException e) {
        throw new RuntimeException(e.getMessage());
    }finally {
        if(con!=null) try { con.close(); } catch(Exception e) { }
    }
    return 0;
}
}
```

위 코드에서 중복되는 코드를 골라보면 다음과 같습니다.
1. 커넥션 생성하기 : DriverManager.getConnection(url, id, pw)
2. Statement 객체 생성하기 : con.prepareStatement(sql)
3. Statement에 파라미터 매핑하기 : stmt.setXxx(1, 값)
4. 쿼리 실행하기 : stmt.executeQuery() 또는 stmt.executeUpdate()
5. 실행 결과 뽑아내기 : rs.getXxx("열이름")

1.2. Spring JDBC를 이용한 코드

스프링 JDBC는 사용자가 반복적으로 작성해야 하는 코드를 줄여줍니다. 커넥션 (Connection) 객체를 생성하고, 문장(Statement) 객체를 생성하는 것, 그리고 쿼리를 실행(execute)시키기 위한 코드들을 줄여줍니다. 쿼리 결과를 뽑아내 변수에 저장하는 것도 스프링이 알아서 해 줍니다. Spring JDBC를 이용하면 개발 시간과 유지보수시간을 줄여주며 소프트웨어의 생산성을 증가시킵니다.

개발자가 작성하는 코드는 쿼리문을 작성하고 쿼리문에 매핑될 파라미터를 지정하는 것과 실행 결과를 저장하기 위한 타입을 지정하거나 DTO(Data Transfer Object)객체에 실행 결과를 매핑시켜 주는 것입니다.

다음은 Spring JDBC를 이용하여 작성한 코드들의 예입니다.

> 쿼리문과 실행 결과를 반환할 타입 메서드를 이용할 수 있습니다.

```java
@Override
public int getEmpCount() {
    String sql = "select count(*) from employees";
    return jdbcTemplate.queryForObject(sql, Integer.class);
}
```

> queryForObject() 메서드로 쿼리문을 실행시키고, 실행 결과를 반환할 타입을 지정할 수 있습니다.

```java
@Override
public int getEmpCount(int deptid) {
    String sql = "select count(*) from employees where department_id=?";
    return jdbcTemplate.queryForObject(sql, Integer.class, deptid);
}
```

Spring JDBC를 이용한 코드 샘플 1

> DTO(Data Transfer Object)를 이용해 조회 결과를 저장할 매퍼를 만들어 사용할 수 있습니다.

```java
@Override
public List<Emp> getEmpList() {
    String sql = "select * from employees";
    return jdbcTemplate.query(sql, new RowMapper<EmpVO>() {
        @Override
        public Emp mapRow(ResultSet rs, int count) throws SQLException {
            Emp emp = new Emp();
            emp.setEmployeeId(rs.getInt("employee_id"));
            emp.setFirstName(rs.getString("first_name"));
            emp.setLastName(rs.getString("last_name"));
            emp.setEmail(rs.getString("email"));
            emp.setPhoneNumber(rs.getString("phone_number"));
            emp.setHireDate(rs.getDate("hire_date"));
            emp.setJobId(rs.getString("job_id"));
            emp.setSalary(rs.getDouble("salary"));
            emp.setCommissionPct(rs.getDouble("commission_pct"));
            emp.setManagerId(rs.getInt("manager_id"));
            emp.setDepartmentId(rs.getInt("department_id"));
            return emp;
        }
    });
}
```

Spring JDBC를 이용한 코드 샘플 2

> 수정은 update()를 이용하면 됩니다.

```java
@Override
public void deleteEmp(int empid, String email) {
    String sql = "delete from employees where employee_id=? and email=?";
    jdbcTemplate.update(sql, empid, email);
}
```

> 조회 결과를 쉽게 Map 객체에 저장해 반환할 수 있습니다.

```java
@Override
public List<Map<String, Object>> getAllDeptId() {
    String sql = "select department_id as departmentId, "
            +"        department_name as departmentName "
            +"  from departments";
    return jdbcTemplate.queryForList(sql);
}
```

Spring JDBC를 이용한 코드 샘플 3

2. Spring JDBC 설정

2.1. Spring JDBC 의존성 추가

Spring JDBC를 사용하기 위해 spring-jdbc 의존성과 commons-dbcp 커넥션풀 라이브러리 의존성을 추가해 주세요.

pom.xml

```
    ... 생략 ...
31  <dependency>
32      <groupId>org.springframework</groupId>
33      <artifactId>spring-webmvc</artifactId>
34      <version>${org.springframework-version}</version>
35  </dependency>
36
37  <!-- Spring JDBC -->
38  <dependency>
39      <groupId>org.springframework</groupId>
40      <artifactId>spring-jdbc</artifactId>
41      <version>${org.springframework-version}</version>
42  </dependency>
43
44  <!-- Connection Pool -->
45  <dependency>
46      <groupId>org.apache.commons</groupId>
47      <artifactId>commons-dbcp2</artifactId>
48      <version>2.9.0</version>
49  </dependency>
50
    ... 생략 ...
```

jdk 1.8 버전의 오라클 JDBC 드라이버인 ojdbc8 버전에서 commons-dbcp 1.x 버전을 사용할 때 아래와 같은 예외가 발생하면 commons-dbcp 2.x 버전을 사용하세요.
java.lang.NoClassDefFoundError: org/apache/commons/pool/KeyedObjectPoolFactory

commons-dbcp의 데이터소스 클래스는 버전에 따라 다릅니다.
commons-dbcp 1.x의 데이터소스: org.apache.commons.dbcp.BasicDataSource
commons-dbcp 2.x의 데이터소스: org.apache.commons.dbcp2.BasicDataSource

2.2. JDBC 드라이버 클래스 의존성 추가

메이븐 센트럴 리포지토리에 게시된 Oracle JDBC 드라이버 버전은 ojdbc8, ojdbc10, ojdbc11 등이 있습니다. 프러덕션(개발, 테스트, 배포)에 최적화된 버전은 ojdbc8과 ojdbc11이 있으며 다음 의존성 설정을 통해 오라클 JDBC 드라이버를 추가할 수 있습니다. ojdbc8의 메이븐 의존성은 다음처럼 설정하세요. 만일 ojdbc11 버전을 사용하려면 아래 코드에서 ojdbc8을 ojdbc11로 수정하세요.

pom.xml

```
50      <!-- Oracle JDBC Driver -->
51      <dependency>
52          <groupId>com.oracle.database.jdbc</groupId>
53          <artifactId>ojdbc8</artifactId>
54          <version>21.1.0.0</version>
55      </dependency>
```

ojdbc 라이브러리 의존성 설정에 대한 더 자세한 내용은 아래 주소를 참고하세요.
- https://www.oracle.com/database/technologies/maven-central-guide.html

● 그래들(Gradle)을 이용해서 의존성 설정해야 한다면 다음처럼 하세요.

```
dependencies {
    implementation("com.oracle.database.jdbc:ojdbc8:21.1.0.0")
}
```

● MySQL 데이터베이스를 사용하기 위한 메이븐 의존성 설정은 아래와 같습니다.

```
<dependency>
    <groupId>mysql</groupId>
    <artifactId>mysql-connector-java</artifactId>
    <version>5.1.9</version>
</dependency>
```

● SQLite 데이터베이스를 사용하기 위한 메이븐 의존성 설정은 아래와 같습니다.

```
<dependency>
    <groupId>org.xerial</groupId>
    <artifactId>sqlite-jdbc</artifactId>
    <version>3.41.0.0</version>
</dependency>
```

● 아래 코드는 SQLite 데이터베이스 연결정보 설정 예입니다.

```
<bean id="sqliteDataSource" class="org.apache.commons.dbcp2.BasicDataSource">
    <property name="driverClassName" value="org.sqlite.JDBC"/>
    <property name="url" value="jdbc:sqlite:C:/dev/sqlite/hr.db"/>
</bean> <!-- C:/dev/sqlite/hr.db는 SQLite 데이터베이스 파일의 위치입니다. -->
```

2.3. 데이터베이스 연결 정보 설정

스프링 설정 파일은 프로젝트의 src/main/resource 폴더 아래에 추가해 주세요. 그리고 데이터소스 설정을 통해 데이터베이스 연결 정보를 설정해 주세요.

application-config.xml

```
1  <?xml version="1.0" encoding="UTF-8"
2  <beans xmlns="http://www.springframework.org/schema/beans"
3    xmlns:xsi="http://www.w3.org/2001/XMLSchema-instance"
4    xsi:schemaLocation="http://www.springframework.org/schema/beans
   http://www.springframework.org/schema/beans/spring-beans.xsd">
5
6    <!-- 데이터 소스 설정 -->
7    <bean id="dataSource" class="org.apache.commons.dbcp2.BasicDataSource">
8      <property name="driverClassName" value="oracle.jdbc.OracleDriver"/>
9      <property name="url" value="jdbc:oracle:thin:@localhost:1521:xe"/>
10     <property name="username" value="hr"/>
11     <property name="password" value="hr"/>
12   </bean>
13 </beans>
```

● 드라이버클래스 이름은 오라클 9전부터 oracle.jdbc.driver.OracleDriver에서 oracle.jdbc.OracleDriver로 바뀌었습니다.
● 오라클의 url 맨 뒤의 xe가 SID이면 :을 구분자로 사용(예: ...1521:xe)하고, xe가 서비스 이름이면 /를 구분자로 사용(예: ...1521/xe)합니다.

2.4. JDBCTemplate 빈 설정

DAO 클래스에 JDBCTemplate 의존성 주입을 위해 JDBCTemplate 빈을 설정해야 합니다.

application-config.xml

```
1  <?xml version="1.0" encoding="UTF-8"?>
2  <beans xmlns="http://www.springframework.org/schema/beans"
3    xmlns:xsi="http://www.w3.org/2001/XMLSchema-instance"
4    xsi:schemaLocation="http://www.springframework.org/schema/beans
   http://www.springframework.org/schema/beans/spring-beans.xsd">
   ... 생략 ...
14     <bean id="jdbcTemplate" class="org.springframework.jdbc.core.JdbcTemplate">
15       <property name="dataSource" ref="dataSource"/>
16   </bean>
17
18 </beans>
```

Instructor Note: 데이터베이스 연결 정보만 별도의 파일로 설정할 수 있습니다.

데이터베이스 연결 정보를 별도의 파일에 작성할 수 있습니다. 그렇게 하려면 properties 파일과 XML 문서에서 property-placeholder 설정이 필요합니다.

먼저 프로젝트의 src/main/resources 폴더에 properties 파일을 생성하세요. 이 프로퍼티 파일에 자신의 데이터베이스에 연결하기 위한 정보들을 설정하세요. 아래 예시는 오라클 Express Edition 데이터베이스에 연결하기 위한 정보들입니다. 예에서 오라클 데이터베이스 드라이버 클래스와 URL을 지정했으며, 사용자의 아이디는 hr, 비밀번호는 hr입니다.

jdbc.properties

```
1 jdbc.driverClassName=oracle.jdbc.OracleDriver
2 jdbc.url=jdbc:oracle:thin:@localhost:1521:xe
3 jdbc.username=hr
4 jdbc.password=hr
```

스프링 설정 파일에 데이터소스를 설정할 때 properties 파일을 이용해 설정할 수 있습니다. 그렇게 하려면 〈context:properties-placeholder〉 태그를 이용해서 properties 파일의 위치를 지정해야 합니다. 그리고 설정 파일에 값을 설정해야 하는 곳에서 ${ } 표현식을 사용하면 properties 파일에 있는 값을 대체할 수 있습니다.

application-config.xml

```
 1 <?xml version="1.0" encoding="UTF-8"
 2 <beans xmlns="http://www.springframework.org/schema/beans"
 3 xmlns:xsi="http://www.w3.org/2001/XMLSchema-instance"
 4 xmlns:context="http://www.springframework.org/schema/context"
 5 xsi:schemaLocation="http://www.springframework.org/schema/beans
   http://www.springframework.org/schema/beans/spring-beans.xsd
 6 http://www.springframework.org/schema/context
   http://www.springframework.org/schema/context/spring-context-3.1.xsd">
 7
 8    <context:property-placeholder location="classpath:jdbc.properties"/>
 9
10    <bean id="dataSource" class="org.apache.commons.dbcp2.BasicDataSource">
11        <property name="driverClassName" value="${jdbc.driverClassName}"/>
12        <property name="url" value="${jdbc.url}"/>
13        <property name="username" value="${jdbc.username}"/>
14        <property name="password" value="${jdbc.password}"/>
15    </bean>
16
17 </beans>
```

2.5. JDBCTemplate API

JDBCTemplate 클래스의 메서드는 SQL 구문의 실행과 파라미터 매핑, 그리고 실행 결과를 DTO(Data Transfer Object)로 매핑시키는 것을 쉽게 해줍니다. JDBCTemplae 클래스의 query(), queryForObject() 메서드는 데이터를 조회(select)하는데 사용하며, update() 메서드는 데이터 입력(insert), 수정(update), 삭제(delete)에 사용됩니다.

1) 여러 행을 조회하는 select 쿼리

다중 행을 반환하는 SELECT 문장을 실행하기 위한 query() 메서드를 사용합니다. 실행한 결과를 DTO에 매핑하려면 RowMapper<T> 인터페이스의 T mapRow(ResultSet, int) 메서드를 재정의해야 합니다.

- List query(String sql, RowMapper<T> rowMapper)
  정적 SQL을 이용해서 select 수행할 때 사용합니다. rowMapper 파라미터는 select한 결과를 DTO에 매핑할 RowMapper 인터페이스를 구현한 객체입니다.
- List query(String sql, RowMapper<T> rowMapper, Object... args)
  PreparedStatement를 이용해서 select 수행할 때 사용합니다. SQL 문장에 매핑될 인수들은 3번째 인자부터 차례로 넣으면 됩니다.
- List query(String sql, Object[] args, RowMapper<T> rowMapper)
  PreparedStatement를 이용해서 select 수행할 때 사용합니다. JDK 1.4 이하라면 가변인자(Variable Arguments)를 사용할 수 없으므로 SQL 문장에 매핑될 인수들을 배열형식으로 전달해야 합니다.

query() 메서드의 인자 중 RowMapper는 조회한 결과를 DTO에 매핑시킵니다. 다음 코드는 조회한 결과를 Emp 객체로 매핑시키는 매퍼를 갖는 query() 메서드 사용 예입니다.

```
@Override
public List<Emp> getEmpList() {
    String sql = "SELECT * FROM employees";
    return jdbcTemplate.query(sql, new RowMapper<Emp>() {
        @Override
        public Emp mapRow(ResultSet rs, int rowNum) throws SQLException {
            Emp emp = new Emp();
            emp.setEmployeeId(rs.getInt("employee_id"));
            emp.setFirstName(rs.getString("first_name"));
            emp.setLastName(rs.getString("last_name"));
            emp.setEmail(rs.getString("email"));
            emp.setPhoneNumber(rs.getString("phone_number"));
            emp.setHireDate(rs.getDate("hire_date"));
            emp.setJobId(rs.getString("job_id"));
```

```
            emp.setSalary(rs.getDouble("salary"));
            emp.setCommissionPct(rs.getDouble("commission_pct"));
            emp.setManagerId(rs.getInt("manager_id"));
            emp.setDepartmentId(rs.getInt("department_id"));
            return emp;
        }
    });
}
```

Key와 Value를 갖는 Map 형식 데이터를 여러 개 반환하는 SQL 문장을 실행시키려면 리턴 타입을 List〈Map〈K,V〉〉 형식으로 해야 합니다. 이때 query(sql, RowMapper) 메서드를 이용하여 결과 데이터를 맵(Map) 객체의 Key와 Value에 직접 넣어 반환하는 매퍼를 사용할 수 있습니다.

```
@Override
public List<Map<Integer, String>> getAllDeptId() {
    String sql = "SELECT department_id, department_name FROM departments";
    return jdbcTemplate.query(sql, new RowMapper<Map<Integer, String>>() {
        @Override
        public Map<Integer, String> mapRow(ResultSet rs, int rowNum) throws
SQLException {
            Map<Integer, String> deptMap = new HashMap<Integer, String>();
            deptMap.put(rs.getInt("department_id"), rs.getString("department_name"));
            return deptMap;
        };
    });
}
```

위의 반환되는 데이터를 출력하면 다음과 같습니다. 아래의 예는 부서번호와 부서이름을 각각 Key=Value 형식으로 저장하고 있습니다.

```
[{10=Administration}, {20=Marketing}, {30=Purchasing}, {40=Human Resources},
{50=Shipping}, {60=IT}, {70=Public Relations}, {80=Sales}, {90=Executive},
{100=Finance}, {110=Accounting}, {120=Treasury}, {130=Corporate Tax}, {140=Control
And Credit}, {150=Shareholder Services}, {160=Benefits}, {170=Manufacturing},
{180=Construction}, {190=Contracting}, {200=Operations}, {210=IT Support},
{220=NOC}, {230=IT Helpdesk}, {240=Government Sales}, {250=Retail Sales},
{260=Recruiting}, {270=Payroll}, {280=Data Analytics}]
```

● 이 방법은 참고만 하세요. 이 교재에서는 Map〈K, V〉 타입으로 반환해야 할 때 Map〈String, Object〉 타입을 사용합니다.

다음 구문처럼 queryForList() 메서드로 쿼리 실행 결과를 List〈Map〈String, Object〉〉 형식으로 조회할 수 있습니다. queryForList() 메서드의 실행 결과는 SELECT 구문의 열 이름이 대문자로 맵의 Key에 저장되며, 열의 값은 Value에 저장됩니다. 만일 아래 SQL

구문처럼 열 별칭을 갖는다면 열 별칭이 Key에 저장됩니다.

```java
@Override
public List<Map<String, Object>> getAllJobId() {
    String sql = "SELECT job_id AS jobId, job_title AS jobTitle FROM jobs";
    return jdbcTemplate.queryForList(sql);
}
```

위 코드의 실행 결과는 아래와 같습니다. 부서번호/부서이름 쌍을 출력할 때와 직무아이디/직무타이틀 쌍을 출력할 때의 데이터 표현 형식이 다름에 주의하세요. 아래의 결과에는 Key, Value 쌍이 열이름=값 형식으로 되어 있습니다.

```
[{JOBID=AD_PRES, JOBTITLE=President}, {JOBID=AD_VP, JOBTITLE=Administration Vice
President}, {JOBID=AD_ASST, JOBTITLE=Administration Assistant}, {JOBID=FI_MGR,
JOBTITLE=Finance Manager}, {JOBID=FI_ACCOUNT, JOBTITLE=Accountant}, {JOBID=AC_MGR,
JOBTITLE=Accounting Manager}, {JOBID=AC_ACCOUNT, JOBTITLE=Public Accountant},
{JOBID=SA_MAN, JOBTITLE=Sales Manager}, {JOBID=SA_REP, JOBTITLE=Sales
Representative}, {JOBID=PU_MAN, JOBTITLE=Purchasing Manager}, {JOBID=PU_CLERK,
JOBTITLE=Purchasing Clerk}, {JOBID=ST_MAN, JOBTITLE=Stock Manager},
{JOBID=ST_CLERK, JOBTITLE=Stock Clerk}, {JOBID=SH_CLERK, JOBTITLE=Shipping Clerk},
{JOBID=IT_PROG, JOBTITLE=Programmer}, {JOBID=MK_MAN, JOBTITLE=Marketing Manager},
{JOBID=MK_REP, JOBTITLE=Marketing Representative}, {JOBID=HR_REP, JOBTITLE=Human
Resources Representative}, {JOBID=PR_REP, JOBTITLE=Public Relations
Representative}]
```

2) 단일 행을 조회하는 select 쿼리

단일 행을 리턴하는 쿼리문을 실행하기 위해 queryForObject() 메서드를 이용합니다.
- T queryForObject(String sql, Class<T> requiredType)
- T queryForObject(String sql, RowMapper<T> rowMapper)
  정적 SQL을 이용해서 단일 행을 조회하는 select 쿼리를 수행할 때 사용합니다.
  requiredType 파라미터는 select 문장의 결과 타입을 지정합니다. rowMapper 파라미터는 select 문자의 실행 결과를 매핑할 객체를 지정합니다.

단일 행을 리턴하는 쿼리문이 파라미터를 가질 때 queryForObject() 메서드의 마지막 인수에 파라미터의 값들을 나열하면 됩니다.
- T queryForObject(String sql, Class<T> requiredType, Object... args)
- T queryForObject(String sql, RowMapper<T> rowMapper, Object... args)
  PreparedStatement를 이용해서 단일 행을 조회하는 select 쿼리를 수행할 때 사용합니다. SQL 문장에 매핑될 값들은 3번째 인자부터 차례로 넣으면 됩니다.

가변인자를 지원하지 않는 버전은 파라미터를 배열형식으로 전달해야 합니다.
- T queryForObject(String sql, Object[] args, Class<T> requiredType)
- T queryForObject(String sql, Object[] args, RowMapper<T> rowMapper)
  PreparedStatement를 이용해서 단일 행을 조회하는 select 쿼리를 수행할 때 사용합
  니다. JDK 1.4 이하라면 가변인자(Variable Arguments)를 사용할 수 없으므로 SQL
  문장에 매핑될 인수들을 배열형식으로 전달해야 합니다.

가변인자를 사용할 수 없을 때 매핑될 인수들의 타입은 배열을 이용한 인수 뒤에 int 형
배열을 이용해 지정해야 합니다.
- T queryForObject(String sql, Object[] args, int[] argTypes, Class<T> requiredType)
- T queryForObject(String sql, Object[] args, int[] argTypes, RowMapper<T> rowMapper)
  PreparedStatement를 이용해서 단일 행을 조회하는 select 쿼리를 수행할 때 사용합
  니다. JDK 1.4 이하라면 가변인자(Variable Arguments)를 사용할 수 없으므로 SQL
  문장에 매핑될 인수를 배열형식으로 전달해야 합니다. 이 메서드는 인수의 타입을 지
  정할 수 있습니다.

다음 코드는 단일 행을 조회하는 select 쿼리문을 실행시키기 위한 queryForObject() 메
서드 사용 예입니다.

```java
@Override
public int getEmpCount() {
    String sql = "SELECT COUNT(*) FROM employees";
    return jdbcTemplate.queryForObject(sql, Integer.class);
}


@Override
public int getEmpCount(int deptid) {
    String sql = "SELECT COUNT(*) FROM employees WHERE department_id=?";
    return jdbcTemplate.queryForObject(sql, Integer.class, deptid);
}


@Override
public Emp getEmpInfo(int empid) {
    String sql = "SELECT employee_id, first_name, last_name, "
            + " email, phone_number, hire_date, job_id, salary, "
            + " commission_pct, manager_id, department_id "
            + " FROM employees WHERE employee_id=?";
    return jdbcTemplate.queryForObject(sql, new EmpMapper(), empid);
}
```

● 위 코드에서 EmpMapper는 RowMapper 인터페이스를 구현한 클래스입니다.

3) insert, update, delete

입력, 수정, 삭제 쿼리문을 실행할 때 update() 메서드를 이용합니다.
- public int update(String sql)
  정적 SQL을 이용해서 insert, update, delete 쿼리를 실행할 때 사용합니다.
- public int update(String sql, Object... args)
  PreparedStatement를 이용해서 insert, update, delete 쿼리를 실행할 때 사용합니다.
- public int update(String sql, Object[] args, int[] argTypes)
  PreparedStatement를 이용해서 insert, update, delete 쿼리를 실행할 때 사용합니다. 가변인자를 사용할 수 없는 JVM 환경에서 사용합니다.

다음 코드는 update() 메서드를 사용하는 예입니다.

```java
@Override
public void updateEmp(Emp emp) {
    String sql = "UPDATE employees "
            + " SET first_name=?, last_name=?, email=?, "
            + " phone_number=?, hire_date=?, job_id=?, "
            + " salary=?, commission_pct=?, manager_id=?, "
            + " department_id=? WHERE employee_id=?";
    jdbcTemplate.update(sql,
            emp.getFirstName(),
            emp.getLastName(),
            emp.getEmail(),
            emp.getPhoneNumber(),
            emp.getHireDate(),
            emp.getJobId(),
            emp.getSalary(),
            emp.getCommissionPct(),
            emp.getManagerId(),
            emp.getEmployeeId()
    );
}

@Override
public void insertEmp(Emp emp) {
    String sql = "INSERT INTO employees (employee_id, first_name, "
            + " last_name, email, phone_number, hire_date, job_id, "
            + " salary, commission_pct, manager_id, department_id) "
            + " VALUES (?,?,?,?,?,?,?,?,?,?,?)";
    jdbcTemplate.update(sql,
            emp.getEmployeeId(),
```

```
                    emp.getFirstName(),
                    emp.getLastName(),
                    emp.getEmail(),
                    emp.getPhoneNumber(),
                    emp.getHireDate(),
                    emp.getJobId(),
                    emp.getSalary(),
                    emp.getCommissionPct(),
                    emp.getManagerId(),
                    emp.getDepartmentId()
        );
    }


    @Override
    public void deleteEmp(int empid, String email) {
        String sql = "DELETE FROM employees WHERE employee_id=? AND email=?";
        jdbcTemplate.update(sql, empid, email);
    }
```

4) 예외처리

스프링 JDBC는 의미 있는 예외 클래스 제공합니다. 스프링 JDBC는 데이터베이스 처리 과정에서 발생한 예외가 왜 발생했는지를 좀 더 구체적으로 확인할 수 있게 하도록, 데이터베이스 처리와 관련된 예외 클래스를 제공하고 있습니다.

데이터베이스 처리 과정에서 SQLException이 발생하면 스프링이 제공하는 예외클래스로 변환해서 예외를 발생시킵니다. 스프링 JDBC의 예외클래스는 DataAccessException을 상속받습니다. 그런데 DataAccessException은 RuntimeException의 하위클래스이므로 스프링 JDBC의 예외클래스는 비검증(Unchecked) 예외입니다. 다음은 스프링 JDBC의 주요 예외 클래스입니다.
- DuplicateKeyException
- DataRetrievalFailureException
- PermissionDeniedDataAccessException
- BadSqlGrammerException
- TypeMismatchDataAccessException

여러분을 스프링 JDBC를 이용할 때 서비스 클래스 또는 DAO(Repository) 클래스에서 예외처리를 하지 않아도 됩니다. 최종적으로 예외를 처리해야 할 곳(예를 들면 컨트롤러)에서만 try~catch로 예외처리를 하세요.

3. EMPLOYEES 테이블 관리하기 예제

JDBCTemplate를 사용하는 DAO 클래스를 작성하려면 다음 단계를 따르세요.

1. DAO 클래스를 빈으로 설정하고 미리 설정한 JDBCTemplate 빈을 전달받도록 설정하세요.
2. JDBCTemplate 클래스가 제공하는 메서드를 이용해서 DAO 클래스를 작성하세요.
3. SELECT 쿼리문의 결과 집합을 DTO로 매핑할 클래스를 RowMapper 인터페이스를 구현해서 작성하세요.

3.1. Class Diagram

오라클에 있는 HR 계정[17])을 이용하여 employees 테이블 정보를 관리하는 예제를 만들어보겠습니다.

다음 그림은 클래스 다이어그램을 표현한 것입니다.

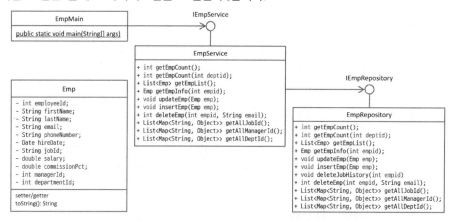

그림 1. EMPLOYEES 테이블 관리 예제의 클래스 다이어그램

이 클래스 다이어그램은 이해를 돕기 위해 작성한 것입니다. 변수 또는 메서드 앞에 있는 + 기호는 public을 의미하며, - 기호는 private를 의미합니다. 밑줄은 static 멤버를 의미하며, EmpService 클래스와 EmpRepository 클래스는 인터페이스를 만들고 구현해야 합니다.

---

17) HR 계정을 처음 사용하려면 Lock을 풀고 비밀번호를 설정해야 합니다.
    SQL> alter user hr account unlock identified by hr;

3.2. 메이븐 의존성 설정

Spring JDBC를 사용하기 위해 pom.xml 파일에 spring-jdbc, commons-dbcp2(커넥션 풀) 그리고 오라클 JDBC 드라이버 의존성을 추가해 주세요. 이 장의 예제는 자바 버전은 1.8, 스프링 프레임워크 버전은 4.3.9.RELEASE로 했습니다.

pom.xml

```
11    <java-version>1.8</java-version>
12    <org.springframework-version>4.3.9.RELEASE</org.springframework-version>
  ... 생략 ...
31    <dependency>
32        <groupId>org.springframework</groupId>
33        <artifactId>spring-webmvc</artifactId>
34        <version>${org.springframework-version}</version>
35    </dependency>
36
37    <!-- Spring JDBC -->
38    <dependency>
39        <groupId>org.springframework</groupId>
40        <artifactId>spring-jdbc</artifactId>
41        <version>${org.springframework-version}</version>
42    </dependency>
43
44    <!-- Connection Pool -->
45    <dependency>
46        <groupId>org.apache.commons</groupId>
47        <artifactId>commons-dbcp2</artifactId>
48        <version>2.9.0</version>
49    </dependency>
50
51    <!-- Oracle JDBC Driver -->
52    <dependency>
53        <groupId>com.oracle.database.jdbc</groupId>
54        <artifactId>ojdbc8</artifactId>
55        <version>21.1.0.0</version>
56    </dependency>
  ... 생략 ...
```

● Java 8을 사용한다면 스프링 프레임워크의 버전은 4.0.1 이상이어야 합니다. 그렇지 않으면 다음과 같은 오류가 발생할 수 있습니다.

Exception in thread "main" java.lang.ArrayIndexOutOfBoundsException: 22282
    at org.springframework.asm.ClassReader.readClass(Unknown Source)

3.3. 스프링 설정 파일

스프링 설정 파일에 DataSource 설정과 JdbcTemplate 빈 설정을 추가합니다. 그리고 context 네임스페이스를 추가하고 <context:component-scam />태그도 추가해 주세요. 스프링 설정 파일은 src/main/resources 아래에 추가하세요.

application-config.xml

```
 1 <?xml version="1.0" encoding="UTF-8"?>
 2 <beans xmlns="http://www.springframework.org/schema/beans"
 3    xmlns:xsi="http://www.w3.org/2001/XMLSchema-instance"
 4    xmlns:context="http://www.springframework.org/schema/context"
 5    xsi:schemaLocation="http://www.springframework.org/schema/beans
   http://www.springframework.org/schema/beans/spring-beans.xsd
 6        http://www.springframework.org/schema/context
   http://www.springframework.org/schema/context/spring-context-3.1.xsd">
 7
 8    <!-- 데이터 소스 설정 -->
 9    <bean id="dataSource" class="org.apache.commons.dbcp2.BasicDataSource">
10        <property name="driverClassName" value="oracle.jdbc.OracleDriver"/>
11        <property name="url" value="jdbc:oracle:thin:@localhost:1521:xe"/>
12        <property name="username" value="hr"/>
13        <property name="password" value="hr"/>
14    </bean>
15
16    <bean id="jdbcTemplate" class="org.springframework.jdbc.core.JdbcTemplate">
17        <property name="dataSource" ref="dataSource"/>
18    </bean>
19
20    <context:component-scan base-package="com.example.myapp.jdbc"/>
21 </beans>
```

3.4. Lombok 라이브러리 사용하기

프로젝트에서 Lombok[18] 라리브러리와 아노테이션을 이용하면 DTO 클래스에 setter, getter, toString, equals, hashCode 그리고 생성자를 쉽게 정의할 수 있습니다.

먼저 이클립스 설정 파일인 eclipse.ini 파일의 맨 아래에 다음처럼 lombok 라이브러리의 위치를 지정하세요. 다음 예는 lombok.jar 파일이 C:₩dev 폴더에 있을 경우입니다.

```
-javaagent:C:\dev\lombok.jar
```

---

18) https://projectlombok.org/

pom.xml 파일에 다음처럼 라이브러리 의존성을 추가하세요.

```
57      <!-- Lombok -->
58      <dependency>
59          <groupId>org.projectlombok</groupId>
60          <artifactId>lombok</artifactId>
61          <version>1.18.28</version>
62      </dependency>
```

3.5. DTO 클래스

EMPLOYEES 테이블을 추상화한 클래스입니다. 변수들을 선언한 다음 setter/getter 메서드와 toString() 메서드는 이클립스의 소스코드 자동 생성기능을 이용하여 추가하세요.

Emp.java

```java
1 package com.example.myapp.jdbc;
2
3 import java.sql.Date;
4
5 import lombok.Getter;
6 import lombok.Setter;
7 import lombok.ToString;
8
9 @Setter @Getter
10 @ToString
11 public class Emp {
12
13     private int employeeId;
14     private String firstName;
15     private String lastName;
16     private String email;
17     private String phoneNumber;
18     private Date hireDate;
19     private String jobId;
20     private double salary;
21     private double commissionPct;
22     private int managerId;
23     private int departmentId;
24 }
```

● 직접 setter, getter 메서드, toString() 메서드를 추가할 거라면 반드시 Lombok 라이브러리를 사용하지 않아도 됩니다.

3.6. DAO 클래스

다음 코드는 데이터베이스와 통신하는 클래스를 만들기 위해서 먼저 인터페이스를 정의한 것입니다. 한 번에 코드 전체를 작성하고 테스트하지 말고 리포지토리와 서비스의 메서드를 하나씩 작성하고 테스트하는 것이 오류와 스트레스를 줄일 수 있습니다.

IEmpRepository.java

```
1 package com.example.myapp.jdbc;
2
3 import java.util.List;
4 import java.util.Map;
5
6 public interface IEmpRepository {
7     int getEmpCount();
8     int getEmpCount(int deptid);
9     List<Emp> getEmpList();
10     Emp getEmpInfo(int empid);
11     void updateEmp(Emp emp);
12     void insertEmp(Emp emp);
13     void deleteJobHistory(int empid);
14     int deleteEmp(int empid, String email);
15     List<Map<String, Object>> getAllDeptId();
16     List<Map<String, Object>> getAllJobId();
17     List<Map<String, Object>> getAllManagerId();
18 }
```

다음 코드는 IEmpRepository 인터페이스를 구현한 클래스입니다. JdbcTemplate 빈을 의존성 주입했습니다. EmpRepository 클래스의 여러 메서드들에서 사용한 쿼리를 실행하는 메서드들의 사용법을 잘 익혀두세요.

EmpRepository.java

```
1 package com.example.myapp.jdbc;
2
3 import java.sql.ResultSet;
4 import java.sql.SQLException;
5 import java.util.List;
6 import java.util.Map;
7
8 import org.springframework.beans.factory.annotation.Autowired;
9 import org.springframework.jdbc.core.JdbcTemplate;
10 import org.springframework.jdbc.core.RowMapper;
11 import org.springframework.stereotype.Repository;
12
13 @Repository
14 public class EmpRepository implements IEmpRepository {
15
```

```
16    @Autowired
17    JdbcTemplate jdbcTemplate;
18
19    private class EmpMapper implements RowMapper<Emp> {
20        @Override
21        public Emp mapRow(ResultSet rs, int rowNum) throws SQLException {
22            Emp emp = new Emp();
23            emp.setEmployeeId(rs.getInt("employee_id"));
24            emp.setFirstName(rs.getString("first_name"));
25            emp.setLastName(rs.getString("last_name"));
26            emp.setEmail(rs.getString("email"));
27            emp.setPhoneNumber(rs.getString("phone_number"));
28            emp.setHireDate(rs.getDate("hire_date"));
29            emp.setJobId(rs.getString("job_id"));
30            emp.setSalary(rs.getDouble("salary"));
31            emp.setCommissionPct(rs.getDouble("commission_pct"));
32            emp.setManagerId(rs.getInt("manager_id"));
33            emp.setDepartmentId(rs.getInt("department_id"));
34            return emp;
35        }
36    }
37
38    @Override
39    public int getEmpCount() {
40        String sql = "SELECT COUNT(*) FROM employees";
41        return jdbcTemplate.queryForObject(sql, Integer.class);
42    }
43
44    @Override
45    public int getEmpCount(int deptid) {
46        String sql = "SELECT COUNT(*) FROM employees WHERE department_id=?";
47        return jdbcTemplate.queryForObject(sql, Integer.class, deptid);
48    }
49
50    @Override
51    public List<Emp> getEmpList() {
52        String sql = "select * from employees";
53        return jdbcTemplate.query(sql, new EmpMapper());
54    }
55
56    @Override
57    public Emp getEmpInfo(int empid) {
58        String sql = "SELECT employee_id, first_name, last_name, "
59                   + " email, phone_number, hire_date, job_id, salary, "
60                   + " commission_pct, manager_id, department_id "
61                   + " FROM employees WHERE employee_id=?";
```

```
62          return jdbcTemplate.queryForObject(sql, new EmpMapper(), empid);
63      }
64
65      @Override
66      public void updateEmp(Emp emp) {
67          String sql = "UPDATE employees "
68                      + " SET first_name=?, last_name=?, email=?, "
69                      + " phone_number=?, hire_date=?, job_id=?, salary=?, "
70                      + " commission_pct=?, manager_id=?, department_id=? "
71                      + " WHERE employee_id=?";
72          jdbcTemplate.update(sql, emp.getFirstName(),
73                                   emp.getLastName(),
74                                   emp.getEmail(),
75                                   emp.getPhoneNumber(),
76                                   emp.getHireDate(),
77                                   emp.getJobId(),
78                                   emp.getSalary(),
79                                   emp.getCommissionPct(),
80                                   emp.getManagerId(),
81                                   emp.getDepartmentId(),
82                                   emp.getEmployeeId()
83          );
84      }
85
86      @Override
87      public void insertEmp(Emp emp) {
88          String sql = "INSERT INTO employees (employee_id, first_name, "
89                      + " last_name, email, phone_number, hire_date, job_id, "
90                      + " salary, commission_pct, manager_id, department_id) "
91                      + " VALUES (?,?,?,?,?,?,?,?,?,?,?)";
92          jdbcTemplate.update(sql, emp.getEmployeeId(),
93                                   emp.getFirstName(),
94                                   emp.getLastName(),
95                                   emp.getEmail(),
96                                   emp.getPhoneNumber(),
97                                   emp.getHireDate(),
98                                   emp.getJobId(),
99                                   emp.getSalary(),
100                                  emp.getCommissionPct(),
101                                  emp.getManagerId(),
102                                  emp.getDepartmentId()
103         );
104     }
105
106     @Override
107     public void deleteJobHistory(int empid) {
```

```
108        String sql = "DELETE FROM job_history WHERE employee_id=?";
109        jdbcTemplate.update(sql, empid);
110    }
111
112    @Override
113    public int deleteEmp(int empid, String email) {
114        String sql = "DELETE FROM employees WHERE employee_id=? AND email=?";
115        return jdbcTemplate.update(sql, empid, email);
116    }
117
118    @Override
119    public List<Map<String, Object>> getAllDeptId() {
120        String sql = "SELECT department_id AS departmentId, "
121                + "        department_name AS departmentName "
122                + " FROM departments";
123        return jdbcTemplate.queryForList(sql);
124    }
125
126    @Override
127    public List<Map<String, Object>> getAllJobId() {
128        String sql = "SELECT job_id AS jobId, job_title AS jobTitle FROM jobs";
129        return jdbcTemplate.queryForList(sql);
130    }
131
132    @Override
133    public List<Map<String, Object>> getAllManagerId() {
134        String sql = "SELECT "
135                + "    d.manager_id AS managerId, e.first_name AS firstName "
136                + " FROM departments d "
137                + " JOIN employees e ON d.manager_id=e.employee_id "
138                + " ORDER BY d.manager_id";
139        return jdbcTemplate.queryForList(sql);
140    }
141 }//end class
```

3.7. Service 클래스

서비스 인터페이스 IEmpService를 정의했습니다. 서비스는 컨트롤러에서 호출합니다.

IEmpService.java

```
1 package com.example.myapp.jdbc;
2
3 import java.util.List;
4 import java.util.Map;
5
```

```
 6 public interface IEmpService {
 7     int getEmpCount();
 8     int getEmpCount(int deptid);
 9     List<Emp> getEmpList();
10     Emp getEmpInfo(int empid);
11     void updateEmp(Emp emp);
12     void insertEmp(Emp emp);
13     int deleteEmp(int empid, String email);
14     List<Map<String, Object>> getAllDeptId();
15     List<Map<String, Object>> getAllJobId();
16     List<Map<String, Object>> getAllManagerId();
17 }
```

* 인터페이스의 메서드는 시스템이 가져야 할 기능들을 정의한 것입니다. 반드시 인터페이스를 만들어야 하는 것은 아닙니다. 인터페이스 없이 직접 클래스를 작성해 사용할 수 있습니다. 그러나 인터페이스를 사용하면 시스템의 기능을 구현하기 전에 미리 정의해 놓음으로써 기능을 구현할 때 일관성을 갖게 할 수 있습니다.

다음 코드는 IEmpService 인터페이스를 구현한 클래스입니다. IEmpRepository 타입 빈을 의존성 주입 받고 있습니다. 이 클래스는 리포지토리 클래스의 메서드를 호출하고 있습니다. 이럴 거라면 차라리 메인 클래스 또는 컨트롤러에서 직접 리포지토리 빈을 의존성 주입받아 사용하는 것이 나을 듯합니다. 그러나 컨트롤러(이 예에서는 EmpMain 클래스)와 리포지토리 클래스 사이에 서비스를 두는 것은 관계의 복잡성을 줄임과 동시에 트랜잭션처리를 쉽게 해 줄 수 있기 때문입니다.

EmpService.java

```
 1 package com.example.myapp.jdbc;
 2
 3 import java.util.List;
 4 import java.util.Map;
 5
 6 import org.springframework.beans.factory.annotation.Autowired;
 7 import org.springframework.stereotype.Service;
 8
 9 @Service
10 public class EmpService implements IEmpService {
11
12     @Autowired
13     IEmpRepository empRepository;
14
15     @Override
16     public int getEmpCount() {
17         return empRepository.getEmpCount();
18     }
19
```

```
20    @Override
21    public int getEmpCount(int deptid) {
22        return empRepository.getEmpCount(deptid);
23    }
24
25    @Override
26    public List<Emp> getEmpList() {
27        return empRepository.getEmpList();
28    }
29
30    @Override
31    public Emp getEmpInfo(int empid) {
32        return empRepository.getEmpInfo(empid);
33    }
34
35    @Override
36    public void updateEmp(Emp emp) {
37        empRepository.updateEmp(emp);
38    }
39
40    @Override
41    public void insertEmp(Emp emp) {
42        empRepository.insertEmp(emp);
43    }
44
45    @Override
46    public int deleteEmp(int empid, String email) {
47        empRepository.deleteJobHistory(empid);
48        return empRepository.deleteEmp(empid, email);
49    }
50
51    @Override
52    public List<Map<String, Object>> getAllDeptId() {
53        return empRepository.getAllDeptId();
54    }
55
56    @Override
57    public List<Map<String, Object>> getAllJobId() {
58        return empRepository.getAllJobId();
59    }
60
61    @Override
62    public List<Map<String, Object>> getAllManagerId() {
63        return empRepository.getAllManagerId();
64    }
65 }
```

3.8. main 클래스

메인 클래스는 앞에서 만든 클래스들이 잘 동작하는지 확인하기 위한 코드입니다. 한 번에 코드 전체를 작성하고 테스트하지 말고 리포지토리와 서비스의 메서드를 하나씩 작성하고 테스트하는 것이 오류와 스트레스를 줄일 수 있습니다.

EmpMain.java

```
1  package com.example.myapp.jdbc;
2
3  import org.springframework.context.support.AbstractApplicationContext;
4  import org.springframework.context.support.GenericXmlApplicationContext;
5
6  public class EmpMain {
7      public static void main(String[] args) {
8          AbstractApplicationContext context =
                 new GenericXmlApplicationContext("application-config.xml");
9          IEmpService empService = context.getBean(IEmpService.class);
10
11         System.out.println("-- 사원의 수 조회");
12         System.out.println(empService.getEmpCount());
13         System.out.println(empService.getEmpCount(50)); //50번 부서 사원 수
14     }
15 }
```

사원 정보 조회기능을 구현했다면 다음 코드를 메인 메서드 안에 넣어 테스트할 수 있습니다.

```
15         System.out.println("-- 103번 사원의 정보를 조회합니다.");
16         System.out.println(empService.getEmpInfo(103));
17
18         System.out.println("-- 사원 전체 정보를 조회합니다.");
19         System.out.println(empService.getEmpList());
```

사원 정보 입력기능은 아래의 코드로 테스트하세요. 저장할 사원정보를 지정할 때 사원번호와 이메일은 중복이 안 되는 점에 유의하세요. 그리고 직무아이디와, 매니저아이디, 그리고 부서번호는 참조하는 테이블에 값이 있어야 저장 가능합니다.

```
21         System.out.println("-- 새로운 사원 정보를 입력합니다.");
22         Emp emp = new Emp();
23         emp.setEmployeeId(210);
24         emp.setFirstName("JinKyoung");
25         emp.setLastName("Heo");
26         emp.setEmail("HEOJK");
27         emp.setPhoneNumber("222-222");
28         emp.setJobId("IT_PROG");
29         emp.setSalary(8000);
30         emp.setCommissionPct(0.2);
```

```
31          emp.setManagerId(100);
32          emp.setDepartmentId(10);
33          try {
34              empService.insertEmp(emp);
35              System.out.println("insert ok");
36          }catch(Exception e) {
37              System.out.println(e.getMessage());
38          }
39
40          System.out.println("-- 신규 사원의 정보를 조회/출력합니다.");
41          Emp emp210 = empService.getEmpInfo(210);
42          System.out.println(emp210);
```

다음 코드는 사원 정보 수정을 테스트합니다. 오라클의 EMPLOYEES 테이블은 사원의 직무가 변경되었을 때 직무 변경 기록을 JOB_HISTORY 테이블에 저장합니다. 그런데 이 직무 변경 기록은 하루에 변경 횟수가 제한되어 있습니다. 그러므로 같은 사용자의 수정작업을 2번 이상 실행시킬 때 예외가 발생한다는 것을 알아두세요.

```
44          System.out.println("-- 210번 사원의 급여를 10% 인상시킵니다.");
45          emp210.setSalary(emp210.getSalary() * 1.1);
46          empService.updateEmp(emp210);
47
48          System.out.println("-- 수정된 사원의 정보를 조회/출력합니다.");
49          emp210 = empService.getEmpInfo(210);
50          System.out.println(emp210);
```

만일 여러분이 일과시간 이후에 예제코드를 실행시키면 EMPLOYEES 테이블을 수정하지 못할 수 있습니다. HR 스키마에 있는 트리거에 의해 일과시간에만 데이터가 입력/수정/삭제될 수 있기 때문입니다. 다음 에러메시지는 일과시간 이후에 데이터를 조작할 때 발생하는 에러입니다.

```
PreparedStatementCallback; uncategorized SQLException for SQL [insert into employees
(employee_id, first_name, last_name, email, phone_number, hire_date, job_id, salary,
commission_pct, manager_id, department_id) values (?,?,?,?,?,?,?,?,?,?,?)]; SQL
state [72000]; error code [20205]; ORA-20205: You may only make changes during normal
office hours
ORA-06512: at "HR.SECURE_DML", line 6
ORA-06512: at "HR.SECURE_EMPLOYEES", line 2
ORA-04088: error during execution of trigger 'HR.SECURE_EMPLOYEES'
; nested exception is java.sql.SQLException: ORA-20205: You may only make changes
during normal office hours
ORA-06512: at "HR.SECURE_DML", line 6
ORA-06512: at "HR.SECURE_EMPLOYEES", line 2
ORA-04088: error during execution of trigger 'HR.SECURE_EMPLOYEES'
```

이럴 때 입력/수정/삭제를 테스트하고 싶다면 트리거를 잠시 비활성화할 수 있습니다.

다음 구문은 employees 테이블과 관련된 모든 트리거를 비활성화합니다.

```
SQL> ALTER TABLE employees DISABLE ALL TRIGGERS;
```

다음 구문은 employees 테이블과 관련된 모든 트리거를 활성화합니다.

```
SQL> ALTER TABLE employees ENABLE ALL TRIGGERS;
```

다음 코드는 사원의 정보를 삭제합니다. 해당 사원이 다른 사원의 매니저일 때 참조 무결성 제약조건으로 인해 삭제되지 않습니다.

```
52        System.out.println("-- 210번 사원의 정보를 삭제합니다.");
53        empService.deleteEmp(210, "HEOJK");
```

다음 코드는 부서 번호와 부서 이름, 직무 아이디와 직무 타이틀, 매니저 번호와 매니저 이름을 조회하는 코드를 테스트합니다.

```
54        System.out.println("-- 모든 부서번호와 부서이름 정보를 출력합니다.");
55        System.out.println(empService.getAllDeptId());
56
57        System.out.println("-- 모든 직무아이디와 직무타이틀을 출력합니다.");
58        System.out.println(empService.getAllJobId());
59
60        System.out.println("-- 모든 매니저번호와 매니저이름을 출력합니다.");
61        System.out.println(empService.getAllManagerId());
```

부서의 아이디와 이름을 조회하는 메서드는 List<Map<String, Object>> 형식으로 반환하는데 이 결과는 다음처럼 반복문으로 리스트에 저장된 맵 객체를 통해 SELECT 구문의 열을 찾을 수 있습니다. 맵 객체에 저장된 key가 열의 이름이고, value는 열의 값이므로 다음 구문처럼 열의 이름으로 값을 개별조회 가능합니다.

```
54        List<Map<String, Object>> deptInfo = empService.getAllDeptId();
55        for(Map<String, Object> deptId : deptInfo) {
56            System.out.print(deptId.get("DEPARTMENTID") + "\t");
57            System.out.println(deptId.get("DEPARTMENTNAME"));
58        }
```

3.9. 실행 결과

다음은 EmpMain 전체 코드를 실행한 결과입니다.

```
INFO : org.springframework.beans.factory.xml.XmlBeanDefinitionReader - Loading XML bean definitions from class
INFO : org.springframework.context.annotation.ClassPathBeanDefinitionScanner - JSR-330 'javax.inject.Named' anno
INFO : org.springframework.context.support.GenericXmlApplicationContext - Refreshing org.springframework.context
INFO : org.springframework.context.support.PropertySourcesPlaceholderConfigurer - Loading properties file from
INFO : org.springframework.beans.factory.annotation.AutowiredAnnotationBeanPostProcessor - JSR-330 'javax.inject
INFO : org.springframework.beans.factory.support.DefaultListableBeanFactory - Pre-instantiating singletons in o
-- 사원의 수 조회
107
45
-- 103번 사원의 정보를 조회합니다.
EmpVO [employeeId=103, firstName=Alexander, lastName=Hunold, email=AHUNOLD, phoneNumber=590.423.4567, hireDate=
-- 사원 전체 정보를 조회합니다.
[EmpVO [employeeId=100, firstName=Steven, lastName=King, email=SKING, phoneNumber=515.123.4567, hireDate=2003-0
-- 새로운 사원 정보를 입력합니다.
insert ok
-- 신규 사원의 정보를 조회/출력합니다.
EmpVO [employeeId=210, firstName=JinKyoung, lastName=Heo, email=HEOJK, phoneNumber=222-222, hireDate=2017-07-28
-- 210번 사원의 급여를 10% 인상시킵니다.
-- 수정된 사원의 정보를조회/출력합니다.
EmpVO [employeeId=210, firstName=JinKyoung, lastName=Heo, email=HEOJK, phoneNumber=222-222, hireDate=2017-07-28
-- 210번 사원의 정보를 삭제합니다.
-- 모든 부서번호와 부서를 정보를 출력합니다.
[{DEPARTMENTID=10, DEPARTMENTNAME=Administration}, {DEPARTMENTID=20, DEPARTMENTNAME=Marketing}, {DEPARTMENTID=3
-- 모든 직무아이디와 직무타이틀을 출력합니다.
[{JOBID=AD_PRES, TITLE=President}, {JOBID=AD_VP, TITLE=Administration Vice President}, {JOBID=AD_ASST, TITLE=Adi
-- 모든 매니저번호와 매니저이름을 출력합니다.
[{MANAGERID=100, FIRSTNAME=Steven}, {MANAGERID=103, FIRSTNAME=Alexander}, {MANAGERID=108, FIRSTNAME=Nancy}, {MAI
```

그림 2. EMPLOYEES 테이블 관리하기 예제

다음은 이 프로젝트의 구조입니다. 설정 파일과 소스코드의 위치를 확인하세요.

그림 3. 프로젝트 구조

4. 트랜잭션 처리

트랜잭션은 단일 작업으로 동작해야 하는 논리적인 작업의 묶음을 의미합니다. 물리적으로 여러 개인 쿼리문이 마치 단일 쿼리문처럼 동작하도록 하는 것입니다.

이 트랜잭션은 원자성, 일관성, 격리성, 영속성, 순차성 성질을 갖습니다. 이들 성질에 대한 설명은 다음과 같습니다.

1. 원자성(Atomicity) : 분리할 수 없는 하나의 단위로 작업은 모두 완료되거나 모두 취소되어야 합니다.
2. 일관성(Consistency) : 사용되는 모든 데이터는 일관되어야 합니다.
3. 격리성(Isolation) : 접근하고 있는 데이터는 다른 트랜잭션으로부터 격리되어야 합니다. 트랜잭션이 진행되기 전과 완료된 후에 상태를 볼 수 있지만 트랜잭션이 진행되는 중간 데이터는 볼 수 없습니다.
4. 영속성(Durability) : 트랜잭션이 정상 종료되면 그 결과는 시스템에 영구적으로 적용되어야 합니다.
5. 순차성(Sequentiality) : 데이터를 다시 로드하고 트랜잭션을 재생하여 원래 트랜잭션이 수행된 후의 상태로 데이터를 되돌리는 것을 말합니다.

앞의 3.3절 예제에서 사원의 정보를 삭제하려면 사원정보 변경 기록이 있는 사원에 대하여 JOB_HISTORY 테이블에서 직무 변경 이력을 먼저 삭제해야 사원정보가 삭제됩니다. 만일 JOB_HISTORY 테이블에 직무 변경 이력이 있는 사원정보를 삭제하려 한다면 [ORA-02292: integrity constraint (HR.JHIST_EMP_FK) violated - child record found] 에러메시지를 볼 수 있습니다. 앞의 예에서는 이미 그런 사항까지 고려하여 코딩해 놓았습니다.

다음은 [ORA-02292: integrity constraint (HR.JHIST_EMP_FK) violated - child record found]에러 메시지의 일부분입니다.

```
7월 01, 2017 9:04:03 오전 org.apache.catalina.core.StandardWrapperValve invoke
심각: Servlet.service() for servlet [appServlet] in context with path [/myapp] threw
exception [Request processing failed; nested exception is
org.springframework.dao.DataIntegrityViolationException: PreparedStatementCallback;
SQL [delete from employees where employee_id=? and email=?]; ORA-02292: integrity
constraint (HR.JHIST_EMP_FK) violated - child record found
; nested exception is java.sql.SQLIntegrityConstraintViolationException: ORA-02292:
integrity constraint (HR.JHIST_EMP_FK) violated - child record found
] with root cause
java.sql.SQLIntegrityConstraintViolationException: ORA-02292: integrity constraint
(HR.JHIST_EMP_FK) violated - child record found
```

사원 정보를 삭제하기 위해서 다음 Service 클래스의 deleteEmp() 메서드에서 보여주는 것처럼 deleteJobHistory() 메서드와 deleteEmp() 메서드가 실행되어야 합니다. deleteJobHistory() 메서드는 JOB_HISTORY 테이블에서 변경 이력을 제거하며, deleteEmp() 메서드는 EMPLOYEES 테이블에서 사원 정보를 삭제합니다. 만일 두 작업 중 하나라도 실패할 때 두 작업 모두 취소되어야 합니다.

```
@Override
public int deleteEmp(int empid, String email) {
    empRepository.deleteJobHistory(empid);
    return empRepository.deleteEmp(empid, email);
}
```

* 이 책의 사원관리 예제를 실행할 때 사원정보가 삭제되지 않는 때가 있습니다. 만일 여러분이 매니저를 삭제하려 한다면 그 사원은 삭제가 되지 않을 것입니다. 매니저를 삭제하려면 DEPARTMENTS 테이블에서 부서의 매니저 정보를 수정해야 하고, 그 부서의 모든 사원의 매니저 정보를 업데이트해야 합니다. 이 교재에서는 그러한 사항까지는 다루지 않았습니다. 매니저를 삭제 시도할 때 발생하는 에러메시지를 참고할 수 있도록 매니저를 삭제할 수 있는 기능을 구현하지 않았습니다. 매니저를 삭제할 때 발생하는 에러는 예외처리를 설명하기 위해 남겨두었습니다.

4.1. 트랜잭션 설정

1) AOP 의존성 추가

스프링의 트랜잭션 설정을 위해 앞에서 학습했었던 AOP 설정을 해줘야 합니다. pom.xml 문서에 aspectjweaver 의존성 설정을 추가하세요. 이미 앞에서 의존성 설정을 추가했던 프로젝트라면 다시 설정하지 않아도 됩니다.

pom.xml

```
 1  <?xml version="1.0" encoding="UTF-8"?>
 2  <beans ... >
        ... 생략 ...
64      <dependency>
65          <groupId>org.aspectj</groupId>
66          <artifactId>aspectjweaver</artifactId>
67          <version>1.9.1</version>
68      </dependency>
69
        ... 생략 ...
```

2) 네임스페이스 추가

XML을 이용한 트랜잭션 설정을 위해 aop 네임스페이스와 tx 네임스페이스를 추가해 주세요.

그림 4. tx 네임스페이스 추가

다음 코드는 네임스페이스 탭에서 aop, tx 네임스페이스를 선택했을 때 설정 파일에 추가되는 코드를 보여주고 있습니다.

application-config.xml

```
 1 <?xml version="1.0" encoding="UTF-8"?>
 2 <beans xmlns="http://www.springframework.org/schema/beans"
 3 xmlns:xsi="http://www.w3.org/2001/XMLSchema-instance"
 4 xmlns:context="http://www.springframework.org/schema/context"
 5 xmlns:aop="http://www.springframework.org/schema/aop"
 6 xmlns:tx="http://www.springframework.org/schema/tx"
 7 xsi:schemaLocation="http://www.springframework.org/schema/beans
   http://www.springframework.org/schema/beans/spring-beans.xsd
 8 http://www.springframework.org/schema/context
   http://www.springframework.org/schema/context/spring-context-3.1.xsd
 9 http://www.springframework.org/schema/aop
   http://www.springframework.org/schema/aop/spring-aop-3.1.xsd
10 http://www.springframework.org/schema/tx
   http://www.springframework.org/schema/tx/spring-tx-3.1.xsd">
   ... 생략 ...
30 </beans>
```

3) TransactionManager 빈 설정

TransactionManager 빈은 스프링에서 트랜잭션 처리를 하기 위한 핵심 클래스입니다. 이 클래스는 XML 기반 트랜잭션 처리뿐만 아니라 아노테이션 기반 트랜잭션 처리에도 사용됩니다. 설정 파일에 빈의 이름을 transactionManager 라고 설정한다면 이후 여러 설정에서 트랜잭션 매니저를 지정하는 속성을 생략할 수 있습니다. TransactionManager는 데이터베이스와 연결이 필요하므로 DataSource 의존성 주입이 필요합니다.

다음은 스프링 설정 파일에 TransactionManager 빈을 설정하는 코드를 추가했습니다.
application-config.xml

```
     ... 생략 ...
25   <bean id="transactionManager"
  class="org.springframework.jdbc.datasource.DataSourceTransactionManager">
25      <property name="dataSource" ref="dataSource"/>
26   </bean>
     ... 생략 ...
```

● id속성을 생략하면 빈의 이름은 transactionManager가 됩니다

4.2. XML을 이용한 트랜잭션 설정

스프링은 XML기반 AOP를 이용한 트랜잭션 설정을 사용하고 있습니다. 트랜잭션을 설정하기 위해서 〈tx:advice〉태그와 〈aop:config〉 태그를 이용합니다. 〈tx:advice〉 태그는 트랜잭션 실행과 관련된 설정에 사용하며, 〈aop:config〉 태그는 트랜잭션이 처리되어야 할 포인트컷 지정과 트랜잭션 어드바이스와 포인트컷을 연결하기 위한 어드바이서 (Advisor)를 설정하기 위해 사용합니다.

1) 〈tx:advice〉

〈tx:advice〉 태그는 트랜잭션 실행과 관련된 설정을 합니다. 〈tx:advice〉 태그의 트랜잭션 속성 기본값은 다음과 같습니다.
  - 전파(Propagation) 설정은 REQUIRED입니다.
  - 격리 수준(Isolation level)은 DEFAULT입니다.
  - 트랜잭션 타임아웃 기본값은 의존하는 트랜잭션 시스템의 기본 타임아웃이거나 타임아웃을 지원하지 않는다면 존재하지 않습니다.
  - 모든 RuntimeException은 롤백을 발생시키고, 모든 Checked Exception(검증 예

외)들은 롤백을 발생시키지 않습니다.

트랜잭션 속성은 〈tx:advice/〉 태그와 〈tx:attributes/〉 태그 안에 〈tx:method/〉 태그의
여러 가지 속성을 이용하여 변경할 수 있습니다.

표 2. 〈tx:advice〉 속성

속성	필수	설명
name	Yes	연결된 트랜잭션 속성의 메서드 이름을 지정합니다. 와일드카드 (*) 문자를 이용하면 다수의 메서드에 같은 트랜잭션 속성을 설정하는데 사용할 수 있습니다. 예를 들면 get*, handle*, on*Event 등 입니다.
propagation	No	트랜잭션 전파 동작을 지정합니다.[19] REQUIRED, SUPPORTS, MANDATORY, REQUIRES_NEW, NOT_SUPPORTED, NEVER, NESTED 중 하나를 지정할 수 있습니다.
isolation	No	트랜잭션 격리 수준을 지정합니다.[20] DEFAULT, READ_UNCOMMITTED, READ_COMMITTED, REPEATABLE_READ, SERIALIZABLE 중 하나를 지정할 수 있습니다.
timeout	No	트랜잭션 타임아웃값을 초 단위 정수형(기본값 -1)으로 지정합니다.
read-only	No	해당 트랜잭션의 읽기 전용 여부를 논리형(false, true)으로 지정합니다.
rollback-for	No	롤백을 일으키는 예외를 지정합니다. 여러 개 예외는 콤마로 구분합니다. 예를 들면 com.foo.MyBusinessException, ServletException 처럼 지정합니다.
no-rollback-for	No	롤백을 일으키지 않는 예외를 지정합니다. 여러 개 예외는 콤마로 구분합니다. 예를 들면 com.foo.MyBusinessException, ServletException처럼 지정합니다.

아래의 〈tx:advice〉 태그 사용 예는 모든 get 메서드는 트랜잭션을 읽기 전용으로 실행하
고 그 외 나머지 메서드는 트랜잭션 기본 설정을 사용합니다.

```
<tx:advice id="txAdvice" transaction-manager="transactionManager">
    <tx:attributes>
        <tx:method name="get*" read-only="true"/>
        <tx:method name="*"/>
    </tx:attributes>
</tx:advice>
```

2) 〈aop:config〉

〈aop:config〉 태그는 트랜잭션이 처리되어야 할 포인트컷 지정과 트랜잭션 어드바이스와
포인트컷을 연결하기 위한 어드바이저(Advisor)를 설정하기 위한 태그입니다. 트랜잭션을
설정하기 위해서 〈aop:config〉 태그의 서브 태그 〈aop:pointcut〉 태그로 트랜잭션 처리
가 되어야 할 포인트 컷 표현식을 기술합니다. 〈aop:advisor〉 태그는 앞서 설정했던 어드
바이스와 포인트컷을 연결하기 위해 사용합니다.

---

19) http://www.byteslounge.com/tutorials/spring-transaction-propagation-tutorial
20) http://www.byteslounge.com/tutorials/spring-transaction-isolation-tutorial

다음 코드는 모든 서비스 클래스의 모든 메서드들에 txAdvice 어드바이스를 설정합니다.

```xml
<aop:config>
    <aop:pointcut id="txPointcut"
expression="execution(* com.example.myapp..*Service.*(..))"/>
    <aop:advisor advice-ref="txAdvice" pointcut-ref="txPointcut"/>
</aop:config>
```

다음 코드는 스프링 설정 파일에 트랜잭션을 설정하는 예입니다.

application-config.xml

```
        ... 생략 ...
29    <tx:advice id="txAdvice" transaction-manager="transactionManager">
29      <tx:attributes>
30          <tx:method name="get*" read-only="true"/>
31          <tx:method name="*"/>
32      </tx:attributes>
33    </tx:advice>
34    <aop:config>
35        <aop:pointcut id="txPointcut"
    expression="execution(* com.example.myapp..*Service.*(..))"/>
36        <aop:advisor advice-ref="txAdvice" pointcut-ref="txPointcut"/>
37    </aop:config>
        ... 생략 ...
```

다음 그림은 트랜잭션 매니저, 트랜잭션 어드바이스, 트랜잭션 포인트컷 그리고 어드바이저가 어떤 관계를 갖는지 보여주고 있습니다.

```xml
<bean id="transactionManager"
class="org.springframework.jdbc.datasource.DataSourceTransactionManager">
    <property name="dataSource" ref="dataSource"/>
</bean>

<tx:advice id="txAdvice" transaction-manager="transactionManager">
    <tx:attributes>
        <tx:method name="get*" read-only="true"/>
        <tx:method name="*"/>
    </tx:attributes>
</tx:advice>
<aop:config>
    <aop:pointcut id="txPointcut" expression="execution(* com.example.mya
    <aop:advisor advice-ref="txAdvice" pointcut-ref="txPointcut"/>
</aop:config>
```

그림 5. 어드바이스, 포인트컷, 어드바이저 관계

포인트컷은 트랜잭션 대상이 되는 메서드들이며, 이때의 어드바이스는 트랜잭션매니저를 사용하는 어드바이스입니다. 어드바이저는 포인트컷에 어드바이스를 지정한 것입니다,

4.3. 아노테이션을 이용한 트랜잭션 설정

아노테이션을 이용하여 트랜잭션 설정을 할 수 있습니다. 인터페이스 정의, 인터페이스의 메서드, 클래스 정의, 클래스의 퍼블릭 메서드 앞에 @Transactional 아노테이션을 둘 수 있습니다. 하지만 단지 @Transactional 아노테이션의 존재만으로는 트랜잭션 동작을 활성화하기에 충분하지 않습니다. 스프링 설정 파일에 〈tx:annotation-driven〉 태그를 추가해야 @Transactional 아노테이션을 설정한 곳에 트랜잭션 동작을 활성화합니다.

1) 〈tx:annotation-driven〉

아노테이션을 이용해서 트랜잭션을 처리하려면 설정 파일에 〈tx:annotation-driven〉 태그를 추가해야 합니다.

```
<tx:annotation-driven transaction-manager="transactionManager"/>
```

만일 트랜잭션 매니저 빈의 이름이 transactionManager일 때에는 다음과 같이 transaction-manager 속성을 생략할 수 있습니다.

```
<tx:annotation-driven />
```

다음 표는 〈tx:annotation-driver〉 태그의 속성입니다.

표 3. 〈tx:annotation-driver〉 태그의 속성

속성	설명
transaction-manager	기본값은 transactionManager입니다. 이 속성은 사용할 트랜잭션 관리자의 이름을 지정합니다. 트랜잭션 관리자의 이름이 transactionManager가 아닐 때 필요합니다.
mode	기본값은 proxy입니다. 기본 모드인 "proxy"는 스프링의 AOP 프레임워크를 사용해서 프록시되는 아노테이션이 붙은 빈을 처리합니다. 다른 모드인 "aspectj"는 스프링의 AspectJ 트랜잭션 관점으로 영향받은 클래스를 대신 위빙해서 모든 종류의 메서드 호출에 적용하기 위해 대상객체의 바이트코드를 수정합니다. AspectJ 위빙은 클래스 로드타임 위빙 또는 컴파일타임 위빙과 마찬가지로 Maven 설정에 spring-aspects를 추가해야 합니다.
proxy-target-class	기본값은 false입니다. proxy 모드에만 적용됩니다. @Transactional 아노테이션이 붙은 클래스에 어떤 타입의 트랜잭션 프록시를 생성할 것인지 제어합니다. proxy-target-class 속성을 true로 설정했다면 클래스기반의 프록시가 생성됩니다. proxy-target-class가 false이거나 이 속성을 생략하면 표준 JDK 인터페이스 기반 프록시가 생성됩니다.
order	기본값은 Ordered.LOWEST_PRECEDENCE입니다. @Transactional 아노테이션이 붙은 빈에 적용되는 트랜잭션 어드바이스의 순서를 정의합니다. 순서를 지정하지 않으면 AOP 서브시스템이 어드바이스의 순서를 결정합니다.

다음은 스프링 설정 파일에 아노테이션을 이용한 트랜잭션을 사용하기 위한 설정입니다.
application-config.xml

```
        ... 생략 ...
27      <bean id="transactionManager"
        class="org.springframework.jdbc.datasource.DataSourceTransactionManager">
28          <property name="dataSource" ref="dataSource"/>
29      </bean>
30
31      <tx:annotation-driven transaction-manager="transactionManager"/>
        ... 생략 ...
```

2) @Transactional 아노테이션

@Transactional[21] 아노테이션은 메서드 레벨과 클래스 레벨에 사용할 수 있습니다. 클래스 선언부 위에 사용할 때 해당 클래스 내의 모든 메서드에 트랜잭션 속성이 추가됩니다. @Transactional 아노테이션은 트랜잭션 매니저 이름 입력해 줘야 합니다. 그런데 TransactionManager 빈의 이름이 transactionManager이면 트랜잭션 매니저 이름은 생략 가능합니다.

```
49      @Override
50      @Transactional("transactionManager")
51      public int deleteEmp(int empid, String email) {
52          empRepository.deleteJobHistory(empid);
53          return empRepository.deleteEmp(empid, email);
54      }
```

● 메서드에 트랜잭션 설정을 평가할 때 가장 깊은 위치(most derived location)의 설정을 우선시합니다. 위 코드의 49~50라인은 EmpService.java 클래스의 deleteEmp() 메서드 위에 추가해야 합니다.

프록시를 사용할 때, @Transactional 어노테이션은 public 메서드에만 적용해야 합니다. protected, private 또는 package-visible 메서드에는 어노테이션을 붙일 수 있지만, 설정된 트랜잭션 설정에 영향을 미치지 않습니다. 만약 public이 아닌 메서드에 어노테이션을 사용해야 한다면, AspectJ를 고려해야 합니다.

스프링은 @Transactional 어노테이션을 구현 클래스 및 해당 메서드에 붙이는 것을 권장합니다. 인터페이스 또는 인터페이스 메서드에 어노테이션을 사용할 수 있지만, 인터페이스 기반의 프록시에서만 올바르게 작동합니다. 클래스 기반의 프록시나 AspectJ를 사용할 때는 어노테이션이 트랜잭션 설정을 인식하지 못할 수 있으며, 해당 객체가 트랜잭션을 적용한 프록시로 래핑되지 않을 수 있습니다.

다음 표는 @Transactional 아노테이션의 속성에 관한 설명입니다.

표 4. @Transactional 아노테이션의 속성

속성	필수	설명
value	Yes	연결된 트랜잭션 속성의 메서드 이름을 지정합니다. 와일드카드 (*) 문자를 이용하면 다수의 메서드에 같은 트랜잭션 속성을 설정하는데 사용할 수 있습니다. 예를 들면 get*, handle*, on*Event 등 입니다.
propagation	No	트랜잭션 전파 동작을 지정합니다. Propagation enum 속성 <u>REQUIRED</u>, SUPPORTS, MANDATORY, REQUIRES_NEW, NOT_SUPPORTED, NEVER, NESTED 중 하나를 지정할 수 있습니다.
isolation	No	트랜잭션 격리 수준을 지정합니다. Isolation enum 속성 <u>DEFAULT</u>, READ_UNCOMMITTED, READ_COMMITTED, REPEATABLE_READ, SERIALIZABLE 중 하나를 지정할 수 있습니다.
readOnly	No	해당 트랜잭션이 읽기 전용인지 여부를 논리형(<u>false</u>, true)으로 지정합니다.
timeout	No	트랜잭션 타임아웃 값을 초 단위 정수형으로 지정합니다. 기본값은 -1입니다.
rollbackFor	No	롤백을 일으키는 Exception(s). 콤마로 구분합니다. 예를 들면 com.foo.MyBusinessException,ServletException처럼 지정합니다.
rollbackForClassname	No	롤백을 일으키는 예외 클래스를 클래스 이름을 이용하여 지정할 수 있습니다.
noRollbackFor	No	롤백을 일으키지 않는 Exception(s). 콤마로 구분합니다. 예를 들어 com.foo.MyBusinessException,ServletException처럼 지정합니다.
noRollbackForClassname	No	롤백을 일으키지 않는 예외 클래스를 클래스 이름을 이용하여 지정할 수 있습니다.

기본 프록시 모드에서는 외부 메서드 호출만 인터셉트하며, 자체 메서드 호출은 런타임에서 실제 트랜잭션을 생성하지 않습니다. 다음은 트랜잭션 처리 시 주의해야 할 몇 가지입니다.

● <u>try~catch 블록으로 예외를 잡으면 트랜잭션 롤백이 되지 않습니다.</u>
● <u>@Transaction 아노테이션이 없는 메서드가 @Transaction 아노테이션이 있는 메서드를 호출할 경우도 트랜잭션 롤백이 안 됩니다.</u>
● 4장의 Spring Web MVC에서는 servlet-context.xml 파일에 웹 빈 설정을 추가할 때 이 설정 파일의 〈context:component-scan〉 태그에는 반드시 컨트롤러 클래스가 있는 패키지를 자세하게 지정해 줘야 스프링 트랜잭션 롤백이 됩니다.

4장. Spring Web MVC

이 장에서는 스프링 웹 MVC 프레임워크에 대한 설명과 컨트롤러, 웹 요청 처리 방법에 대한 내용을 다룹니다. 또한, 데이터를 뷰 페이지에 어떻게 표시하는지에 대한 설명도 포함되어 있습니다. 이 장에서는 4장에서 생성한 EMPLOYEES 예제 코드를 수정하여 웹 애플리케이션 프로젝트로 변환하는 프로젝트를 추가로 다루며, 데이터 입력 양식 및 입력값 유효성 검증에 대한 내용도 다룹니다.

1. MVC 패턴

2000년대 초반으로 오면서 백엔드 개발에서는 이른바 MVC 패턴22)이라는 기법을 통해 데이터 모델과 프레젠테이션 로직 그리고 비즈니스 로직이 분리된 코드를 통해 개발 생산성을 높이게 되었습니다.

MVC는 각각 Model(모델), View(뷰), Controller(컨트롤러)의 약어입니다.
  - Model은 비즈니스 로직의 실행 결과를 저장하는 도메인 객체를 의미합니다. 주로 View를 통해 출력되어야 할 데이터들이 모델에 저장되고 출력됩니다.
  - View는 프레젠테이션 로직을 의미하며 주로 JSP 파일을 이용하여 결과를 보여줍니다.
  - Controller는 제어로직을 의미하며 URL 요청에 알맞은 비즈니스 로직을 실행합니다.

MVC 패턴은 Model 1 아키텍처와 Model 2 아키텍처로 구현할 수 있습니다. Model 1 아키텍처는 View와 Controller가 혼합된 아키텍처로, 주로 소규모 웹 개발에 사용되었습니다. 반면에 Model 2 아키텍처는 MVC 패턴에서 Model, View, Controller를 완전히 분리하여 구현한 아키텍처입니다. 최근에는 시스템 규모의 증가와 함께 MS.NET, Struts, Spring MVC 프레임워크 등의 웹 MVC 프레임워크 발전으로 인해 소규모 웹 개발에도 Model 2 아키텍처를 채택하는 추세가 있습니다.

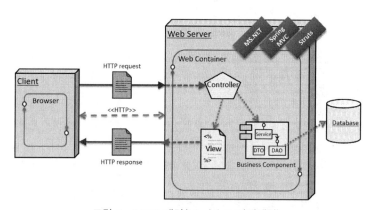

그림 1. MVC 패턴(Model 2 아키텍처)

MVC 모델은 웹 애플리케이션 개발에 국한되지 않습니다. 모바일 애플리케이션을 비롯한 다른 종류의 애플리케이션을 개발할 때도 MVC 모델을 효과적으로 활용할 수 있습니다. 개발자로서, MVC 모델을 도입함으로써 개발 생산성을 향상하고 유지보수의 용이성을 확보할 수 있습니다.

---

22) MVC(Model-View-Controller) 패턴은 아키텍처 패턴에 해당합니다.

MVC 패턴은 주로 웹 개발에 많이 사용하는 패턴입니다. 웹 애플리케이션 개발에 MVC 패턴을 적용한다면 Model은 POJO 클래스를 이용하여 구현하고, View는 JSP를 이용하여 구현합니다. 그리고 Controller는 웹 요청을 처리해야 하므로 Servlet(서블릿)을 이용할 수 있습니다.

1.1. Servlet을 이용한 MVC 구현

만일 여러분이 서블릿을 이용하여 MVC 패턴의 컨트롤러를 구현한다면 다음과 같이 작성될 수 있습니다. 다음 코드는 완성된 코드가 아니므로 실습할 필요 없습니다.

ControllerServlet.java

```
@WebServlet("/ControllerServlet")
public class ControllerServlet extends HttpServlet {
    private static final long serialVersionUID = 1L;

    protected void doGet(HttpServletRequest request, HttpServletResponse response)
throws ServletException, IOException {
        processServlet(request, response);
    }

    protected void doPost(HttpServletRequest request, HttpServletResponse
response) throws ServletException, IOException {
        processServlet(request, response);
    }

    private void processServlet(HttpServletRequest request, HttpServletResponse
response) throws ServletException, IOException {
        // TODO 1. 요청 분석

        // TODO 2. biz() 로직을 호출하여 요청 기능 수행

        // TODO 3. request 또는 session에 처리 결과 저장

        // TODO 4. View로 forward 또는 redirect
    }
}
```

서블릿의 doGet()과 doPost() 메서드에서 호출되는 processServlet() 메서드가 주의 깊게 살펴봐야 할 부분입니다. 이 메서드는 요청을 분석하여 해당하는 기능을 수행한 후 결과를 request나 session에 저장하고, 그 후에는 뷰 페이지로 forward하거나 redirect합니다. 이제 이 절에서는 컨트롤러를 서블릿으로 구현하는 방법들을 살펴봅니다. 이 내용들은 스프링 MVC의 DispatcherServlet이 왜 필요한지와 스프링 MVC의 동작 원리를 이해시키기 위한 것입니다.

1.2. 커맨드 패턴 기반의 코드

도메인별 요청을 처리하는 서블릿을 작성한 다음 각 요청을 구분하여 처리하기 위해 요청 파라미터를 사용합니다. 예를 들면 게시판 관련 요청을 처리하는 서블릿은 /board.do로 요청할 때 실행되도록 설정하며 게시판의 세부 기능들은 cmd 파라미터를 이용하여 전달하도록 구현할 수 있습니다.

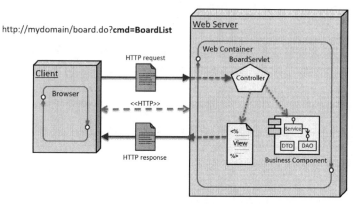

그림 2. 커맨드 패턴을 이용한 MVC 구현

위 그림에서 클라이언트의 요청은 /board.do?cmd=BoardList입니다. board.do에 의해 BoardServlet이 실행되며 서블릿에서는 cmd 파라미터의 값을 읽어 BoardList에 해당하는 비즈니스 로직을 실행하도록 구현할 수 있습니다. 위 그림을 구현한다면 processServlet() 메서드는 아래와 같은 형식으로 작성될 수 있습니다.

```java
private void processServlet(HttpServletRequest request, HttpServletResponse
response) throws ServletException, IOException {
    // TODO 1. 요청 분석
    String command = request.getParameter("cmd");
    String viewPage = null;

    if(command == null) {
        viewPage = "/error/invalidCommand.jsp";
    }else if(command.equals("BoardList")) {
        // TODO 2. 비즈니스 로직을 호출하여 요청 기능을 수행
        List<BoardDto> boardList = boardService.getBoardList();

        // TODO 3. request 또는 session에 처리 결과 저장
        request.setAttribute("boardList", boardList);
        viewPage = "/board/list.jsp";
    }else if(command.equals("write")) { ...

    // TODO 4. View로 forward
    RequestDispatcher disp = request.getRequestDispatcher(viewPage);
    disp.forward(request, response);
}
```

이 방법은, 기능을 추가할 때마다 매번 서블릿 코드를 수정해야 하며, 소스코드 내에 if~else 블록이 반복되고 비즈니스 로직을 호출하는 코드가 서블릿에 집중되기 때문에 기능이 많아질수록 코드의 양이 증가하고 이로 인해 가독성 또한 저하될 것입니다.

1.3. 커맨드 패턴을 이용한 명령어 처리기 분리

앞의 서블릿 코드에 있던 if 블록에 있던 코드들을 커맨드 패턴을 이용하여 명령을 처리하기 위한 클래스로 나눠 구현할 수 있습니다. 예를 들면 CommandHandler 라는 인터페이스에 process() 메서드를 정의해 놓고 이를 구현한 클래스를 이용해 process()가 명령이 처리되도록 구현하는 것입니다. 이때부터 서블릿이 컨트롤러의 역할에서 조금 자유로워집니다. 이때의 서블릿은 비즈니스 로직을 실행하지는 않습니다. 이제 서블릿은 요청을 받으면 해당 요청을 처리하기 위한 객체를 생성하고 process() 메서드를 호출하는 Front controller(프론트 컨트롤러)의 역할을 하게 됩니다. 그리고 CommandHandler 인터페이스를 구현한 클래스들이 요청 파라미터를 조회하고, 비즈니스 로직을 호출하며, 결과를 request 또는 session에 저장하는 역할을 하게 됩니다.

다음은 컨트롤러의 이름이 DispatcherServlet으로 바뀌었고, /board.do?cmd=BoardList 명령을 처리하기 위해 BoardListHandler 클래스를 구현하는 것을 보여줍니다.

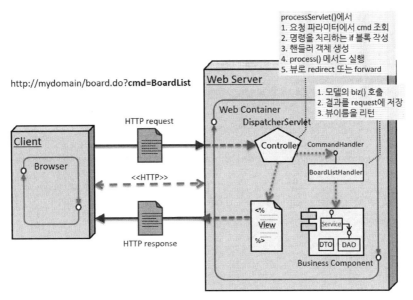

그림 3. 명령어 처리기를 분리하여 구현한 MVC 패턴

다음 코드는 DispatcherServlet의 processServlet() 메서드의 일부입니다.

```
private void processServlet(HttpServletRequest request, HttpServletResponse
response) throws ServletException, IOException {
    // TODO 1.요청 분석
    String command = request.getParameter("cmd");
    CommandHandler handler = null;
    String viewPage = null;

    if(command == null) {
        handler = new NullHandler();
    }else if(command.equals("BoardList")) {
        // TODO 2. 명령을 처리할 핸들러 객체 생성
        handler = new BoardListHandler();
    }
    // TODO 3. 명령 실행
    viewPage = handler.process(request, response);

    //View로 forward
    RequestDispatcher disp = request.getRequestDispatcher(viewPage);
    disp.forward(request, response);
}
```

다음은 커맨드 패턴을 이용한 명령어 처리기를 분리할 때의 Handler 인터페이스와 명령을 처리하는 Handler 클래스코드의 예입니다.

CommandHandler.java

```
import javax.servlet.HttpServletRequest;
import javax.servlet.HttpServletResponse;

public interface CommandHandler {
    String process(HttpServletRequest request, HttpServletResponse response);
}
```

커맨드 패턴을 이용할 때 요청을 처리하는 클래스는 CommandHandler 인터페이스를 구현합니다. 예를 들어 어떤 요청을 처리하는 클래스를 SomeHandler라고 하면 이 클래스는 다음과 같은 형식으로 구현하게 됩니다.

SomeHandler.java

```
import javax.servlet.HttpServletRequest;
import javax.servlet.HttpServletResponse;

public class SomeHandler implements CommandHandler {
```

```
@Override
public String process(HttpServletRequest request, HttpServletResponse response){
    // TODO 1. 명령어와 관련된 비즈니스 로직 처리

    // TODO 2. 뷰 페이지에서 사용할 정보 저장
    request.setAttribute("resultValue", resultObject);

    // TODO 3. 뷰 페이지 URI 리턴
    return "/view/someView.jsp";
    }
}
```

1.4. 설정 파일을 이용한 요청과 핸들러 클래스 관계 설정

위의 예 또한 기능을 추가할 때마다 서블릿 코드를 수정해야 합니다. 그래서 다음 그림에서 보는 것처럼 command.properties 설정 파일을 만들고 설정 파일에 요청 커맨드와 핸들러 클래스의 관계를 명시합니다. 그리고 DispatcherServlet의 init() 메서드가 실행될 때 설정 파일을 읽어 커맨드는 Hashmap의 Key로 하며 핸들러 객체는 Value로 하여 Hashmap에 저장한 다음 processServlet() 메서드에서 커맨드에 따른 핸들러 객체를 Hashmap에서 조회하여 process() 메서드를 실행시키도록 구현합니다. 그리고 요청 커맨드는 파라미터를 이용하지 않고 요청 URL을 이용하여 요청 커맨드로 사용하도록 하면 요청 URL에서 ?기호와 cmd=BoardList 형식의 파라미터를 없앨 수 있습니다.

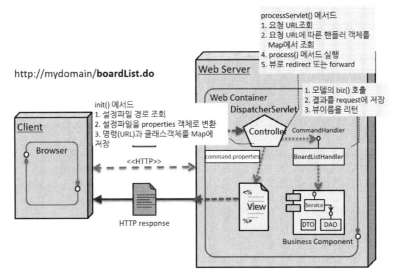

그림 4. 설정 파일을 이용한 요청과 핸들러 클래스 관계 설정

125

설정 파일은 다음과 같은 형식으로 작성될 수 있습니다.

command.properties

```
/boardList.do=com.example.myapp.controller.BoardListHandler
/boardInsert.do=com.example.myapp.controller.BoardInsertHandler
```

다음 코드는 서블릿을 이용하여 프론트 컨트롤러를 구현한 예입니다. 우리는 Spring Web MVC 프레임워크를 이용하므로 이 코드를 작성할 필요 없습니다. 그러나 코드의 동작 흐름을 이해한다면 Spring Web MVC를 이해하는 데 많은 도움이 됩니다.

DispatcherServlet.java

```
 1 package com.example.myapp;
 2
 3 import java.io.FileReader;
 4 import java.io.IOException;
 5 import java.util.HashMap;
 6 import java.util.Iterator;
 7 import java.util.Map;
 8 import java.util.Properties;
 9
10 import javax.servlet.RequestDispatcher;
11 import javax.servlet.ServletException;
12 import javax.servlet.http.HttpServlet;
13 import javax.servlet.http.HttpServletRequest;
14 import javax.servlet.http.HttpServletResponse;
15
16 import com.example.myapp.controller.CommandHandler;
17 import com.example.myapp.controller.NullHandler;
18
19 // 이 서블릿은 URL에 특정 문자열을 포함하면 실행되도록 XML에 설정
20 // url-mapping이 /*.do이면
21 // URL이 .do 로 끝나면 항상 디스패처서블릿이 실행된다.
22 public class DispatcherServlet extends HttpServlet {
23     private static final long serialVersionUID = 1L;
24
25     private Map<String, CommandHandler> commandHandlerMap = new
   HashMap<>();
26
27     // 이 서블릿은 web.xml 파일에 초기화 파라미터가 설정되 있고
28     // 서블릿이 로드될 때 실행되면서, 맵에 커맨드와 커맨드객체 쌍을 저장
29     public void init() throws ServletException {
30         // XML 파일에 설정되어 있는 서블릿 초기화 파라미터를 읽는다.
31         // command URL과 커맨드 핸들러 클래스 이름을 설정한 파일의 경로
32         String configFile = getInitParameter("configFile");
33
```

> 이 예제코드를 직접 작성하고 실행시킬 필요는 없습니다. 코드의 동작 흐름을 이해한다면 Spring Web MVC를 이해하는 데 도움이 됩니다.

```
34          // 프로퍼티 객채 생성
35          Properties prop = new Properties();
36
37          // 설정 파일의 절대경로를 찾는다.
38          String configFilePath = getServletContext().getRealPath(configFile);
39
40          // 파일에서 스트림을 통해 프로퍼티를 읽어들인다.
41          try(FileReader inStream = new FileReader(configFilePath)) {
42              prop.load(inStream); //입력스트림에서 데이터를 읽어 프로퍼티로 설정
43          }catch(IOException e) {
44              throw new ServletException(e);
45          }
46
47          // 프로퍼티에서 키 집합을 나열객체로 반환
48          Iterator<?> keys = prop.keySet().iterator();
49          while(keys.hasNext()) { //키의 개수만큼 실행
50              //설정 파일 예 /hello.do=mvc.command.hello.HelloHandler
51              String command = (String)keys.next(); //커맨드(URL)
52              String handlerClassName = prop.getProperty(command); //클래스명
53              try {
54                  // 클래스 이름으로 객체를 생성한다.
55                  Class<?> handlerClass = Class.forName(handlerClassName);
56                  CommandHandler handlerInstance =
     (CommandHandler)handlerClass.getDeclaredConstructor().newInstance();
57
58                  // 커맨드와 커맨드객체를 맵에 키, 벨류 쌍으로 저장
59                  commandHandlerMap.put(command, handlerInstance);
60              } catch(Exception e) {
61                  throw new ServletException(e);
62              }
63          }
64      }
65
66      protected void doGet(HttpServletRequest request, HttpServletResponse
     response) throws ServletException, IOException {
67          processServlet(request, response);
68      }
69
70      protected void doPost(HttpServletRequest request, HttpServletResponse
     response) throws ServletException, IOException {
71          processServlet(request, response);
72      }
73
74      private void processServlet(HttpServletRequest request, HttpServletResponse
     response) throws ServletException, IOException {
75          request.setCharacterEncoding("UTF-8"); // 인코딩설정
```

```
76
77      // 요청 URI를 반환 /WebPrj/hello.do <- /WebPrj는 컨텍스트 이름
78      String command = request.getRequestURI();
79
80      // URI에서 컨텍스트 이름을 제거한다.
81      if(command.indexOf(request.getContextPath())==0) {
82          command = command.substring(request.getContextPath().length());
83      }
84
85      // URI를 이용해서 맵으로부터 커맨드핸들러 객체를 찾는다.
86      CommandHandler handler = commandHandlerMap.get(command);
87      if(handler==null) {
88          handler = new NullHandler();
89      }
90
91      String viewPage = null;
92      try {
93          // process()는 명령을 처리하고 뷰페이지를 반환한다.
94          viewPage = handler.process(request, response);
95          if((viewPage != null) && (viewPage.indexOf("redirect:")==0)) {
96              // 뷰 이름 앞에 redirect:가 붙으면 sendRedirect 한다.
97              // 뷰가 redirect:/list.do이면 /list.do로 sendRedirect한다.
98              viewPage = viewPage.substring(9); // 9는 "redirect:"의 길이
99              response.sendRedirect(request.getContextPath() + viewPage);
100             return;
101         }
102     } catch(Throwable e) {
103         throw new ServletException(e);
104     }
105
106     // 뷰로 포워드 시킨다.
107     if(viewPage != null) {
108         viewPage = "/WEB-INF/views/" + viewPage;
109     }else {
110         viewPage = "index.jsp";
111     }
112     RequestDispatcher disp = request.getRequestDispatcher(viewPage);
113     disp.forward(request, response);
114  }
115 }
```

● 완성된 코드의 예는 아래 주소에서 내려받을 수 있습니다. 이 예제코드는 Dynamic Web Project로 만들어진 웹 프로젝트입니다.
https://github.com/hjk7902/spring
   -> /share -> SpringBook_Chapter4_MVCDispatcherServlet.zip

2. Spring Web MVC

2.1. Spring Web MVC Framework

스프링 웹 MVC 프레임워크는 핸들러에 요청을 전달하는 DispatcherServlet(디스패처서블릿)을 중심으로 구성됩니다. DispatcherServlet은 설정 가능한 핸들러 매핑을 이용하여 요청을 처리하고, 뷰를 찾아 처리하며, 지역, 시간대를 인식하고 파일 업로드 기능까지 지원합니다.

기본 핸들러는 @Controller 및 @RequestMapping 아노테이션을 기반으로 하여 폭넓고 유연한 요청 처리 메서드를 제공합니다. Spring 3.0에 소개된 @Controller 아노테이션을 사용하면 @PathVariable 아노테이션 및 기타 기능을 통해 RESTFul 웹 사이트 및 애플리케이션을 더 쉽게 만들 수 있습니다.

Spring Web MVC와 Spring의 핵심 설계 원칙은 일반적으로 "Open for extension, modified for closed" 원칙입니다[23]. 그래서 Spring Web MVC의 핵심 클래스에 있는 일부 메서드는 final로 표시됩니다. 개발자는 이러한 메서드를 재정의할 수 없습니다.

2.2. DispatcherServlet

스프링의 웹 MVC 프레임워크는 다른 많은 MVC 프레임워크와 마찬가지로 요청 중심으로 설계되었으며 중앙 서블릿 주위에 설계되어 컨트롤러에 요청을 전달하고 웹 애플리케이션 개발을 쉽게 하는 다른 기능을 제공합니다. 그러나 스프링의 DispatcherServlet은 그 이상을 수행합니다. 이것은 스프링 IoC 컨테이너와 완벽하게 통합되어 스프링이 가지고 있는 다른 모든 기능을 사용할 수 있습니다.

스프링 웹 MVC DispatcherServlet의 요청을 처리하는 흐름은 다음 그림에 설명되어 있습니다. 디자인 패턴에 익숙한 독자는 DispatcherServlet이 "Front Controller" 디자인 패턴[24]의 표현임을 인식하게 됩니다.

---

23) Open-Closed Principle : 소프트웨어 요소(클래스, 모듈, 함수 등)는 확장을 위해 개방되어야 하지만 수정을 위해서는 폐쇄되어야 합니다.
   참고 : https://www.cs.duke.edu/courses/fall07/cps108/papers/ocp.pdf
24) Spring Web MVC가 다른 많은 주요 웹 프레임워크와 공유하는 패턴입니다.

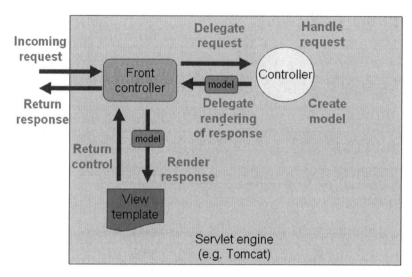

그림 5. 스프링 Web MVC

출처 : https://docs.spring.io/spring-framework/docs/3.2.x/spring-framework-reference/html/mvc.html

DispatcherServlet은 HttpServlet 클래스를 상속받은 Servlet으로, 웹 애플리케이션에서 사용됩니다. 따라서 웹 설정 파일인 web.xml에서 〈servlet-mapping〉과 〈url-pattern〉 태그를 사용하여 어떤 요청이 DispatcherServlet에서 처리될지를 설정해야 합니다. 보통 〈url-pattern〉 태그의 값이 "/"인 경우, 모든 요청을 DispatcherServlet이 처리하도록 설정됩니다.

```
<web-app>
    <servlet>
        <servlet-name>dispatcherServlet</servlet-name>
        <servlet-class>org.springframework.web.servlet.DispatcherServlet</servlet-class>
        <load-on-startup>1</load-on-startup>
    </servlet>
    <servlet-mapping>
        <servlet-name>dispatcherServlet</servlet-name>
        <url-pattern>/</url-pattern>
    </servlet-mapping>
</web-app>
```

〈url-pattern〉을 변경하면 DispatcherServlet이 실행되는 URL의 패턴을 바꿀 수 있습니다. 예를 들면 〈url-pattern〉*.do〈/url-pattern〉이라고 하면 확장자가 .do로 끝나는 모든 요청을 DispatcherServlet이 처리합니다.

2.3. 스프링 설정 파일 위치

스프링 레거시 프로젝트를 처음 생성하면 스프링의 설정 파일들은 src/main/webapp/WEB-INF/spring/ 디렉토리 아래에 있습니다. 이 설정 파일들의 위치는 개발자가 임의로 바꿀 수 있으며 위치를 지정하고 싶다면 WEB-INF/ 디렉토리에 있는 web.xml 파일을 수정해야 합니다.

web.xml 파일은 WAS(Web Application Server)의 설정 파일입니다. Spring Web MVC를 기반으로 만든 스프링 레거시 프로젝트에서 자동생성된 XML 설정 파일은 root-context.xml 파일과 servlet-context.xml 파일입니다. root-context.xml 파일은 공통 빈 설정 파일이며, servlet-context.xml 파일은 웹 빈 설정 파일입니다.

root-context.xml 파일은 공통 컴포넌트 설정 파일이며 데이터소스, 트랜잭션, 서비스, 리포지토리 등 애플리케이션 전반에 걸쳐 사용되는 빈을 설정합니다. servlet-context.xml 파일은 웹 컴포넌트 설정 파일이며 컨트롤러, 뷰 리졸버 등 웹과 관련된 빈을 설정합니다.

```
SimpleWeb
  Deployment Descriptor: SimpleWeb
  Spring Elements
  JAX-WS Web Services
  Java Resources
  JavaScript Resources
  Deployed Resources
  src
    main
      java
      resources
      webapp
        resources
        WEB-INF
          classes
          spring
            appServlet
              servlet-context.xml
            root-context.xml
          views
          web.xml
    test
    target
  pom.xml
```

그림 6. 설정 파일 위치

2.4. web.xml 파일

web.xml 파일에 공통 컴포넌트 설정 파일의 위치와 웹 컴포넌트 설정 파일의 위치를 지정해 줘야 합니다. 물론 처음 레거시 프로젝트를 생성하면 자동으로 파일의 위치가 지정되어 있습니다. 다음 코드는 web.xml 파일의 내용입니다.

web.xml

```
1 <?xml version="1.0" encoding="UTF-8"?>
2 <web-app version="2.5" xmlns="http://java.sun.com/xml/ns/javaee"
3     xmlns:xsi="http://www.w3.org/2001/XMLSchema-instance"
4     xsi:schemaLocation="http://java.sun.com/xml/ns/javaee
  https://java.sun.com/xml/ns/javaee/web-app_2_5.xsd">
5
6     <!-- The definition of the Root Spring Container shared by all Servlets and
  Filters -->
7     <context-param>
8         <param-name>contextConfigLocation</param-name>
9         <param-value>/WEB-INF/spring/root-context.xml</param-value>
```

```
10        </context-param>
11
12        <!-- Creates the Spring Container shared by all Servlets and Filters -->
13        <listener>
14          <listener-class>
15              org.springframework.web.context.ContextLoaderListener
16          </listener-class>
17        </listener>
18
19        <!-- Processes application requests -->
20        <servlet>
21          <servlet-name>appServlet</servlet-name>
22          <servlet-class>
23              org.springframework.web.servlet.DispatcherServlet
24          </servlet-class>
25          <init-param>
26            <param-name>contextConfigLocation</param-name>
27            <param-value>
28                /WEB-INF/spring/appServlet/servlet-context.xml
29            </param-value>
30          </init-param>
31          <load-on-startup>1</load-on-startup>
32        </servlet>
33
34        <servlet-mapping>
35          <servlet-name>appServlet</servlet-name>
36          <url-pattern>/</url-pattern>
37        </servlet-mapping>
38
39  </web-app>
```

만일 공통 컴포넌트 설정 파일이 src/main/resources/ 디렉토리에 있다면 설정 파일의 위치 앞에 classpath:를 붙여야 합니다. 다음은 공통 컴포넌트 설정 파일의 경로가 src/main/resources/application-config.xml일 때 web.xml 파일에 설정하는 예입니다.

```
<context-param>
    <param-name>contextConfigLocation</param-name>
    <param-value>classpath:application-config.xml</param-value>
</context-param>
```

● cvc-id.3: A field of identity constraint 'web-app-filter-name-uniqueness' 에러가 발생하면 <web-app> 태그의 java.sun.com을 xmlns.jcp.org로 수정하고 스키마 버전도 수정하세요. Servlet 3.1/JSP 2.3(Tomcat 8, Java 7)부터 네임스페이스와 스키마가 java.sun.com에서 xmlns.jcp.org로 바뀌었습니다. 톰캣 버전별 Servlet/JSP Spec은 https://tomcat.apache.org/whichversion.html를 참고하세요.

2.5. 컨트롤러와 뷰

컨트롤러 클래스의 구현은 그리 어렵지 않습니다. 컨트롤러는 POJO 클래스로 구현하며, 클래스를 빈으로 등록해 주는 것과 비즈니스 객체를 의존성 삽입해 주는 것은 앞에서 배운 개념을 사용하면 됩니다. 다만 컨트롤러는 요청을 처리하는 핸들러 메서드 위에 요청 URL를 매핑시키기 위한 설정이 필요합니다.

1) 컨트롤러

컨트롤러를 구현할 때 아노테이션을 이용하여 스프링 MVC 구현을 선호하고 있습니다. 스프링 컨트롤러를 구현할 때 사용하는 주요 아노테이션은 @Controller와 @RequestMapping입니다.

다음 코드는 컨트롤러 클래스의 예입니다. 클래스 선언부 위의 @Controller 아노테이션과 empCount() 메서드 위의 @RequestMapping 어노테이션을 확인하세요.

EmpController.java

```
package com.example.myapp;

import org.springframework.beans.factory.annotation.Autowired;
import org.springframework.stereotype.Controller;
import org.springframework.ui.Model;
import org.springframework.web.bind.annotation.RequestMapping;
import org.springframework.web.bind.annotation.RequestParam;

@Controller                              컨트롤러이므로 @Controller
public class EmpController {             아노테이션을 설정했습니다.

    @Autowired                                   핸들러 메서드는 1개 이상 요청
    IEmpService empService;                      매핑 설정을 갖습니다.

    @RequestMapping(value="/hr/count")
    public String empCount(Model model) {
        model.addAttribute("count", empService.getEmpCount());
        return "hr/count";
    }
}
```

핸들러 메서드는 비즈니스 로직을 실행시킵니다. 그리고 그 결과를 출력하기 위해 뷰로 이동합니다. 위 코드 예에서는 URL이 /hr/count라면 empCount() 메서드를 실행시킵니다. empCount() 메서드가 "hr/count"를 반환하면 스프링 프레임워크는 반환한 문자열

앞에 WEB-INF/views/를 붙이고, 뒤에 '.jsp'를 붙여 WEB-INF/views/hr/count.jsp 파일로 응답합니다.

2) 뷰

컨트롤러를 실행한 결과를 출력하기 위한 JSP 파일은 다음과 같습니다.

WEB-INF/views/hr/count.jsp

```jsp
<%@ page contentType="text/html; charset=UTF-8"%>
<!DOCTYPE html>
<html>
<head>
    <meta charset="UTF-8">
    <title>Example</title>
</head>
<body>
    <h1>사원의 수 : ${count}</h1>
</body>
</html>
```

● ${ }은 EL(Expression Language) 구문입니다. 컨트롤러에서 모델에 저장한 객체를 JSP 파일에서 출력할 때 사용합니다.

Instructor Note: 스프링 MVC 웹프로젝트를 실행시킬 때 [cvc-etl.1: 'beans' 요소의 선언을 찾을 수 없습니다.]라는 오류가 발생할 수 있습니다.

오류가 발생하는 이유는 https://www.springframework.org 사이트가 보안 패치로 인해 TLS[25] 1.0, TLS 1.1 버전 지원을 차단하였고, TLS 1.2, TLS 1.3을 통해서 접속할 수 있게 바뀌었기 때문입니다. JDK 1.7은 TLS 1.2를 지원하지만, 기본값은 TLS 1.0입니다. 그런데 톰캣이 JDK 1.7로 구동된다면 TLS 1.0을 기본으로 통신하므로 접속할 수 없어서 오류가 발생합니다. JDK 1.8은 TLS 1.2가 기본값입니다.

해결하는 방법은 두 가지가 있습니다.
1. 쉬운 방법으로 설정 파일에서 XML 스키마 URL의 https를 http로 변경하면 됩니다.
2. 톰캣의 catalina.sh 파일에 다음 내용을 추가해서 TLS 버전을 1.2로 지정할 수 있습니다.

```
JAVA_OPTS="$JAVA_OPTS -Dhttps.protocols=TLSv1.2 -Djdk.tls.client.protocols=TLSv1.2"
```

---

25) TLS(Transport Layer Security)는 인터넷상의 커뮤니케이션을 위한 개인정보와 데이터 보안을 쉽게 하도록 설계되어 널리 채택된 보안 프로토콜입니다.

3. 컨트롤러와 요청 처리

3.1. 스프링 컨트롤러

스프링 컨트롤러는 빈으로 등록되어야 하며, 컨트롤러를 통해 비즈니스 로직을 실행할 수 있도록 비즈니스 객체를 의존성 주입해야 합니다.

스프링 컨트롤러는 @Controller 아노테이션을 이용해 빈을 컨트롤러로 등록시킬 수 있습니다. 다음 코드는 EmpController의 예입니다.

```
@Controller
public class EmpController {

    @Autowired
    IEmpService empService;

    ... 생략 ...
}
```

● 컨트롤러의 멤버변수에는 서비스 객체를 의존성 주입 받기 위한 변수를 선언할 수 있습니다.

@Controller 아노테이션을 이용하여 빈을 등록시키려면 스프링 설정 파일에 컨트롤러 클래스가 있는 패키지를 〈context:component-scan〉 태그를 이용하여 등록해 줘야 합니다. 컨트롤러는 웹 프로젝트에서 사용되는 빈이므로 컴포넌트 스캔 설정을 웹 컴포넌트 설정 파일(MVC 설정 파일)에 해야 합니다.

```
<context:component-scan base-package="com.example.myapp.controller"/>
```

● 컨트롤러의 컴포넌트 스캔 태그는 애플리케이션 설정 파일(예: root-context.xml)에 설정하면 안 됩니다. 반드시 웹 빈 설정 파일(예: servlet-context.xml)에 설정해야 합니다.
● 〈context:component-scan〉 태그에는 반드시 컨트롤러 클래스가 있는 패키지를 자세하게 지정해 줘야 합니다. 상위 패키지만 지정하면 트랜잭션 롤백이 안 됩니다.

3.2. URL 매핑

스프링의 컨트롤러는 요청 URL을 매핑하여 실행되도록 합니다. 이때 사용하는 아노테이션은 @RequestMapping입니다. 컨트롤러를 아래처럼 작성하면 요청 URL이 /hr/count일 때 empCount() 메서드를 실행시킵니다.

```
@Controller
public class EmpController {

    @Autowired
    @IEmpService empService;

    @RequestMapping("/hr/count")
    public String empCount(Model model) {
        model.addAttribute("count", empService.getEmpCount());
        return "hr/count";
    }
}
```

만일 컨트롤러 클래스가 @RequestMapping 아노테이션을 갖는다면 클래스 내의 모든 메서드에 URL 매핑이 적용됩니다. 다음 코드에서 empCount() 메서드는 요청 URL이 /hr/count일 때 실행됩니다.

```
@Controller
@RequestMapping("/hr")              클래스 레벨에 요청 매핑을 설정
public class EmpController {        하면 모든 메서드의 요청 매핑에
                                    적용됩니다.

    @Autowired
    @IEmpService empService;         클래스 레벨의 요청 매핑을
                                     상속받으므로    요청    URL은
    @RequestMapping("/count")        /hr/count가 됩니다.
    public String empCount(Model model) {
        model.addAttribute("count", empService.getEmpCount());
        return "hr/count";
    }
}
```

● 브라우저에서 실행할 경우 요청 URL에는 서버 호스트의 도메인이 포함되며 때에 따라 포트번호가 있을 수 있습니다. 예를 들어 이 예제의 URL이 필자의 호스팅 서버라면 URL은 http://javaspecialist.co.kr/hr/count로 요청되어야 한다는 의미입니다.

매핑 URL은 /(슬래시)로 시작해야 합니다. 매핑 URL에서의 /(슬래시)는 프로젝트의 컨텍스트 루트입니다. 스프링 컨트롤러 등 자바 웹 컴포넌트 관련 소스코드에서 /(슬래시)는 컨텍스트의 루트를 의미합니다. 그런데 HTML 문서에서 경로를 설정할 때 /(슬래시)로 시작하면 서버의 루트를 의미합니다.

그림 7. URL 구조

현재 프로젝트의 컨텍스트가 ROOT 컨텍스트가 아닐 때는 실행 시 URL에 컨텍스트 이름을 포함해야 합니다. 시스템 운영 시 컨텍스트 이름을 포함하지 않는 것이 일반적이지만 개발 시 컨텍스트 이름이 포함될 수 있습니다. 그럴 때 JSP 또는 HTML 문서에서 경로 맨 앞에 슬래시(/)의 의미가 컨트롤러 클래스에서 사용하는 슬래시의 의미와 다를 수 있습니다.

프로젝트의 컨텍스트 이름이 myapp일 때 @RequestMapping 아노테이션으로 설정한 URL이 /hr/count이면 해당 핸들러를 실행시키기 위한 URL은 로컬 PC에서 테스트할 경우 http://localhost:8080/myapp/hr/count가 되어야 합니다. 그런데 JSP 파일 또는 HTML 문서의 HTML 태그에서 <a href="/hr/count">사원의 수</a>라고 입력하면 이때 찾게 되는 경로는 http://localhost:8080/hr/count 가 되어 브라우저에 404(Page Not Found) 에러가 표시될 것입니다. HTML 태그에서 절대 경로를 사용하여 URL을 지정하려면 JSTL의 Core 라이브러리에 있는 <c:url> 태그를 이용하세요. <c:url> 태그를 사용하려면 아래처럼 taglib 지시자를 선언해야 합니다.

```
<%@ taglib prefix="c" uri="http://java.sun.com/jsp/jstl/core"%>
```

다음은 <c:url> 태그를 이용하여 주소를 표현한 것입니다.

```
<a href="<c:url value='/hr/insert'/>">신규 사원 정보 입력</a>
```

- JSTL의 Core 라이브러리에 있는 <c:url> 태그는 value 속성에 지정한 URL 경로 앞에 컨텍스트 이름을 포함해 줍니다.
- 만일 프로젝트의 컨텍스트 이름이 myapp 이면 <a> 태그의 URL은 /myapp/hr/insert 가 되며, 컨텍스트 이름이 없을 때는 /hr/insert가 됩니다.

<c:url>태그의 var 속성을 이용하면 다음처럼 표현해서 가독성을 높일 수 있습니다.

```
<c:url var="insertURI" value="/hr/insert"/>
<a href="${insertURI}">사원정보 입력하기</a>
```

3.3. 요청 방식에 따른 처리

@RequestMapping 아노테이션의 method 속성을 이용하면 요청 방식에 따라 다른 처리를 할 수 있습니다.

다음 예는 같은 URL에 대해서 요청 방식이 GET 방식일 때와 POST 방식일 때 다른 처리를 하는 예입니다.

```java
@RequestMapping(value="/hr/insert", method=RequestMethod.GET)
public String insertEmp(Model model) {
    model.addAttribute("deptList", empService.getAllDeptId());
    model.addAttribute("jobList", empService.getAllJobId());
    model.addAttribute("managerList", empService.getAllManagerId());
    return "hr/insertform";
}

@RequestMapping(value="/hr/insert", method=RequestMethod.POST)
public String insertEmp(Emp emp) {
    empService.insertEmp(emp);
    return "redirect:/hr/list";
}
```

스프링 프레임워크 4.3부터 @GetMapping, @PostMapping 등의 아노테이션을 이용해서 요청 방식에 따라 매핑 URL을 설정할 수 있습니다. 위에서 Get 방식 처리를 위한 @RequestMapping은 @GetMapping("/hr/insert")으로 설정할 수 있으며 Post 방식을 처리하기 위해 @PostMapping("/hr/insert")으로 설정할 수 있습니다.

```java
@GetMapping("/hr/insert")
public String insertEmp(Model model) {
    model.addAttribute("deptList", empService.getAllDeptId());
    model.addAttribute("jobList", empService.getAllJobId());
    model.addAttribute("managerList", empService.getAllManagerId());
    return "hr/insertform";
}

@PostMapping("/hr/insert")
public String insertEmp(Emp emp) {
    empService.insertEmp(emp);
    return "redirect:/hr/list";
}
```

● DELETE, PUT, PATCH 요청을 처리하기 위한 @DeleteMapping, @PutMapping, @PatchMapping 아노테이션도 사용할 수 있습니다.

3.4. 다중 요청 처리

@RequestMapping, @GetMapping, @PostMapping 등 아노테이션의 value 속성의 값을 String[] 형식으로 지정하면 여러 URL을 같은 메서드로 처리할 수 있습니다.

다음 핸들러 메서드는 /hr/count 요청과 /hr/cnt 요청을 같게 처리합니다.

```
@GetMapping(value={"/hr/count", "/hr/cnt"})
public String empCount(@RequestParam(value="deptid", required=false,
defaultValue="0") int deptid, Model model) {
    if(deptid==0) {
        model.addAttribute("count", empService.getEmpCount());
    }else {
        model.addAttribute("count", empService.getEmpCount(deptid));
    }
    return "hr/count";
}
```

다음 핸들러 메서드는 /hr 요청과 /hr/list 요청을 같게 처리합니다.

```
@GetMapping(value={"/hr", "/hr/list"})
public String getAllEmps(Model model) {
    List<Emp> empList = empService.getEmpList();
    model.addAttribute("empList", empList);
    return "hr/list";
}
```

컨트롤러에 다중 요청을 처리할 수 있도록 여러 개 URL을 지정해 놓으면 요청 URL을 다양한 방식으로 작성해 놓을 수 있습니다. 이것은 웹 퍼블리셔에게 링크의 주소를 더 잘 이해할 수 있도록 해 줍니다.

위에서처럼 다중 요청 처리를 위한 요청 URL 설정을 사용한다면 HTML 문서 내에서 다음 두 링크는 완전히 같게 동작합니다.

```
<a href="/hr">사원 목록</a>
<a href="/hr/list">사원 목록</a>
```

3.5. 요청 파라미터 받기

스프링은 HTTP 요청 파라미터를 가져올 때 3가지 방법을 지원합니다.
1. HttpServletRequest의 getParameter() 메서드 이용.
2. @RequestParam 아노테이션 이용.
3. Command 객체 이용.

1) request.getParameter 이용

핸들러 메서드의 파라미터에 HttpServletRequest 타입 변수를 선언하면 이 객체를 이용해 요청 파라미터의 값을 읽을 수 있습니다. getParameter() 메서드의 리턴타입은 String 입니다. 그러므로 이때는 파라미터를 형 변환해야 원하는 타입으로 사용할 수 있습니다.

```
@GetMapping(value= {"/hr/count", "/hr/cnt"})
public String empCount(HttpServletRequest request, Model model) {
    String param = request.getParameter("deptid");
    int deptid = Integer.parseInt(param);
    ... 생략 ...
```

2) @RequestParam 아노테이션 이용

핸들러 파라미터에 요청 파라미터를 명시적으로 매핑시키기 위해 @RequestParam 아노테이션을 사용할 수 있습니다. 만일 요청 URL이 다음과 같다면….
http://localhost:8080/myapp/hr/count?**deptid=50**

다음 구문에서 요청 파라미터의 deptid 값은 empCount() 메서드의 deptid 파라미터에 자동으로 매핑됩니다.

```
@GetMapping(value= {"/hr/count", "/hr/cnt"})
public String empCount(@RequestParam("deptid") int deptid, Model model) {
    ... 생략 ...
```

요청 파라미터와 핸들러 메서드의 파라미터의 이름이 같으면 @RequestParam 아노테이션을 생략해도 스프링이 자동으로 요청 파라미터의 값을 메서드 파라미터에 매핑시켜 줍니다.

```
@GetMapping(value= {"/hr/count", "/hr/cnt"})
public String empCount(int deptid, Model model) {
    ... 생략 ...
```

@RequestParam 아노테이션은 value, required, defaultValue 속성이 있습니다.
- value 속성은 요청 파라미터의 이름을 지정합니다. 핸들러 메서드의 파라미터 이름과 요청 파라미터의 이름이 다를 때에 사용합니다.
- required 속성은 true(기본값)일 때 요청 파라미터를 반드시 지정해야 합니다. 만일 요청 파라미터가 필요하지 않다면 required 속성은 false로 설정해야 합니다.
- defaultValue 속성은 요청 파라미터가 없이 요청되었을 때 갖게 되는 기본값입니다. 기본값은 핸들러 메서드의 파라미터 타입과 무관하게 항상 ""로 둘러싸야 합니다.

```
@GetMapping(value= {"/hr/count", "/hr/cnt"})
public String empCount(@RequestParam(value="deptid", required=false,
defaultValue="0") int deptid, Model model) {
    ... 생략 ...
```

3) 폼 객체 이용

사원 정보를 저장하기 위해 HTML(또는 JSP) 파일에 폼 태그가 다음과 같이 되어있다고 가정하겠습니다.

```
<form action="insert" method="post">
    사원번호 : <input type="text" name="employeeId"><br>
    이름 : <input type="text" name="firstName"><br>
    성 : <input type="text" name="lastName"><br>
    이메일 : <input type="text" name="email"><br>
    전화번호 : <input type="text" name="phoneNumber"><br>
    입사일 : <input type="date" name="hireDate"><br>
    직무아이디 : <input type="text" name="jobId"><br>
    급여 : <input type="text" name="salary"><br>
    보너스율 : <input type="text" name="commissionPct"><br>
    매니저아이디 : <input type="text" name="managerId"><br>
    부서아이디 : <input type="text" name="departmentId"><br>
    <input type="submit" value=" 저장 ">
    <input type="reset" value=" 취소 ">
</form>
```

폼 입력양식으로부터 파라미터를 전송받기 위해 다음 코드처럼 핸들러 메서드에 파라미터들을 나열하여 요청 파라미터를 개별적으로 처리할 수 있습니다.

```
@PostMapping(value="/insert")
public String insert(   @RequestParam("employeeId")    int      employeeId,
                        @RequestParam("firstName")     String   firstName,
                        @RequestParam("lastName")      String   lastName,
                        @RequestParam("email")         String   email,
                        @RequestParam("phoneNumber")   String   phoneNumber,
                        @RequestParam("hireDate")      Date     hireDate,
```

```
            @RequestParam("jobId")          String   jobId,
            @RequestParam("salary")         double   salary,
            @RequestParam("commissionPct")  double   commissionPct,
            @RequestParam("managerId")      int      managerId,
            @RequestParam("departmentId")   int      departmentId
        ) {
    ... 생략 ...
```

이렇게 받은 파라미터를 다시 다른 모델 객체에 넣어야 할 때 일일이 setter 메서드를 이용하여 저장해야 하는 불편함이 있습니다.

이런 불편함을 스프링에서는 폼(Form) 객체로 쉽게 해결할 수 있습니다. 폼 클래스는 보통 Data Transfer Object라 불리는 클래스를 이용하기도 합니다. 폼 객체는 파라미터의 이름과 같은 변수를 갖는 클래스입니다. 입력양식의 name 속성의 값이 폼 클래스의 변수 이름과 같다면 핸들러 메서드 파라미터에 폼 객체를 선언하는 것만으로 입력양식 데이터를 폼 객체에 매핑시킬 수 있습니다.

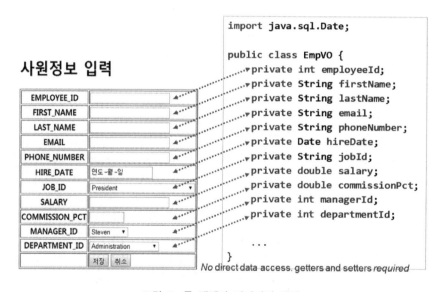

그림 8. 폼 객체와 파라미터 매핑

입력양식에서 저장 버튼을 클릭하여 실행되는 핸들러 메서드가 다음과 같을 때 emp 객체에는 입력한 데이터들이 형변환되어 저장됩니다. 날짜 타입은 입력 형식을 지켜야 자동 형변환 됩니다. 위 코드에서 입사일을 입력해야 한다면 YYYY-MM-DD(예: 2021-09-29) 형식으로 입력하면 자동 형변환되어 저장됩니다.

```
@PostMapping(value="/hr/insert")
public String insert(Emp emp, Model model) {
    try {
        empService.insertEmp(emp);
    }catch(Exception e) {
        model.addAttribute("message", e.getMessage());
        return "hr/error";
    }
    return "hr/ok"; //성공
}
```

폼 객체는 자동으로 뷰의 모델에 등록됩니다. 그러므로 위의 폼 객체 emp는 jsp 파일에서 다음처럼 바로 사용할 수 있습니다.

Full Name : **${emp.firstName} ${emp.lastName}**

HTML에서 같은 이름의 Input 태그가 구성되면 이를 Collection이라 부릅니다. Collection은 배열로 받아 처리하지만, Command 객체를 사용하면 List로 사용할 수 있습니다.

만일 폼에 다음과 같은 입력양식이 있다면…

```
<input type="checkbox" name="languages" value="Java">자바
<input type="checkbox" name="languages" value="C">C/C++
<input type="checkbox" name="languages" value="R">R
```

폼 클래스에 다음과 같이 변수와 set 메서드가 있다면 자동으로 파라미터가 매핑됩니다.

```
private List<String> languages;

public void setLanguages(List<String> languages) {
    this.languages = languages;
}
```

만일 languages 변수를 View에서 출력할 때는 아래와 같이 배열 형식으로 참조합니다.

```
${languages[0]}
${languages[1]}
${languages[2]}
```

3.6. Path Variable & URI Template Variable

기존에 GET 방식 요청 시 파라미터를 포함하기 위해 /hr/count?deptid=50 형태의 URL을 사용했다면 /hr/count/50처럼 파라미터가 URL에 포함되도록 하는 형태를 만들 수 있습니다. 이처럼 URL에 포함된 변수를 Path Variable 또는 URI Template Variable이라 부릅니다. 이는 주로 RESTful 서비스의 URI 형태를 지원하기 위해 사용했었지만, 간결한 URL 표현으로 인해 RESTful 서비스가 아닌 일반 웹 애플리케이션에도 많이 사용합니다.

Path Variable을 사용하기 위해서 @RequestMapping 아노테이션의 매핑 URL에 {variableName}을 사용하여 URL 내에 파라미터의 값이 입력될 위치를 지정합니다. 그리고 핸들러 메서드의 파라미터에 @PathVariable 아노테이션을 이용해서 템플릿 변수와 같은 이름을 갖는 파라미터를 추가합니다.

```java
@RequestMapping(value="/hr/{employeeId}")
public String getEmpInfo(@PathVariable int employeeId, Model model) {
    Emp emp = empService.getEmpInfo(employeeId);
    model.addAttribute("emp", emp);
    return "hr/view";
}
```

템플릿 변수는 요청 URL 내에서 여러 개 사용할 수 있습니다. @PathVariable 아노테이션에 value 속성을 이용하면 URI 템플릿 변수의 이름을 지정할 수 있습니다. 그러나 @PathVariable 아노테이션은 required 속성과 defaultValue 속성이 없습니다. 그러므로 템플릿 변수는 URL에 반드시 포함되어야 합니다.

3.7. 핸들러 메서드의 파라미터 타입

핸들러 메서드의 파라미터는 요청 파라미터나 URI 템플릿 변수를 매핑하기 위한 변수들만 선언될 수 있는 것은 아닙니다. 다음은 핸들러 메서드의 파라미터로 올 수 있는 타입입니다.

- HttpServletRequest, HttpServletResponse : HTTP request 객체와 response 객체를 핸들러 메서드에서 사용할 수 있습니다. 직접 request, response 객체를 다룰 때 사용할 수 있습니다.
- HttpSession : 컨트롤러 메서드에서 세션 객체를 사용할 수 있습니다. 이는 사용자 인증 처리에 사용합니다.
- java.util.Locale : 현재 요청에 대한 로케일을 알 수 있습니다.
- java.io.InputStream / java.io.Reader : 요청 콘텐츠에 직접 접근할 수 있습니다.
- java.io.OutputStream / java.io.Writer : 응답 콘텐츠를 생성할 수 있습니다. 파일 다운로드를 구현할 때 사용합니다.

- @PathVariable : URI 템플릿 변수에 접근하기 위한 아노테이션입니다. 템플릿 변수는 URI에 { }를 이용하여 설정합니다.
- @RequestParam : 요청 파라미터의 값을 받을 때 사용합니다. 만일 선언된 타입으로 형변환이 안 되면 400(Bad Request) 에러가 발생합니다. 필수 파라미터가 아니면 required=false 속성을 지정하며 이때 기본값은 defaultValue 속성으로 지정합니다. (예: defaultValue="0")
- @RequestHeader : 요청 헤더를 매핑할 때 사용합니다.
- @CookieValue : 쿠키값을 매핑할 때 사용합니다.
- java.util.Map, org.springframework.ui.Model, org.springframework.ui.ModelMap : 뷰에 전달한 모델 데이터 설정하기 위해 사용합니다.
- org.springframework.web.servlet.mvc.support.RedirectAttributes : 리다이렉트할 페이지에 데이터를 저장하기 위해 사용합니다. 뷰 이름에 redirect: 접두어가 붙을 때 사용합니다.
- 폼 객체(DTO) : 요청 파라미터를 저장할 폼 객체입니다. @ModelAttribute로 모델에 저장할 객체 이름을 설정할 수 있습니다.
- org.springframework.validation.Errors, org.springframework.validatin.BindingResult : 폼 객체의 유효성 검증 결과를 저장하고 있습니다. 폼 입력값 검증시 사용합니다.

3.8. Static 파일(CSS, JS, IMAGE) 설정

DispatcherServlet이 모든 요청을 처리하므로 이미지, 자바스크립트, CSS 파일들은 DispatcherServlet이 처리하지 않도록 웹 컴포넌트 설정 파일에 mvc 네임스페이스의 〈resources〉 태그를 이용하여 리소스의 location과 mapping을 설정해 줘야 합니다.

다음은 자바스크립트, CSS, 이미지 경로를 포함하는 JSP 코드의 일부입니다.

```
<%@ page contentType="text/html; charset=UTF-8"%>
<!DOCTYPE html>
<head>
    <meta charset="UTF-8">
    <title>Welcome</title>
    <link rel="stylesheet" href="/css/default.css">
    <script src="/js/myscript.js">
</head>
<body>
    <img src="/images/welcome.png">
    ... 생략 ...
```

다음 코드는 servlet-context.xml 파일에 정의하는 리소스 설정 예입니다. location 속성은 파일이 있는 위치를 지정하며 mapping 속성은 경로를 매핑할 이름을 지정합니다.

```
<resources location="/WEB-INF/resources/images/" mapping="/images/**"/>
<resources location="/WEB-INF/resources/js/" mapping="/js/**"/>
<resources location="/WEB-INF/resources/css/" mapping="/css/**"/>
```

3.9. 예외처리

스프링 MVC에서 예외처리는 여러 방법으로 처리할 수 있습니다. 이 책에서는 아노테이션 @ExceptionHandler를 이용한 예외처리와 XML을 이용한 예외처리에 대하여 설명합니다. 나머지 예외처리 방법은 스프링 도큐먼트를 참고하세요.[26]
- @ExceptionHandler로 예외 클래스를 지정한 예외처리
- XML 파일에 ExceptionResolver 빈 설정을 이용한 예외처리
- @ResponseStatus로 HTTP 상태코드를 지정한 예외처리
- @ControllerAdvice를 이용한 클로벌 예외처리

1) 아노테이션을 이용한 예외처리

예외를 처리하기 위해 컨트롤러 클래스에 예외처리 메서드를 추가할 수 있습니다. 예외처리 메서드들은 @ExceptionHandler 아노테이션을 설정하여 컨트롤러의 어떤 예외라도 처리할 수 있습니다. 예외처리 메서드는 다음 세 가지 방법으로 작성될 수 있습니다.

- 사용자 정의가 아닌 미리 정의된 예외처리
- 전용 에러페이지로 리다이렉트 처리
- 완전한 사용자 정의 오류 응답을 작성하여 처리

다음 코드는 사용자 정의가 아닌 미리 정의된 예외를 처리하는 메서드입니다. 미리 정의된 예외를 HTTP 응답코드를 이용해 처리합니다.

```
@ResponseStatus(value=HttpStatus.CONFLICT, reason="Data integrity violation") //409
@ExceptionHandler(DataIntegrityViolationException.class)
public void conflict() {
    // Nothing to do
}
```

---

26) https://spring.io/blog/2013/11/01/exception-handling-in-spring-mvc

다음 코드는 전용 에러페이지로 리다이렉트 처리하는 메서드입니다. 이 방법은 단순히 에러를 처리하는 페이지로 포워드만 합니다. 뷰 페이지에서 어떤 에러와 관련된 자세한 내용도 알 수 없습니다.

```
@ExceptionHandler({DataAccessException.class})
public String databaseError(HttpServletRequest request, Exception ex) {
    return "error/database";
}
```

세 번째 방법은 직접 에러 처리를 위한 메서드를 작성한 예입니다. 다음 코드는 위에 있는 두 번째 방법을 수정했습니다. EmpController 클래스에 예외처리를 위해 추가할 수 있는 코드입니다.

```
private final Logger logger = LoggerFactory.getLogger(this.getClass());

@ExceptionHandler({DataAccessException.class})
public String databaseError(HttpServletRequest request, Exception ex, Model model) {
    logger.error("DB Error: URL-{}, EX-{} ", request.getRequestURL(), ex);
    model.addAttribute("exception", ex);
    model.addAttribute("url", request.getRequestURL());
    return "error/database";
}
```

2) 예외를 표시할 뷰

이 예제는 여러 가지 이유로 사원 정보가 삭제되지 않는 예외가 발생합니다. HTML 문서에 예외를 직접 표시하는 것은 사용자에게 사이트에 대한 신뢰도를 떨어뜨릴 수 있습니다. 예외가 발생하면 단순 오류임을 표시해 주고, 자세한 내용은 HTML 주석을 통해 담당자가 볼 수 있도록 하는 것이 좋습니다. 다음은 에러가 표시될 뷰 페이지입니다.

WEB-INF/views/hr/error.jsp

```
<%@ page contentType="text/html; charset=UTF-8"%>
<%@ taglib prefix="c" uri="http://java.sun.com/jsp/jstl/core"%>
<!DOCTYPE html>
<html>
<head>
    <meta charset="UTF-8">
    <title>Example</title>
</head>
<body>
<h1>에러 페이지</h1>
<p>애플리케이션에 오류가 발생했습니다. 담당자에게 문의하세요.</p>
```

```
<!--
    Failed URL: ${url}
    Exception:  ${exception.message}
    <c:forEach items="${exception.stackTrace}" var="ste">    ${ste}
    </c:forEach>
-->
</body>
</html>
```

만일 SQLException 또는 DataAccessException이 발생할 때 아래 그림처럼 에러페이지를 보여줄 것입니다. 상세한 에러 원인은 HTML 주석처리 했으므로 소스 보기를 통해 확인할 수 있습니다.

그림 9. 에러 페이지

그림 10. 에러 페이지 소스 보기 1

위 에러는 24시 이후에 사원정보를 삭제하려 할 때 볼 수 있는 에러입니다. 다른 에러 상황을 보고 싶으면 매니저로 등록된 사원의 정보를 삭제해 보세요. 예를 들면 100번 사원의 정보를 삭제하려 할 때는 [ORA-02292: integrity constraint (HR.DEPT_MGR_FK) violated - child recode found] 예외가 발생합니다. EMPLOYEES 테이블의 MANAGER_ID 열은 EMPLOYEE_ID 열을 참조하는 외래키입니다. 그래서 일부 사원은 다른 사원의 매니저로 참고되고 있으므로 삭제되지 않습니다.

3) XML을 이용한 예외처리

XML을 이용한 예외처리 방법은 별도의 예외처리 클래스를 작성하지 않고 XML 문서에 설정만으로 예외처리를 할 수 있습니다. SimpleMappingExceptionResolver 빈을 설정하고 exceptionMapping 변수의 의존성 설정을 통해 예외 클래스와 처리할 뷰를 설정합니다. exceptinMapping 변수는 Properties 타입으로 선언되어 있으므로 예외를 설정할 때 〈props〉태그를 이용해 예외클래스와 예외가 발생할 때 보여질 뷰의 이름을 지정합니다. 〈props〉 태그안에 〈prop〉 태그는 예외 클래스와 예외가 발생할 뷰 이름을 지정합니다. 〈props〉 태그의 key 속성은 예외를 처리할 예외 클래스를 지정하며, 태그의 값은 뷰 페이지를 지정합니다. 〈prop〉 태그는 여러 개 설정이 가능합니다.

만일 지정하지 않은 예외가 발생할 때 처리할 페이지를 지정하려면 defaultErrorView 변수의 의존성을 설정하세요. defaultErrorView 변수는 String 형식으로 선언되어 있으므로 뷰 페이지 지정은 의존성 설정 시 value 속성을 이용합니다.

다음 코드는 RuntimeException이 발생하면 error/runtime 뷰로 이동합니다. 앞이 뷰 설정대로라면 보이는 페이지는 WEB-INF/views/error/runtime.jsp 입니다. 만일 RuntimeException이 아닌 다른 예외가 발생하면 error/default 뷰가 보입니다.

```xml
<bean id="exceptionResolver"
class="org.springframework.web.servlet.handler.SimpleMappingExceptionResolver">
    <property name="exceptionMappings">
        <props>
            <prop key="java.lang.RuntimeException">      발생할 예외 타입
                error/runtime
            </prop>                                 예외 발생 시 보여질 뷰
        </props>
    </property>
    <property name="defaultErrorView" value="error/default"/>
</bean>
                                         지정하지 않은 다른
                                         예외들을 처리할 뷰 지정
```

3.10. 인터셉터

스프링의 핸들러 매핑(Handler mapping) 기술은 특정 요청에 어떤 기능을 적용하기를
원할 때 유용한 핸들러 인터셉터(Interceptor)를 포함합니다. 요청 경로마다 권한을 확인
하여 접근 제어를 다르게 해야 한다거나 사용자가 특정 URL을 요청할 때마다 접속 기록
을 남기고 싶을 때, 혹은 로그인 체크를 해야 할 때 인터셉터를 사용합니다. 스프링에서
인터셉터를 사용하려면 HandlerInterceptor 인터페이스를 구현한 클래스를 작성하고 스
프링 설정 파일에 mav 네임스페이스의 〈interceptors〉 태그를 이용해 인터셉터 설정을
합니다.

1) HandlerInterceptor

인터셉터는 다음 세 가지 시점에 공통 기능을 넣을 수 있습니다.
1. 컨트롤러(핸들러) 실행 전
2. 컨트롤러(핸들러) 실행 후, 아직 뷰를 실행하기 전
3. 뷰를 실행한 이후.

스프링에서 사용할 인터셉터는 org.springframework.web.servlet.HandlerInterceptor 인
터페이스를 구현해야 합니다. 이 인터페이스는 세 개의 메서드를 가지고 있습니다.
- preHandle()는 핸들러를 실행하기 전에 호출합니다.
- postHandle()는 핸들러를 실행한 후에 실행합니다.
- afterCompletion()는 요청을 완전히 종료한 후에 호출합니다.

preHandle() 메서드는 논리값을 반환합니다. 실행 체인의 처리를 멈추거나 계속 진행할
때 이 메서드를 사용할 수 있습니다. 이 메서드가 true를 반환하면 핸들러 실행 체인이 계
속 될 것입니다. false를 반환하면 DispatcherServlet는 인터셉터가 직접 요청을 처리한다
고 가정하고(예를 들어 적절한 뷰를 렌더링하는 등) 실행 체인의 다른 인터셉터와 실제 핸
들러를 더 이상 실행하지 않습니다.

다음 코드는 인터셉터 클래스를 구현한 예입니다. 이 인터셉터는 사용자가 로그인했는지
확인합니다. 만일 로그인 사용자가 아니라면 현재 요청한 URL과 파라미터를 세션에 저장
한 다음 로그인 페이지로 리다이렉트 시킵니다. 사용자가 로그인한 후에는 세션에 저장했
던 URL과 파라미터를 이용하여 로그인한 다음 처음 요청한 페이지로 되돌리기 위함입니
다.[27]

---

27) 여기에는 나와 있지 않지만 로그인 컨트롤러에서는 로그인한 후 세션에 저장되어 있던 URL과 파라미
터를 이용하여 원래의 요청한 페이지로 리다이렉트 시킵니다.

LoginInterceptor.java

```
1 package com.example.myapp;
2
3 import javax.servlet.http.HttpServletRequest; // tomcat 10은 jakarta.servlet
4 import javax.servlet.http.HttpServletResponse;
5 import javax.servlet.http.HttpSession;
6
7 import org.springframework.web.servlet.HandlerInterceptor;
8 import org.springframework.web.servlet.ModelAndView;
9
10 public class LoginInterceptor implements HandlerInterceptor {
11
12     @Override
13     public boolean preHandle(HttpServletRequest request, HttpServletResponse
   response, Object handler) throws Exception {
14         try {
15             HttpSession session = request.getSession();
16             String contextName = request.getContextPath();
17             String url = request.getRequestURI().replaceFirst(contextName, "");
18
19             String param = request.getQueryString();
20
21             if(!url.contains("/user/login") && !url.contains("/user/logout")) {
22                 session.setAttribute("url", url);
23                 session.setAttribute("param", param);
24             }else{
25                 //nothing
26                 //로그인/로그아웃 uri일 때는 uri 정보를 저장하지 않습니다.
27             }
28
29             String userid= (String) request.getSession().getAttribute("userid");
30             if(userid == null || userid.equals("")){
31                 response.sendRedirect(request.getContextPath()+"/user/login");
32                 return false;
33             }
34         } catch (Exception e) {
35             e.printStackTrace();
36         }
37         return true;
38     }
39
40     @Override
41     public void postHandle(HttpServletRequest request, HttpServletResponse
   response, Object handler, ModelAndView modelAndView) throws Exception {
42     }
43
```

```
44      @Override
45      public void afterCompletion(HttpServletRequest request, HttpServletResponse
   response, Object handler, Exception ex) throws Exception {
46      }
47
48 }
```

다음 코드는 필자의 홈페이지에서 사용하는 접속 로그를 남기는 인터셉터의 예입니다. 이 코드를 직접 작성할 필요는 없습니다. preHandle() 메서드에서 어떤 방식으로 로그를 남기는지 참고만 하세요.

PageViewLogInterceptor.java

```
 1 package com.example.myapp;
 2
 3 import java.util.Calendar;
 4
 5 import javax.servlet.http.HttpServletRequest;  // tomcat 10은 jakarta.servlet
 6 import javax.servlet.http.HttpServletResponse;
 7 import javax.servlet.http.HttpSession;
 8
 9 import org.springframework.beans.factory.annotation.Autowired;
10 import org.springframework.web.servlet.HandlerInterceptor;
11 import org.springframework.web.servlet.ModelAndView;
12
13 import com.example.myapp.IUserLogService;
14 import com.example.myapp.UserLog;
15
16 public class PageViewLogInterceptor implements HandlerInterceptor {
17
18      @Autowired
19      UserLog userLog;
20
21      @Autowired
22      IUserLogService userLogService;
23
24      @Override
25      public boolean preHandle(HttpServletRequest request, HttpServletResponse
   response, Object handler) throws Exception {
26          try {
27              userLog.setLogTimestamp(Calendar.getInstance().getTimeInMillis());
28              userLog.setLogDate(new java.sql.Date(userLog.getLogTimestamp()));
29              userLog.setLogHour(Calendar.getInstance().get(Calendar.HOUR_OF_DAY));
30              userLog.setLogMinute(Calendar.getInstance().get(Calendar.MINUTE));
31
```

```
32          String ip = request.getHeader("X-Forwarded-For");
33
34          if (ip == null || ip.length() == 0 || "unknown".equalsIgnoreCase(ip)) {
35              ip = request.getHeader("WL-Proxy-Client-IP");
36          }
37          if (ip == null || ip.length() == 0 || "unknown".equalsIgnoreCase(ip)) {
38              ip = request.getHeader("HTTP_CLIENT_IP");
39          }
40          if (ip == null || ip.length() == 0 || "unknown".equalsIgnoreCase(ip)) {
41              ip = request.getHeader("HTTP_X_FORWARDED_FOR");
42          }
43          if (ip == null || ip.length() == 0 || "unknown".equalsIgnoreCase(ip)) {
44              ip = request.getRemoteAddr();
45          }
46
47          userLog.setIpAddress(ip);
48
49          userLog.setRequestPage(request.getRequestURI());
50
51          HttpSession session = request.getSession();
52          if(session.getAttribute("userid") != null) {
53              userLog.setLoginUserId(session.getAttribute("userid").toString());
54          }else {
55              userLog.setLoginUserId("")
56          }
57
58          userLogService.insertUserLogs(userLog);
59      } catch (Exception e) {
60          e.printStackTrace();
61      }
62      return true;
63  }
64
65  @Override
66  public void postHandle(HttpServletRequest request, HttpServletResponse
    response, Object handler, ModelAndView modelAndView) throws Exception {
67  }
68
69  @Override
70  public void afterCompletion(HttpServletRequest request, HttpServletResponse
    response, Object handler, Exception ex) throws Exception {
71  }
72
73 }
```

2) 〈interceptors〉

HandlerInterceptor나 WebRequestInterceptor를 모든 요청이나 특정 URL 패턴에 한정해서 적용되도록 설정할 수 있습니다. 인터셉터 설정은 모든 패스(/**)에 대하여 인터페이스를 지정하면서 인터셉터에서 제외할 패스를 지정하는 방법과 특정 URL에 대해서만 인터셉터를 지정하는 방법이 있습니다. 같은 경로에 여러 인터셉터가 적용되었을 때 인터셉터는 선언한 순서대로 실행됩니다.

다음 코드는 〈interceptors〉태그를 이용하여 XML로 인터셉터를 등록하는 예입니다.

```xml
<interceptors>
    <interceptor>
        <mapping path="/**"/>
        <exclude-mapping path="/js/**"/>
        <exclude-mapping path="/css/**"/>
        <exclude-mapping path="/font-awesome/**"/>
        <exclude-mapping path="/images/**"/>
        <exclude-mapping path="/member/login"/>
        <exclude-mapping path="/favicon.png"/>
        <beans:bean class="com.example.myapp.PageViewLogInterceptor"/>
    </interceptor>
    <interceptor>
        <mapping path="/hr/**"/>
        <beans:bean class="com.example.myapp.LoginInterceptor"/>
    </interceptor>
</interceptors>
```

이 코드에서 첫 번째 〈interceptor〉 태그는 모든 경로(/**)에 대하여 인터페이스를 지정하면서 인터셉터에서 제외할 패스를 지정했으며, 두 번째 〈interceptor〉 태그는 특정 경로에만 적용할 인터셉터를 지정했습니다.

● 앞에서 만든 인터셉터 클래스는 HandlerIntercepter 인터페이스를 implements 해서 구현할 수 있지만, HandlerInterceptorAdapter 클래스를 상속(extends)받아 구현해도 됩니다. HandlerInterceptorAdapter 클래스를 상속받아 구현하면 원하는 메서드만 재정의해서 인터셉터 클래스를 만들 수 있습니다.

4. 모델과 뷰

4.1. 핸들러 메서드의 리턴 타입

핸들러 메서드의 리턴 타입은 뷰에 출력될 데이터를 저장하거나 뷰를 지정하기 위해 사용합니다.

- ModelAndView : 뷰에 출력되어야 할 데이터를 저장할 수 있고, 뷰 객체를 이용하여 컨트롤러의 실행 결과가 보일 뷰를 지정할 수 있습니다.
- Model 또는 Map : 뷰에 출력되어야 할 데이터를 저장합니다. 뷰의 이름은 URL에서 맨 앞의 /와 확장자를 제외한 문자열을 사용합니다. 예를 들면 URL이 /hr/count.do 라면 뷰의 이름은 hr/count가 됩니다.
- String : 뷰의 이름을 반환합니다.
- View 객체 : 뷰 객체를 이용하여 뷰를 지정합니다.
- void : 뷰의 이름이 자동으로 설정됩니다. 뷰의 이름은 URL에서 맨 앞의 /와 맨 뒤의 확장자를 제외한 문자열을 사용합니다.
- 객체(Data Transfer Object) : @ResponseBody 아노테이션이 적용된 때, 리턴 객체를 JSON 또는 XML 형식 데이터로 변환합니다.

4.2. 뷰

핸들러의 리턴 타입이 String인 경우, 해당 핸들러가 반환하는 값은 화면에 출력될 뷰(JSP 파일)의 이름이 됩니다. 스프링의 InternalResourceViewResolver(뷰 리졸버) 빈은 뷰의 이름을 기반으로 뷰 페이지를 찾아가는 역할을 합니다. 따라서 스프링 설정 파일에서 뷰 리졸버 설정을 통해 접두어(prefix)와 접미어(suffix)를 설정하여 뷰 페이지의 위치와 확장자를 지정할 수 있습니다. 예를 들어, 아래의 코드처럼 뷰 리졸버 설정이 되어 있을 때, 핸들러가 "hr/count"를 반환했다면 스프링은 /WEB-INF/views/hr/count.jsp 페이지를 실행합니다.

servlet-context.xml

```
    ... 생략 ...
13    <beans:bean
   class="org.springframework.web.servlet.view.InternalResourceViewResolver">
14        <beans:property name="prefix" value="/WEB-INF/views/"/>
15        <beans:property name="suffix" value=".jsp"/>
16    </beans:bean>
    ... 생략 ...
```

4.3. JSON 형식 응답

JSON 형식으로 데이터를 응답하기 위해 여러 가지 방법을 사용할 수 있습니다.

1. response 객체에 문자열을 담는 방법
2. com.fasterxml.jackson.core의 jackson-databind 라이브러리를 추가하고 ObjectMapper 객체를 이용하는 방법
3. com.google.code.gson의 gson 라이브러리를 추가하고 Data Transfer Object를 JSON 문자열로 변환하여 모델에 저장하고 뷰(JSP) 페이지로 응답하는 방법[28]
4. org.codehaus.jackson의 jackson-mapper-asl 라이브러리를 추가하고 @ResponseBody 아노테이션을 사용하는 방법
5. RestController를 이용하는 방법

이 절은 @ResponseBody 아노테이션을 사용하여 JSON 데이터로 응답하는 방법에 대하여 설명합니다. 핸들러 메서드의 return 타입 앞에 @ResponseBody를 붙이면 해당 객체가 자동으로 JSON 객체로 변환되어 반환됩니다. 구현에 앞서 @ResponseBody 아노테이션을 사용하기 위해 메이븐 의존성 설정 추가와 메시지 컨버터 빈 설정을 해야 합니다. 그런데 메시지 컨버터는 스프링의 버전에 따라 설정이 다릅니다.

스프링 프레임워크의 버전을 3.1.x 이하 버전을 사용할 거라면 jackson-mapper-asl 1.x 버전을 이용해서 의존성 설정해야 하고, 스프링 프레임워크 4.x 이상에서는 Jackson 메시지 컨버터 2.x 이상을 사용해야 합니다.

1) 스프링 3.1 이하 버전에서 메시지 컨버터 설정

스프링 3.1 이하는 jackson-mapper-asl 1.x 버전을 사용해야 합니다. 다음 코드는 메이븐 라이브러리 의존성을 추가하는 설정입니다.

pom.xml

```
66        <dependency>
67            <groupId>org.codehaus.jackson</groupId>
68            <artifactId>jackson-mapper-asl</artifactId>
69            <version>1.9.13</version>
70        </dependency>
```

---

28) 실행 결과를 그래프로 그려야 하는 경우처럼 반드시 뷰 페이지로 응답해야 할 때는 gson 라이브러리를 이용하는 3번 방법을 사용하는 것이 가장 편리합니다.

스프링 설정 파일에 MappingJacksonHttpMessageConverter 빈 설정을 추가해 줍니다.
컨트롤러에 아노테이션을 사용하기 위해 mvc 네임스페이스의 〈annotation-driven/〉 태
그도 추가해야 합니다.

servlet-context.xml

```
     ... 생략 ...
12    <annotation-driven/>
13
14    <beans:bean id="jacksonMessageConverter"
   class="org.springframework.http.converter.json.MappingJacksonHttpMessageConverter"/>
     ... 생략 ...
```

2) 스프링 4.x 이상 버전에서 메시지 컨버터 설정

스프링 프레임워크 버전 4.x는 더 이상 MappingJacksonHttpMessageConverter를 지
원하지 않습니다. 스프링 4.x는 jackson 메시지 컨버터 버전 2.x 이상을 지원하므로
MappingJackson2HttpMessageConverter를 사용해야 합니다. 의존성이 필요한 라이브
러리는 jackson-core, jackson-databind, jackson-annotation입니다. 다음 코드는 메이
븐 라이브러리 의존성을 추가하는 설정입니다.

pom.xml

```
66    <dependency>
67        <groupId>com.fasterxml.jackson.core</groupId>
68        <artifactId>jackson-core</artifactId>
69        <version>2.9.5</version>
70    </dependency>
71    <dependency>
72        <groupId>com.fasterxml.jackson.core</groupId>
73        <artifactId>jackson-databind</artifactId>
74        <version>2.9.5</version>
75    </dependency>
76    <dependency>
77        <groupId>com.fasterxml.jackson.core</groupId>
78        <artifactId>jackson-annotations</artifactId>
79        <version>2.9.5</version>
80    </dependency>
```

설정 파일에 RequestMappingHandlerAdapter와 MappingJackson2HttpMessageConverter
빈 설정을 추가해 줍니다. 스프링 4.x는 jackson 메시지 컨버터 버전 2.x 이상을 사용해
야 합니다. 컨트롤러에 아노테이션을 사용하기 위해 〈annotation-driven/〉 태그도 추가
해야 합니다.

servlet-context.xml

```
12      <annotation-driven/>
13
14      <beans:bean
   class="org.springframework.web.servlet.mvc.method.annotation.RequestMappingHandlerAdapter">
15        <beans:property name="messageConverters">
16         <beans:list>
17          <beans:bean
   class="org.springframework.http.converter.json.MappingJackson2HttpMessageConverter">
18            <beans:property name="supportedMediaTypes">
19              <beans:list>
20                  <beans:value>text/html;charset=UTF-8</beans:value>
21                  <beans:value>application/json;charset=UTF-8</beans:value>
22              </beans:list>
23            </beans:property>
24          </beans:bean>
25         </beans:list>
26        </beans:property>
27      </beans:bean>
      ... 생략 ...
```

컨트롤러 클래스에 JSON 요청을 처리하는 메서드의 리턴타입 앞에 @ResponseBody 아
노테이션을 추가하면 리턴타입이 DTO(Data Transfer Object) 이거나 List<DTO> 형식이
면 반환하는 객체에 저장된 데이터를 메시지 컨버터가 JSON 데이터로 변환해 줍니다. 그
러므로 이때는 뷰가 없습니다. 이 아노테이션은 메서드 선언부 위 또는 리턴타입 앞에 정
의할 수 있습니다.

EmpController.java

```
101      @ResponseBody
102      @GetMapping(value="/hr/json")
103      public List<Emp> getEmpJSONList() {
104          List<Emp> empList = empService.getEmpList();
105          return empList;
106      }
107
108      @GetMapping(value="/hr/json/{employeeId}")
109      public @ResponseBody Emp getEmpJSONInfo(@PathVariable int employeeId) {
110          Emp emp = empService.getEmpInfo(employeeId);
111          return emp;
112      }
```

● JSON 형식 요청 파라미터를 읽으려면 @RequestBody 아노테이션을 사용하세요.

```
@PostMapping(value="/hr/insert")
public String insertEmpJSON(@RequestBody Emp emp) {
```

3) 실행 결과

스프링은 @ResponseBody 아노테이션이 설정된 반환 유형이 Data Transfer Object 객체 하나이거나, List에 저장된 객체가 여러 개라도 알아서 JSON 문자열로 처리해 줍니다.

[그림 11]은 반환 유형이 List〈Emp〉일 때 실행 결과입니다.

그림 11. JSON 객체 배열

[그림 12]는 반환 유형이 Emp일 때 실행 결과입니다.

그림 12. JSON 객체

● @RestController를 이용하면 @ResponseBody 아노테이션 설정 없이 결과를 JSON 으로 반환할 수 있습니다. 아래의 Rest API 구현 예를 참고하세요.

```
19 @RestController
20 @RequestMapping("/hr2")
21 public class EmpRestController {
22
23     @Autowired
24     IEmpService empService;
25
26     @GetMapping("/emp/list")
27     public List<Emp> getAllEmps() {
28         return empService.getEmpList();
29     }
30
31     @GetMapping("/emp/{empid}")
32     public Emp getEmp(@PathVariable int empid) {
33         return empService.getEmpInfo(empid);
34     }
35
36     @PostMapping("/emp/insert")
37     public Emp insertEmp(@RequestBody Emp emp) {
38         empService.insertEmp(emp);
39         return emp;
40     }
    ... 생략 ...
```

Postman 도구를 이용해서 POST 방식 Rest API를 테스트하려면 요청 Body 〉 Raw 〉 JSON을 선택하고 아래 형식으로 입력할 데이터를 작성하세요.
```
{
    "employeeId": 300,
    "firstName": "JinKyoung",
    "lastName": "Heo",
    "email": "HEOJK",
    "phoneNumber": "010.1111.2222",
    "hireDate": "2023-12-07",
    "jobId": "IT_PROG",
    "salary": 10000,
    "commissionPct": 0,
    "managerId": 103,
    "departmentId": 60
}
```

4.4. Forward와 Redirect

핸들러에서 뷰를 반환하면 스프링은 해당 뷰를 포워드(Forward)합니다. 포워드 방식은 주로 핸들러의 실행 결과를 뷰를 통해 출력하는 용도로 사용됩니다. 주로 GET 방식 요청을 처리하기 위해 적합하며, 핸들러는 비즈니스 로직을 실행한 후 그 결과를 request 객체에 저장합니다. 이후 해당 request 객체는 뷰(JSP)에서 참조할 수 있어야 합니다. 이를 통해 뷰는 핸들러의 실행 결과를 화면에 출력할 수 있게 됩니다.

다음 그림 13은 포워드 방식의 요청/응답 흐름을 표현한 것입니다.

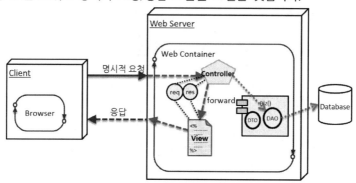

그림 13. Forward

만일 클라이언트에서 POST 방식으로 요청할 때 핸들러는 해당 작업을 실행한 다음 포워드 방식이 아닌 리다이렉트(Redirect) 방식을 통해 응답해야 합니다. 다음 그림은 리다이렉트 방식의 요청/흐름을 표현한 것입니다.

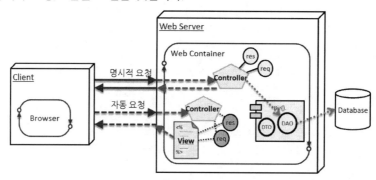

그림 14. Redirect

리다이렉트는 서버가 직접 페이지를 출력하지 않고 클라이언트에게 다시 요청할 페이지를 GET 방식으로 요청하도록 유도함으로써, 사용자의 실수로 POST 방식 요청이 중복되는 것을 방지합니다. 이는 사용자가 F5를 누르거나 확인 버튼을 두 번 클릭하는 경우에 대비하여, 이전에 POST로 요청한 작업을 다시 실행하지 않도록 합니다.

두 방식의 가장 큰 차이점은 request 객체와 response 객체를 핸들러와 뷰가 공유하는지 입니다. 포워드 방식은 핸들러의 실행 결과를 request 객체에 담아 뷰에서 출력하기 편하지만, 사용자의 실수로 같은 요청이 두 번 실행되었을 때 원치 않는 결과를 가져올 수 있습니다. 리다이렉트 방식은 핸들러의 실행 결과를 뷰를 통해 출력하는 것이 아닙니다. 핸들러는 브라우저에 새로운 요청 주소를 응답하고 브라우저는 해당 주소를 다시 요청합니다. 리다이렉트 방식은 사용자의 실수로 같은 작업이 두 번 요청되어도 사용자는 두 번째 자동 요청한 페이지를 다시 요청하게 되므로 처음의 명시적 요청이 다시 실행되는 일은 없습니다. 스프링에서는 핸들러에서 리다이렉트 페이지를 요청하려면 뷰 이름에 redirect: 접두어를 붙여야 합니다.

다음 코드는 사원정보를 입력(empService.insertEmp(emp) 호출)하고 성공하면 사원의 목록(/hr/list)을 출력하는 새로운 요청으로 리다이렉트 됩니다.

EmpController.java

```
@RequestMapping("/insert")
public String insertEmp(Emp emp, Model model) {
    try {
        empService.insertEmp(emp);
        return "redirect:/hr/list";
    }catch(Exception e) {
        model.addAttribute("msg", e.getMessage());
        return "hr/insert";
    }
}
```

* 사원목록 페이지에서 새로고침(브라우저에서 F5 단축키)을 하더라도 입력된 정보가 두 번 입력되는 요청은 없습니다.
* 개발자 대부분은 페이지 새로고침을 했을 때 이전에 실행됐던 작업이 다시 반복 실행되도록 하지는 않을 것입니다. POST 방식 처리 후 포워드를 했을 경우 뷰 페이지에서 새로고침을 하면 이전 요청이 다시 실행됩니다. 그래서 POST 방식 요청을 처리한 후 포워드 방식으로 결과를 응답하는 것은 바람직하지 않습니다.

4.5. RedirectAttributes

핸들러가 뷰를 리다이렉트 할 때 핸들러의 데이터를 리다이렉트 페이지에 출력하길 원할 때 사용합니다. 핸들러 메서드 파라미터에 RedirectAttributes 변수를 선언하고 addFlashAttribute() 메서드를 이용하여 리다이렉트 페이지에 전달할 데이터를 저장합니다. 스프링은 RedirectAttributes 객체에 addFlashAttribute() 메서드에 의해 저장된 데이터를 세션에 담아 뷰까지 이동하여 데이터를 출력한 다음 세션 데이터를 지워주는 방식

4장. Spring Web MVC

으로 리다이렉트한 페이지에 데이터를 전달합니다.

다음 코드는 RedirectAttributes를 사용한 예입니다. 사용자의 정보 저장이 성공하든지 그렇지 않든지 핸들러는 목록을 출력하는 페이지로 리다이렉트 됩니다. 만일 저장 도중 예외가 발생하면 addFlashAttribute() 메서드를 이용해서 예외 메시지를 리다이렉트 페이지에 전달합니다.

EmpController.java

```java
@PostMapping(value="/hr/insert")
public String insertEmp(Emp emp, RedirectAttributes redirectAttrs) {
    try {
        empService.insertEmp(emp);
        redirectAttrs.addFlashAttribute("message",
                emp.getEmployeeId() + "번 사원정보가 입력되었습니다.");
    }catch(RuntimeException e) {
        redirectAttrs.addFlashAttribute("message", e.getMessage());
    }
    return "redirect:/hr/list";
}
```

4.6. 뷰 컨트롤러

뷰 컨트롤러는 컨트롤러를 만들지 않고 웹 설정 파일(servlet-context.xml)을 통해 직접 뷰를 찾아갈 수 있도록 뷰의 이름과 뷰를 찾아갈 경로를 설정한 컨트롤러입니다.

뷰 컨트롤러는 mvc 네임스페이스가 필요하며, mvc 네임스페이스의 〈view-controller〉 태그를 이용하여 지정합니다. 〈view-controller〉 태그의 속성은 path와 view-name이 있습니다.
 - view-name : 뷰의 이름입니다. 만일 디폴트 뷰 리졸버를 사용한다면 뷰 이름이 home 이면 뷰 파일은 /WEB-INF/views/home.jsp입니다.
 - path : 해당 뷰를 찾아갈 URL 경로입니다.

```
<view-controller view-name="home" path="/"/>
<view-controller view-name="hr/form" path="/hr/form/input"/>
```

● 만일 @PathVariable이 설정된 핸들러 메서드의 URI가 "/hr/{employeeId}" 형식이라면 뷰 컨트롤러의 path를 "/hr/form"처럼 할 수 없습니다. "/hr/form"으로 요청하면 "/hr/{employeeId}" URI를 요청하는 것으로 간주하므로 에러가 발생할 수 있습니다.

5. EL과 JSTL

다음 JSP 페이지는 사원목록을 출력하는 기능을 담당하고 있으며, 코드 내에는 자바 코드
와 HTML 코드가 섞여 있습니다. 이는 스크립트릿(Scriptlet)을 사용한 방식으로 구현되어
있어서 코드의 가독성이 떨어지고, 디버깅이 어려운 단점이 있습니다. 또한, 이러한 코드
구조는 HTML을 이용하여 뷰 페이지를 작성하는 개발자가 자바 언어에 대한 이해가 선행
되어 있어야 합니다.

```
<%
List<Emp> empList = (List<Emp>)request.getAttribute("empList");
for(Emp emp : empList) {
    out.println("<tr>");
    out.println("<td><a href=\"hr/" + emp.getEmployeeId() + "\">" +
emp.getEmployeeId() + "</a></td>");
    out.println("<td>" + emp.getFirstName() + "</td>");
    out.println("<td>" + emp.getLastName() + "</td>");
    out.println("<td>" + emp.getEmail() + "</td>");
    out.println("<td>" + emp.getPhoneNumber() + "</td>");
    out.println("<td>" + emp.getHireDate() + "</td>");
    out.println("<td>" + emp.getJobId() + "</td>");
    out.println("<td>" + emp.getSalary() + "</td>");
    ... 생략 ...
    out.println("</tr>");
}
%>
```

앞의 코드를 EL과 JSTL을 이용하여 작성하면 다음과 같습니다.

```
<c:forEach var="emp" items="${empList}">
<tr>
    <td><a href="hr/${emp.employeeId}">${emp.employeeId}</a></td>
    <td>${emp.firstName}</td>
    <td>${emp.lastName}</td>
    <td>${emp.email}</td>
    <td>${emp.phoneNumber}</td>
    <td>${emp.hireDate}</td>
    <td>${emp.jobId}</td>
    <td>${emp.salary}</td>
    ... 생략 ...
</tr>
</c:forEach>
```

스크립트릿(Scriptlet)을 사용한 코드와 JSTL을 사용한 코드의 실행 결과는 같습니다. 그러
나 어떤 코드가 더 간결하고 이해하기 쉬운 코드인지 스스로 판단해 보세요.

5.1. EL(Expression Language)

뷰 페이지를 JSP 파일을 이용해 작성할 때 JSP 페이지 내에 스크립릿(Scriptlet)을 사용하는 것은 권장하지 않습니다. JSP 페이지는 데이터를 출력하는 용도이므로 될 수 있으면 자바 코드가 들어가지 않게 해야 합니다. EL은 컨트롤러에서 비즈니스 로직을 실행한 결과를 JSP 문서 내에서 출력하기 위한 용도로 사용합니다.

1) EL

EL은 Expression Language의 약어입니다. 우리말로 하면 "표현식 언어"라고 할 수 있습니다. JSTL(JSP Standard Tag Library) 1.0 규약에 소개된 내용으로 JSP 2.0에 새롭게 추가된 기능입니다. ECMAscript(JavaScript)와 XPath의 개념을 이용해서 설계되었으며 EL에서는 '.'과 '[ ]'는 같게 처리됩니다. 즉 expr.a와 expr["a"]는 같은 의미라는 뜻입니다.

EL이 제공하는 기능은 다음과 같습니다.
1) JSP의 4가지 기본객체(page, request, session, application)가 제공하는 scope 속성을 사용할 수 있게 합니다.
2) 집합 객체에 대한 접근방법을 제공합니다.
3) 수치 연산, 관계 연산, 논리연산자를 제공합니다.
4) Java Class Method 호출 기능을 제공합니다.
5) 표현 언어만의 기본객체를 제공합니다.

2) EL 표현방법

EL의 표현방법은 ${ 와 } 사이에 표현식을 넣으면 됩니다.
예를 들면 ${7}이라고 하면 7이 출력되고, ${10 + 20 + 30}이라고 하면 60이 출력됩니다.
표현식에는 Scope 변수를 이용하여 Scope 변수에 바인딩 되어 있는 객체의 메서드를 호출할 수 있습니다. Scope 변수는 request, session, application을 의미합니다.
예를 들면 request 객체에 회원 객체(member)가 바인딩 되어있을 때 회원의 이름(name)을 출력하기 위해 ${member.name} 또는 ${member["name"]} 형식을 사용할 수 있습니다.

3) EL 기본객체

다음은 EL에서 사용할 수 있는 기본객체입니다.

표 1. EL 객체

EL 객체	설명
pageContext	JSP의 pageContext 객체와 같습니다.
pageScope	pageContext에 저장된 〈속성, 값〉 매핑의 Map 객체입니다.
requestScope	request에 저장된 〈속성, 값〉을 갖는 Map 객체입니다.
sessionScope	session에 저장된 〈속성, 값〉을 갖는 Map 객체입니다.
applicationScope	application에 저장된 〈속성, 값〉을 갖는 Map 객체입니다
param	요청 파라미터의 〈파라미터이름, 값〉을 갖는 Map 객체입니다. 값의 타입은 String입니다. request.getParameter("파라미터이름")의 결과와 같습니다.
paramValues	요청 파라미터의 〈파라미터이름, 값 배열〉을 갖는 Map 객체입니다. 값의 타입은 String []입니다. request.getParameterValues("파라미터이름")의 결과와 같습니다.
header	요청 정보의 〈헤더이름, 값〉을 갖는 Map 객체입니다. request.getHeader("헤더이름")의 결과와 같습니다.
headerValues	요청 정보의 〈헤더이름, 값 배열〉을 갖는 Map 객체입니다. request.getHeaders("헤더이름")의 결과와 같습니다.
Cookie	〈쿠키이름, Cookie〉를 갖는 Map 객체입니다. request.getCookies()로 구한 Cookie 배열로부터 생성됩니다.
initParam	초기화 파라미터의 〈이름, 값〉을 갖는 Map 객체입니다. application.getInitParameter("이름")의 결과와 같습니다.

4) EL 연산자

EL에서 다양한 종류의 연산자가 사용됩니다. 다음은 EL에서 사용할 수 있는 연산자들입니다.

1) 산술연산자(덧셈, 뺄셈, 곱셈, 나눗셈, 나머지) : +, -, *, /(div), %(mod)
   산술연산자들은 자바에서처럼 문자열에 사용할 수 없습니다.
   ${"10" + 1}, ${"일" + 10}, ${null + 1} 등은 잘못된 사례입니다.
2) 비교연산자 : ==(eq), !=(ne), 〈(lt), 〉(gt), 〈=(le), 〉=(ge)
3) 논리연산자 : &&(and), ||(or), !(not)
4) empty 연산자 : 값의 널 여부를 검사합니다. empty 〈값〉 형식으로 널 여부를 검사합니다. 예를 들면 ${empty param["name"]} 또는 ${empty param.name}처럼 사용하면 name 파라미터가 없을 때 true를 출력합니다.
5) 비교 선택 연산자 : 〈수식〉 ? 〈값1〉 : 〈값2〉

수식의 결과가 참이면 값1을 결과로 가지며, 수식의 결과가 거짓이면 값2를 결과로 갖습니다.

6) 다음은 연산자 우선순위입니다.

표 2. 연산자 우선순위

우선순위	연산자
높음	[]
	()
	-(단항), not, !, empty
	*, /, div, %, mod
	+, -
	<, >, <=, >=, lt, gt, le, ge
	==, !=, eq, ne
	&&, and
	||, or
낮음	? :

5.2. JSTL(JSP Standard Tag Library)

1) JSTL

JSTL은 표준화된 태그 라이브러리들을 제공함으로써 더욱 편리하게 웹 응용프로그램을 개발할 수 있도록 지원합니다. JSTL을 이용하면 간단한 태그로 웹 애플리케이션의 핵심적인 기능들을 캡슐화할 수 있습니다. JSP 내에 Java Source를 사용하지 않고 태그만을 가지고 작성하도록 정의할 수 있습니다. JSTL을 사용하면 JSP 페이지의 가독성을 증가시킵니다.

JSTL 1.1은 Servlet 2.4 이상, JSP 2.0 이상에서 지원하고 있으므로 Tomcat 5.5 이상에서 사용할 수 있습니다. JSTL 1.2는 Java EE 5 버전에 포함되었습니다.[29]

JSTL을 사용하기 위해 메이븐 라이브러리 의존성 설정을 다음과 같이 합니다. 그러나 여러분의 프로젝트에는 이미 포함되어 있으므로 따로 설정하지 않아도 됩니다.

---

[29] http://www.oracle.com/technetwork/java/javaee/tech/index.html

pom.xml

```
<dependency>
    <groupId>javax.servlet</groupId>
    <artifactId>jstl</artifactId>
    <version>1.2</version>
</dependency>
```

다음 표는 JSTL 태그 종류들입니다.

표 3. JSTL 태그

종류	URI	prefix
Core	http://java.sun.com/jsp/jstl/core	c
XML processing	http://java.sun.com/jsp/jstl/xml	x
Formatting	http://java.sun.com/jsp/jstl/fmt	fmt
Database access	http://java.sun.com/jsp/jstl/sql	sql
Functions	http://java.sun.com/jsp/jstl/functions	fn

이 책에서는 Core 라이브러리에 포함된 태그들에 관해서만 소개하겠습니다. Core 라이브러리는 자바프로그래밍 언어의 제어문, 반복문 등 기본적인 기능들을 태그를 이용하여 처리할 수 있도록 합니다. 이 책에서 언급되지 않았지만 JSTL에서 제공하는 태그들의 종류는 태그 라이브러리 튜토리얼[30] 또는 JSR-52(A Standard Tag Library for JavaServer Pages)[31] 문서를 참고하세요.

2) Core 라이브러리

JSTL의 Core 라이브러리는 JSP 페이지에서 필요한 가장 기본적인 기능들을 제공합니다.

Core 라이브러리를 사용하기 위해서 taglib 지시자가 필요합니다.

```
<%@ taglib prefix="c" uri="http://java.sun.com/jsp/jstl/core"%>
```

---

30) https://tomcat.apache.org/taglibs/site/tutorial.html
31) https://jcp.org/en/jsr/detail?id=52
    https://jcp.org/aboutJava/communityprocess/maintenance/jsr052/index3.html

다음 표는 Core 라이브러리의 태그들입니다.

표 4. JSTL Core 태그들

태그	설명
c:catch	예외처리에 사용
c:out	JspWriter 에 내용 출력
c:set	JSP 에서 사용될 변수 설정
c:remove	설정한 변수 제거
c:if	조건 처리(else는 없으므로 test 속성의 조건식을 반대로 해야 함)
c:forEach	배열, 리스트, 셋 등 컬렉션이나 Map의 각 항목을 반복 처리
c:forTokens	구분자로 분리된 각각의 토큰을 처리할 때 사용
c:choose	다중 조건을 처리할 때 사용(c:when, c:otherwise와 같이 사용)
c:when	c:choose 안에서 test 속성으로 조건을 설정할 때
c:otherwise	c:choose 안에서 맞는 조건이 없을 때
c:import	URL을 사용하여 다른 자원의 결과를 삽입
c:param	파라미터 설정
c:redirect	URL 리다이렉트
c:url	URL 재작성

◈ set

<c:set> 태그는 변수를 선언할 때 사용합니다. scope 속성을 이용하여 저장될 범위를 지정할 수 있습니다. scope 속성에 request, session, application을 사용할 수 있습니다.

```
<%
    int a=10;
    request.setAttribute("a", a);
%>
${a}<br>
<c:set var="b" value="20" scope="request"></c:set>
${a*b}<br>
```

◈ remove

<c:remove> 태그는 선언된 변수를 삭제합니다.

```
<c:remove var="b" scope="request"/>
${a*b}<br>
```

◈ out

⟨c:out⟩ 태그는 변수의 값을 출력합니다. 아래 코드는 EL식 ${b}와 같습니다.

```
<c:out var="b" scope="request"/>
```

◈ if

조건 처리를 수행합니다. test 속성을 통해 조건을 비교합니다.

```
<c:if test="${a le 10}">
a값은 10보다 작거나 같습니다.<br>
</c:if>
```

⟨c:if⟩는 else가 없으므로 else를 처리하려면 조건식을 반대로 작성해야 합니다.

```
<c:if test="${empty sessionScope.userid}">
<h1>로그인 실패</h1>
</c:if>
<c:if test="${not empty sessionScope.userid}">
<h1>로그인 성공</h1>
</c:if>
```

◈ forEach

⟨c:forEach⟩ 태그는 자바의 for 문과 유사합니다. items 속성을 이용하면 컬렉션 또는 Map에 저장된 항목들을 처리할 때 편리합니다. 다음 예에서 items는 배열, Collection, Iterator, Enumeration, Map 그리고 콤마로 구분된 문자열 등이 올 수 있습니다.

```
<c:forEach var="i" begin="1" end="${a}" >
${i} <br>
</c:forEach>
```

```
<c:forEach var="list" items="${lists}" >
${list} <br>
</c:forEach>
```

◈ choose

⟨c:choose⟩ 태그는 다중 조건을 처리합니다.

```
<c:choose>
    <c:when test="${a==10}">
        a는 10입니다.<br>
    </c:when>
    <c:when test="${a==20}">
```

```
        a는 20입니다.<br>
    </c:when>
    <c:otherwise>
        디폴트문과 같습니다.
    </c:otherwise>
</c:choose>
```

◈ import

〈c:import〉 태그는 url을 속성으로 갖습니다. 지정된 URL 페이지를 포함합니다. 〈jsp:include page="xxx.jsp"/〉 또는 〈%@ include file="xxx.jsp"%〉와 다른 점은 〈c:import〉는 외부 리소스를 포함할 수 있다는 것입니다. Core 라이브러리의 import는 URL의 경로가 /로 시작했을 때 컨텍스트의 루트를 기준으로 경로를 지정합니다.

표 5. import

import 종류	설명
<%@ include file="footer.jsp"%>	소스가 그대로 복사된 후 메인 JSP 파일이 컴파일됩니다.
<jsp:include page="footer.jsp"/>	포함되는 파일이 컴파일된 후 그 결과가 메인 JSP에 포함됩니다.
<c:import url="http://www.abc.com/hello.jsp"/>	외부 리소스도 포함할 수 있습니다.

◈ url

이 태그는 response.encodeURL() 메서드의 결과와 같으며, URL 인코딩에 사용합니다. 이 태그를 이용하면 URL에 컨텍스트 이름이 자동으로 붙습니다.

```
<a href="<c:url value='/board/list.jsp'/>">
```

● 컨텍스트 이름이 myapp이면 위의 결과는 〈a href="/myapp/board/list.jsp"〉가 됩니다.

컨텍스트 이름을 붙이는 것 외에 다음처럼 URL 뒤에 현재 세션의 아이디를 붙여줍니다.

```
/board/list.jsp;jsessionid=F42645A44B9A2A54DFC6FEF8BFD8686C
```

이처럼 URL 뒤에 세션 아이디가 추가되어 있으면 Tomcat과 같은 서블릿 컨테이너는 요청 URL 뒤에 있는 세션 아이디를 추출하여 서버에 존재하는 세션 아이디와 비교하여 이용자를 식별할 수 있으므로 이용자의 웹 브라우저가 쿠키를 지원하지 않거나 쿠키저장을 허용하지 않더라도 서블릿 컨테이너는 이용자의 세션을 구별할 수 있게 됩니다.

6. EMPLOYEES 데이터 관리 MVC 프로젝트

다음 표는 3장 3절에서 만들었던 [EMPLOYEES 테이블 관리하기 예제]를 스프링 웹 MVC 프레임워크를 적용한 웹 애플리케이션으로 구현하겠습니다. 이미 서비스 클래스와 리포지토리 클래스는 작성된 상태이므로 컨트롤러와 뷰와 관련된 파일들을 추가 작성하는 방법으로 설명하겠습니다.

6.1. RequestMappings

아래의 표는 엑셀을 이용하여 작성한 기능별 요청 URL에 사용할 이름과 요청방식, 그리고 비즈니스 로직을 실행한 후 출력될 뷰의 이름을 작성한 예입니다.

표 6. 기능별 요청 URL과 파라미터

기능	요청 URL	요청 파라미터	요청 방식	핸들러 메서드	View	비고
사원수 조회	/hr/count	없음	GET	empCount	hr/count	테스트용
	/hr/count	deptid	GET	empCount	hr/count	테스트용
전체조회	/hr/list	없음	GET	getAllEmps	hr/list	
조회	/hr/{employeeId}	없음	GET	getEmpInfo	hr/view	URI 템플릿
입력	/hr/insert	없음	GET	insertEmp	hr/insertform	입력 폼
	/hr/insert	Emp	POST	insertEmp	redirect:/hr/list	
수정	/hr/update	empid	GET	updateEmp	hr/updateform	수정 폼
	/hr/update	Emp	POST	updateEmp	redirect:/hr/{employeeId}	
삭제	/hr/delete	empid	GET	deleteEmp	hr/deleteform	삭제 폼
	/hr/delete	empid, email	POST	deleteEmp	redirect:/hr	email 입력

예제의 기본패키지는 com.example.myapp으로 설정했습니다. 이 예제를 완성하기 위해 미리 만들어진 패키지 구조는 [그림 15]와 같습니다. 시작 파일은 깃허브(https://github.com/hjk7902/spring)에 있는 WebMVCSample_start 프로젝트입니다. 이클립스의 File > Import > Existing Projects into Workspace 메뉴에서 내려받은 파일을 선택하여 임포트 하세요.

```
∨ ⊞ com.kosa.myapp
  ∨ ⊞ hr
    ∨ ⊞ dao
      > 🗋 EmpRepository.java
      > 🗋 IEmpRepository.java
    ∨ ⊞ model
      > 🗋 EmpVO.java
    ∨ ⊞ service
      > 🗋 EmpService.java
      > 🗋 IEmpService.java
```

그림 15. 소스코드 패키지 구조

6.2. 설정 파일

프로젝트의 설정 파일들을 먼저 확인하겠습니다.

1) pom.xml

pom.xml 파일에 아래 코드를 참고하여 라이브러리 의존성을 추가하세요. 추가되어야 할 설정은 spring-jdbc, commons-dbcp2, jdbc driver 그리고 aspectjweaver입니다. 그리고, 자바는 1.8, 스프링 프레임워크는 4.3 이상(예: 4.3.9.RELEASE) 버전으로 하세요.

pom.xml

```
13      <java-version>1.8</java-version>
14      <org.springframework-version>4.3.9.RELEASE</org.springframework-version>
   ... 생략 ...
36         <!-- Spring JDBC -->
37         <dependency>
36             <groupId>org.springframework</groupId>
37             <artifactId>spring-jdbc</artifactId>
38             <version>${org.springframework-version}</version>
39         </dependency>
40
41         <!-- Connection Pool -->
42         <dependency>
43             <groupId>org.apache.commons</groupId>
44             <artifactId>commons-dbcp2</artifactId>
45             <version>2.9.0</version>
46         </dependency>
47
48         <!-- Oracle JDBC Driver -->
49         <dependency>
50             <groupId>com.oracle.database.jdbc</groupId>
51             <artifactId>ojdbc8</artifactId>
52             <version>21.1.0.0</version>
53         </dependency>
54
55         <!-- AspectJWeaver -->
56         <dependency>
57             <groupId>org.aspectj</groupId>
58             <artifactId>aspectjweaver</artifactId>
59             <version>1.9.1</version>
60         </dependency>
   ... 생략 ...
```

2) root-context.xml

root-context.xml 파일은 공통 빈 설정 파일입니다. 여기에 dataSource, jdbcTemplate, transactionManager 빈을 설정해야 합니다. 그리고 아노테이션 기반 빈 설정 및 의존성 설정을 위해 〈context:component-scan/〉 태그도 추가합니다.

WEB-INF/spring/root-context.xml

```
 1 <?xml version="1.0" encoding="UTF-8"?>
 2 <beans xmlns="http://www.springframework.org/schema/beans"
 3     xmlns:xsi="http://www.w3.org/2001/XMLSchema-instance"
 4     xmlns:context="http://www.springframework.org/schema/context"
 5     xmlns:aop="http://www.springframework.org/schema/aop"
 6     xmlns:tx="http://www.springframework.org/schema/tx"
 7     xsi:schemaLocation="http://www.springframework.org/schema/beans
   http://www.springframework.org/schema/beans/spring-beans.xsd
 8         http://www.springframework.org/schema/context
   http://www.springframework.org/schema/context/spring-context-3.1.xsd
 9         http://www.springframework.org/schema/aop
   http://www.springframework.org/schema/aop/spring-aop-3.1.xsd
10         http://www.springframework.org/schema/tx
   http://www.springframework.org/schema/tx/spring-tx-3.1.xsd">
11
12     <bean id="dataSource" class="org.apache.commons.dbcp2.BasicDataSource">
13         <property name="driverClassName" value="oracle.jdbc.OracleDriver"/>
14         <property name="url" value="jdbc:oracle:thin:@localhost:1521:xe"/>
15         <property name="username" value="hr"/>
16         <property name="password" value="hr"/>
17     </bean>
18
19     <bean id="jdbcTemplate" class="org.springframework.jdbc.core.JdbcTemplate">
20         <property name="dataSource" ref="dataSource"/>
21     </bean>
22
23     <bean id="transactionManager"
   class="org.springframework.jdbc.datasource.DataSourceTransactionManager">
24         <property name="dataSource" ref="dataSource"/>
25     </bean>
26     <tx:annotation-driven/>
27
28     <context:component-scan base-package="com.example.myapp.hr.dao"/>
29     <context:component-scan base-package="com.example.myapp.hr.service"/>
30
31 </beans>
```

3) servlet-context.xml

servlet-context.xml 설정 파일은 웹과 관련된 설정을 포함합니다.

다음은 Web MVC 레거시 프로젝트를 생성하면 자동으로 생성되는 파일에 컨트롤러 설
정만 수정하고 나머지는 기본값 그대로 둔 코드입니다. 이 파일의 기본 네임스페이스는
mvc이므로 mvc 스키마에 있는 태그들은 접두어(prefix)를 사용하지 않아도 됩니다.

WEB-INF/spring/appServlet/servlet-context.xml

```
1  <?xml version="1.0" encoding="UTF-8"?>
2  <beans:beans xmlns="http://www.springframework.org/schema/mvc"
3     xmlns:xsi="http://www.w3.org/2001/XMLSchema-instance"
4     xmlns:beans="http://www.springframework.org/schema/beans"
5     xmlns:context="http://www.springframework.org/schema/context"
6     xsi:schemaLocation="http://www.springframework.org/schema/mvc
   https://www.springframework.org/schema/mvc/spring-mvc.xsd
7          http://www.springframework.org/schema/beans
   https://www.springframework.org/schema/beans/spring-beans.xsd
8          http://www.springframework.org/schema/context
   https://www.springframework.org/schema/context/spring-context.xsd">
9
10    <!-- DispatcherServlet Context: defines this servlet's request-processing
   infrastructure -->
11
12    <!-- Enables the Spring MVC @Controller programming model -->
13    <annotation-driven />
14
15    <!-- Handles HTTP GET requests for /resources/** by efficiently serving up
   static resources in the ${webappRoot}/resources directory -->
16    <resources mapping="/resources/**" location="/resources/" />
17
18    <!-- Resolves views selected for rendering by @Controllers to .jsp resources
   in the /WEB-INF/views directory -->
19    <beans:bean
   class="org.springframework.web.servlet.view.InternalResourceViewResolver">
20        <beans:property name="prefix" value="/WEB-INF/views/" />
21        <beans:property name="suffix" value=".jsp" />
22    </beans:bean>
23
24    <context:component-scan base-package="com.example.myapp.hr.controller" />
25    <!-- 트랜잭션 롤백이 되려면 컨트롤러 패키지를 상세히 설정해야 합니다.-->
26
27 </beans:beans>
```

4) web.xml

web.xml 파일에는 공통빈 설정 파일의 경로와 웹 컴포넌트 설정 파일의 경로를 설정합니다. 다음 코드에는 한글 인코딩 설정을 위한 필터가 추가되어 있습니다.

WEB-INF/web.xml

```
 1 <?xml version="1.0" encoding="UTF-8"?>
 2 <web-app version="2.5" xmlns="http://java.sun.com/xml/ns/javaee"
 3     xmlns:xsi="http://www.w3.org/2001/XMLSchema-instance"
 4     xsi:schemaLocation="http://java.sun.com/xml/ns/javaee
   https://java.sun.com/xml/ns/javaee/web-app_2_5.xsd">
 5
 6     <!-- The definition of the Root Spring Container shared by all Servlets
 7         and Filters -->
 8     <context-param>
 9         <param-name>contextConfigLocation</param-name>
10         <param-value>/WEB-INF/spring/root-context.xml</param-value>
11     </context-param>
12
13     <!-- Creates the Spring Container shared by all Servlets and Filters -->
14     <listener>
15         <listener-class>org.springframework.web.context.ContextLoaderListener
16         </listener-class>
17     </listener>
18
19     <filter>
20         <filter-name>encodingFilter</filter-name>
21         <filter-class>
22             org.springframework.web.filter.CharacterEncodingFilter
23         </filter-class>
24         <init-param>
25             <param-name>encoding</param-name>
26             <param-value>UTF-8</param-value>
27         </init-param>
28     </filter>
29     <filter-mapping>
30         <filter-name>encodingFilter</filter-name>
31         <url-pattern>/*</url-pattern>
32     </filter-mapping>
33
34     <!-- Processes application requests -->
35     <servlet>
36         <servlet-name>appServlet</servlet-name>
37         <servlet-class>org.springframework.web.servlet.DispatcherServlet
38         </servlet-class>
39         <init-param>
```

```
40              <param-name>contextConfigLocation</param-name>
41              <param-value>/WEB-INF/spring/appServlet/servlet-context.xml
42              </param-value>
43          </init-param>
44          <load-on-startup>1</load-on-startup>
45      </servlet>
46
47      <servlet-mapping>
48          <servlet-name>appServlet</servlet-name>
49          <url-pattern>/</url-pattern>
50      </servlet-mapping>
51
52  </web-app>
```

6.3. 컨트롤러와 뷰

컨트롤러와 뷰를 작성해서 비즈니스 로직이 잘 실행되는지 확인해야 합니다. 만일 여러분이 4장 4.3절에서 dao 클래스와 service 클래스를 오류 없이 작성했다면 컨트롤러들을 실행시키는 데 크게 문제가 없을 것입니다. 그런데 컨트롤러를 한꺼번에 작성하고 테스트하는 것은 부담이 될 수 있으므로 기능별 컨트롤러와 뷰를 작성하고 테스트하는 방법으로 진행하겠습니다.

1) 사원의 수 확인

지금까지 작성한 설정 파일과 최소한의 비즈니스 로직이 잘 실행되는지 확인하기 위해 사원의 수를 조회하는 기능을 먼저 구현하겠습니다.

표 7. 사원 수 확인을 위한 URL 매핑

기능	URL	요청 파라미터	요청방식	View	비고
사원수 조회	/hr/count	없음	GET	hr/count	테스트용
	/hr/count	deptid	GET	hr/count	테스트용

empCount() 핸들러 메서드에서 파라미터의 값이 0이면 모든 사원의 정보를 조회하며 그렇지 않으면 해당 부서의 사원을 조회합니다. 아래 컨트롤러 클래스에서 일부 import 구문은 뒤에서 사용할 클래스들을 위해 미리 작성한 것입니다.

EmpController.java

```
1 package com.example.myapp.hr.controller;
2
3 import java.util.List;
4
```

```
 5 import javax.servlet.http.HttpServletRequest;   // tomcat 10은 jakarta.servlet
 6
 7 import org.springframework.beans.factory.annotation.Autowired;
 8 import org.springframework.stereotype.Controller;
 9 import org.springframework.ui.Model;
10 import org.springframework.web.bind.annotation.ExceptionHandler;
11 import org.springframework.web.bind.annotation.GetMapping;
12 import org.springframework.web.bind.annotation.PathVariable;
13 import org.springframework.web.bind.annotation.RequestParam;
14 import org.springframework.web.bind.annotation.ResponseBody;
15 import org.springframework.web.servlet.ModelAndView;
16 import org.springframework.web.servlet.mvc.support.RedirectAttributes;
17
18 import com.example.myapp.hr.model.Emp;
19 import com.example.myapp.hr.service.IEmpService;
20
21 @Controller
22 public class EmpController {
23
24     @Autowired
25     IEmpService empService;
26
27     @GetMapping(value="/hr/count")
28     public String empCount(@RequestParam(value="deptid", required=false,
   defaultValue="0") int deptid, Model model) {
29         if(deptid==0) {
30             model.addAttribute("count", empService.getEmpCount());
31         }else {
32             model.addAttribute("count", empService.getEmpCount(deptid));
33         }
34         return "hr/count";
35     }
36
37 }//end class
```

뷰 페이지에서 EL을 이용해 모델에 저장된 데이터를 출력합니다.
WEB-INF/views/hr/count.jsp

```
1 <%@ page contentType="text/html; charset=UTF-8"%>
2 <!DOCTYPE html>
3 <html>
4 <head>
5     <meta charset="UTF-8">
6     <title>Example</title>
7 </head>
```

```
 8  <body>
 9  <h1>사원의 수 : ${count}</h1>
10  </body>
11  </html>
```

애플리케이션을 실행시켜 브라우저에서 결과를 확인하세요. 요청 파라미터를 이용하면 해당 부서의 사원 수를 조회할 수 있습니다. 파라미터의 이름은 반드시 deptid여야 합니다.

다음 그림은 실행 결과입니다. deptid 파라미터는 부서아이디를 전달합니다. 왼쪽 그림은 모든 사원의 수를 출력한 것이며, 오른쪽 그림은 50번 부서의 사원수를 출력한 것입니다.

그림 16. /hr/count 요청 결과   그림 17. /hr/count?deptid=50 요청 결과
http://localhost:8080/myapp/hr/count   http://localhost:8080/myapp/hr/count?deptid=50

2) 사원정보 조회

사원의 정보를 조회합니다. 사원의 정보는 전체조회와 개별조회 기능으로 나뉩니다. 개별조회는 사원의 아이디를 이용해서 조회합니다.

표 8. 사원정보 조회를 위한 URL 매핑

기능	URL	요청 파라미터	요청방식	View	비고
사원 목록 조회	/hr/list	없음	GET	hr/list	
사원정보 조회	/hr/{employeeId}	없음	GET	hr/view	URI 템플릿 변수 사용

컨트롤러에 사원 전체 정보를 목록으로 조회하는 핸들러 메서드와 사원 한 명의 정보를 상세 조회하는 핸들러 메서드를 추가합니다.

EmpController.java

```
38    @GetMapping(value="/hr/list")
39    public String getAllEmps(Model model) {
40        List<Emp> empList = empService.getEmpList();
41        model.addAttribute("empList", empList);
42        return "hr/list";
43    }
```

```
44
45    @GetMapping(value="/hr/{employeeId}")
46    public String getEmpInfo(@PathVariable int employeeId, Model model) {
47        Emp emp = empService.getEmpInfo(employeeId);
48        model.addAttribute("emp", emp);
49        return "hr/view";
50    }
```

다음은 모든 사원의 정보를 출력하는 뷰 페이지입니다. 아이디를 클릭하면 사원의 상세
정보를 조회하는 링크도 만들어 놓습니다.

WEB-INF/views/hr/list.jsp

```
 1 <%@ page contentType="text/html; charset=UTF-8"%>
 2 <%@ taglib prefix="c" uri="http://java.sun.com/jsp/jstl/core"%>
 3 <!DOCTYPE html>
 4 <html>
 5 <head>
 6     <meta charset="UTF-8">
 7     <title>Example</title>
 8 </head>
 9 <body>
10 <h1>사원 목록</h1>
11 ${message} <!-- 리다이렉트 메시지 출력 -->
12 <a href="./insert">신규 사원정보 입력</a>
13 <table border="1">
14 <tr>
15     <th>EMPLOYEE_ID</th>
16     <th>FIRST_NAME</th>
17     <th>LAST_NAME</th>
18     <th>EMAIL</th>
19     <th>PHONE_NUMBER</th>
20     <th>HIRE_DATE</th>
21     <th>JOB_ID</th>
22     <th>SALARY</th>
23     <th>COMMISSION_PCT</th>
24     <th>MANAGER_ID</th>
25     <th>DEPARTMENT_ID</th>
26 </tr>
27 <c:forEach var="emp" items="${empList}">
28 <tr>
29     <c:url var="empDetailsURI" value="/hr/${emp.employeeId}"/>
30     <td><a href="${empDetailsURI}">${emp.employeeId}</a></td>
31     <td>${emp.firstName}</td>
32     <td>${emp.lastName}</td>
33     <td>${emp.email}</td>
34     <td>${emp.phoneNumber}</td>
35     <td>${emp.hireDate}</td>
```

```
36        <td>${emp.jobId}</td>
37        <td>${emp.salary}</td>
38        <td>${emp.commissionPct}</td>
39        <td>${emp.managerId}</td>
40        <td>${emp.departmentId}</td>
41    </tr>
42    </c:forEach>
43    </table>
44    </body>
45    </html>
```

다음 그림은 사원목록 조회(http://localhost:8080/myapp/hr/list)를 실행 결과입니다.

그림 18. 사원목록 조회 결과

앞 실행 결과에서 링크를 클릭하면 상세 조회가 되도록 뷰를 추가하면 다음과 같습니다.
WEB-INF/views/hr/view.jsp

```
1  <%@ page contentType="text/html; charset=UTF-8"%>
2  <!DOCTYPE html>
3  <html>
4  <head>
5      <meta charset="UTF-8">
6      <title>Example</title>
7  </head>
8  <body>
9  <h1>사원 정보 상세 조회</h1>
10 ${message} <!-- 리다이렉트 메시지 출력 -->
11 <table border="1">
12 <tr>
13     <th>EMPLOYEE_ID</th>
14     <td>${emp.employeeId}</td>
15 </tr>
16 <tr>
17     <th>FIRST_NAME</th>
18     <td>${emp.firstName}</td>
19 </tr>
20 <tr>
21     <th>LAST_NAME</th>
22     <td>${emp.lastName}</td>
```

```
23 </tr>
24 <tr>
25    <th>EMAIL</th>
26    <td>${emp.email}</td>
27 </tr>
28 <tr>
29    <th>PHONE_NUMBER</th>
30    <td>${emp.phoneNumber}</td>
31 </tr>
32 <tr>
33    <th>HIRE_DATE</th>
34    <td>${emp.hireDate}</td>
35 </tr>
36 <tr>
37    <th>JOB_ID</th>
38    <td>${emp.jobId}</td>
39 </tr>
40 <tr>
41    <th>SALARY</th>
42    <td>${emp.salary}</td>
43 </tr>
44 <tr>
45    <th>COMMISSION_PCT</th>
46    <td>${emp.commissionPct}</td>
47 </tr>
48 <tr>
49    <th>MANAGER_ID</th>
50    <td>${emp.managerId}</td>
51 </tr>
52 <tr>
53    <th>DEPARTMENT_ID</th>
54    <td>${emp.departmentId}</td>
55 </tr>
56 </table>
57 <a href="update?empid=${emp.employeeId}">수정하기</a>
58 <a href="delete?empid=${emp.employeeId}">삭제하기</a>
59 </body>
60 </html>
```

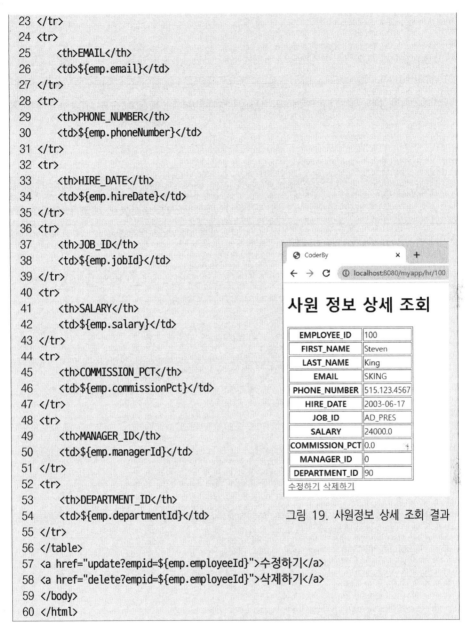

그림 19. 사원정보 상세 조회 결과

사원목록에서 사원의 아이디를 클릭하면 사원정보 상세 조회 화면을 볼 수 있습니다. 실행 결과 그림에서 사원정보 아래에 있는 [수정하기]와 [삭제하기] 링크는 기능은 지금은 사용할 수 없습니다. 수정과 삭제 기능을 추가한 후 사용하기 위해 미리 링크만 만들어 둔 것입니다.

3) 사원정보 입력

사원정보를 입력하는 기능은 GET 방식과 POST 방식을 구분하여 처리해야 합니다. GET 방식으로 요청할 때는 사원정보를 입력하는 폼을 출력해야 합니다. 입력 폼에서 POST 방식으로 요청할 때는 입력한 데이터를 데이터베이스에 저장해 주는 기능을 구현해야 합니다.

표 9. 사원정보 입력을 위한 URL 매핑

기능	URL	요청 파라미터	요청방식	View	비고
사원정보 입력	/hr/insert	없음	GET	hr/insertform	뷰는 사원정보 입력 폼
	/hr/insert	Emp	POST	redirect:/hr/list	

다음 코드는 사원정보 입력을 위해 GET 방식 요청을 처리하는 핸들러 메서드입니다.
EmpController.java

```
52  @GetMapping(value="/hr/insert")
53  public String insertEmp(Model model) {
54      model.addAttribute("deptList", empService.getAllDeptId());
55      model.addAttribute("jobList", empService.getAllJobId());
56      model.addAttribute("managerList", empService.getAllManagerId());
57      return "hr/insertform";
58  }
```

다음 코드는 사원정보 입력양식을 만드는 뷰 파일입니다. required 속성은 데이터베이스의 Not Null 속성에 해당하는 열들만 가집니다.
WEB-INF/views/hr/insertform.jsp

```
1  <%@ page contentType="text/html; charset=UTF-8"%>
2  <%@ taglib prefix="c" uri="http://java.sun.com/jsp/jstl/core"%>
3  <!DOCTYPE html>
4  <html>
5  <head>
6      <meta charset="UTF-8">
7      <title>Example</title>
8  </head>
9  <body>
10 <h1>사원정보 입력</h1>
11 <form action="./insert" method="post">
12 <table border="1">
13 <tr>
14     <th>EMPLOYEE_ID</th>
15     <td><input type="number" name="employeeId" required></td>
```

```
16  </tr>
17  <tr>
18      <th>FIRST_NAME</th>
19      <td><input type="text" name="firstName"></td>
20  </tr>
21  <tr>
22      <th>LAST_NAME</th>
23      <td><input type="text" name="lastName" required></td>
24  </tr>
25  <tr>
26      <th>EMAIL</th>
27      <td><input type="text" name="email" required></td>
28  </tr>
29  <tr>
30      <th>PHONE_NUMBER</th>
31      <td><input type="text" name="phoneNumber"></td>
32  </tr>
33  <tr>
34      <th>HIRE_DATE</th>
35      <td><input type="date" name="hireDate" required></td>
36  </tr>
37  <tr>
38      <th>JOB_ID</th>
39      <td>
40          <select name="jobId">
41          <c:forEach var="job" items="${jobList}">
42              <option value="${job.jobId}">${job.jobTitle}</option>
43          </c:forEach>
44          </select>
45      </td>
46  </tr>
47  <tr>
48      <th>SALARY</th>
49      <td><input type="number" name="salary"></td>
50  </tr>
51  <tr>
52      <th>COMMISSION_PCT</th>
53      <td>
54          <input type="number" name="commissionPct" step="0.1" min="0" max="0.99">
55      </td>
56  </tr>
57  <tr>
58      <th>MANAGER_ID</th>
59      <td>
60          <select name="managerId">
61          <c:forEach var="manager" items="${managerList}">
```

```
62            <option value="${manager.managerId}">${manager.firstName}</option>
63          </c:forEach>
64          </select>
65       </td>
66    </tr>
67    <tr>
68       <th>DEPARTMENT_ID</th>
69       <td>
70          <select name="departmentId">
71          <c:forEach var="department" items="${deptList}">
72             <option value="${department.departmentId}">
   ${department.departmentName}</option>
73          </c:forEach>
74          </select>
75       </td>
76    </tr>
77    <tr>
78       <th> </th>
79       <td>
80          <input type="submit" value="저장">
81          <input type="reset" value="취소" onclick="history.back()">
82       </td>
83    </tr>
84    </table>
85    </form>
86    </body>
87    </html>
```

그림 20은 사원정보를 입력하는 화면입니다. 직무
(JOB_ID), 매니저(MANAGER_ID) 그리고 부서
(DEPARTMENT_ID)는 드롭다운 메뉴를 이용하여 선
택할 수 있습니다.

● 아래의 경우는 사원정보 입력 시 400(Bad
Request)에러가 발생할 수 있습니다.
- 사원정보 입력 시 일부 값이 입력되지 않았을 때.
- DTO의 필드 타입으로 형 변환이 안 될 때.
- HTML input 태그의 name 속성의 값이 DTO의 필
드명과 다를 때.
- Date 클래스가 java.sql 패키지가 아닌 java.util 패
키지로 선언되어 있을 때.

그림 20. 사원정보 입력 화면

다음 코드는 폼에 데이터를 입력하고 저장버튼을 클릭하면 실행되는 핸들러 메서드입니다. 이 메서드는 실행 후 뷰로 포워드 하지 않습니다. 사원정보를 저장한 다음 사원목록을 리다이렉트 방식으로 요청합니다.

EmpController.java

```
60     @PostMapping(value="/hr/insert")
61     public String insertEmp(Emp emp, RedirectAttributes redirectAttributes) {
62         try {
63             empService.insertEmp(emp);
64             redirectAttributes.addFlashAttribute("message",
65                 emp.getEmployeeId()+"번 사원정보가 입력되었습니다.");
66         }catch(RuntimeException e) {
67             redirectAttributes.addFlashAttribute("message", e.getMessage());
68         }
69         return "redirect:/hr/list";
70     }
```

● 리다이렉트를 위한 뷰의 이름은 redirect: 접두어를 붙여야 합니다.

저장 버튼을 클릭하면 사원정보를 저장 후 목록조회 페이지로 리다이렉트 됩니다.

사원 목록

210번 사원정보가 입력되었습니다. 신규 사원 정보 입력

EMPLOYEE_ID	FIRST_NAME	LAST_NAME	EMAIL	PHONE_NUMBER	HIRE_DATE	JOB_ID	SALARY	COMMISSION_PCT	MANAGER_ID	DEPARTMENT_ID
100	Steven	King	SKING	515.123.4567	2003-06-17	AD_PRES	24000.0	0.0	0	90
101	Neena	Kochhar	NKOCHHAR	515.123.4568	2005-09-21	AD_VP	17000.0	0.0	100	90
102	Lex	De Haan	LDEHAAN	515.123.4569	2001-01-13	AD_VP	17000.0	0.0	100	90
103	Alexander	Hunold	AHUNOLD	590.423.4567	2006-01-03	IT_PROG	9000.0	0.0	102	60
104	Bruce	Ernst	BERNST	590.423.4568	2007-05-21	IT_PROG	6000.0	0.0	103	60
105	David	Austin	DAUSTIN	590.423.4569	2005-06-25	IT_PROG	4800.0	0.0	103	60
106	Valli	Pataballa	VPATABAL	590.423.4560	2006-02-05	IT_PROG	4800.0	0.0	103	60
107	Diana	Lorentz	DLORENTZ	590.423.5567	2007-02-07	IT_PROG	4200.0	0.0	103	60
108	Nancy	Greenberg	NGREENBE	515.124.4569	2002-08-17	FI_MGR	12008.0	0.0	101	100
109	Daniel	Faviet	DFAVIET	515.124.4169	2002-08-16	FI_ACCOUNT	9000.0	0.0	108	100
110	John	Chen	JCHEN	515.124.4269	2005-09-28	FI_ACCOUNT	8200.0	0.0	108	100
111	Ismael	Sciarra	ISCIARRA	515.124.4369	2005-09-30	FI_ACCOUNT	7700.0	0.0	108	100
112	Jose Manuel	Urman	JMURMAN	515.124.4469	2006-03-07	FI_ACCOUNT	7800.0	0.0	108	100

그림 21. 사원정보 저장 후 사원목록 조회페이지로 리다이렉트

저장 기능을 실행한 후 반드시 목록조회 페이지로 리다이렉트 할 필요는 없습니다. 이 예에서는 저장 후 목록을 조회하는 페이지를 예로 들었을 뿐입니다. 저장한 내용을 다시 조회해서 보여주거나 홈 화면 등으로 이동시킬 수 있습니다. 만일 위 코드에서 return 구문을 다음처럼 수정하면 정보를 저장한 후 사원정보 상세 조회 화면으로 이동합니다.

```
69         return "redirect:/hr/" + emp.getEmployeeId();
```

4) 사원정보 수정

사원정보를 수정하기 위해 선택한 사원의 정보를 화면에 디스플레이 해야 합니다.

표 10. 사원정보 수정을 위한 URL 매핑

기능	URL	요청 파라미터	요청방식	View	비고
사원정보 수정	/hr/update	empid	GET	hr/updateform	뷰는 사원정보 수정 폼
	/hr/update	Emp	POST	redirect:/hr/{employeeId}	

EmpController.java

```
72    @GetMapping(value="/hr/update")
73    public String updateEmp(int empid, Model model) {
74        model.addAttribute("emp", empService.getEmpInfo(empid));
75        model.addAttribute("deptList", empService.getAllDeptId());
76        model.addAttribute("jobList", empService.getAllJobId());
77        model.addAttribute("managerList", empService.getAllManagerId());
78        return "hr/updateform";
79    }
80
81    @PostMapping(value="/hr/update")
82    public String updateEmp(Emp emp, RedirectAttributes redirectAttributes) {
83        try {
84            empService.updateEmp(emp);
85            redirectAttributes.addFlashAttribute("message",
86                    emp.getEmployeeId() + "번 사원정보가 수정되었습니다.");
87        }catch(RuntimeException e) {
88            redirectAttributes.addFlashAttribute("message", e.getMessage());
89        }
90        return "redirect:/hr/" + emp.getEmployeeId();
91    }
```

수정 화면에서 정보를 수정하고 수정버튼을 클릭하면 데이터베이스의 정보를 갱신한 후 수정된 정보를 다시 조회하는 화면으로 리다이렉트 합니다.

위 코드에서 90라인의 리턴 문장을 다음 코드처럼 수정하면 수정 처리 후 사원 목록조회 화면으로 이동합니다.

```
90        return "redirect:/hr/list";
```

다음 코드는 사원정보를 수정하기 위해 선택한 사원의 정보를 폼 양식에 디스플레이 하는 뷰 코드입니다.

WEB-INF/views/hr/updateform.jsp

```
 1 <%@ page contentType="text/html; charset=UTF-8"%>
 2 <%@ taglib prefix="c" uri="http://java.sun.com/jsp/jstl/core"%>
 3 <!DOCTYPE html>
 4 <html>
 5 <head>
 6     <meta charset="UTF-8">
 7     <title>Example</title>
 8 </head>
 9 <body>
10 <h1>사원정보 수정</h1>
11 <form action="./update" method="post">
12 <table border="1">
13 <tr>
14     <th>EMPLOYEE_ID</th>
15     <td><input type="number" name="employeeId" value="${emp.employeeId}"
   readonly></td>
16 </tr>
17 <tr>
18     <th>FIRST_NAME</th>
19     <td><input type="text" name="firstName" value="${emp.firstName}"></td>
20 </tr>
21 <tr>
22     <th>LAST_NAME</th>
23     <td><input type="text" name="lastName" value="${emp.lastName}"
   required></td>
24 </tr>
25 <tr>
26     <th>EMAIL</th>
27     <td><input type="text" name="email" value="${emp.email}" required></td>
28 </tr>
29 <tr>
30     <th>PHONE_NUMBER</th>
31     <td><input type="text" name="phoneNumber" value="${emp.phoneNumber}"></td>
32 </tr>
33 <tr>
34     <th>HIRE_DATE</th>
35     <td><input type="date" name="hireDate" value="${emp.hireDate}"
   required></td>
36 </tr>
37 <tr>
38     <th>JOB_ID</th>
39     <td>
40         <select name="jobId">
41         <c:forEach var="job" items="${jobList}">
42             <option value="${job.jobId}"
```

```
43              <c:if test="${emp.jobId == job.jobId}">selected</c:if>
44            >${job.jobTitle}</option>
45          </c:forEach>
46          </select>
47      </td>
48  </tr>
49  <tr>
50      <th>SALARY</th>
51      <td><input type="number" name="salary" value="${emp.salary}"></td>
52  </tr>
53  <tr>
54      <th>COMMISSION_PCT</th>
55      <td><input type="number" name="commissionPct" value="${emp.commissionPct}"
    step="0.1" min="0" max="0.99"></td>
56  </tr>
57  <tr>
58      <th>MANAGER_ID</th>
59      <td>
60          <select name="managerId">
61          <c:forEach var="manager" items="${managerList}">
62              <option value="${manager.managerId}"
63                  <c:if test="${emp.managerId == manager.managerId}">selected</c:if>
64              >${manager.firstName}</option>
65          </c:forEach>
66          </select>
67      </td>
68  </tr>
69  <tr>
70      <th>DEPARTMENT_ID</th>
71      <td>
72          <select name="departmentId">
73          <c:forEach var="department" items="${deptList}">
74              <option value="${department.departmentId}"
75                  <c:if test="${emp.departmentId == department.departmentId}">
    selected</c:if>
76              >${department.departmentName}</option>
77          </c:forEach>
78          </select>
79      </td>
80  </tr>
81  <tr>
82      <th> </th>
83      <td>
84          <input type="submit" value="수정"> <input type="reset" value="취소">
85      </td>
86  </tr>
```

```
87 </table>
88 </form>
89 </body>
90 </html>
```

[그림 22]는 수정 요청 화면입니다. 사원 정보 상세 조회 화면에서 수정 링크를 클릭하면 볼 수 있습니다.

* 사원정보 수정을 위한 폼 요청 화면에서 사원의 직무, 매니저 아이디, 그리고 부서의 번호를 선택하여 수정할 수 있어야 하며, 현재 값이 선택된 상태로 보여야 함에 주의하세요.

그림 22. 사원정보 수정 화면

[그림 23]은 수정 후 사원정보 상세 조회로 리다이렉트한 화면입니다. 만일 수정 처리하는 핸들러 메서드에서 리턴값을 "redirect:/hr/list"라고 했다면 사원목록을 보여주는 페이지가 보일 것입니다.

우리가 알아야 할 것은 POST 방식 요청을 처리한 후에 결과 뷰를 보여주기 위해 리다이렉트 해야 한다는 것입니다.

그림 23. 사원정보 상세 조회 화면

5) 오라클 트리거에 의한 오류

하루에 같은 사원에 대하여 수정 횟수가 두 번 이상이면 JOB_HISTORY 테이블의 제약조
건 때문에 수정이 되지 않을 수 있습니다. 그럴 때 오라클 Command Line 또는 SQL
Developer에서 EMPLOYEES 테이블과 관련된 트리거(Trigger)를 Disable(비활성화) 시
켜놓으면 수정 테스트를 할 수 있습니다.

트리거(TRIGGER)란 DML 작업 즉, INSERT, DELETE, UPDATE 작업이 일어날 때 자동
으로 실행되는 객체입니다. 특히 DML 작업 시 트리거를 DML TRIGGER라 합니다. 트리
거는 데이터의 무결성뿐만 아니라 다음과 같은 작업에도 사용됩니다.
- 자동으로 파생된 열값 생성
- 잘못된 트랜잭션 방지
- 복잡한 보안 권한 강제 수행
- 분산 데이터베이스의 노드 상에서 참조 무결성 강제 수행
- 복잡한 업무 규칙 강제 수행
- 투명한 이벤트 로깅 제공
- 복잡한 감사 제공
- 동기 테이블 복제 유지 관리
- 테이블 액세스 통계 수집

다음 오류 메시지는 트리거 실행으로 인해 발생하는 오류 메시지입니다.

```
PreparedStatementCallback; SQL [UPDATE employees SET first_name=?, last_name=?,
email=?, phone_number=?, hire_date=?, job_id=?, salary=?, commission_pct=?,
manager_id=?, department_id=? WHERE employee_id=?]; ORA-00001: unique constraint
(HR.JHIST_EMP_ID_ST_DATE_PK) violated ORA-06512: at "HR.ADD_JOB_HISTORY", line 10
ORA-06512: at "HR.UPDATE_JOB_HISTORY", line 2 ORA-04088: error during execution of
trigger 'HR.UPDATE_JOB_HISTORY' ; nested exception is
java.sql.SQLIntegrityConstraintViolationException: ORA-00001: unique constraint
(HR.JHIST_EMP_ID_ST_DATE_PK) violated ORA-06512: at "HR.ADD_JOB_HISTORY", line 10
ORA-06512: at "HR.UPDATE_JOB_HISTORY", line 2 ORA-04088: error during execution of
trigger 'HR.UPDATE_JOB_HISTORY'
```

다음 구문은 employees 테이블과 관련된 모든 트리거를 비활성화합니다.
```
ALTER TABLE employees DISABLE ALL TRIGGERS;
```

다음 구문은 employees 테이블과 관련된 모든 트리거를 활성화합니다.
```
ALTER TABLE employees ENABLE ALL TRIGGERS;
```

6) 사원정보 삭제

사원정보를 삭제하기 위해서 이메일을 입력하도록 요구합니다. GET 방식 요청 시 삭제 확인을 위한 이메일 입력 폼을 출력합니다.

표 11. 사원정보 삭제를 위한 URL 매핑

기능	URL	요청 파라미터	요청방식	View	비고
사원정보 삭제	/hr/delete	empid	GET	hr/deleteform	뷰는 이메일 입력 폼
	/hr/delete	empid, email	POST	redirect:/hr/list	삭제 시 이메일 입력

다음 코드는 삭제를 위한 핸들러 메서드입니다.

EmpController.java

```
93    @GetMapping(value="/hr/delete")
94    public String deleteEmp(int empid, Model model) {
95        model.addAttribute("emp", empService.getEmpInfo(empid));
96        return "hr/deleteform";
97    }
98
99    @PostMapping(value="/hr/delete")
100   public String deleteEmp(int empid, String email, RedirectAttributes model) {
101       try {
102           int deletedRow = empService.deleteEmp(empid, email);
103           if(deletedRow > 0) {
104               model.addFlashAttribute("message", empid + "번 사원정보가
      삭제되었습니다.");
105               return "redirect:/hr/list";
106           }else {
107               model.addAttribute("message", "ID 또는 Email이 다릅니다.");
108               model.addAttribute("emp", empService.getEmpInfo(empid));
109               return "hr/deleteform";
110           }
111       }catch(RuntimeException e) {
112           model.addFlashAttribute("message", e.getMessage());
113           return "redirect:/hr/list";
114       }
115   }
```

다음은 삭제 확인을 위해서 삭제하려는 사원의 이메일을 입력받는 뷰 코드입니다. 삭제 버튼을 클릭하면 empid(사원의 아이디)와 email(이메일) 정보가 필요하므로 사원의 아이디는 〈input type="hidden"〉 태그를 이용하여 폼이 empid 데이터를 갖도록 했습니다.

WEB-INF/views/hr/deleteform.jsp

```
1  <%@ page contentType="text/html; charset=UTF-8"%>
2  <!DOCTYPE html>
3  <html>
4  <head>
5      <meta charset="UTF-8">
6      <title>Example</title>
7  </head>
8  <body>
9  <h1>사원정보 삭제</h1>
10 ${emp.employeeId}사원 ${emp.firstName} ${emp.lastName}의 정보를 삭제합니다.<p>
11 삭제후 데이터는 복구될 수 없습니다.<p>
12 ${emp.employeeId}사원의 이메일을 입력하세요.
13 <form action="./delete" method="post">
14 이메일 : <input type="text" name="email" required>
15 <input type="hidden" name="empid" value="${emp.employeeId}">
16 <input type="submit" value="삭제">
17 ${message} <!-- 아이디 또는 이메일이 다를 경우 메시지 출력 -->
18 </form>
19 </body>
20 </html>
```

사원정보를 삭제하려면 이메일 주소를 입력하도록 구현했으므로, 이메일 주소를 입력하고 삭제 버튼을 클릭해야 사원정보가 삭제됩니다.

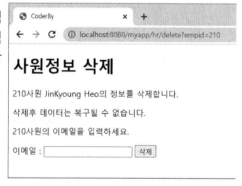

그림 24. 사원정보 삭제 화면

사원정보를 삭제하면 사원목록을 보여주는 화면으로 리다이렉트 됩니다.

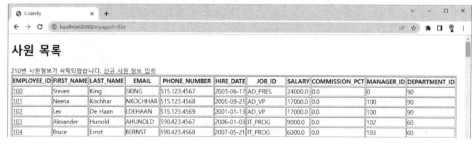

그림 25. 삭제 후 목록조회 화면

이 예제를 실행할 때 사원정보가 삭제되지 않는 때가 있습니다. 만일 부서의 매니저를 삭제하려 한다면 그 사원은 삭제가 되지 않을 것입니다.

사원정보를 삭제할 때 삭제하려는 사원이 다른 사원의 매니저일 경우 다음처럼 무결성 제약조건 오류가 발생합니다.

```
PreparedStatementCallback; SQL [DELETE employees WHERE employee_id=? AND email=?];
ORA-02292: integrity constraint (HR.DEPT_MGR_FK) violated - child record found ;
nested exception is java.sql.SQLIntegrityConstraintViolationException: ORA-02292:
integrity constraint (HR.DEPT_MGR_FK) violated - child record found
```

다음 화면은 부서의 매니저인 사원을 삭제 시도할 때 발생하는 에러메시지입니다.

사원 목록

PreparedStatementCallback; SQL [DELETE employees WHERE employee_id=? AND email=?]; ORA-02292: integrity constraint (HR.DEPT_MGR_FK) violated - child record found ; nested exception is java.sql.SQLIntegrityConstraintViolationException: ORA-02292: integrity constraint (HR.DEPT_MGR_FK) violated - child record found 신규 사원 정보 입력

EMPLOYEE_ID	FIRST_NAME	LAST_NAME	EMAIL	PHONE_NUMBER	HIRE_DATE	JOB_ID	SALARY	COMMISSION_PCT	MANAGER_ID	DEPARTMENT_ID
100	Steven	King	SKING	515.123.4567	2003-06-17	AD_PRES	24000.0	0.0	0	90
101	Neena	Kochhar	NKOCHHAR	515.123.4568	2005-09-21	AD_VP	17000.0	0.0	100	90
102	Lex	De Haan	LDEHAAN	515.123.4569	2001-01-13	AD_VP	17000.0	0.0	100	90
103	Alexander	Hunold	AHUNOLD	590.423.4567	2006-01-03	IT_PROG	9000.0	0.0	102	60
104	Bruce	Ernst	BERNST	590.423.4568	2007-05-21	IT_PROG	6000.0	0.0	103	60
105	David	Austin	DAUSTIN	590.423.4569	2005-06-25	IT_PROG	4800.0	0.0	103	60
106	Valli	Pataballa	VPATABAL	590.423.4560	2006-02-05	IT_PROG	4800.0	0.0	103	60
107	Diana	Lorentz	DLORENTZ	590.423.5567	2007-02-07	IT_PROG	4200.0	0.0	103	60
108	Nancy	Greenberg	NGREENBE	515.124.4569	2002-08-17	FI_MGR	12008.0	0.0	101	100
109	Daniel	Faviet	DFAVIET	515.124.4169	2002-08-16	FI_ACCOUNT	9000.0	0.0	108	100
110	John	Chen	JCHEN	515.124.4269	2005-09-28	FI_ACCOUNT	8200.0	0.0	108	100

그림 26. 제약조건에 의한 삭제 오류

매니저를 삭제하려면 DEPARTMENTS 테이블에서 부서의 매니저 정보를 수정해야 하고, 그 부서의 모든 사원의 매니저 정보를 업데이트해야 합니다. 이 교재에서는 그러한 사항까지는 다루지 않았습니다. 매니저를 삭제 시도할 때 발생하는 오류가 있다는 것을 알리려고 일부러 매니저를 삭제할 수 있는 기능을 구현하지 않았습니다.

제약조건이란 데이터의 유효성을 확보하기 위해 컬럼에 제한을 거는 조건을 말합니다. 다음은 제약조건의 종류들입니다.
 - PRIMARY KEY : 모든 행을 유일하게 구분할 수 있는 키입니다. 중복을 허용하지 않으면서 NULL을 허용하지 않는 제약조건입니다.
 - UNIQUE : 중복을 허용하지 않는 제약조건입니다. NULL은 가능합니다.
 - CHECK : 원하는 데이터만을 입력받도록 제한할 수 있는 제약조건입니다.
 - FOREIGN KEY(외래키) : 참조하는 열에 있는 값만 허용합니다.
 - NOT NULL : 널값을 허용하지 않는 제약조건입니다.

7) 예외처리

RuntimeException이 발생했을 때 처리를 위해 EmpController 클래스에 아래의 메서드를 추가해 주세요.

아래의 메서드는 RuntimeException이 발생했을 때 실행됩니다. RuntimeException이 발생하면 요청한 URI와 예외를 모델에 저장하고 뷰를 error/rumtime으로 지정합니다.

```
89    @ExceptionHandler({RuntimeException.class})
90    public String runtimeException(HttpServletRequest request, Exception ex, Model
   model) {
91        model.addAttribute("url",  request.getRequestURI());
92        model.addAttribute("exception", ex);
93        return "error/runtime";
94    }
```

다음 코드는 RuntimeException이 발생했을 때의 뷰 페이지입니다.
WEB-INF/views/error/runtime.jsp

```
 1 <%@ page contentType="text/html; charset=UTF-8"%>
 2 <%@ taglib prefix="c" uri="http://java.sun.com/jsp/jstl/core"%>
 3 <!DOCTYPE html>
 4 <html>
 5 <head>
 6    <meta charset="UTF-8">
 7    <title>Example</title>
 8 </head>
 9 <body>
10 <h1>에러페이지</h1>
11 <p>애플리케이션에 오류가 발생했습니다. 담당자에게 문의하세요.</p>
12 <!--
13    Failed URL: ${url}
14    Exception:  ${exception.message}
15    <c:forEach items="${exception.stackTrace}" var="ste">    ${ste}
16    </c:forEach>
17 -->
18 </body>
19 </html>
```

● <!-- -->은 HTML 주석입니다. 사용자의 브라우저에는 상세한 오류를 표시하지 않습니다. 그러나 브라우저에서 소스 보기를 통해서 오류를 확인할 수 있도록 HTML 주석으로 오류 메시지를 출력한 것입니다.

5장. 파일 업로드/다운로드

이 장에서는 파일 업로드와 다운로드에 대해 다룹니다. 업로드된 파일은 데이터베이스를 활용하여 관리됩니다.

1. 파일 업로드

파일을 업로드하는 기능은 대부분 웹 애플리케이션에서 필요한 기능일 것입니다. 첨부파일을 업로드하는 게시판, 사진을 업로드해야 하는 이력서 폼, 쇼핑몰 시스템의 상품 정보 이미지 업로드 등은 파일을 업로드하는 예입니다.

1.1. 설정 파일

파일 업로드 기능을 구현하기 위해서 commons-fileupload 라이브러리 의존성 설정을 추가해야 합니다.

```
<!-- File Upload -->
<dependency>
    <groupId>commons-fileupload</groupId>
    <artifactId>commons-fileupload</artifactId>
    <version>1.4</version>
</dependency>
```

파일 업로드 기능을 사용하기 위해 스프링 웹 컴포넌트 설정 파일(servlet-context.xml) 파일에 MultipartResolver 빈 설정을 추가해 주기만 하면 됩니다. 빈 정의 시 maxUploadSize 속성을 이용하여 업로드하는 파일의 최대 크기를 지정할 수 있습니다.

```
<beans:bean id="multipartResolver"
        class="org.springframework.web.multipart.commons.CommonsMultipartResolver">
    <beans:property name="maxUploadSize" value="50000000"/>
</beans:bean>
```

> 스프링 부트는 멀티파트리졸버 빈을 추가할 필요 없습니다.

이 빈의 설정 가능한 속성은 defaultEncoding, maxInMemorySize, maxUploadSize, maxUploadSizePerFile, preserveFilename, uploadTempDir 등이 있습니다.

표 1. MultipartResolver 속성

속성	타입	설명
defaultEncoding	Strng	요청을 파싱할 때 사용할 문자 인코딩을 지정합니다. 지정하지 않을 때 HttpServletRequest.setCharacterEncoding() 메서드로 지정한 문자 인코딩이 사용됩니다. 기본값은 ISO-8859-1입니다. 인코딩 필터를 사용하면 지정할 필요 없습니다.
maxUploadSize	long	최대 업로드 가능한 바이트 크기를 지정합니다. -1은 제한이 없음을 의미합니다. 기본값은 -1입니다.
maxInMemorySize	int	디스크에 임시 파일을 생성하기 전에 메모리에 보관할 수 있는 최대 바이트 크기를 지정합니다. 기본값은 10,240바이트입니다.
preserveFilename	boolean	파일 이름에서 경로 정보를 제거하지 않고 클라이언트가 보낸 파일 이름을 유지할지 여부를 설정합니다. 기본값은 false입니다.

1.2. 데이터베이스 테이블과 DTO

업로드 파일을 서버의 특정 폴더에 파일 단위로 업로드하는 것이라면 업로드되는 파일과 같은 이름의 파일이 이미 업로드되어 있을 때 새로 업로드되는 파일의 이름을 변경해야 합니다. 그리고 파일로 업로드하면 파일들의 관리 또한 매우 불편합니다. 이 책에서는 업로드를 서버의 특정 폴더에 업로드하는 것이 아닌 데이터베이스에 업로드하는 것을 설명합니다.

데이터베이스에 파일을 저장하기 위해 파일데이터를 저장하는 테이블의 컬럼 타입은 BLOB로 합니다. 예를 들면 데이터베이스에 저장하는 테이블을 아래와 같이 만들 수 있습니다. 아래 코드는 오라클 데이터베이스에 파일을 저장하기 위한 테이블 생성 구문입니다.

```
CREATE TABLE UPLOAD_FILE (
    FILE_ID             NUMBER(10)          PRIMARY KEY,
    CATEGORY_NAME       VARCHAR2(260)       DEFAULT '/',
    FILE_NAME           VARCHAR2(260)       NOT NULL,
    FILE_SIZE           NUMBER(10),
    FILE_CONTENT_TYPE   VARCHAR2(255),
    FILE_UPLOAD_DATE    TIMESTAMP           NOT NULL,
    FILE_DATA           BLOB
);
```

데이터베이스의 정보를 매핑시키기 위한 DTO(Data Transfer Object) 클래스를 만들어야 합니다. 데이터베이스 열의 타입이 NUMBER일 때 자바는 int 또는 double 타입으로 변수를 선언하고, VARCHAR2일 때 String 타입으로 변수를 정의하세요. 파일을 저장하는 데이터베이스 컬럼의 타입이 BLOB일 때 자바의 타입은 byte[]여야 합니다. 다음 코드는 DTO 클래스의 일부입니다.

```
public class UploadFile {
    private int fileId;
    private String categoryName;
    private String fileName;
    private long fileSize;
    private String fileContentType;
    private Timestamp fileUploadDate;
    private byte[] fileData;
    // setter/getter 메서드
}
```

1.3. HTML 폼 태그

파일 입력 양식을 만들 때 폼 태그에 반드시 enctype="multipart/form-data" 속성을 추가해야 합니다.

```
<form action="/upload/new" method="post" enctype="multipart/form-data">
    <input type="text" name="category">
    <input type="file" name="file">
    <input type="submit" value="SAVE">
    <input type="reset" value="CANCEL">
</form>
```

● enctype="multipart/form-data" 속성이 포함되어 있을 때 multipartResolver 빈 설정이 잘못되어 있으면 핸들러 메서드에서 요청 파라미터를 읽을 수 없습니다.

1.4. 컨트롤러와 멀티파트

컨트롤러 메서드에 MultipartFile 파라미터를 선언하면 스프링은 업로드하는 파일을 파라미터에 매핑시켜 줍니다. MultipartFile 객체의 메서드를 이용하면 업로드되는 파일 이름, 파일 크기, 파일 타입 그리고 파일 데이터 등을 알 수 있습니다.

다음 표는 MultipartFile의 주요 메서드입니다.

표 2. MultipartFile 주요 메서드

메서드	설명
byte[] getBytes()	파일의 내용을 바이트 배열로 반환합니다.
String getContentType()	파일의 콘텐츠 타입을 반환합니다.
InputStream getInputStream()	파일의 내용을 읽기 위한 InputStream 객체를 반환합니다.
String getName()	폼에서 요청 파라미터의 이름을 반환합니다.
String getOriginalFilename()	업로드한 파일 이름을 반환합니다.
long getSize()	파일의 크기를 바이트 단위로 반환합니다.
boolean isEmpty()	업로드한 파일이 비어있으면 true를 반환합니다.
void transferTo(File dest)	업로드한 파일을 주어진 파일 위치에 전송합니다.

다음 코드는 파일 업로드를 처리하는 핸들러 메서드 예입니다. 업로드 파일데이터를 받기
위해서 매개변수에 MultipartFile 타입이 선언돼있는 것을 확인하세요.

```
@PostMapping(value="/file/new")
public String uploadFile(@RequestParam(value="category", required=false,
defaultValue="/") String category, @RequestParam MultipartFile file,
RedirectAttributes redirectAttrs) {
    logger.info(file.getOriginalFilename());
    try{
        if(file!=null && !file.isEmpty()) {
            UploadFile newFile = new UploadFile();
            newFile.setCategoryName(category);
            newFile.setFileName(file.getOriginalFilename());
            newFile.setFileSize(file.getSize());
            newFile.setFileContentType(file.getContentType());
            newFile.setFileData(file.getBytes());
            uploadService.uploadFile(newFile);
        }
    }catch(Exception e){
        e.printStackTrace();
        redirectAttrs.addFlashAttribute("message", e.getMessage());
    }
    return "redirect:/file/list";
}
```

다음 코드는 데이터베이스 파일을 저장하기 위한 INSERT 구문입니다.

```
@Override
public void uploadFile(UploadFile file) {
    String sql = "INSERT INTO upload_file "
            + " (file_id, category_name, file_name, file_size, "
            + " file_content_type, file_upload_date, file_data) "
            + " VALUES (?, ?, ?, ?, ?, SYSTIMESTAMP, ?)";
    jdbcTemplate.update(sql,
            file.getFileId(),
            file.getCategoryName(),
            file.getFileName(),
            file.getFileSize(),
            file.getFileContentType(),
            file.getFileData());
}
```

● 데이터베이스가 아닌 파일시스템에 저장해야 한다면 파일이름을 UUID 클래스를 이용
해서 고유식별자(Universally Unique Identifier)를 생성해서 서버에 저장되는 파일의
이름으로 사용하면 파일명의 중복문제를 해결할 수 있습니다.

2. 파일 다운로드

2.1. 핸들러 메서드의 리턴 객체

파일을 다운로드하는 핸들러 메서드의 리턴타입은 ResponseEntity<T>입니다. 이 클래스는 HTTP 응답 객체를 생성하는 클래스입니다. 데이터베이스로부터 조회한 데이터를 이용하여 파일을 내려받을 수 있는 응답객체를 생성하려면 아래의 생성자를 이용해야 합니다.

다음 표는 ResponseEntity<T>의 생성자들에 대한 설명입니다.

표 3. ResponseEntity<T> 생성자

생성자와 설명
ResponseEntity(HttpStatus status) 응답 상태 코드만 있고 응답 헤더와 바디가 없는 ResponseEntity를 생성합니다.
ResponseEntity(MultiValueMap(String,String) headers, HttpStatus status) 응답 헤더와 응답 상태 코드가 있고 바디가 없는 ResponseEntity를 생성합니다.
ResponseEntity(T body, HttpStatus status) 바디와 응답 상태 코드가 있고, 헤더가 없는 ResponseEntity를 생성합니다.
ResponseEntity(T body, MultiValueMap(String,String) headers, HttpStatus status) 바디와, 헤더 그리고 응답 상태 코드를 갖는 ResponseEntity 객체를 생성합니다.

이 예제에서 ResponseEntity<T> 객체를 생성하기 위해 생성자의 인자 두 번째에 HttpHeaders 객체를 사용했습니다. HttpHeaders 클래스는 MultiValueMap<K, V> 인터페이스를 구현한 클래스입니다. HttpHeaders 클래스를 이용하여 응답 헤더 정보를 설정할 수 있습니다. 데이터베이스로부터 조회한 파일의 정보를 이용하여 응답 헤더(HttpHeaders) 객체에 다운로드 파일의 메타정보를 기록합니다.

표 4. HttpHeaders 클래스의 메서드

리턴타입	메서드와 설명
void	setContentLength(long contentLength) Content-Length 헤더에 의해 설정될 수 있는 바디의 길이를 byte 단위로 설정합니다.
void	setContentType(MediaType mediaType) Content-Type 헤더에 의해 설정될 수 있는 바디의 타입을 설정합니다.
void	setContentDispositionFormData(String name, String value) 폼 데이터를 위한 Content-Disposition 헤더의 새로운 값을 설정할 수 있습니다. name 파라미터의 값이 attachment일 때 다운로드되는 파일의 이름을 설정할 수 있습니다.
void	**setContentDispositionFormData(String name, String value, Charset charset)** 폼 데이터를 위한 Content-Disposition 헤더에 새로운 값을 인코딩을 지정해서 설정할 수 있습니다. name 파라미터의 값이 attachment일 때 다운로드 되는 파일의 이름을 설정할 수 있습니다. 인코딩은 US-ASCII, UTF-8 그리고 ISO-8859-1을 지원합니다. 이 메서드는 스프링 4.3.3부터 4.3.15까지 사용할 수 있습니다.

다음 코드는 파일을 내려받는 핸들러입니다.

```java
@GetMapping("/file/{fileId}")
public ResponseEntity<byte[]> getBinaryFile(@PathVariable int fileId) {
    UploadFile file = uploadService.getFile(fileId);
    final HttpHeaders headers = new HttpHeaders();
    if(file != null) {
        logger.info("getFile " + file.toString());
        String[] mtypes = file.getFileContentType().split("/");
        headers.setContentType(new MediaType(mtypes[0], mtypes[1]));
        headers.setContentLength(file.getFileSize());
        headers.setContentDispositionFormData("attachment", file.getFileName(),
Charset.forName("UTF-8"));
        return new ResponseEntity<byte[]>(file.getFileData(), headers,
HttpStatus.OK);
    }else {
        return new ResponseEntity<byte[]>(HttpStatus.NOT_FOUND);
    }
}
```

위 핸들러 메서드의 리턴타입은 ResponseEntity<byte[]>입니다. 데이터베이스로부터 조회한 파일이 널(null)이 아니면 파일데이터, 헤더, 그리고 응답코드 200(OK)을 갖는 ResponseEntity 객체를 생성하여 반환하고, 파일이 없으면 응답코드 404(Not Found)를 갖는 ResponseEntity 객체를 반환합니다.

● setContentDispositionFormData(String name, String value, Charset charset)

이 메서드는 4.3.11에서 사용하는 것을 권장하지 않고(Deprecated) 5.0에서 제거되었습니다. 스프링 설명서는 'RFC 7578, 섹션 4.2에 따라, multipart/form-data 요청에는 RFC 5987 스타일 인코딩을 사용하지 않아야 하며, 응용프로그램이 이 헤더를 명시적으로 설정할 이유가 없어야 합니다.'라고 설명하고 있습니다.
 - RFC 7578 : https://www.rfc-editor.org/rfc/rfc7578
 - RFC 5987 : https://www.rfc-editor.org/rfc/rfc5987

이 메서드를 지원하지 않는 환경이라면 다음처럼 파일 이름을 인코딩해주세요.

```java
try {
    String encodedFileName = URLEncoder.encode(file.getFileName(), "UTF-8");
    headers.setContentDispositionFormData("attachment", encodedFileName);
} catch (UnsupportedEncodingException e) {
    throw new RuntimeException(e);
}
```

3. 데이터베이스를 이용한 파일관리

새로운 프로젝트를 생성하고 데이터베이스를 이용한 파일관리 애플리케이션을 만들어 보겠습니다.

[그림 1]은 이클립스에서 @RequestMappings 뷰를 통해 완성된 예제의 리소스 URL과 핸들러 메서드를 보여주고 있습니다. @RequestMappings 뷰는 이클립스에서 Window -> Show View -> Other -> Spring -> @RequestMappings를 선택하면 볼 수 있습니다. 이곳에서 [Link with active selection](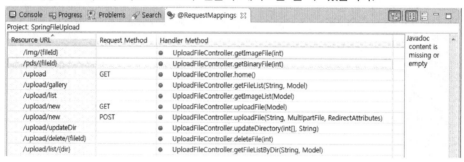)] 아이콘을 토글 시키고 프로젝트를 선택하면 해당 프로젝트의 리소스 URL과 핸들러 메서드들 볼 수 있습니다.

그림 1. 이클립스의 @RequestMappings View

3.1. 환경 설정

1) 테이블 생성

오라클 데이터베이스에 파일을 저장할 수 있는 테이블을 생성합니다.
ORACLE_UPLOAD_FILE_DDL.sql

```
 1 DROP TABLE UPLOAD_FILE;  -- 테이블이 있다면 이전 테이블을 삭제합니다.
 2
 3 CREATE TABLE UPLOAD_FILE (
 4     FILE_ID             NUMBER(10)      PRIMARY KEY,
 5     CATEGORY_NAME       VARCHAR2(260)   DEFAULT '/',
 6     FILE_NAME           VARCHAR2(260)   NOT NULL,
 7     FILE_SIZE           NUMBER(10),
 8     FILE_CONTENT_TYPE   VARCHAR2(255),
 9     FILE_UPLOAD_DATE    TIMESTAMP       NOT NULL,
10     FILE_DATA           BLOB
11 );
```

2) 라이브러리 의존성 추가

메이븐 라이브러리 의존성 설정 파일에 spring-jdbc, commons-dbcp, oracle jdbc driver, commons-fileupload 그리고 lombok 라이브러리 의존성을 추가합니다.

pom.xml

```
     ... 생략 ...
10    <properties>
11        <java-version>1.8</java-version>
12        <org.springframework-version>4.3.9.RELEASE</org.springframework-version>
     ... 생략 ...
36        <!-- Spring JDBC -->
37        <dependency>
38            <groupId>org.springframework</groupId>
39            <artifactId>spring-jdbc</artifactId>
40            <version>${org.springframework-version}</version>
41        </dependency>
42
43        <!-- Connection Pool -->
44        <dependency>
45            <groupId>org.apache.commons</groupId>
46            <artifactId>commons-dbcp2</artifactId>
47            <version>2.9.0</version>
48        </dependency>
49
50        <!-- Oracle JDBC Driver -->
51        <dependency>
52            <groupId>com.oracle.database.jdbc</groupId>
53            <artifactId>ojdbc8</artifactId>
54            <version>21.1.0.0</version>
55         </dependency>
56
57        <!-- File Upload -->
58        <dependency>
59            <groupId>commons-fileupload</groupId>
60            <artifactId>commons-fileupload</artifactId>
61            <version>1.4</version>
62        </dependency>
63
64        <!-- Lombok -->
65        <dependency>
66            <groupId>org.projectlombok</groupId>
67            <artifactId>lombok</artifactId>
68            <version>1.18.28</version>
69        </dependency>
     ... 생략 ...
```

> 트랜잭션이 필요하면 aspectjweaver 라이
> 브러리 의존성 설정도 추가해야 합니다.
> ```
> <!-- AspectJWeaver -->
> <dependency>
>     <groupId>org.aspectj</groupId>
>     <artifactId>aspectjweaver</artifactId>
>     <version>1.9.1</version>
> </dependency>
> ```

3) 웹 설정 파일

web.xml 파일에 스프링 설정 파일들의 위치와 인코딩 필터를 설정합니다.
WEB-INF/web.xml

```
 1 <?xml version="1.0" encoding="UTF-8"?>
 2 <web-app version="2.5" xmlns="http://java.sun.com/xml/ns/javaee"
 3    xmlns:xsi="http://www.w3.org/2001/XMLSchema-instance"
 4    xsi:schemaLocation="http://java.sun.com/xml/ns/javaee
   http://java.sun.com/xml/ns/javaee/web-app_2_5.xsd">
 5
 6    <context-param>
 7       <param-name>contextConfigLocation</param-name>
 8       <param-value>/WEB-INF/spring/root-context.xml</param-value>
 9    </context-param>
10
11    <listener>
12       <listener-class>
13          org.springframework.web.context.ContextLoaderListener
14       </listener-class>
15    </listener>
16
17    <filter>
18       <filter-name>encodingFilter</filter-name>
19       <filter-class>
20          org.springframework.web.filter.CharacterEncodingFilter
21       </filter-class>
22       <init-param>
23          <param-name>encoding</param-name>
24          <param-value>UTF-8</param-value>
25       </init-param>
26    </filter>
27    <filter-mapping>
28       <filter-name>encodingFilter</filter-name>
29       <url-pattern>/*</url-pattern>
30    </filter-mapping>
31
32    <servlet>
33       <servlet-name>appServlet</servlet-name>
34       <servlet-class>
35          org.springframework.web.servlet.DispatcherServlet
36       </servlet-class>
37       <init-param>
38          <param-name>contextConfigLocation</param-name>
39          <param-value>
40             /WEB-INF/spring/appServlet/servlet-context.xml
```

```
41            </param-value>
42         </init-param>
43         <load-on-startup>1</load-on-startup>
44     </servlet>
45     <servlet-mapping>
46         <servlet-name>appServlet</servlet-name>
47         <url-pattern>/</url-pattern>
48     </servlet-mapping>
49
50 </web-app>
```

4) 스프링 설정 파일

스프링 설정 파일에 컨텍스트 네임스페이스를 추가하고 컴포넌트 스캔과 DataSource 빈
설정 JdbcTemplate 빈 그리고 트랜잭션 매니저 빈을 설정하세요.

WEB-INF/spring/root-context.xml

```
 1 <?xml version="1.0" encoding="UTF-8"?><?xml version="1.0" encoding="UTF-8"?>
 2 <beans xmlns="http://www.springframework.org/schema/beans"
 3     xmlns:xsi="http://www.w3.org/2001/XMLSchema-instance"
 4     xmlns:context="http://www.springframework.org/schema/context"
 5     xsi:schemaLocation="http://www.springframework.org/schema/beans
   https://www.springframework.org/schema/beans/spring-beans.xsd
 6         http://www.springframework.org/schema/context
   http://www.springframework.org/schema/context/spring-context-4.3.xsd">
 7
 8     <context:component-scan base-package="com.example.myapp"/>
 9
10     <bean id="dataSource" class="org.apache.commons.dbcp2.BasicDataSource">
11         <property name="driverClassName" value="oracle.jdbc.OracleDriver"/>
12         <property name="url" value="jdbc:oracle:thin:@localhost:1521:xe"/>
13         <property name="username" value="hr"/>
14         <property name="password" value="hr"/>
15     </bean>
16
17     <bean id="jdbcTemplate" class="org.springframework.jdbc.core.JdbcTemplate">
18         <property name="dataSource" ref="dataSource"/>
19     </bean>
20
21     <bean id="transactionManager"
   class="org.springframework.jdbc.datasource.DataSourceTransactionManager">
22         <property name="dataSource" ref="dataSource"/>
23     </bean>
24 </beans>
```

스프링 웹 컴포넌트 설정 파일에 멀티파트리졸버 빈을 설정하세요. 예제에서는 maxUploadSize의 크기를 약 50M(50,000,000byte)정도로 설정했습니다.

WEB-INF/spring/appServlet/servlet-context.xml

```
 1  <?xml version="1.0" encoding="UTF-8"?>
 2  <beans:beans xmlns="http://www.springframework.org/schema/mvc"
 3      xmlns:xsi="http://www.w3.org/2001/XMLSchema-instance"
 4      xmlns:beans="http://www.springframework.org/schema/beans"
 5      xmlns:context="http://www.springframework.org/schema/context"
 6      xsi:schemaLocation="http://www.springframework.org/schema/mvc
    http://www.springframework.org/schema/mvc/spring-mvc-3.1.xsd
 7          http://www.springframework.org/schema/beans
    http://www.springframework.org/schema/beans/spring-beans.xsd
 8          http://www.springframework.org/schema/context
    http://www.springframework.org/schema/context/spring-context-3.1.xsd">
 9
10      <annotation-driven />
11
12      <resources mapping="/resources/**" location="/resources/"/>
13
14      <beans:bean
    class="org.springframework.web.servlet.view.InternalResourceViewResolver">
15          <beans:property name="prefix" value="/WEB-INF/views/"/>
16          <beans:property name="suffix" value=".jsp"/>
17      </beans:bean>
18
19      <context:component-scan
    base-package="com.example.myapp.upload.controller"/>
20
21      <view-controller path="/file" view-name="file/index"/>
22
23      <beans:bean id="multipartResolver"
    class="org.springframework.web.multipart.commons.CommonsMultipartResolver">
24          <beans:property name="maxUploadSize" value="50000000"/>
25      </beans:bean>
26  </beans:beans>
```

● 23라인의 멀티파트리졸버 빈의 이름은 multipartResolver여야 합니다.

● 21라인에서 /WEB-INF/views/file/index.jsp 파일을 뷰 컨트롤러를 설정했습니다. 그러므로 /WEB-INF/views/file/index.jsp 파일을 작성한 후 연결을 테스트하려면 http://localhost:8080/myapp/file로 접속하세요.

3.2. 비즈니스 로직

1) DTO 클래스

파일 데이터와 메타정보를 매핑한 DTO 클래스입니다. 변수를 선언한 후 get/set 메서드와 toString() 메서드를 추가해 주세요. toString() 메서드를 추가하려면 fileData는 출력되지 않도록 하세요. fileData를 포함하면 디버깅 메시지를 출력할 때 시간이 오래 걸립니다.

UploadFile.java

```
 1 package com.example.myapp.upload.model;
 2
 3 import java.sql.Timestamp;
 4
 5 import lombok.Getter;
 6 import lombok.Setter;
 7 import lombok.ToString;
 8
 9 @Setter @Getter
10 @ToString(exclude="fileData")
11 public class UploadFile {
12     private int fileId;
13     private String categoryName;
14     private String fileName;
15     private long fileSize;
16     private String fileContentType;
17     private Timestamp fileUploadDate;
18     private byte[] fileData;
19 }
```

2) DAO 클래스

데이터베이스에 파일을 저장하고 조회하기 위한 DAO 인터페이스와 클래스입니다. 모든 메서드를 한꺼번에 작성하고 테스트하려면 디버깅이 어려울 수 있습니다. 인터페이스와 클래스의 메서드를 하나씩 선언하고 구현하는 방법으로 기능을 하나씩 구현해 나가세요.

다음 코드는 인터페이스입니다. 인터페이스에는 시스템이 제공해야 할 기능들을 메서드로 선언해 놓습니다.

IUploadFileRepository.java

```
 1 package com.example.myapp.upload.dao;
 2
```

```
 3 import java.util.HashMap;
 4 import java.util.List;
 5
 6 import com.example.myapp.upload.model.UploadFile;
 7
 8 public interface IUploadFileRepository {
 9     int getMaxFileId();
10     void uploadFile(UploadFile file);
11
12     List<UploadFile> getFileList(String categoryName);
13     List<UploadFile> getAllFileList();
14     List<UploadFile> getImageList(String categoryName);
15
16     UploadFile getFile(int fileId);
17
18     String getCategoryName(int fileId);
19     void updateCategory(HashMap<String, Object> map);
20
21     void deleteFile(int fileId);
22 }
```

다음 코드는 IUploadFileRepository 인터페이스를 구현한 클래스입니다. Spring JDBC의 JdbcTemplate 빈을 의존성 주입받아서 데이터베이스에 파일을 저장하고 조회하는 핵심 코드를 포함하고 있습니다. 이 예제에서는 오라클의 시퀀스를 사용하지 않았습니다. 그래서 업로드하는 파일의 아이디를 저장된 가장 큰 아이디 값보다 1 큰 값을 시퀀스로 사용합니다.

UploadFileRepository.java

```
 1 package com.example.myapp.upload.dao;
 2
 3 import java.sql.ResultSet;
 4 import java.sql.SQLException;
 5 import java.util.HashMap;
 6 import java.util.List;
 7
 8 import org.springframework.beans.factory.annotation.Autowired;
 9 import org.springframework.jdbc.core.JdbcTemplate;
10 import org.springframework.jdbc.core.RowMapper;
11 import org.springframework.stereotype.Repository;
12
13 import com.example.myapp.upload.model.UploadFile;
14
15 @Repository
16 public class UploadFileRepository implements IUploadFileRepository {
17
```

```
18      @Autowired
19      JdbcTemplate jdbcTemplate;
20
21      @Override
22      public int getMaxFileId() {
23          String sql = "SELECT NVL(MAX(file_id),0) FROM upload_file";
24          return jdbcTemplate.queryForObject(sql, Integer.class);
25      }
26
27      @Override
28      public void uploadFile(UploadFile file) {
29          String sql = "INSERT INTO upload_file "
30                  + " (file_id, category_name, file_name, file_size, "
31                  + " file_content_type, file_upload_date, file_data) "
32                  + " VALUES (?, ?, ?, ?, ?, SYSTIMESTAMP, ?)";
33          jdbcTemplate.update(sql,
34                  file.getFileId(),
35                  file.getCategoryName(),
36                  file.getFileName(),
37                  file.getFileSize(),
38                  file.getFileContentType(),
39                  file.getFileData());
40      }
41
42      @Override
43      public List<UploadFile> getFileList(String categoryName) {
44          String sql = "SELECT file_id, category_name, file_name, file_size, "
45                  + " file_content_type, file_upload_date "
46                  + " FROM upload_file "
47                  + " WHERE category_name=? "
48                  + " ORDER BY file_upload_date DESC ";
49          return jdbcTemplate.query(sql, new RowMapper<UploadFile>(){
50              @Override
51              public UploadFile mapRow(ResultSet rs, int rowNum) throws
    SQLException {
52                  UploadFile file = new UploadFile();
53                  file.setFileId(rs.getInt("file_id"));
54                  file.setCategoryName(rs.getString("category_name"));
55                  file.setFileName(rs.getString("file_name"));
56                  file.setFileSize(rs.getLong("file_size"));
57                  file.setFileContentType(rs.getString("file_content_type"));
58                  file.setFileUploadDate(rs.getTimestamp("file_upload_date"));
59                  return file;
60              }
61          }, categoryName);
62      }
63
```

```
64      @Override
65      public List<UploadFile> getAllFileList() {
66      String sql = "SELECT file_id, category_name, file_name, file_size, "
67              + " file_content_type, file_upload_date "
68              + " FROM upload_file "
69              + " ORDER BY file_upload_date DESC";
70          return jdbcTemplate.query(sql, new RowMapper<UploadFile>(){
71              @Override
72              public UploadFile mapRow(ResultSet rs, int rowNum) throws
    SQLException {
73                  UploadFile file = new UploadFile();
74                  file.setFileId(rs.getInt("file_id"));
75                  file.setCategoryName(rs.getString("category_name"));
76                  file.setFileName(rs.getString("file_name"));
77                  file.setFileSize(rs.getLong("file_size"));
78                  file.setFileContentType(rs.getString("file_content_type"));
79                  file.setFileUploadDate(rs.getTimestamp("file_upload_date"));
80                  return file;
81              }
82          });
83      }
84
85      @Override
86      public List<UploadFile> getImageList(String categoryName) {
87          String sql = "SELECT file_id, category_name, file_name, file_size, "
88                  + " file_content_type, file_upload_date, file_data "
89                  + " FROM upload_file "
90                  + " WHERE category_name=? "
91                  + " ORDER BY file_upload_date DESC";
92          return jdbcTemplate.query(sql, new RowMapper<UploadFile>(){
93              @Override
94              public UploadFile mapRow(ResultSet rs, int rowNum) throws
    SQLException {
95                  UploadFile file = new UploadFile();
96                  file.setFileId(rs.getInt("file_id"));
97                  file.setCategoryName(rs.getString("category_name"));
98                  file.setFileName(rs.getString("file_name"));
99                  file.setFileSize(rs.getLong("file_size"));
100                 file.setFileContentType(rs.getString("file_content_type"));
101                 file.setFileData(rs.getBytes("file_data"));
102                 file.setFileUploadDate(rs.getTimestamp("file_upload_date"));
103                 return file;
104             }
105         }, categoryName);
106     }
107
```

```
108     @Override
109     public UploadFile getFile(int fileId) {
110         String sql = "SELECT file_id, category_name, file_name, file_size, "
111                     + " file_content_type, file_data "
112                     + " FROM upload_file "
113                     + " WHERE file_id=?";
114         return jdbcTemplate.queryForObject(sql, new RowMapper<UploadFile>(){
115             @Override
116             public UploadFile mapRow(ResultSet rs, int rowNum) throws
    SQLException {
117                 UploadFile file = new UploadFile();
118                 file.setFileId(rs.getInt("file_id"));
119                 file.setCategoryName(rs.getString("category_name"));
120                 file.setFileName(rs.getString("file_name"));
121                 file.setFileSize(rs.getLong("file_size"));
122                 file.setFileContentType(rs.getString("file_content_type"));
123                 file.setFileData(rs.getBytes("file_data"));
124                 return file;
125             }
126         }, fileId);
127     }
128
129     @Override
130     public String getCategoryName(int fileId) {
131         String sql = "SELECT category_name FROM upload_file WHERE file_id=?";
132         return jdbcTemplate.queryForObject(sql, String.class, fileId);
133     }
134
135     @Override
136     public void updateCategory(HashMap<String, Object> map) {
137         String sql = "UPDATE upload_file SET category_name=? WHERE file_id=?";
138         jdbcTemplate.update(sql, map.get("categoryName"), map.get("fileId"));
139     }
140
141     @Override
142     public void deleteFile(int fileId) {
143         String sql = "DELETE FROM upload_file WHERE file_id=?";
144         jdbcTemplate.update(sql, fileId);
145     }
146
147 }
```

3) Service 클래스

서비스 인터페이스와 클래스입니다. 서비스 클래스에서 하는 일은 그다지 많지 않습니다. 서비스 클래스는 컨트롤러와 DAO 클래스 관계의 복잡성을 줄여주며, 트랜잭션 처리를 하기 위해 사용합니다.

서비스 인터페이스의 메서드는 DAO 인터페이스의 메서드와 상당히 유사합니다. 핸들러는 서비스 인터페이스를 이용해 의존성 주입을 받습니다.

IUploadFileService.java

```
 1 package com.example.myapp.upload.service;
 2
 3 import java.util.List;
 4 import com.example.myapp.upload.model.UploadFile;
 5
 6 public interface IUploadFileService {
 7
 8     void uploadFile(UploadFile file);
 9
10     List<UploadFile> getFileList(String category);
11     List<UploadFile> getAllFileList();
12     List<UploadFile> getImageList(String category);
13
14     UploadFile getFile(int fileId);
15
16     String getCategoryName(int fileId);
17     void updateCategory(int[] fileIds, String categoryName);
18
19     void deleteFile(int fileId);
20 }
```

서비스 클래스는 DAO 인터페이스를 이용해 DAO 객체를 의존성 주입받아야 합니다. 서비스 클래스의 구현부는 DAO 클래스의 메서드를 호출합니다.

대부분의 메서드가 단지 리포지토리 메서드를 호출만 하므로 서비스 클래스가 필요 없어 보일 수도 있습니다. 그러나 이 클래스가 있으므로 컨트롤러와 DAO 클래스의 관계 복잡성이 줄어듭니다. 컨트롤러 클래스는 하나의 요청을 처리하기 위해 여러 개 DAO 클래스를 호출할 필요 없이 서비스 클래스의 메서드 하나만 호출하면 됩니다.

다음은 서비스 클래스입니다. 메서드 대부분이 특이점이 없이 리포지토리의 메서드를 호출합니다. 그런데 uploadFile()메서드와 updateCategory() 메서드는 조금 다릅니다. uploadFile() 메서드는 가장 큰 파일아이디를 조회한 후 1더한 값을 새로 업로드하는 파일의 아이디로 사용했습니다. 그리고 updateCategory() 메서드는 여러 개 파일의 경로를 반복문을 이용해 한꺼번에 수정합니다. 그리고 updateCategory() 메서드에 트랜잭션 처리를 위해 @Transactional 아노테이션을 선언했습니다. 그런데 사실 이 메서드는 단일 쿼리만 실행하므로 트랜잭션이 필요하지 않습니다. aspectjweaver 의존성 설정을 추가했다면 연습삼아 @Transactional 아노테이션을 추가해보세요.

UploadFileService.java

```
1 package com.example.myapp.upload.service;
2
3 import java.util.HashMap;
4 import java.util.List;
5
6 import org.springframework.beans.factory.annotation.Autowired;
7 import org.springframework.stereotype.Service;
8 import org.springframework.transaction.annotation.Transactional;
9
10 import com.example.myapp.upload.dao.IUploadFileRepository;
11 import com.example.myapp.upload.model.UploadFile;
12
13 @Service
14 public class UploadFileService implements IUploadFileService {
15
16     @Autowired
17     IUploadFileRepository uploadFileRepository;
18
19     @Override
20     public void uploadFile(UploadFile file) {
21         int newFileId = uploadFileRepository.getMaxFileId() + 1;
22         file.setFileId(newFileId);
23         uploadFileRepository.uploadFile(file);
24     }
25
26     @Override
27     public List<UploadFile> getFileList(String category) {
28         return uploadFileRepository.getFileList(category);
29     }
30
31     @Override
32     public List<UploadFile> getImageList(String category) {
33         return uploadFileRepository.getImageList(category);
34     }
35
```

```
36      @Override
37      public List<UploadFile> getAllFileList() {
38          return uploadFileRepository.getAllFileList();
39      }
40
41      @Override
42      public UploadFile getFile(int fileId) {
43          return uploadFileRepository.getFile(fileId);
44      }
45
46      @Override
47      public void deleteFile(int fileId) {
48          uploadFileRepository.deleteFile(fileId);
49      }
50
51      @Override
52      public String getCategoryName(int fileId) {
53          return uploadFileRepository.getCategoryName(fileId);
54      }
55
56      @Override
57      @Transactional
58      public void updateCategory(int[] fileIds, String categoryName) {
59          for(int fileId : fileIds) {
60              HashMap<String, Object> map = new HashMap<String, Object>();
61              map.put("fileId", fileId);
62              map.put("categoryName", categoryName);
63              uploadFileRepository.updateCategory(map);
64          }
65      }
66
67 }
```

● 이 예제는 업로드한 파일을 수정하는 기능은 제공하지 않습니다. 업로드한 파일을 수정하는 기능을 포함하려면 Repository 클래스와 Service 클래스에 수정을 처리하는 메서드를 구현해야 합니다. 그리고 파일을 수정하기 위한 핸들러 메서드와 수정 양식도 만들어야 합니다.

● 만일 수정 기능을 구현해야 한다면 SQL 구문은 아래와 같이 작성하세요.

```
String sql = "UPDATE upload_file SET category_name=?, file_name=?, file_size=?, "
        + " file_content_type=?, file_data=? WHERE file_id=?";
```

3.3. 컨트롤러와 뷰

컨트롤러 클래스와 뷰(JSP) 파일들입니다.

1) 컨트롤러

다음은 웹 요청을 처리하기 위한 컨트롤러 클래스입니다. 단순히 파일을 데이터베이스 저장하고 내려받게 하려면 이 컨트롤러처럼 복잡하게 작성할 필요는 없습니다. 이 예제는 파일들을 디렉토리 단위로 구분해서 저장 및 관리할 수 있도록 만들었으며, 만일 디렉토리가 '/이미지(/image)'로 설정되어 이미지가 업로드되면 갤러리를 통해 이미지 목록을 볼 수 있도록 구현했습니다.

예제에서 디버깅 메시지를 출력하기 위해 Logger를 이용한 로그 관리 기능을 사용했습니다. 로그 관리는 [부록 1]의 [3. 로그 관리]를 참고하세요. 한 번에 모든 기능을 구현하지 말고 하나씩 구현하고 테스트한 후 다음 기능을 구현하세요.

UploadFileController.java

```
 1 package com.example.myapp.upload.controller;
 2
 3 import java.nio.charset.Charset;
 4
 5 import org.slf4j.Logger;
 6 import org.slf4j.LoggerFactory;
 7
 8 import org.springframework.beans.factory.annotation.Autowired;
 9 import org.springframework.http.HttpHeaders;
10 import org.springframework.http.HttpStatus;
11 import org.springframework.http.MediaType;
12 import org.springframework.http.ResponseEntity;
13 import org.springframework.stereotype.Controller;
14 import org.springframework.ui.Model;
15 import org.springframework.web.bind.annotation.GetMapping;
16 import org.springframework.web.bind.annotation.PathVariable;
17 import org.springframework.web.bind.annotation.PostMapping;
18 import org.springframework.web.bind.annotation.RequestParam;
19 import org.springframework.web.multipart.MultipartFile;
20 import org.springframework.web.servlet.mvc.support.RedirectAttributes;
21
22 import com.example.myapp.upload.model.UploadFile;
23 import com.example.myapp.upload.service.IUploadFileService;
24
```

```
25 @Controller
26 public class UploadFileController {
27     private final Logger logger = LoggerFactory.getLogger(this.getClass());
28
29     @Autowired
30     IUploadFileService uploadService;
31
32     @GetMapping(value="/file/new")
33     public String uploadFile(Model model) {
34         return "file/form";
35     }
36
37     @PostMapping(value="/file/new")
38     public String uploadFile(@RequestParam(value="category", required=false,
   defaultValue="/") String category, @RequestParam MultipartFile file,
   RedirectAttributes redirectAttrs) {
39         logger.info(file.getOriginalFilename());
40         try{
41             if(file!=null && !file.isEmpty()) {
42                 UploadFile newFile = new UploadFile();
43                 newFile.setCategoryName(category);
44                 newFile.setFileName(file.getOriginalFilename());
45                 newFile.setFileSize(file.getSize());
46                 newFile.setFileContentType(file.getContentType());
47                 newFile.setFileData(file.getBytes());
48                 uploadService.uploadFile(newFile);
49             }
50         }catch(Exception e){
51             logger.error(e.getMessage());
52             redirectAttrs.addFlashAttribute("message", e.getMessage());
53         }
54         return "redirect:/file/list";
55     }
56
57     @GetMapping("/file/list")
58     public String getFileList(Model model) {
59         model.addAttribute("fileList", uploadService.getAllFileList());
60         return "file/list";
61     }
62
63     @GetMapping("/file/list/gallery")
64     public String getImageList(@RequestParam(value="category", required=false,
   defaultValue="image")String category, Model model) {
65         model.addAttribute("fileList", uploadService.getImageList(category));
66         return "file/gallery";
67     }
```

```
68
69     @GetMapping("/file/list/{category}")
70     public String getFileListByCategory(@PathVariable String category, Model
   model) {
71         model.addAttribute("fileList", uploadService.getFileList(category));
72         return "file/list";
73     }
74
75     @GetMapping("/file/{fileId}")
76     public ResponseEntity<byte[]> getBinaryFile(@PathVariable int fileId) {
77         UploadFile file = uploadService.getFile(fileId);
78         final HttpHeaders headers = new HttpHeaders();
79         if(file != null) {
80             logger.info("getFile " + file.toString());
81             String[] mtypes = file.getFileContentType().split("/");
82             headers.setContentType(new MediaType(mtypes[0], mtypes[1]));
83             headers.setContentLength(file.getFileSize());
84             headers.setContentDispositionFormData("attachment",
   file.getFileName(), Charset.forName("UTF-8"));
85             return new ResponseEntity<byte[]>(file.getFileData(), headers,
   HttpStatus.OK);
86         }else {
87             return new ResponseEntity<byte[]>(HttpStatus.NOT_FOUND);
88         }
89     }
90
91     @GetMapping("/file/delete/{fileId}")
92     public String deleteFile(@PathVariable int fileId) {
93         uploadService.deleteFile(fileId);
94         return "redirect:/file/list";
95     }
96
97     @GetMapping("/file/category/update")
98     public String updateCategory(@RequestParam int[] fileIds, @RequestParam
   String categoryName) {
99         uploadService.updateCategory(fileIds, categoryName);
100        return "redirect:/file/list";
101    }
102 }
```

● 이 컨트롤러는 갤러리 구현 코드를 포함합니다. 올리는 이미지 파일의 위치(디렉토리)
  를 '/이미지(/images)'로 하면 '/file/gallery'로 요청하면 갤러리를 볼 수 있습니다.
● 파일의 목록을 출력할 때 페이징 기능은 포함하지 않았습니다. 페이징 기능이 필요하
  면 [7장. 멀티게시판 만들기]의 [4.7.2절 목록 페이징 처리 태그]를 살펴보세요.

2) 뷰

다음 코드들은 뷰(JSP) 파일들입니다. 코드 대부분이 HTML 태그들로 구성되어 있습니다. 데이터를 출력하기 위해 EL 표현식(${ })을 사용했으며, 링크 주소를 <c:url> 태그를 이용해 표현했습니다. <c:url> 태그의 사용이 불편하다면 사용하지 않아도 됩니다. 다만 <c:url> 태그를 사용하지 않을 때 컨텍스트 이름(기본값은 프로젝트 이름)을 URL 앞에 붙여주거나 상대경로로 주소를 설정해야 합니다.

다음 코드는 http://localhost:8080/myapp/file로 접속하면 보이는 페이지입니다.
WEB-INF/views/file/index.jsp

```
 1 <%@ page contentType="text/html; charset=UTF-8"%>
 2 <%@ taglib prefix="c" uri="http://java.sun.com/jsp/jstl/core"%>
 3 <!DOCTYPE html>
 4 <html>
 5 <head>
 6     <meta charset="UTF-8">
 7     <title>Example</title>
 8 </head>
 9 <body>
10 <p><a href='<c:url value="/file/new"/>'>업로드</a></p>
11 <p><a href='<c:url value="/file/list"/>'>파일 전체 목록</a></p>
12 <p><a href='<c:url value="/file/list/data"/>'>데이터 목록</a></p>
13 <p><a href='<c:url value="/file/list/gallery"/>'>갤러리</a></p>
14 </body>
15 </html>
```

다음 코드는 파일 업로드를 위한 입력양식입니다. 파일을 업로드하려면 <form> 태그에 enctype="multipart/form-data" 속성이 있어야 합니다.
WEB-INF/views/file/form.jsp

```
 1 <%@ page contentType="text/html; charset=UTF-8"%>
 2 <%@ taglib prefix="c" uri="http://java.sun.com/jsp/jstl/core"%>
 3 <!DOCTYPE html>
 4 <html>
 5 <head>
 6     <title>Example</title>
 7 </head>
 8 <body>
 9 <c:url var="actionURL" value='/file/new' />
10 <form action="${actionURL}" method="post" enctype="multipart/form-data">
11     카테고리: <select name="category">
12         <option value="/">/
```

```
13          <option value="image">이미지
14          <option value="data">데이터
15      </select><p>
16      파일: <input type="file" name="file"><p>
17      <input type="submit" value="SAVE">
18      <input type="reset" value="CANCEL">
19 </form>
20 </body>
21 </html>
```

다음 코드는 파일 목록을 출력합니다. JPG, JPEG, PNG, GIF 파일이 업로드되어 있으면 이미지로 보이고 그렇지 않으면 파일을 내려받을 수 있는 링크가 제공됩니다. 목록에서 삭제 링크를 클릭하면 해당 파일의 삭제를 요청합니다.

WEB-INF/views/file/list.jsp

```
 1 <%@ page contentType="text/html; charset=UTF-8"%>
 2 <%@ taglib prefix="c" uri="http://java.sun.com/jsp/jstl/core"%>
 3 <%@ taglib prefix="fn" uri="http://java.sun.com/jsp/jstl/functions"%>
 4 <%@ taglib prefix="fmt" uri="http://java.sun.com/jsp/jstl/fmt"%>
 5 <!DOCTYPE html>
 6 <html>
 7 <head>
 8 <meta charset="UTF-8">
 9 <meta name="viewport" content="width=device-width, initial-scale=1.0">
10 <title>Example</title>
11 <script type="text/javascript">
12 window.onload = function() {
13     var deleteButtons = document.querySelectorAll(".delete");
14     for(var i=0; i<deleteButtons.length; i++) {
15         deleteButtons[i].onclick = function() {
16             if(confirm("파일을 삭제하겠습니까?")) {
17                 return true;
18             }else {
19                 return false;
20             }
21         }
22     }
23 }
24 </script>
25 </head>
26 <body>
27 <c:url var="actionURL" value="/file/category/update"/>
28 <form action="${actionURL}" method="post">
29 <table border="1">
30 <tr>
```

```
31      <th>ID</th>
32      <td>경로</td>
33      <td>파일명</td>
34      <td>크기</td>
35      <td>유형</td>
36      <td>날짜</td>
37      <td>삭제</td>
38  </tr>
39  <c:forEach var="file" items="${fileList}">
40  <tr>
41      <td><input type="checkbox" name="fileIds" value="${file.fileId}">
    ${file.fileId}</td>
42      <td>${file.categoryName}</td>
43      <td>
44          <c:set var="len" value="${fn:length(file.fileName)}"/>
45          <c:set var="filetype"
    value="${fn:toUpperCase(fn:substring(file.fileName, len-4, len))}"/>
46          <c:url var="link" value="/file/${file.fileId}"/>
47          <c:if test="${(filetype eq '.JPG') or (filetype eq 'JPEG') or (filetype
    eq '.PNG') or (filetype eq '.GIF')}">
48              <img src="${link}" width="100" class="img-thumbnail"><br>
49          </c:if>
50          <c:if test="${!((filetype eq '.JPG') or (filetype eq 'JPEG') or
    (filetype eq '.PNG') or (filetype eq '.GIF'))}">
51              <a href="${link}">${file.fileName}</a><br>
52          </c:if>
53      </td>
54      <td>
55          <fmt:formatNumber value="${file.fileSize/1024}" pattern="#,###"/>KB
56      </td>
57      <td>${file.fileContentType}</td>
58      <td>${file.fileUploadDate}</td>
59      <td>
60          <c:url var="deletelink" value="/file/delete/${file.fileId}"/>
61          <a href="${deletelink}" class="delete">삭제</a>
62      </td>
63  </tr>
64  </c:forEach>
65  </table>
66  선택한 파일을 <select name="categoryName">
67      <option value="/">/
68      <option value="image">이미지
69      <option value="data">데이터
70  </select>카테고리로 <input type="submit" value="이동"><p>
71  <a href='<c:url value="/file/new"/>'>업로드</a>
72  <a href='<c:url value="/file"/>'>처음으로</a>
```

```
73 </form>
74 </body>
75 </html>
```

다음 코드는 이미지 디렉토리에 올린 이미지들을 목록으로 보는 뷰 페이지입니다. 파일을 올릴 때 선택 상자(Select 박스)에서 `이미지` 카테고리를 선택하고 저장한 이미지들을 미리 보기 할 수 있습니다. 이미지 파일을 `이미지` 카테고리가 아닌 다른 카테고리에 저장했다면 목록 페이지에서 이미지 파일을 선택하여 `이미지` 카테고리로 이동시킬 수 있습니다.

WEB-INF/views/file/gallery.jsp

```jsp
1 <%@ page contentType="text/html; charset=utf-8"%>
2 <%@ taglib prefix="c" uri="http://java.sun.com/jsp/jstl/core"%>
3 <%@ taglib prefix="fn" uri="http://java.sun.com/jsp/jstl/functions"%>
4 <%@ taglib prefix="fmt" uri="http://java.sun.com/jsp/jstl/fmt"%>
5 <!DOCTYPE html>
6 <html>
7 <head>
8 <meta charset="UTF-8">
9 <meta name="viewport" content="width=device-width, initial-scale=1.0">
10 <title>Example</title>
11 <script type="text/javascript">
12 window.onload = function() {
13     var deleteButtons = document.querySelectorAll(".delete");
14     for(var i=0; i<deleteButtons.length; i++) {
15         deleteButtons[i].onclick = function() {
16             if(confirm("파일을 삭제하겠습니까?")) {
17                 return true;
18             }else {
19                 return false;
20             }
21         }
22     }
23 }
24 </script>
25 </head>
26 <body>
27 <c:url var="actionURL" value="/file/category/update"/>
28 <form action="${actionURL}" method="post">
29 <table border="1">
30 <tr>
31     <th>ID</th>
32     <td>카테고리</td>
33     <td>이미지</td>
```

```
34    <td>크기</td>
35    <td>유형</td>
36    <td>날짜</td>
37    <td>삭제</td>
38 </tr>
39 <c:forEach var="file" items="${fileList}">
40 <tr>
41    <td><input type="checkbox" name="fileIds" value="${file.fileId}">
   ${file.fileId}</td>
42    <td>${file.categoryName}</td>
43    <td>
44       <c:set var="len" value="${fn:length(file.fileName)}"/>
45       <c:set var="filetype"
   value="${fn:toUpperCase(fn:substring(file.fileName, len-4, len))}"/>
46       <c:if test="${(filetype eq '.JPG') or (filetype eq 'JPEG') or (filetype
   eq '.PNG') or (filetype eq '.GIF')}">
47          <c:url var="imageName" value="/file/${file.fileId}"/>
48          <img src="${imageName}" width="100">
49       </c:if>
50    </td>
51    <td>
52       <fmt:formatNumber value="${file.fileSize/1024}" pattern="#,###"/>KB
53    </td>
54    <td>${file.fileContentType}</td>
55    <td>${file.fileUploadDate}</td>
56    <td>
57       <c:url var="deletelink" value="/file/delete/${file.fileId}"/>
58       <a href="${deletelink}" class="delete">삭제</a>
59    </td>
60 </tr>
61 </c:forEach>
62 </table>
63 선택한 파일을 <select name="categoryName">
64    <option value="/">/
65    <option value="image">이미지
66    <option value="data">데이터
67 </select>카테고리로 <input type="submit" value="이동"><p>
68 <a href='<c:url value="/file/new"/>'>업로드</a>
69 <a href='<c:url value="/file"/>'>처음으로</a>
70 </form>
71 </body>
72 </html>
```

3.4. 실행 결과

프로젝트를 실행하고 http://localhost:8080/myapp/file에 연결하면 테스트할 수 있는 링크들을 볼 수 있습니다. 해당 링크들을 클릭하여 파일을 올리거나 목록을 조회하는 기능들을 테스트해 보세요.

그림 2. 프로젝트 실행 결과(/file)

그림 3. 파일 업로드 화면(/file/new)

그림 4. 파일 업로드 결과(/file/list)

그림 5. 이미지 갤러리 조회(/file/list/gallery)

Instructor Note: 이미지 업로드 시 썸네일 이미지를 만드려면?

이미지를 업로드한 후 목록에 출력되는 이미지를 원본 이미지가 아닌 썸네일 이미지를 만들어 보여주면 데이터의 전송량이 줄어듭니다. byte[]의 이미지 크기를 줄이려면 아래의 메서드를 참고하세요.

```java
// resize 이미지 크기
int width = 100;
int height = 100;

// 바이트 배열을 이미지 객체로 변환
ByteArrayInputStream imageArray = new ByteArrayInputStream(fileData);
BufferedImage srcImage = ImageIO.read(imageArray);

// 원본 이미지를 크기변환한 이미지로 변환
Image resizeImage = srcImage.getScaledInstance(width, height, Image.SCALE_FAST);

// 이미지 저장을 위한 BufferedImage 생성
BufferedImage outputImage = new BufferedImage(width, height, srcImage.getType());

// Graphics를 이용해서 새 이미지에 크기변환한 이미지를 그려줌
Graphics g = outputImage.getGraphics();
g.drawImage(resizeImage, 0, 0, null);
g.dispose(); // 그래픽 객체 연결 끊기

// 이미지를 파일로 저장(파일명은 앞에 T-를 붙여 원본과 구분되게 함)
File outputFile = new File(uploadDir, "T-"+ uuidFileName);
ImageIO.write(outputImage, fileExtension.substring(1), outputFile);
```

4. 파일시스템을 이용한 파일관리

서버의 파일 시스템에 업로드한 파일을 저장하면 데이터베이스에 저장할경우보다 비용을 줄일 수 있습니다.

4.1. 테이블과 DTO

파일 업로드 시 파일명이 같은 파일이 이미 존재할 수도 있고 사용자가 업로드하는 파일명이 서버에서 사용하는 언어 이외의 언어로 되어 있을 수 있습니다. 그러므로 저장할 파일명을 고유한 임의 문자를 생성하여 지정하고 데이터베이스에는 파일을 원래 이름, 임의로 생성된 이름, 크기, 파일 유형 등을 저장해 줘야 합니다.

1) 테이블

다음은 오라클 데이터베이스에 파일의 정보를 저장할 수 있는 테이블입니다. 3절의 테이블과 비슷합니다. 다른 점은 UUID를 저장하는 열이 추가되고 파일의 정보를 저장하는 열이 없는 것입니다. UUID의 길이는 36바이트이고, 확장자를 포함해야 하므로 UUID_FILE_NAME 열의 크기는 40바이트 이상 여야 합니다.

ORACLE_UPLOAD_FILE2_DDL.sql

```
1 CREATE TABLE UPLOAD_FILE2 (
2    FILE_ID            NUMBER(10)        PRIMARY KEY,
3    CATEGORY_NAME      VARCHAR2(260)     DEFAULT '/',
4    FILE_NAME          VARCHAR2(260)     NOT NULL,
5    UUID_FILE_NAME     VARCHAR2(50)      NOT NULL,
6    FILE_SIZE          NUMBER(10),
7    FILE_CONTENT_TYPE  VARCHAR2(255),
8    FILE_UPLOAD_DATE   TIMESTAMP         NOT NULL
9 );
```

2) DTO

테이블 정보를 저장할 DTO는 아래와 같습니다. 이 클래스는 앞 절에서 사용한 DTO 클래스에 UUID를 저장할 필드인 fileUuid를 추가했고 파일데이터를 저장하는 필드인 fileData를 삭제했습니다.

UploadFileDto.java

```
1 package com.example.myapp.upload.model;
2
```

```
 3 import java.sql.Timestamp;
 4
 5 import lombok.Getter;
 6 import lombok.Setter;
 7 import lombok.ToString;
 8
 9 @Setter @Getter
10 @ToString
11 public class UploadFileDto {
12     private int fileId;
13     private String categoryName;
14     private String fileName;
15     private String uuidFileName;
16     private long fileSize;
17     private String fileContentType;
18     private Timestamp fileUploadDate;
19 }
```

4.2. 컨트롤러

1) 파일 업로드

업로드 컨트롤러는 UUID 클래스를 이용해서 임의의 UUID 문자열을 생성하고 이를 이용해서 서버의 특정 디렉토리에 저장할 파일의 이름으로 설정합니다. 이 예는 C:/dev/upload 디렉토리에 파일을 저장합니다.

```
41     @PostMapping(value="/file/new")
42     public String uploadFile(@RequestParam(value="category", required=false,
   defaultValue="/") String category, @RequestParam MultipartFile file,
   RedirectAttributes redirectAttrs) {
43         String uploadDir = "C:\\dev\\upload"; // 디렉토리가 생성되어 있어야함
44         try{
45             if(file!=null && !file.isEmpty()) {
46                 String fileName = file.getOriginalFilename();
47                 logger.info("fileName: {}", fileName);
48                 String fileExt = fileName.substring(fileName.lastIndexOf("."),
   fileName.length());
49                 UUID uuid = UUID.randomUUID();
50                 String uuidFileName = uuid + fileExt;
51                 logger.info("uuidFileName: {}", uuidFileName);
52                 File saveFilePath = new File(uploadDir, uuidFileName);
53                 file.transferTo(saveFilePath);
54
```

```
55              UploadFileDto newFile = new UploadFileDto();
56              newFile.setCategoryName(category);
57              newFile.setFileName(fileName);
58              newFile.setFileUuid(uuidFileName);
59              newFile.setFileSize(file.getSize());
60              newFile.setFileContentType(file.getContentType());
61              uploadService.uploadFile(newFile);
62          }
63      }catch(Exception e){
64          logger.error(e.getMessage());
65          redirectAttrs.addFlashAttribute("message", e.getMessage());
66      }
67      return "redirect:/file/list";//+dir;
68  }
```

2) 파일 다운로드

지정한 디렉토리에 업로드된 파일을 내려받으려면 FileInputStream을 이용해서 파일의 바이트 정보를 읽어 들여야 합니다.

```
91      @GetMapping("/file/{fileId}")
92      public ResponseEntity<byte[]> getBinaryFile(@PathVariable int fileId) {
93          String uploadDir = "C:\\dev\\upload";
94          FileInputStream fis = null;
95          BufferedInputStream bis = null;
96          try {
97              UploadFileDto file = uploadService.getFile(fileId);
98              final HttpHeaders headers = new HttpHeaders();
99              if(file != null) {
100                 logger.info("getFile " + file.toString());
101                 String uuidFileName = file.getUuidFileName();
102                 File downFile = new File(uploadDir, uuidFileName);
103                 fis = new FileInputStream(downFile);
104                 bis = new BufferedInputStream(fis);
105                 byte[] data = bis.readAllBytes();
106                 String[] mtypes = file.getFileContentType().split("/");
107                 headers.setContentType(new MediaType(mtypes[0], mtypes[1]));
108                 headers.setContentLength(file.getFileSize());
109                 headers.setContentDispositionFormData("attachment",
        file.getFileName(), Charset.forName("UTF-8"));
110                 return new ResponseEntity<byte[]>(data, headers, HttpStatus.OK);
111             }else {
112                 return new ResponseEntity<byte[]>(HttpStatus.NOT_FOUND);
113             }
```

```
114        }catch(Exception e) {
115            logger.error(e.getMessage());
116            throw new RuntimeException(e);
117        }finally {
118            if(fis!=null) try {fis.close();}catch(Exception e) {}
119            if(bis!=null) try {bis.close();}catch(Exception e) {}
120        }
121    }
```

3) 파일 삭제

파일을 삭제하려면 데이터베이스 테이블에서 파일의 정보를 삭제하고, 실제 파일도 삭제
해야 합니다. 그래서 fileId를 이용해서 파일의 uuidFileName을 조회한 후 파일을 삭제하
기 위한 서비스와 리포지토리 클래스를 추가해야 합니다.

다음은 삭제를 위한 컨트롤러의 예입니다.

```
121    @RequestMapping("/file/delete/{fileId}")
122    public String deleteFile(@PathVariable int fileId) {
123        String uploadDir = "C:₩₩dev₩₩upload";
124        String uuidFileName = uploadService.getUuidFileName(fileId);
125        File file = new File(uploadDir, uuidFileName);
126        boolean isDeleted = file.delete();
127        if(isDeleted) {
128            uploadService.deleteFile(fileId);
129        }else {
130            throw new RuntimeException("file not deleted");
131        }
132        return "redirect:/file/list";
133    }
```

4.3. 서비스와 리포지토리 코드

디렉토리에 있는 파일을 삭제하기 위해서 서비스와 리포지토리 인터페이스에
getUuidFileName(int fileId) 메서드를 추가해야 합니다.

```
 7 public interface IUploadFileService {
   ... 생략
21     String getUuidFileName(int fileId);
21 }
```

```
 8  public interface IUploadFileRepository {
 ...   생략
22      String getUuidFileName(int fileId);
23  }
```

UploadFileService 클래스에 getUuidFileName(int fileId) 메서드를 추가하세요.

```
13  @Service
14  public class UploadFileService implements IUploadFileService {
 ...   생략
63      @Override
64      public String getUuidFileName(int fileId) {
65          return uploadFileRepository.getUuidFileName(fileId);
66      }
67  }
```

다음은 UploadFileRepository 클래스입니다. 3절의 예제와 테이블의 구조가 다르므로 수정되어야 할 내용이 많이 있습니다. 전체 코드를 참고하세요. 테이블의 이름에 주의하세요. 3절의 예는 테이블 이름이 `upload_file`였지만 4절의 예는 테이블 이름이 `upload_file2`입니다.

```
 1  package com.example.myapp.upload.dao;
 2
 3  import java.sql.ResultSet;
 4  import java.sql.SQLException;
 5  import java.util.HashMap;
 6  import java.util.List;
 7
 8  import org.springframework.beans.factory.annotation.Autowired;
 9  import org.springframework.jdbc.core.JdbcTemplate;
10  import org.springframework.jdbc.core.RowMapper;
11  import org.springframework.stereotype.Repository;
12
13  import com.example.myapp.upload.model.UploadFileDto;
14
15  @Repository
16  public class UploadFileRepository implements IUploadFileRepository {
17
18      @Autowired
19      JdbcTemplate jdbcTemplate;
20
21      @Override
22      public int getMaxFileId() {
23          String sql = "SELECT NVL(MAX(file_id),0) FROM upload_file2";
24          return jdbcTemplate.queryForObject(sql, Integer.class);
```

```
25        }
26
27        @Override
28        public void uploadFile(UploadFileDto file) {
29            String sql = "INSERT INTO upload_file2 "
30                        + " (file_id, category_name, file_name, uuid_file_name, "
31                        + " file_size, file_content_type, file_upload_date) "
32                        + " VALUES (?, ?, ?, ?, ?, ?, SYSTIMESTAMP)";
33            jdbcTemplate.update(sql,
34                    file.getFileId(),
35                    file.getCategoryName(),
36                    file.getFileName(),
37                    file.getUuidFileName(),
38                    file.getFileSize(),
39                    file.getFileContentType());
40        }
41
42        @Override
43        public List<UploadFileDto> getFileList(String categoryName) {
44            String sql = "SELECT file_id, category_name, file_name, uuid_file_name, "
45                        + " file_size, file_content_type, file_upload_date "
46                        + " FROM upload_file2 WHERE category_name=? "
47                        + " ORDER BY file_upload_date DESC ";
48            return jdbcTemplate.query(sql, new RowMapper<UploadFileDto>(){
49                @Override
50                public UploadFileDto mapRow(ResultSet rs, int rowNum) throws
    SQLException {
51                    UploadFileDto file = new UploadFileDto();
52                    file.setFileId(rs.getInt("file_id"));
53                    file.setCategoryName(rs.getString("category_name"));
54                    file.setFileName(rs.getString("file_name"));
55                    file.setUuidFileName(rs.getString("uuid_file_name"));
56                    file.setFileSize(rs.getLong("file_size"));
57                    file.setFileContentType(rs.getString("file_content_type"));
58                    file.setFileUploadDate(rs.getTimestamp("file_upload_date"));
59                    return file;
60                }
61            }, categoryName);
62        }
63
64        @Override
65        public List<UploadFileDto> getAllFileList() {
66            String sql = "SELECT file_id, category_name, file_name, uuid_file_name, "
67                        + " file_size, file_content_type, file_upload_date "
68                        + " FROM upload_file2 "
69                        + " ORDER BY file_upload_date DESC";
```

```
70          return jdbcTemplate.query(sql, new RowMapper<UploadFileDto>(){
71              @Override
72              public UploadFileDto mapRow(ResultSet rs, int rowNum) throws
    SQLException {
73                  UploadFileDto file = new UploadFileDto();
74                  file.setFileId(rs.getInt("file_id"));
75                  file.setCategoryName(rs.getString("category_name"));
76                  file.setFileName(rs.getString("file_name"));
77                  file.setUuidFileName(rs.getString("uuid_file_name"));
78                  file.setFileSize(rs.getLong("file_size"));
79                  file.setFileContentType(rs.getString("file_content_type"));
80                  file.setFileUploadDate(rs.getTimestamp("file_upload_date"));
81                  return file;
82              }
83          });
84      }
85
86      @Override
87      public List<UploadFileDto> getImageList(String categoryName) {
88          String sql = "SELECT file_id, category_name, file_name, uuid_file_name, "
89                  + " file_size, file_content_type, file_upload_date "
90                  + " FROM upload_file2 "
91                  + " WHERE category_name=? "
92                  + " ORDER BY file_upload_date DESC ";
93          return jdbcTemplate.query(sql, new RowMapper<UploadFileDto>(){
94              @Override
95              public UploadFileDto mapRow(ResultSet rs, int rowNum) throws
    SQLException {
96                  UploadFileDto file = new UploadFileDto();
97                  file.setFileId(rs.getInt("file_id"));
98                  file.setCategoryName(rs.getString("category_name"));
99                  file.setFileName(rs.getString("file_name"));
100                 file.setUuidFileName(rs.getString("uuid_file_name"));
101                 file.setFileSize(rs.getLong("file_size"));
102                 file.setFileContentType(rs.getString("file_content_type"));
103                 file.setFileUploadDate(rs.getTimestamp("file_upload_date"));
104                 return file;
105             }
106         }, categoryName);
107     }
108
109     @Override
110     public UploadFileDto getFile(int fileId) {
111         String sql = "SELECT file_id, category_name, file_name, uuid_file_name, "
112                 + " file_size, file_content_type "
113                 + " FROM upload_file2 "
```

```
114                   + " WHERE file_id=?";
115          return jdbcTemplate.queryForObject(sql, new RowMapper<UploadFileDto>(){
116              @Override
117              public UploadFileDto mapRow(ResultSet rs, int rowNum) throws
     SQLException {
118                  UploadFileDto file = new UploadFileDto();
119                  file.setFileId(rs.getInt("file_id"));
120                  file.setCategoryName(rs.getString("category_name"));
121                  file.setFileName(rs.getString("file_name"));
122                  file.setUuidFileName(rs.getString("uuid_file_name"));
123                  file.setFileSize(rs.getLong("file_size"));
124                  file.setFileContentType(rs.getString("file_content_type"));
125                  return file;
126              }
127          }, fileId);
128      }
129
130      @Override
131      public String getCategoryName(int fileId) {
132          String sql = "SELECT category_name FROM upload_file2 WHERE
     file_id=?";
133          return jdbcTemplate.queryForObject(sql, String.class, fileId);
134      }
135
136      @Override
137      public void updateCategory(HashMap<String, Object> map) {
138          String sql = "UPDATE upload_file2 SET category_name=? WHERE
     file_id=?";
139          jdbcTemplate.update(sql, map.get("categoryName"), map.get("fileId"));
140      }
141
142      @Override
143      public void deleteFile(int fileId) {
144          String sql = "DELETE FROM upload_file2 WHERE file_id=?";
145          jdbcTemplate.update(sql, fileId);
146      }
147
148      @Override
149      public String getUuidFileName(int fileId) {
150          String sql = "SELECT uuid_file_name FROM upload_file2 WHERE
     file_id=?";
151          return jdbcTemplate.queryForObject(sql, String.class, fileId);
152      }
153 }
```

● 뷰(JSP) 페이지는 3절의 예를 사용하세요.

6장. MyBatis

이 장에서는 MyBatis를 활용한 JDBC 프로그래밍에 대해 다룹니다. 먼저, 스프링에서 MyBatis를 통합하는 방법과 JDBC 프로그래밍을 위해 XML 문서를 활용하는 방법에 대해 설명합니다. 또한, MyBatis의 동적 SQL을 활용하여 쿼리문을 작성하는 방법에 대한 설명도 포함되어 있습니다.

1. MyBatis 개요

MyBatis(마이바티스)[32]는 ORM(Object Relational Mapping, 객체 관계 매핑) 프레임 워크입니다. 마이바티스와 유사한 프레임워크에는 iBatis, JPA, Hibernate 등이 있습니다. 그중 마이바티스의 사용 빈도가 가장 높습니다. 마이바티스는 iBatis가 Google Code로 옮겨지면서 이름이 바뀌었습니다.

마이바티스는 개발자가 지정한 SQL, 저장 프로시저 그리고 몇 가지 고급 매핑을 지원하는 퍼시스턴스 프레임워크입니다. 마이바티스는 JDBC로 처리하는 상당 부분의 코드와 파라 미터 설정 및 결과 매핑을 대신해 줍니다. 마이바티스는 데이터베이스 레코드에 기본타입 과 Map 인터페이스 그리고 자바 POJO를 설정해서 매핑하기 위해 XML과 아노테이션을 사용할 수 있습니다.

MyBatis-Spring[33]은 마이바티스를 스프링과 완벽하게 통합합니다. 이 라이브러리는 마 이바티스가 스프링 트랜잭션에 참여하도록 허용하고, 마이바티스 매퍼와 SqlSession을 빌 드하여 다른 빈에 삽입하고, 마이바티스 예외를 스프링 DataAccessException으로 변환 하며, 마이바티스에 대한 의존성이 없는 애플리케이션 코드를 빌드할 수 있게 합니다. MyBatis-Spring은 JavaSE 5 이상과 아래 표의 MyBatis 및 Spring 버전이 필요합니다.

표 1. MyBatis-Spring 버전

MyBatis-Spring	MyBatis	Spring
1.0.0 및 1.0.1	3.0.1 ~ 3.0.5	3.0.0 이상
1.0.2	3.0.6	3.0.0 이상
1.1.0 이상	3.1.0 이상	3.0.0 이상
1.3.0 이상	3.4.0 이상	3.0.0 이상

스프링에서 마이바티스를 이용한 데이터 관리를 위해서 스프링의 기본 개념들에 대한 이 해가 선행되어야 합니다. 이 장은 JDBC를 이용한 데이터 관리를 위한 좋은 대안이 될 수 있습니다. 그런데 여러분이 이미 Spring JDBC를 이용하고 있다면 기존의 프로젝트를 마 이바티스로 바꿀 필요는 없습니다. 필요하다면 여러분은 Spring JDBC를 이용하여 구현한 DAO 클래스와 마이바티스 매퍼 XML을 같이 사용할 수 있습니다.

---

32) http://www.mybatis.org/mybatis-3/
33) http://www.mybatis.org/spring/

2. MyBatis 연동 설정

스프링 프레임워크에는 마이바티스 연동 기능이 포함되어 있지 않습니다. 그러나 마이바티스가 스프링 프레임워크 연동을 지원하고 있습니다. 스프링 프레임워크는 iBatis를 더는 지원하지 않습니다. 그래서 이 책은 마이바티스를 설명합니다.

2.1. 라이브러리 의존성 추가

마이바티스를 사용하기 위해 mybatis 라이브러리와 mybatis-spring 라이브러리 의존성을 추가해야 합니다. 데이터베이스에 연결하기 위해 spring-jdbc 라이브러리와 commons-dbcp2 커넥션풀 라이브러리 의존성을 추가해야 하고, 트랜잭션 처리를 위해 aspectjweaver 라이브러리 의존성을 추가해야 합니다. 그리고 오라클 JDBC 드라이버도 의존성을 추가해야 합니다.

프로젝트를 생성하고 pom.xml에 자바 버전은 1.8, 스프링의 버전은 4.3.9.RELEASE로 수정하고 의존성 설정을 추가하세요.

pom.xml

```
 1 <?xml version="1.0" encoding="UTF-8"?>
 2 <project xmlns="http://maven.apache.org/POM/4.0.0"
   xmlns:xsi="http://www.w3.org/2001/XMLSchema-instance"
 3    xsi:schemaLocation="http://maven.apache.org/POM/4.0.0
   http://maven.apache.org/maven-v4_0_0.xsd">
 4    <modelVersion>4.0.0</modelVersion>
 5    <groupId>com.example</groupId>
 6    <artifactId>myapp</artifactId>
 7    <name>SpringJDBC</name>
 8    <packaging>war</packaging>
 9    <version>1.0.0-BUILD-SNAPSHOT</version>
10    <properties>
11       <java-version>1.8</java-version>
12       <org.springframework-version>4.3.9.RELEASE</org.springframework-version>
13       <org.aspectj-version>1.6.10</org.aspectj-version>
14       <org.slf4j-version>1.6.6</org.slf4j-version>
15    </properties>
16    <dependencies>
17       <!-- Spring -->
18       <dependency>
19          <groupId>org.springframework</groupId>
20          <artifactId>spring-context</artifactId>
```

```
21          <version>${org.springframework-version}</version>
22          <exclusions>
23             <!-- Exclude Commons Logging in favor of SLF4j -->
24             <exclusion>
25                 <groupId>commons-logging</groupId>
26                 <artifactId>commons-logging</artifactId>
27              </exclusion>
28          </exclusions>
29      </dependency>
30      <dependency>
31          <groupId>org.springframework</groupId>
32          <artifactId>spring-webmvc</artifactId>
33          <version>${org.springframework-version}</version>
34      </dependency>
35
36      <!-- Spring JDBC -->
37      <dependency>
38          <groupId>org.springframework</groupId>
39          <artifactId>spring-jdbc</artifactId>
40          <version>${org.springframework-version}</version>
41      </dependency>
42
43      <!-- Connection Pool -->
44      <dependency>
45          <groupId>org.apache.commons</groupId>
46          <artifactId>commons-dbcp2</artifactId>
47          <version>2.9.0</version>
48      </dependency>
49
50      <!-- Oracle JDBC Driver -->
51      <dependency>
52          <groupId>com.oracle.database.jdbc</groupId>
53          <artifactId>ojdbc8</artifactId>
54          <version>21.1.0.0</version>
55       </dependency>
56
57      <!-- AspectJWeaver -->
58      <dependency>
59          <groupId>org.aspectj</groupId>
60          <artifactId>aspectjweaver</artifactId>
61          <version>1.9.1</version>
62      </dependency>
63
64      <!-- MyBatis -->
65      <dependency>
66          <groupId>org.mybatis</groupId>
```

```
67              <artifactId>mybatis</artifactId>
68              <version>3.5.7</version>
69          </dependency>
70
71          <dependency>
72              <groupId>org.mybatis</groupId>
73              <artifactId>mybatis-spring</artifactId>
74              <version>2.0.6</version>
75          </dependency>
     ... 생략 ...
```

2.2. 스프링 설정 파일

스프링에서 마이바티스를 사용하기 위해서 데이터베이스 연결정보 설정 등 몇 가지 설정이 함께 돼야 합니다. 이 장에서 공통 빈 설정은 WEB-INF/spring/root-context.xml 파일에 합니다.

1) 데이터소스 설정

스프링에서 마이바티스를 사용하기 위해서는 데이터소스 설정과 데이터베이스 연결정보 설정이 선행되어야 합니다.

```
<bean id="dataSource" class="org.apache.commons.dbcp2.BasicDataSource">
    <property name="driverClassName" value="oracle.jdbc.OracleDriver"/>
    <property name="url" value="jdbc:oracle:thin:@localhost:1521:xe"/>
    <property name="username" value="hr"/>
    <property name="password" value="hr"/>
</bean>
```

2) SqlSessionFactoryBean 설정

마이바티스-스프링에서는 SqlSessionFactoryBean를 사용하여 sqlSessionFactory 빈을 만들 수 있습니다. SqlSessionFactoryBean의 프로퍼티에 DataSource 빈을 의존성 주입해야 합니다. 그리고 mapperLocations 속성에 마이바티스 매퍼 XML 파일의 위치를 지정해야 합니다.

다음 코드는 mapper/ 폴더와 그 아래 폴더에 있는 모든 xml 파일을 매퍼 파일로 지정합니다. 일반적으로 매퍼 파일은 src/main/resources 폴더에 추가합니다.

```xml
<bean id="sqlSessionFactory" class="org.mybatis.spring.SqlSessionFactoryBean">
    <property name="dataSource" ref="dataSource"/>
    <property name="mapperLocations" value="classpath:mapper/**/*.xml"/>
</bean>
```

● **는 /를 포함한 모든 문자열을 의미하며, *는 /를 제외한 모든 문자열을 의미합니다.

3) DAO 인터페이스 위치 지정

<mybatis-spring:scan> 태그를 이용하여 매퍼 XML이 구현하려는 인터페이스가 있는 패키지를 지정합니다. 이 설정은 <u>하위 패키지에는 적용되지 않으므로 인터페이스가 여러 곳에 있으면 패키지마다 모두 설정해야 합니다.</u>

```xml
<mybatis-spring:scan base-package="com.example.myapp.hr.dao"/>
```

● <mybatis-spring:scan> 태그를 사용하려면 mybatis-spring 네임스페이스가 추가되어야 합니다.

4) 설정 파일 전체 코드

다음 코드는 앞에서 설정했던 dataSource, jdbcTemplate, transactionManager, 컴포넌트 스캔 설정에 추가로 sqlSessionFactory 빈 설정 및 마이바티스 스캔 (<mybatis-spring:scan/>) 설정을 추가했습니다. <mybatis-spring:scan> 태그는 매퍼 XML이 구현하려는 인터페이스가 있는 패키지를 지정합니다.

WEB-INF/spring/root-context.xml

```xml
1  <?xml version="1.0" encoding="UTF-8"?>
2  <beans ...
3
4      <bean id="dataSource" class="org.apache.commons.dbcp2.BasicDataSource">
5          <property name="driverClassName" value="oracle.jdbc.OracleDriver"/>
6          <property name="url" value="jdbc:oracle:thin:@localhost:1521:xe"/>
7          <property name="username" value="hr"/>
8          <property name="password" value="hr"/>
9      </bean>
10
11     <bean id="sqlSessionFactory"
    class="org.mybatis.spring.SqlSessionFactoryBean">
12         <property name="dataSource" ref="dataSource"/>
13         <property name="mapperLocations" value="classpath:mapper/**/*.xml"/>
14     </bean>
15
```

```
16      <bean id="transactionManager"
   class="org.springframework.jdbc.datasource.DataSourceTransactionManager">
17          <property name="dataSource" ref="dataSource"/>
18      </bean>
19
20      <tx:annotation-driven/>
21
22      <context:component-scan base-package="com.example.myapp.hr"/>
23      <mybatis-spring:scan base-package="com.example.myapp.hr.dao"/>
24
25 </beans>
```

2.3. 인터페이스와 Mapper XML 파일

1) mapper namespace와 id 속성

마이바티스 매퍼 XML 파일에서 〈mapper〉는 최상위 요소이고 이 태그의 namespace 속성은 이 매퍼가 구현하려는 인터페이스의 이름을 지정해야 합니다. 그리고 매퍼 XML 파일은 〈select〉, 〈insert〉, 〈update〉, 〈delete〉 태그를 가질 수 있는데 이 태그들은 id 속성이 필수이며, id 속성의 값은 인터페이스의 메서드 이름과 같아야 합니다.

다음 [그림 1]은 매퍼 파일의 namespace 속성 및 id 속성이 인터페이스의 이름 및 메서드 이름에 대응되어야 함을 보여줍니다.

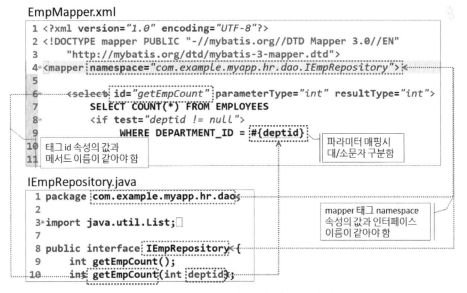

그림 1. 매퍼 네임스페이스와 태그 id 속성

2) 매퍼에 의한 빈과 자바 빈

여러분의 프로젝트가 이미 Spring JDBC를 이용하고 있었다면 기존의 코드를 마이바티스로 바꿀 필요는 없습니다. 필요하다면 여러분은 Spring JDBC를 이용하여 구현한 DAO (또는 Repository) 클래스와 마이바티스 매퍼 XML을 같이 사용할 수 있습니다.

[그림 2]는 Spring JDBC와 마이바티스 매퍼 XML을 같이 사용할 때 의존성 주입을 설명하기 위한 것입니다.

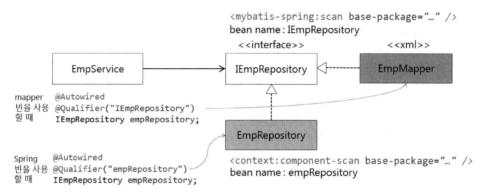

그림 2. Spring JDBC와 MyBatis 매퍼를 같이 사용할 때 빈 의존성 주입

Spring JDBC를 이용하여 구현한 빈은 빈의 이름이 첫 문자만 소문자로 바뀐 클래스 이름이 사용됩니다. 그러나 마이바이트 매퍼 XML을 이용한 빈의 이름은 인터페이스 이름이 사용됩니다.

인터페이스가 Spring JDBC로 구현되었고, 매퍼 XML에 의해서도 구현되었을 때 마이바티스 매퍼 XML을 이용한 코드가 실행되기를 원한다면 빈의 이름을 인터페이스의 이름과 같게 설정해야 합니다.

3. Mapper XML

마이바티스의 가장 큰 장점은 매핑 구문입니다. SQL Map XML 파일은 상대적으로 간단합니다. 같은 기능을 갖는 JDBC 코드와 비교하면 95% 이상 코드가 감소하기도 합니다. 마이바티스는 SQL을 작성하는 데 집중하도록 만들어졌습니다.

3.1. SQL Map

SQL Map XML 파일은 첫 번째(first class) 요소만을 가집니다. 다음 표는 SQL Map XML 파일의 태그[34]들입니다.

표 2. SQL Map XML 태그

태그	설명
cache	해당 네임스페이스를 위한 캐시를 설정합니다.
cache-ref	다른 네임스페이스의 캐시 설정에 대한 참조입니다.
resultMap	데이터베이스 결과데이터를 객체에 매핑시키는 방법을 정의하는 태그입니다.
parameterMap	과거에 파라미터를 매핑하기 위해 사용되었으나 현재는 사용하지 않습니다.
sql	다른 구문에서 재사용하기 위한 SQL 조각을 작성합니다.
insert	매핑된 INSERT 구문을 작성합니다.
update	매핑된 UPDATE 구문을 작성합니다.
delete	매핑된 DELETE 구문을 작성합니다.
select	매핑된 SELECT 구문을 작성합니다.

〈resultMap〉 태그는 데이터베이스에서 조회한 결과를 DTO에 대응시키기 위해 사용합니다. 〈parameterMap〉 태그는 파라미터를 대응시키기 위해 사용했었지만, 지금은 사용하지 않습니다.

〈insert〉, 〈update〉, 〈delete〉, 〈select〉 태그는 SQL 구문을 실행시키기 위해 사용합니다.

---

34) 참고: http://www.mybatis.org/mybatis-3/ko/sqlmap-xml.html

3.2. select

<select> 태그는 마이바티스에서 가장 많이 사용할 태그입니다. 데이터베이스에서 데이터를 가져옵니다. 아마도 대부분 애플리케이션은 데이터를 수정하기보다는 조회하는 기능이 많습니다. 그래서 마이바티스는 데이터를 조회하고 그 결과를 매핑하는데 집중하고 있습니다. 조회는 다음 예제처럼 단순한 때는 단순하게 설정됩니다.

```
<select id="getEmpCount" parameterType="int" resultType="int">
    SELECT COUNT(*) FROM employees WHERE department_id=#{deptid}
</select>
```

이 구문의 이름은 getEmpCount이고 int 자료형 매개변수를 가집니다. 그리고 결과 데이터는 int 형으로 반환합니다.

SQL 구문에서 #{deptid}처럼 표기하는 것은 PreparedStatement 파라미터를 만들도록 합니다. 만일 JDBC를 사용한다면, ? 형태로 파라미터가 전달됩니다. 위 설정이 JDBC에서는 아래와 같이 작동합니다.

```
String sql = "SELECT COUNT(*) FROM employees WHERE department_id=?";
PreparedStatement stmt = conn.prepareStatement(sql);
stmt.setInt(1, deptid);
```

JDBC를 사용하면 결과를 가져와서 객체의 인스턴스에 매핑하기 위한 많은 코드가 필요합니다. 그러나 마이바티스는 그 코드를 작성하지 않게 해줍니다.

select 태그는 각각의 구문이 처리하는 방식에 대해 세부적으로 설정하도록 많은 속성을 설정할 수 있습니다.

```
<select
  id="getEmpInfo"
  parameterType="int"
  parameterMap="deprecated"
  resultType="hashmap"
  resultMap="empMap"
  flushCache="false"
  useCache="true"
  timeout="10000"
  fetchSize="256"
  statementType="PREPARED"
  resultSetType="FORWARD_ONLY">
```

다음 표는 select 태그의 속성들입니다.

표 3. select 태그의 속성

속성	설명
id	구문을 찾기 위해 사용될 수 있는 네임스페이스 안에서 유일한 구분자입니다. 인터페이스의 메서드 이름과 일치해야 합니다.
parameterType	구문에 전달될 파라미터의 패키지 경로를 포함한 전체 클래스 명이나 별칭입니다.
parameterMap	외부 parameterMap을 찾기 위한 권장하지 않는 방법입니다. 인라인 파라미터 매핑과 parameterType을 대신 사용하길 권합니다.
resultType	이 구문에 의해 리턴되는 타입의 패키지 경로를 포함한 전체 클래스 명이나 별칭입니다. 리턴 타입이 collection일 때, collection 타입 자체가 아닌 collection 이 포함한 타입을 표기해야 합니다.
resultMap	외부 resultMap의 참조 명입니다. resultMap은 MyBatis의 가장 강력한 기능입니다.
flushCache	이 값을 true로 설정하면, 구문이 호출될 때마다 캐시가 지워집니다(flush). 디폴트는 false입니다.
useCache	이 값을 true로 설정하면, 구문의 결과가 캐시됩니다. 디폴트는 true입니다.
timeout	예외가 던져지기 전에 데이터베이스의 요청 결과를 기다리는 최대시간을 설정합니다. 디폴트는 설정하지 않는 것이고 드라이버에 따라 지원되지 않을 수 있습니다.
fetchSize	지정된 수만큼의 결과를 리턴하도록 하는 드라이버 힌트 형태의 값입니다. 디폴트는 설정하지 않는 것이고 드라이버에 따라 지원되지 않을 수 있습니다.
statementType	STATEMENT, PREPARED 또는 CALLABLE 중 하나를 선택할 수 있습니다. MyBatis 에게 Statement, PreparedStatement또는 CallableStatement를 사용하게 합니다. 디폴트는 PREPARED입니다.
resultSetType	FORWARD_ONLY|SCROLL_SENSITIVE|SCROLL_INSENSITIVE 중 하나를 선택할 수 있습니다. 디폴트는 설정하지 않는 것이고 드라이버에 따라 지원되지 않을 수 있습니다.
databaseId	설정된 databaseIdProvider가 있을 때, MyBatis는 databaseId 속성이 없는 모든 구문을 로드하거나 일치하는 databaseId와 함께 로드됩니다. 같은 구문에서 databaseId가 있거나 없을 때 모두 있다면 뒤에 나온 것이 무시됩니다.

〈select〉 태그의 id 속성은 인터페이스의 메서드 이름과 일치해야 합니다. SQL select 결과를 매핑시키기 위한 데이터의 타입은 resultType과 resultMap 속성을 이용합니다. resultType 속성은 결과를 매핑시킬 DTO 이름 또는 자바에서 제공하는 데이터 타입 클래스를 지정합니다. resultMap 속성의 값은 〈resultMap〉 태그에 의해 질의 결과를 DTO에 매핑할 resultMap의 아이디입니다.

3.3. insert, update, delete

데이터를 변경하는 SQL 구문은 〈insert〉, 〈update〉, 〈delete〉 태그를 이용합니다.

표 4. 〈insert〉, 〈update〉, 〈delete〉 태그의 속성

속성	설명
id	구문을 찾기 위해 사용될 수 있는 네임스페이스 안에서 유일한 구분자입니다. 인터페이스의 메서드 이름과 일치해야 합니다.
parameterType	구문에 전달될 파라미터의 패키지 경로를 포함한 전체 클래스 명이나 별칭입니다.
parameterMap	외부 parameterMap을 찾기 위한 권장하지 않는 방법입니다. 인라인 파라미터 매핑과 parameterType을 대신 사용하길 권합니다.
flushCache	이 값을 true로 설정하면, 구문이 호출될 때마다 캐시가 지워집니다. 기본값은 false입니다.
timeout	예외가 던져지기 전에 데이터베이스의 요청 결과를 기다리는 최대시간을 설정합니다. 디폴트는 설정하지 않는 것이고 드라이버에 따라 지원되지 않을 수 있습니다.
statementType	STATEMENT, PREPARED 또는 CALLABLE 중 하나를 선택할 수 있습니다. MyBatis에게 Statement, PreparedStatement또는 CallableStatement를 사용하게 합니다.
useGeneratedKeys	(입력(insert)에만 적용됩니다) 데이터베이스에서 내부적으로 생성한 키(예를 들어, MySQL 또는 SQL Server 와 같은 RDBMS의 자동 증가 필드)를 받는 JDBC getGeneratedKeys 메서드를 사용하도록 설정합니다. 디폴트는 false입니다.
keyProperty	insert에만 적용되며, getGeneratedKeys 메서드나 insert 구문의 selectKey 하위 요소에 의해 리턴된 키를 설정할 프로퍼티를 지정합니다. 디폴트는 설정하지 않는 것입니다.
keyColumn	(입력(insert)에만 적용됩니다) 생성키를 가진 테이블의 컬럼명을 설정합니다. 키 컬럼이 테이블이 첫 번째 컬럼이 아닌 데이터베이스(PostgreSQL처럼)에서만 필요합니다.

다음 코드들은 INSERT, UPDATE, DELETE 구문의 예입니다.

```
<insert id="insertEmp" parameterType="com.example.myapp.hr.model.Emp">
    INSERT INTO employees
        ( employee_id, first_name, last_name, email, phone_number,
        hire_date, job_id, salary, commission_pct, manager_id, department_id)
    VALUES
        (#{employeeId}, #{firstName}, #{lastName}, #{email}, #{phoneNumber},
        #{hireDate}, #{jobId}, #{salary} #{commissionPct}, #{managerId},
        #{departmentId})
</insert>
```

```
<update id="updateEmp" parameterType="com.example.myapp.hr.model.Emp">
    UPDATE employees
    SET first_name=#{firstName}, last_name=#{lastName}, email=#{email},
        phone_number=#{phoneNumber}, hire_date=#{hireDate}, job_id=#{jobId},
        salary=#{salary}, commission_pct=#{commissionPct},
        manager_id=#{managerId}, department_id=#{departmentId}
    WHERE employee_id=#{employeeId}
</update>
```

```
<delete id="deleteEmp" parameterType="hashmap">
    DELETE employees WHERE employee_id=#{empid} AND email=#{email}
</delete>
```

3.4. Parameters

마이바티스는 인터페이스의 파라미터를 자동으로 매핑시켜 줍니다. 파라미터가 한 개 또는 DTO 객체일 때에는 parameterType 속성을 이용해 타입을 지정하세요.

```
<delete id="deleteJobHistory" parameterType="int">
    DELETE job_history WHERE employee_id=#{empid}
</delete>
```

파라미터 타입이 여러 개일 때 인터페이스 메서드의 파라미터 선언부에 @Param 아노테이션을 이용하여 파라미터의 이름을 지정할 수 있습니다. 다음 코드는 @Param 아노테이션을 갖는 인터페이스의 메서드입니다.

```
void deleteEmp(@Param("empid") int empid, @Param("email") String email);
```

SQL 매퍼 XML 파일은 인터페이스의 @Param 아노테이션을 읽어 파라미터를 사용할 수 있도록 합니다. 이렇게 하면 XML 파일에 parameterType 속성을 지정할 필요 없습니다. 다음 코드는 XML 파일에서 파라미터를 사용한 예입니다.

```
<delete id="deleteEmp">
    DELETE employees WHERE employee_id=#{empid} AND email=#{email}
</delete>
```

만일 인터페이스에 @Param 아노테이션을 사용하지 않았다면 매퍼 쿼리문에 파라미터를 지정할 때 arg0, arg1 또는 param1, param2 이름으로 사용합니다.

```
<delete id="deleteEmp">
    DELETE employees WHERE employee_id=#{param1} AND email=#{param2}
</delete>
```

파라미터를 지정하기 위해 ${ } 형식 또는 #{ } 형식을 사용할 수 있습니다. 그러나 대부분의 SQL 구문에 파라미터를 설정하기 위해 #{ }를 이용합니다.
#{ } 형식으로 파라미터를 지정하면 해당 구문은

```
DELETE FROM job_history WHERE employee_id=#{empid}
```

아래와 같은 형식으로 실행되지만

```
DELETE FROM job_history WHERE employee_id=?
```

${ } 형식으로 작성하면 해당 구문은(예를 들어 empid가 100일 때)

```
DELETE FROM job_history WHERE employee_id=${empid}
```

다음 구문처럼 empid의 값이 쿼리문에 직접 매핑됩니다. 그래서 ${ } 형식으로 파라미터를 지정하는 것은 SQL Injection 공격에 취약합니다.

```
DELETE FROM job_history WHERE employee_id=100
```

3.5. SELECT 결과 매핑

SELECT 구문의 리턴 값은 resultMap 속성 또는 resultType 속성으로 지정합니다. 마이바티스의 결과 매핑을 위한 resultType 지정 시 쿼리문의 결과 집합이 여러 개 행일지라도 Collection 타입으로 지정할 필요가 없습니다.

다음 표는 자바의 리턴타입과 XML resultType 사용되는 타입을 비교 정리했습니다. 자바의 기본 데이터 타입과 Wrapper 클래스는 자바의 기본타입 이름으로 Mapper XML에서 타입을 정의할 수 있습니다. String 타입은 MyBatis에서는 첫 문자를 소문자로 표시한 'string'을 사용합니다. 만일 배열, 리스트 등 컬렉션이 타입으로 사용된다면 MyBatis에서는 배열이나 컬렉션의 타입은 무시하고 그 안에 들어있는 객체의 타입으로만 설정합니다.

표 5. 자바 리턴타입과 XML resultType

자바 리턴타입	Mapper XML resultType
기본타입(int, double)	기본타입(int, double)
String	string
Wrapper Class(Integer, Double)	기본타입(int, double)
String[]	string
List⟨Emp⟩	Emp
List⟨Integer⟩	int
List⟨Map⟨String, Object⟩⟩	hashmap
List⟨Map⟨Integer, String⟩⟩	hashmap

1) resultMap

SELECT 쿼리문이 DTO에 매핑되길 원한다면 ⟨resultMap⟩ 태그를 이용하여 데이터베이스의 열을 DTO의 속성에 매핑시키거나, 쿼리문의 결과 열이 DTO의 필드 이름과 같도록 열 별칭을 지정하면 됩니다.

다음은 resultMap을 정의하고 ⟨select⟩ 태그에 resultMap 속성을 추가한 예입니다.

```xml
<resultMap type="com.example.myapp.Emp" id="empMap">
    <result column="employee_id"    property="employeeId" />
    <result column="first_name"     property="firstName" />
    <result column="last_name"      property="lastName" />
    <result column="email"          property="email" />
    <result column="phone_number"   property="phoneNumber" />
    <result column="hire_date"      property="hireDate" />
    <result column="job_id"         property="jobId" />
```

```
            <result column="salary"            property="salary" />
            <result column="commission_pct"    property="commissionPct" />
            <result column="manager_id"        property="managerId" />
            <result column="department_id"     property="departmentId" />
        </resultMap>
```

```
    <select id="getEmpList" resultMap="empMap">
        SELECT * FROM employees
    </select>
```

2) resultType

〈select〉 태그의 resultType 속성에 DTO 클래스를 지정하고 SELECT 쿼리문의 결과가 DTO에 매핑될 수 있도록 열 이름과 같은 열 별칭을 지정할 수 있습니다. 아래 코드는 위의 코드와 완벽하게 같은 기능을 합니다.

```
    <select id="getEmpInfo" parameterType="int" resultType="com.example.myapp.hr.Emp">
        SELECT  employee_id       AS      employeeId,
                first_name        AS      firstName,
                last_name         AS      lastName,
                email             AS      email,
                phone_number      AS      phoneNumber,
                hire_date         AS      hireDate,
                job_id            AS      jobId,
                salary            AS      salary,
                commission_pct    AS      commissionPct,
                manager_id        AS      managerId,
                department_id     AS      departmentId
        FROM employees WHERE employee_id=#{empid}
    </select>
```

3) Map으로 반환

SELECT 구문의 조회하는 열이 Key, Value 쌍을 출력하는 쿼리문이면 resultType을 hashmap으로 할 수 있습니다. 다만 뷰(JSP) 코드에서 필드의 이름을 기억하기 쉽도록 열 별칭을 ""(겹따옴표)로 감싸주세요.

```
    <select id="getAllDeptId" resultType="hashmap">
        SELECT
            department_id AS "departmentId",
            department_name AS "departmentName"
        FROM departments
    </select>
```

이렇게 하면 사원 한 명의 정보가 맵 객체 하나에 Key:Value 쌍으로 조회한 열의 개수 만큼 저장됩니다. 위의 예라면 사원 한 명의 부서아이디와 부서이름 정보는 다음 형식으로 맵 객체에 저장됩니다. 이 형식에서 중괄호({ })는 맵 객체의 이해를 위해 사용했습니다.
{ {"departmentId", 10}, {"deaprtmentName", "Administration"} }

모든 사원의 정보를 조회면 사원의 정보는 다음처럼 맵 객체가 여러개 저장됩니다.
[{ {"departmentId", 10}, {"deaprtmentName", "Administration"} },
{ {"departmentId", 20}, {"departmentName", "Marketing"} }, …]

SELECT 구문의 열 별칭을 겹따옴표(" ")로 묶으면 열 별칭에 대/소문자를 구분합니다. 그러면 위의 객체를 모델에 deptList라는 이름으로 저장했을 경우 뷰(JSP)에서 다음 예처럼 departmentId와 departmentName을 객체의 속성인 것처럼 사용할 수 있습니다.

```
<c:forEach var="department" items="${deptList}">
<option value="${department.departmentId}">${department.departmentName}</option>
</c:forEach>
```

3.6. <selectKey>

데이터베이스에 저장할 때 특정 열의 값을 가져와서 증가시킨 후 입력에 사용하거나, 입력한 후 특정 열의 값을 가져올 필요가 있습니다. 이때 <selectKey>를 이용하면 <insert> 안에서 조회와 입력을 일괄처리할 수가 있습니다. 예를 들면 기존의 게시글에서 가장 큰 글 번호에 1을 더한 값을 새로운 게시글의 글 번호로 사용해야 한다면 다음처럼 <selectKey> 태그의 order 속성을 BEFORE로 설정하고, keyProperty 속성에 조회한 데이터를 저장한 키를 지정하세요.

```
<insert id="insertArticle" parameterType="com.example.myapp.board.model.Board">
    <selectKey resultType="int" keyProperty="boardId" order="BEFORE">
        SELECT NVL(MAX(board_id),0)+1 AS "boardId" FROM board
    </selectKey>
    INSERT INTO board (board_id, category_id, writer, …)
    VALUES (#{boardId}, #{categoryId}, #{writer}, …)
</insert>
```

● 시퀀스 등을 이용해서 입력한 키값을 반환하도록 하려면 <selectKey>를 INSERT 구문 아래에 두고 order 속성은 AFTER로 설정하세요. 아래의 예에서라면 파라미터 타입인 Board 클래스의 boardId 필드에 그 결과가 매핑됩니다.

```
<insert id="insertArticle" parameterType="com.example.myapp.board.model.Board">
    INSERT INTO board …
    <selectKey resultType="int" keyProperty="boardId" order="AFTER">
        SELECT NVL(MAX(board_id),0) AS "boardId" FROM board
    </selectKey>
</insert>
```

4. 구현 코드

새로운 프로젝트를 이용하여 DAO 클래스를 마이바티스 매퍼 XML 파일로 작성하는 과정을 설명하겠습니다. 프로젝트를 새로 만들고 모든 코드를 다시 작성하는 것이 부담된다면 4장 6절의 예제를 이용하여 수정 및 추가 작성해도 됩니다.

4.1. 설정 파일

1) pom.xml

메이븐 설정 파일에 spring-jdbc, connection pool, oracle jdbc driver, lombok aspectjweaver 그리고 mabatis와 mybatis-spring 라이브러리 의존성을 추가하세요.

```
 1 <?xml version="1.0" encoding="UTF-8"?>
 2 <project ...
   ... 생략 ...
36     <!-- Spring JDBC -->
37     <dependency>
38         <groupId>org.springframework</groupId>
39         <artifactId>spring-jdbc</artifactId>
40         <version>${org.springframework-version}</version>
41     </dependency>
42
43     <!-- Connection Pool -->
44     <dependency>
45         <groupId>org.apache.commons</groupId>
46         <artifactId>commons-dbcp2</artifactId>
47         <version>2.9.0</version>
48     </dependency>
49
50     <!-- Oracle JDBC Driver -->
51     <dependency>
52         <groupId>com.oracle.database.jdbc</groupId>
53         <artifactId>ojdbc8</artifactId>
54         <version>21.1.0.0</version>
55      </dependency>
56
57        <!-- Lombok -->
58     <dependency>
59         <groupId>org.projectlombok</groupId>
```

```
60              <artifactId>lombok</artifactId>
61              <version>1.18.28</version>
62          </dependency>
63          <!-- AspectJWeaver -->
64          <dependency>
65              <groupId>org.aspectj</groupId>
66              <artifactId>aspectjweaver</artifactId>
67              <version>1.9.1</version>
68          </dependency>
69
70          <!-- MyBatis -->
71          <dependency>
72              <groupId>org.mybatis</groupId>
73              <artifactId>mybatis</artifactId>
74              <version>3.5.7</version>
75          </dependency>
76
77          <dependency>
78              <groupId>org.mybatis</groupId>
79              <artifactId>mybatis-spring</artifactId>
80              <version>2.0.6</version>
81          </dependency>
    ... 생략 ...
```

2) root-context.xml

공통 빈 설정 파일에 Service, Repository 빈 생성 및 의존성을 설정하세요. 그리고 dataSource, transactionManager 빈 설정 및 의존성을 설정하세요.

빈 설정을 위해 mybatis-spring 네임스페이스를 추가하세요. 바이바티스를 사용하려면 sqlSessionFactory 빈을 생성해야 합니다. 이 빈은 dataSource와 mapperLocations 속성을 의존성 주입해야 합니다. mapperLocations 속성은 마이바티스 XML 매퍼파일의 위치를 지정합니다.

```
1 <?xml version="1.0" encoding="UTF-8"?>
2 <beans xmlns="http://www.springframework.org/schema/beans"
3     xmlns:xsi="http://www.w3.org/2001/XMLSchema-instance"
4     xmlns:context="http://www.springframework.org/schema/context"
5     xmlns:tx="http://www.springframework.org/schema/tx"
6     xmlns:aop="http://www.springframework.org/schema/aop"
7     xmlns:mybatis-spring="http://mybatis.org/schema/mybatis-spring"
8     xsi:schemaLocation="http://mybatis.org/schema/mybatis-spring
   http://mybatis.org/schema/mybatis-spring-1.2.xsd
```

```
 9          http://www.springframework.org/schema/beans
   http://www.springframework.org/schema/beans/spring-beans.xsd
10          http://www.springframework.org/schema/context
   http://www.springframework.org/schema/context/spring-context-3.1.xsd
11          http://www.springframework.org/schema/aop
   http://www.springframework.org/schema/aop/spring-aop-3.1.xsd
12          http://www.springframework.org/schema/tx
   http://www.springframework.org/schema/tx/spring-tx-3.1.xsd">
13
14    <bean id="dataSource" class="org.apache.commons.dbcp2.BasicDataSource">
15        <property name="driverClassName" value="oracle.jdbc.OracleDriver"/>
16        <property name="url" value="jdbc:oracle:thin:@localhost:1521:xe"/>
17        <property name="username" value="hr"/>
18        <property name="password" value="hr"/>
19    </bean>
20
21    <bean id="jdbcTemplate" class="org.springframework.jdbc.core.JdbcTemplate">
22        <property name="dataSource" ref="dataSource"/>
23    </bean> <!-- MyBatis만 사용한다면 없어도 됨 -->
24
25    <bean id="transactionManager"
   class="org.springframework.jdbc.datasource.DataSourceTransactionManager">
26        <property name="dataSource" ref="dataSource"/>
27    </bean>
28
29    <tx:annotation-driven/>
30
31    <context:component-scan base-package="com.example.myapp.hr"/>
32
33    <mybatis-spring:scan base-package="com.example.myapp.hr.dao"/>
34
35    <bean id="sqlSessionFactory" class="org.mybatis.spring.SqlSessionFactoryBean">
36        <property name="dataSource" ref="dataSource"/>
37        <property name="mapperLocations" value="classpath:mapper/**/*.xml"/>
38    </bean>
39 </beans>
```

3) servlet-context.xml

servlet-context.xml 파일은 WEB-INF/spring/appServlet/ 폴더에 있습니다.

```
1 <?xml version="1.0" encoding="UTF-8"?>
2 <beans:beans xmlns="http://www.springframework.org/schema/mvc"
3    xmlns:xsi="http://www.w3.org/2001/XMLSchema-instance"
4    xmlns:beans="http://www.springframework.org/schema/beans"
```

```
 5      xmlns:context="http://www.springframework.org/schema/context"
 6      xsi:schemaLocation="http://www.springframework.org/schema/mvc
   http://www.springframework.org/schema/mvc/spring-mvc-3.1.xsd
 7          http://www.springframework.org/schema/beans
   http://www.springframework.org/schema/beans/spring-beans.xsd
 8          http://www.springframework.org/schema/context
   http://www.springframework.org/schema/context/spring-context-3.1.xsd">
 9
10     <annotation-driven/>
11
12     <resources location="/WEB-INF/resources/" mapping="/resources/**"/>
13
14     <beans:bean
   class="org.springframework.web.servlet.view.InternalResourceViewResolver">
15         <beans:property name="prefix" value="/WEB-INF/views/"/>
16         <beans:property name="suffix" value=".jsp"/>
17     </beans:bean>
18
19     <view-controller path="/" view-name="home"/>
20
21     <context:component-scan base-package="com.example.myapp.hr.controller"/>
22
23 </beans:beans>
```

4) web.xml

4장 6절 예제를 이용할 때는 수정하지 않아도 됩니다.

```
 1 <?xml version="1.0" encoding="UTF-8"?>
 2 <web-app xmlns:xsi="http://www.w3.org/2001/XMLSchema-instance"
   xmlns="http://java.sun.com/xml/ns/javaee"
   xsi:schemaLocation="http://java.sun.com/xml/ns/javaee
   http://java.sun.com/xml/ns/javaee/web-app_2_5.xsd" version="2.5">
 3
 4   <context-param>
 5     <param-name>contextConfigLocation</param-name>
 6     <param-value>/WEB-INF/spring/root-context.xml</param-value>
 7   </context-param>
 8   <listener>
 9     <listener-class>
10         org.springframework.web.context.ContextLoaderListener
11     </listener-class>
12   </listener>
13
14   <filter>
```

```
15        <filter-name>encodingFilter</filter-name>
16        <filter-class>
17           org.springframework.web.filter.CharacterEncodingFilter
18        </filter-class>
19        <init-param>
20          <param-name>encoding</param-name>
21          <param-value>UTF-8</param-value>
22        </init-param>
23      </filter>
24      <filter-mapping>
25        <filter-name>encodingFilter</filter-name>
26        <url-pattern>/*</url-pattern>
27      </filter-mapping>
28
29      <servlet>
30        <servlet-name>appServlet</servlet-name>
31        <servlet-class>
32           org.springframework.web.servlet.DispatcherServlet
33        </servlet-class>
34        <init-param>
35          <param-name>contextConfigLocation</param-name>
36          <param-value>
37            /WEB-INF/spring/appServlet/servlet-context.xml
38          </param-value>
39        </init-param>
40        <load-on-startup>1</load-on-startup>
41      </servlet>
42      <servlet-mapping>
43        <servlet-name>appServlet</servlet-name>
44        <url-pattern>/</url-pattern>
45      </servlet-mapping>
46  </web-app>
```

4.2. Model

3장 4절 또는 4장 6절의 예를 이용하면 Emp 클래스는 작성하지 않아도 됩니다.

Emp.java

```
1 package com.example.myapp.hr.model;
2
3 import java.sql.Date;
4 import lombok.Getter;
5 import lombok.Setter;
6 import lombok.ToString;
7
```

```
 8 @Setter @Getter
 9 @ToString
10 public class Emp {
11     private int employeeId;
12     private String firstName;
13     private String lastName;
14     private String email;
15     private String phoneNumber;
16     private Date hireDate;
17     private String jobId;
18     private double salary;
19     private double commissionPct;
20     private int managerId;
21     private int departmentId;
22 }
```

4.3. DAO 인터페이스

다음은 리포지토리 인터페이스입니다.

IEmpRepository.java

```
 1 package com.example.myapp.hr.dao;
 2
 3 import java.util.List;
 4 import java.util.Map;
 5
 6 import com.example.myapp.hr.model.Emp;
 7
 8 public interface IEmpRepository {
 9     int getEmpCount();
10     int getEmpCount(int deptid);
11     List<Emp> getEmpList();
12     Emp getEmpInfo(int empid);
13     void updateEmp(Emp emp);
14     void insertEmp(Emp emp);
15     void deleteJobHistory(int empid);
16     int deleteEmp(int empid, String email);
17     List<Map<String, Object>> getAllDeptId();
18     List<Map<String, Object>> getAllJobId();
19     List<Map<String, Object>> getAllManagerId();
20 }
```

4.4. Mapper XML

MyBatis XML Mapper 파일 생성 메뉴는 File -> New -> Other에서 xml로 검색하면 찾을 수 있습니다. 앞의 설정대로라면 마이바티스 매퍼 XML 파일을 mapper/ 폴더 안에 만들어야 합니다. 그래서 src/main/resources/ 아래에 mapper 폴더를 만든 후 그 아래에 hr 폴더를 만들고 그 안에 XML 파일을 추가하세요.

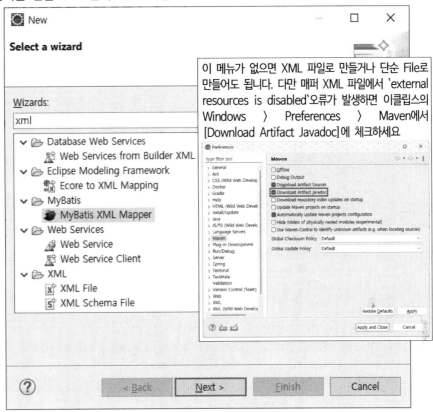

그림 3. MyBatis XML Mapper

매퍼 파일이 생성되면 네임스페이스는 인터페이스 이름이 되도록 수정해야 합니다.
src/main/resources/아래 mapper/hr/EmpMapper.xml

```
1 <?xml version="1.0" encoding="UTF-8"?>
2 <!DOCTYPE mapper PUBLIC "-//mybatis.org//DTD Mapper 3.0//EN"
  "http://mybatis.org/dtd/mybatis-3-mapper.dtd">
3 <mapper namespace="com.example.myapp.hr.dao.IEmpRepository">
4
5    <select id="getEmpCount" parameterType="int" resultType="int">
6        SELECT COUNT(*) FROM employees
```

```xml
7        <if test="deptid != null">
8            WHERE department_id=#{deptid}
9        </if>
10   </select>
11
12   <resultMap type="com.example.myapp.hr.model.Emp" id="empMap">
13       <result column="employee_id"    property="employeeId" />
14       <result column="first_name"     property="firstName" />
15       <result column="last_name"      property="lastName" />
16       <result column="email"          property="email" />
17       <result column="phone_number"   property="phoneNumber" />
18       <result column="hire_date"      property="hireDate" />
19       <result column="job_id"         property="jobId" />
20       <result column="salary"         property="salary" />
21       <result column="commission_pct" property="commissionPct" />
22       <result column="manager_id"     property="managerId" />
23       <result column="department_id"  property="departmentId" />
24   </resultMap>
25
26   <select id="getEmpList" resultMap="empMap">
27       SELECT * FROM employees
28   </select>
29
30   <select id="getEmpInfo" parameterType="int"
     resultType="com.example.myapp.hr.model.Emp">
31       SELECT employee_id    AS        employeeId,
32              first_name     AS        firstName,
33              last_name      AS        lastName,
34              email          AS        email,
35              phone_number   AS        phoneNumber,
36              hire_date      AS        hireDate,
37              job_id         AS        jobId,
38              salary         AS        salary,
39              commission_pct AS        commissionPct,
40              manager_id     AS        managerId,
41              department_id  AS        departmentId
42       FROM employees WHERE employee_id=#{empid}
43   </select>
44
45   <insert id="insertEmp" parameterType="com.example.myapp.hr.model.Emp">
46       INSERT INTO employees
47           (employee_id, first_name, last_name, email, phone_number,
48           hire_date, job_id, salary, commission_pct, manager_id,
49           department_id)
50       VALUES
51           (#{employeeId}, #{firstName}, #{lastName}, #{email},
```

```
52              #{phoneNumber}, #{hireDate}, #{jobId}, #{salary},
53              #{commissionPct}, #{managerId}, #{departmentId})
54      </insert>
55
56      <update id="updateEmp" parameterType="com.example.myapp.hr.model.Emp">
57          UPDATE employees
58          SET first_name=#{firstName}, last_name=#{lastName}, email=#{email},
59              phone_number=#{phoneNumber}, hire_date=#{hireDate},
60              job_id=#{jobId}, salary=#{salary}, commission_pct=#{commissionPct},
61              manager_id=#{managerId}, department_id=#{departmentId}
62          WHERE employee_id=#{employeeId}
63      </update>
64
65      <delete id="deleteJobHistory" parameterType="int">
66          DELETE job_history WHERE employee_id=#{empid}
67      </delete>
68
69      <delete id="deleteEmp">
70          DELETE employees WHERE employee_id=#{param1} AND email=#{param2}
71      </delete>
72
73      <select id="getAllJobId" resultType="hashmap">
74          SELECT job_id AS "jobId", job_title AS "jobTitle" FROM jobs
75      </select>
76
77      <select id="getAllManagerId" resultType="hashmap">
78          SELECT
79              d.manager_id AS "managerId",
80              e.first_name AS "firstName"
81          FROM departments d JOIN employees e
82              ON d.manager_id = e.employee_id
83          ORDER BY d.manager_id
84      </select>
85
86      <select id="getAllDeptId" resultType="hashmap">
87          SELECT
88              department_id AS "departmentId",
89              department_name AS "departmentName"
90          FROM departments
91      </select>
92  </mapper>
```

resultType이 hashmap일 경우 SQL 구문의 열 별칭을 ""로 묶어야 맵에서 대/소문자를 구분해서 데이터를 참조할 수 있습니다. 만일 ""로 묶지 않으면 키를 대문자로 지정해야 합니다.

4.5. 서비스

서비스 인터페이스와 클래스는 4장 6절 예제를 이용하면 다시 작성하지 않아도 됩니다.
IEmpService.java

```
1 package com.example.myapp.hr.service;
2
3 import java.util.List;
4 import java.util.Map;
5 import com.example.myapp.hr.model.Emp;
6
7 public interface IEmpService {
8     int getEmpCount();
9     int getEmpCount(int deptid);
10    List<Emp> getEmpList();
11    Emp getEmpInfo(int empid);
12    void updateEmp(Emp emp);
13    void insertEmp(Emp emp);
14    int deleteEmp(int empid, String email);
15    List<Map<String, Object>> getAllDeptId();
16    List<Map<String, Object>> getAllJobId();
17    List<Map<String, Object>> getAllManagerId();
18 }
```

만일 4장의 예제를 수정하고 있다면 IEmpRepository 인터페이스를 구현한 빈이 두 개
(EmpRepository와 EmpMapper)가 되므로 어떤 빈을 의존성 주입할지 결정해야 합니다.
EmpMapper를 사용하려면 @Qaulifier 아노테이션에 빈의 이름으로 IEmpRepository 인
터페이스 이름을 지정해 주세요.
EmpService.java

```
1 package com.example.myapp.hr.service;
2
3 import java.util.*;
4 import org.springframework.beans.factory.annotation.Autowired;
5 import org.springframework.beans.factory.annotation.Qualifier;
6 import org.springframework.stereotype.Service;
7 import com.example.myapp.hr.dao.IEmpRepository;
8 import com.example.myapp.hr.model.Emp;
9
10 @Service
11 public class EmpService implements IEmpService {
12
13     @Autowired
14     @Qualifier("IEmpRepository")
15     IEmpRepository empRepository;
16
```

```
17    @Override
18    public int getEmpCount() {
19        return empRepository.getEmpCount();
20    }
21
22    @Override
23    public int getEmpCount(int deptid) {
24        return empRepository.getEmpCount(deptid);
25    }
26
27    @Override
28    public List<Emp> getEmpList() {
29        return empRepository.getEmpList();
30    }
31
32    @Override
33    public Emp getEmpInfo(int empid) {
34        return empRepository.getEmpInfo(empid);
35    }
36
37    @Override
38    public void updateEmp(Emp emp) {
39        empRepository.updateEmp(emp);
40    }
41
42    @Override
43    public void insertEmp(Emp emp) {
44        empRepository.insertEmp(emp);
45    }
46
47    @Override
48    public void deleteEmp(int empid, String email) {
49        empRepository.deleteJobHistory(empid);
50        return empRepository.deleteEmp(empid, email);
51    }
52
53    @Override
54    public List<Map<String, Object>> getAllDeptId() {
55        return empRepository.getAllDeptId();
56    }
57
58    @Override
59    public List<Map<String, Object>> getAllJobId() {
60        return empRepository.getAllJobId();
61    }
62
63    @Override
64    public List<Map<String, Object>> getAllManagerId() {
65        return empRepository.getAllManagerId();
66    }
67 }
```

4.6. 컨트롤러

컨트롤러 클래스는 4장 6절 예제를 이용하면 다시 작성하지 않아도 됩니다.

EmpController.java

```java
 1 package com.example.myapp.hr.controller;
 2
 3 import java.util.List;
 4 import javax.servlet.http.HttpServletRequest;  // tomcat 10은 jakarta.servlet
 5 import org.springframework.beans.factory.annotation.Autowired;
 6 import org.springframework.stereotype.Controller;
 7 import org.springframework.ui.Model;
 8 import org.springframework.web.bind.annotation.*;
 9 import org.springframework.web.servlet.ModelAndView;
10 import org.springframework.web.servlet.mvc.support.RedirectAttributes;
11 import com.example.myapp.hr.model.Emp;
12 import com.example.myapp.hr.service.IEmpService;
13
14 @Controller
15 public class EmpController {
16
17     @Autowired
18     IEmpService empService;
19
20     @GetMapping(value="/hr/count")
21     public String empCount(@RequestParam(value="deptid", required=false,
   defaultValue="0") int deptid, Model model) {
22         if(deptid==0) {
23             model.addAttribute("count", empService.getEmpCount());
24         }else {
25             model.addAttribute("count", empService.getEmpCount(deptid));
26         }
27         return "hr/count";
28     }
29
30     @GetMapping(value="/hr/list")
31     public String getAllEmps(Model model) {
32         List<Emp> empList = empService.getEmpList();
33         model.addAttribute("empList", empList);
34         return "hr/list";
35     }
36
37     @GetMapping(value="/hr/{employeeId}")
38     public String getEmpInfo(@PathVariable int employeeId, Model model) {
39         Emp emp = empService.getEmpInfo(employeeId);
40         model.addAttribute("emp", emp);
41         return "hr/view";
```

```
42        }
43
44        @GetMapping(value="/hr/insert")
45        public String insertEmp(Model model) {
46            model.addAttribute("deptList", empService.getAllDeptId());
47            model.addAttribute("jobList", empService.getAllJobId());
48            model.addAttribute("managerList", empService.getAllManagerId());
49            return "hr/insertform";
50        }
51
52        @PostMapping(value="/hr/insert")
53        public String insertEmp(Emp emp, RedirectAttributes redirectAttributes) {
54            try {
55                empService.insertEmp(emp);
56                redirectAttributes.addFlashAttribute("message",
    emp.getEmployeeId() + "번 사원정보가 입력되었습니다.");
57            }catch(RuntimeException e) {
58                redirectAttributes.addFlashAttribute("message", e.getMessage());
59            }
60            return "redirect:/hr/list";
61        }
62
63        @GetMapping(value="/hr/update")
64        public String updateEmp(int empid, Model model) {
65            model.addAttribute("emp", empService.getEmpInfo(empid));
66            model.addAttribute("deptList", empService.getAllDeptId());
67            model.addAttribute("jobList", empService.getAllJobId());
68            model.addAttribute("managerList", empService.getAllManagerId());
69            return "hr/updateform";
70        }
71
72        @PostMapping(value="/hr/update")
73        public String updateEmp(Emp emp, RedirectAttributes redirectAttributes) {
74            try {
75                empService.updateEmp(emp);
76                redirectAttributes.addFlashAttribute("message",
77                    emp.getEmployeeId() + "번 사원정보가 수정되었습니다.");
78            }catch(RuntimeException e) {
79                redirectAttributes.addFlashAttribute("message", e.getMessage());
80            }
81            return "redirect:/hr/" + emp.getEmployeeId();
82        }
83
84        @GetMapping(value="/hr/delete")
85        public String deleteEmp(int empid, Model model) {
86            model.addAttribute("emp", empService.getEmpInfo(empid));
87            return "hr/deleteform";
88        }
89
```

```
90      @PostMapping(value="/hr/delete")
91      public String deleteEmp(int empid, String email, Model model,
    RedirectAttributes redirectAttrs) {
92          try {
93              int deletedRow = empService.deleteEmp(empid, email);
94              if(deletedRow > 0) {
95                  redirectAttrs.addFlashAttribute("message",
96                          empid + "번 사원정보가 삭제되었습니다.");
97                  return "redirect:/hr/list";
98              }else {
99                  model.addAttribute("message", "아이디 또는 비번이 다릅니다.");
100                 model.addAttribute("emp", empService.getEmpInfo(empid));
101                 return "hr/deleteform";
102             }
103         }catch(RuntimeException e) {
104             redirectAttrs.addFlashAttribute("message", e.getMessage());
105             return "redirect:/hr/list";
106         }
107     }
108 }//end class
```

4.7. 뷰

다음은 뷰 파일들입니다. 4장 6절에서 만든 코드가 있다면 다시 작성할 필요 없이 기존 코드를 복사해 사용하세요.

1) count.jsp

다음 코드는 사원의 수를 출력하기 위한 뷰입니다.

```
 1 <%@ page contentType="text/html; charset=UTF-8"%>
 2 <!DOCTYPE html>
 3 <html>
 4 <head>
 5    <meta charset="UTF-8">
 6    <title>Example</title>
 7 </head>
 8 <body>
 9 <h1>사원의 수 : ${count}</h1>
10 </body>
11 </html>
```

2) list.jsp

다음 코드는 사원의 목록을 출력하기 위한 뷰입니다. 〈c:foreach〉 태그를 이용해 목록을 반복 처리했습니다.

```
1 <%@ page contentType="text/html; charset=UTF-8"%>
2 <%@ taglib prefix="c" uri="http://java.sun.com/jsp/jstl/core"%>
3 <!DOCTYPE html>
4 <html>
5 <head>
6     <meta charset="UTF-8">
7     <title>Example</title>
8 </head>
9 <body>
10 <h1>사원 목록</h1>${message}
11 <a href="<c:url value='/hr/insert'/>">신규 사원 정보 입력</a>
12 <table border="1">
13 <tr>
14     <th>EMPLOYEE_ID</th>
15     <th>FIRST_NAME</th>
16     <th>LAST_NAME</th>
17     <th>EMAIL</th>
18     <th>PHONE_NUMBER</th>
19     <th>HIRE_DATE</th>
20     <th>JOB_ID</th>
21     <th>SALARY</th>
22     <th>COMMISSION_PCT</th>
23     <th>MANAGER_ID</th>
24     <th>DEPARTMENT_ID</th>
25 </tr>
26 <c:forEach var="emp" items="${empList}">
27 <tr>
28     <td><a href="<c:url value='/hr/${emp.employeeId}'/>">${emp.employeeId}</a></td>
29     <td>${emp.firstName}</td>
30     <td>${emp.lastName}</td>
31     <td>${emp.email}</td>
32     <td>${emp.phoneNumber}</td>
33     <td>${emp.hireDate}</td>
34     <td>${emp.jobId}</td>
35     <td>${emp.salary}</td>
36     <td>${emp.commissionPct}</td>
37     <td>${emp.managerId}</td>
38     <td>${emp.departmentId}</td>
39 </tr>
40 </c:forEach>
41 </table>
```

```
42 </body>
43 </html>
```

3) view.jsp

다음 코드는 사원정보를 상세 조회하는 뷰입니다. 목록에서 사원의 아이디를 클릭하면 보이는 페이지입니다.

```
1 <%@ page contentType="text/html; charset=UTF-8"%>
2 <%@ taglib prefix="c" uri="http://java.sun.com/jsp/jstl/core"%>
3 <!DOCTYPE html>
4 <html>
5 <head>
6     <meta charset="UTF-8">
7     <title>Example</title>
8 </head>
9 <body>
10 <h1>사원 정보 상세 조회</h1>${message}
11 <table border="1">
12 <tr>
13     <th>EMPLOYEE_ID</th>
14     <td>${emp.employeeId}</td>
15 </tr>
16 <tr>
17     <th>FIRST_NAME</th>
18     <td>${emp.firstName}</td>
19 </tr>
20 <tr>
21     <th>LAST_NAME</th>
22     <td>${emp.lastName}</td>
23 </tr>
24 <tr>
25     <th>EMAIL</th>
26     <td>${emp.email}</td>
27 </tr>
28 <tr>
29     <th>PHONE_NUMBER</th>
30     <td>${emp.phoneNumber}</td>
31 </tr>
32 <tr>
33     <th>HIRE_DATE</th>
34     <td>${emp.hireDate}</td>
35 </tr>
36 <tr>
```

```
37      <th>JOB_ID</th>
38      <td>${emp.jobId}</td>
39  </tr>
40  <tr>
41      <th>SALARY</th>
42      <td>${emp.salary}</td>
43  </tr>
44  <tr>
45      <th>COMMISSION_PCT</th>
46      <td>${emp.commissionPct}</td>
47  </tr>
48  <tr>
49      <th>MANAGER_ID</th>
50      <td>${emp.managerId}</td>
51  </tr>
52  <tr>
53      <th>DEPARTMENT_ID</th>
54      <td>${emp.departmentId}</td>
55  </tr>
56  </table>
57  <a href="update?empid=${emp.employeeId}">수정하기</a>
58  <a href="delete?empid=${emp.employeeId}">삭제하기</a>
59  </body>
60  </html>
```

4) insertform.jsp

다음 코드는 사원의 정보를 입력받기 위한 폼 뷰입니다.

```
1  <%@ page contentType="text/html; charset=UTF-8"%>
2  <%@ taglib prefix="c" uri="http://java.sun.com/jsp/jstl/core"%>
3  <!DOCTYPE html>
4  <html>
5  <head>
6      <meta charset="UTF-8">
7      <title>Example</title>
8  </head>
9  <body>
10  <h1>사원정보 입력</h1>
11  <form action="./insert" method="post">
12  <table border="1">
13  <tr>
14      <th>EMPLOYEE_ID</th>
15      <td><input type="number" name="employeeId" required></td>
16  </tr>
```

265

```
17 <tr>
18     <th>FIRST_NAME</th>
19     <td><input type="text" name="firstName"></td>
20 </tr>
21 <tr>
22     <th>LAST_NAME</th>
23     <td><input type="text" name="lastName" required></td>
24 </tr>
25 <tr>
26     <th>EMAIL</th>
27     <td><input type="text" name="email" required></td>
28 </tr>
29 <tr>
30     <th>PHONE_NUMBER</th>
31     <td><input type="text" name="phoneNumber"></td>
32 </tr>
33 <tr>
34     <th>HIRE_DATE</th>
35     <td><input type="date" name="hireDate" required></td>
36 </tr>
37 <tr>
38     <th>JOB_ID</th>
39     <td>
40         <select name="jobId">
41         <c:forEach var="job" items="${jobList}">
42             <option value="${job.jobId}">${job.title}</option>
43         </c:forEach>
44         </select>
45     </td>
46 </tr>
47 <tr>
48     <th>SALARY</th>
49     <td><input type="number" name="salary"></td>
50 </tr>
51 <tr>
52     <th>COMMISSION_PCT</th>
53     <td><input type="number" name="commissionPct" step="0.1" min="0"
   max="0.99"></td>
54 </tr>
55 <tr>
56     <th>MANAGER_ID</th>
57     <td>
58         <select name="managerId">
59         <c:forEach var="manager" items="${managerList}">
60             <option value="${manager.managerId}">${manager.firstName}</option>
61         </c:forEach>
```

```
62          </select>
63        </td>
64    </tr>
65    <tr>
66        <th>DEPARTMENT_ID</th>
67        <td>
68            <select name="departmentId">
69            <c:forEach var="department" items="${deptList}">
70                <option value="${department.departmentId}">
   ${department.departmentName}</option>
71            </c:forEach>
72            </select>
73        </td>
74    </tr>
75    <tr>
76        <th> </th>
77        <td>
78            <input type="submit" value="저장">
79            <input type="reset" value="취소">
80        </td>
81    </tr>
82    </table>
83    </form>
84    </body>
85    </html>
```

5) updateform.jsp

다음 코드는 사원정보를 수정하기 위한 폼 뷰입니다.

```
1  <%@ page contentType="text/html; charset=UTF-8"%>
2  <%@ taglib prefix="c" uri="http://java.sun.com/jsp/jstl/core"%>
3  <!DOCTYPE html>
4  <html>
5  <head>
6      <meta charset="UTF-8">
7      <title>Example</title>
8  </head>
9  <body>
10 <h1>사원정보 수정</h1>
11 <form action="./update" method="post">
12 <table border="1">
13 <tr>
14     <th>EMPLOYEE_ID</th>
15     <td><input type="number" name="employeeId" value="${emp.employeeId}"
```

```
     readonly></td>
16  </tr>
17  <tr>
18    <th>FIRST_NAME</th>
19    <td><input type="text" name="firstName" value="${emp.firstName}"></td>
20  </tr>
21  <tr>
22    <th>LAST_NAME</th>
23    <td><input type="text" name="lastName" value="${emp.lastName}"
    required></td>
24  </tr>
25  <tr>
26    <th>EMAIL</th>
27    <td><input type="text" name="email" value="${emp.email}" required></td>
28  </tr>
29  <tr>
30    <th>PHONE_NUMBER</th>
31    <td><input type="text" name="phoneNumber" value="${emp.phoneNumber}"></td>
32  </tr>
33  <tr>
34    <th>HIRE_DATE</th>
35    <td><input type="date" name="hireDate" value="${emp.hireDate}"
    required></td>
36  </tr>
37  <tr>
38    <th>JOB_ID</th>
39    <td>
40      <select name="jobId">
41      <c:forEach var="job" items="${jobList}">
42        <option value="${job.jobId}"
43        <c:if test="${emp.jobId == job.jobId}">selected</c:if>
44        >${job.title}</option>
45      </c:forEach>
46      </select>
47    </td>
48  </tr>
49  <tr>
50    <th>SALARY</th>
51    <td><input type="number" name="salary" value="${emp.salary}"></td>
52  </tr>
53  <tr>
54    <th>COMMISSION_PCT</th>
55    <td><input type="number" name="commissionPct" value="${emp.commissionPct}"
    step="0.1" min="0" max="0.99"></td>
56  </tr>
57  <tr>
```

```
58    <th>MANAGER_ID</th>
59    <td>
60       <select name="managerId">
61       <c:forEach var="manager" items="${managerList}">
62          <option value="${manager.managerId}"
63          <c:if test="${emp.managerId == manager.managerId}">selected</c:if>
64          >${manager.firstName}</option>
65       </c:forEach>
66       </select>
67    </td>
68 </tr>
69 <tr>
70    <th>DEPARTMENT_ID</th>
71    <td>
72       <select name="departmentId">
73       <c:forEach var="department" items="${deptList}">
74          <option value="${department.departmentId}"
75          <c:if test="${emp.departmentId == department.managerId}">selected</c:if>
76          >${department.departmentName}</option>
77       </c:forEach>
78       </select>
79    </td>
80 </tr>
81 <tr>
82    <th> </th>
83    <td>
84       <input type="submit" value="수정">
85       <input type="reset" value="취소">
86    </td>
87 </tr>
88 </table>
89 </form>
90 </body>
91 </html>
```

6) deleteform.jsp

다음 코드는 사원정보를 삭제 처리하기 전에 삭제할 사원의 이메일 정보를 묻는 뷰입니다.

```
1 <%@ page contentType="text/html; charset=UTF-8"%>
2 <!DOCTYPE html>
3 <html>
4 <head>
```

```
 5    <meta charset="UTF-8">
 6    <title>Example</title>
 7  </head>
 8  <body>
 9  <h1>사원정보 삭제</h1>
10  ${emp.employeeId}사원 ${emp.firstName} ${emp.lastName}의 정보를 삭제합니다.<p>
11  삭제후 데이터는 복구될 수 없습니다.<p>
12  ${emp.employeeId}사원의 이메일을 입력하세요.
13  <form action="./delete" method="post">
14  이메일 : <input type="text" name="email">
15  <input type="hidden" name="empid" value="${emp.employeeId}">
16  <input type="submit" value="삭제">
17  ${message} <!-- 아이디 또는 이메일이 다를 경우 메시지 출력 -->
18  </form>
19  </body>
20  </html>
```

삭제 처리를 하는 곳에서는 입력한 사원의 이메일과 데이터베이스에 있는 사원의 이메일이 같을 때만 삭제 처리가 됩니다.

4.8. 실행 결과

http://localhost:8080/myapp/hr/list를 이용하여 목록조회를 한 후 입력/수정/삭제 작업이 모두 정상 실행되어야 합니다.

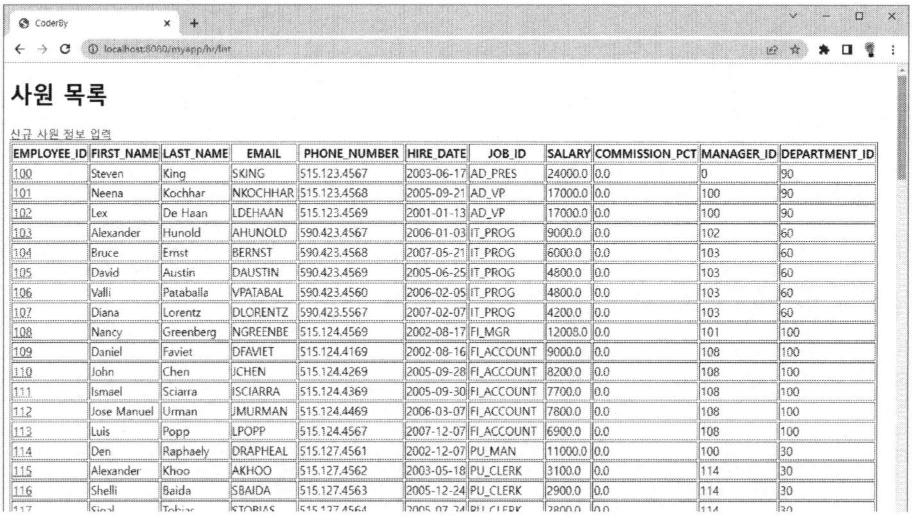

그림 4. 실행 결과(목록 조회)

5. 동적 SQL

마이바티스의 가장 강력한 기능 중 하나는 동적 SQL(Dynamic SQL)을 처리하는 방법입니다.

프로그램 실행 시 매개 값의 유/무에 따라 다르게 실행되는 SQL을 작성해본 사람이라면 동적 SQL 작성이 쉽지 않다는 것을 알고 있습니다. 간혹 공백이나 콤마를 붙이는 것을 잊어본 적도 있을 것입니다. 예를 들어 다음 구문에서 where 앞의 공백이 없다면 이 구문은 오류가 발생할 것입니다.

```
String sql = "select count(*) from employees";
if(depid!=null) {
  sql = sql + " where department_id=?";
}
```

마이바티스는 쉽고 강력한 동적 SQL 언어를 만들 수 있도록 합니다. 다음은 이 절에서 설명하는 동적 SQL을 위한 태그들입니다.
 - if
 - choose (when, otherwise)
 - trim (where, set)
 - foreach

5.1. if

⟨if⟩ 엘리먼트는 동적 SQL에서 가장 공통으로 사용되는 것으로 SQL where 절의 일부로 포함될 수 있습니다.

앞의 예에서 동적 SQL 구문이 사용된 예제코드가 있습니다. 그것은 IEmpRepository 인터페이스에는 getEmpCount() 메서드입니다.

```
public interface IEmpRepository {
    int getEmpCount();
    int getEmpCount(int departmentId);
    ... 생략 ...
```

getEmpCount() 메서드와 getEmpCount(int) 메서드는 중복정의돼있습니다.

getEmpCount() 메서드와 getEmpCount(int) 메서드를 매퍼 XML 파일로 구현해야 한다면 아마 다음처럼 작성해야 할 것입니다.

```
<select id="getEmpCount" resultType="int">
    SELECT COUNT(*) FROM EMPLOYEES
</select>

<select id="getEmpCount" parameterType="int" resultType="int">
    SELECT COUNT(*) FROM EMPLOYEES WHERE DEPARTMENT_ID = #{departmentId}
</select>
```

위 코드에는 두 select 태그의 id 값이 같으므로 실행 시 에러가 발생합니다. 이 두 태그를 파라미터가 없을 때 및 있을 때 다르게 처리하도록 구현해야 합니다. 이렇게 파라미터가 있는 때와 없는 때를 하나의 select 태그에서 처리하고 싶을 때 동적 SQL을 사용합니다.

인터페이스의 메서드는 다음과 같이 파라미터에 @Param 아노테이션으로 매퍼의 파라미터 변수 이름을 설정합니다.

```
public interface IEmpRepository {
    int getEmpCount();
    int getEmpCount(@Param("departmentId") int departmentId);
    ... 생략 ...
```

매퍼 설정 파일의 ⟨select⟩ 태그는 다음과 같이 하나의 태그로 작성될 수 있습니다.

```
<select id="getEmpCount" parameterType="int" resultType="int">
    SELECT COUNT(*) FROM EMPLOYEES
    <if test="departmentId != null">
        WHERE DEPARTMENT_ID = #{departmentId}
    </if>
</select>
```

이 구문은 선택적으로 문자열 검색 기능을 제공할 것입니다. 만약에 departmentId 값이 없다면 모든 사원의 수를 조회하며, departmentId 값이 있다면 해당 부서에 있는 사원의 수를 조회합니다.

5.2. choose, when, otherwise

우리는 종종 적용할 모든 조건을 원하는 대신에 한 가지만을 원할 수 있습니다. 자바에서는 switch 구문과 유사하며 마이바티스에서는 choose 엘리먼트를 제공합니다.

다음 인터페이스를 매퍼 XML로 구현해야 한다고 생각해 보겠습니다.

```java
public interface IEmpRepository {
    int getEmpCount();
    int getEmpCount(@Param("departmentId") int departmentId);
    int getEmpCount(@Param("jobId") String jobId);
    ... 생략 ...
```

위의 인터페이스를 <if> 태그로 구현할 수 있지만, choose~when~otherwise를 이용해 구현할 수 있습니다.

```xml
<select id="getEmpCount" resultType="int">
    SELECT COUNT(*) FROM employees
    <choose>
        <when test="departmentId != null">
            WHERE department_id = #{departmentId}
        </when>
        <when test="jobId != null">
            WHERE job_id = #{jobId}
        </when>
        <otherwise>
        </otherwise>
    </choose>
</select>
```

이 예제는 departmentId 가 있다면 해당 부서의 사원의 수가 검색됩니다. 만일 jobId가 있다면 해당 직무의 사원수가 검색됩니다. 만일 둘 다 제공하지 않는다면 모든 사원의 수가 검색됩니다.

5.3. where

〈where〉 엘리먼트를 설명하기 전에 〈if〉 예제를 보겠습니다.

```
<select id="getEmpCount" resultType="int">
    SELECT COUNT(*) FROM employees
    WHERE
    <if test="managerId != null">
        manager_id = #{managerId}
    </if>
    <if test="departmentId != null">
        AND department_id = #{departmentId}
    </if>
    <if test="jobId != null">
        AND job_id = #{jobId}
    </if>
</select>
```

위 구문에서 어떤 조건에도 해당하지 않는다면 어떤 일이 벌어질까요? 아마도 다음과 같은 SQL 이 만들어질 것입니다.

```
SELECT * FROM employees
WHERE
```

이 구문은 실패할 것입니다.

두 번째 조건에만 해당된다면 아마도 다음과 같은 SQL이 만들어질 것입니다.

```
SELECT * FROM employees
WHERE
AND department_id = #{departmentId}
```

이 구문도 실패할 것이다. 이 문제는 조건만 가지고는 해결되지 않았습니다. 이렇게 작성했다면 다시는 이렇게 작성하지 않게 될 것입니다.

구문이 실패하지 않기 위해서 조금 수정해야 합니다. 조금 수정하면 아마도 다음과 같을 것입니다.

```
<select id="getEmpCount" resultType="int">
    SELECT COUNT(*) FROM employees
    <where>
        <if test="managerId != null">
            manager_id = #{managerId}
        </if>
        <if test="departmentId != null">
            AND department_id = #{departmentId}
        </if>
        <if test="jobId != null">
            AND job_id = #{jobId}
        </if>
    </where>
</select>
```

〈where〉 엘리먼트는 태그에 의해 콘텐츠가 리턴되면 단순히 "WHERE"만을 추가합니다. 게다가 콘텐츠가 "AND"나 "OR"로 시작한다면 그 "AND"나 "OR"를 지워버립니다.

5.4. set

set 엘리먼트는 update 하고자 하는 열(Column)을 동적으로 포함하기 위해 사용될 수 있습니다.

다음 예제는 동적인 update 구문의 예입니다.

```
<update id="updateEmployeesInfo">
    UPDATE employees
    <set>
        <if test="firstName != null">first_name = #{firstName},</if>
        <if test="lastName != null">last_name = #{lastName},</if>
        <if test="jobId != null">job_id = #{jobId},</if>
        <if test="departmentId != null">department_id = #{departmentId}</if>
    </set>
    WHERE employee_id = #{empId}
</update>
```

여기서 set 엘리먼트는 동적으로 SET 키워드를 붙이고 필요 없는 콤마를 제거합니다.

5.5. trim

<where> 엘리먼트로 작성한 코드를 <trim> 엘리먼트로 바꿀 수 있습니다. <trim> 엘리먼트는 prefix, prefixOverrides, suffixOverrides 속성을 가질 수 있습니다. prefix 속성은 SQL에 선행되어야 할 구문을 지정하며, prefixOverrides는 조건에 따라 맨 앞에 올 수 있는 AND, OR 등의 구문을 삭제할 때 사용합니다. suffixOverrides는 조건에 따라 맨 마지막에 올 수 있는 콤마(,) 등을 제거할 때 사용합니다.

다음은 <where> 엘리먼트 구문을 <trim> 엘리먼트로 작성한 코드입니다. 첫 번째 if 구문이 false여서 AND가 오더라도 이를 제거해 줍니다.

```
<select id="getEmpCount" resultType="int">
    SELECT COUNT(*) FROM employees
    <trim prefix="WHERE" prefixOverrides="AND | OR ">
        <if test="managerId != null">
            manager_id = #{managerId}
        </if>
        <if test="departmentId != null">
            AND department_id = #{departmentId}
        </if>
        <if test="jobId != null">
            AND job_id = #{jobId}
        </if>
    </trim>
</select>
```

<set> 엘리먼트의 예제를 <trim> 엘리먼트로 처리한다면 아래와 같을 것입니다. 마지막 if 구문이 false여서 마지막에 콤마(,)가 오더라도 이를 제거해 줍니다.

```
<update id="updateEmployeesInfo">
    UPDATE employees
    <trim prefix="SET" suffixOverrides=",">
        <if test="firstName != null">first_name = #{firstName},</if>
        <if test="lastName != null">last_name = #{lastName},</if>
        <if test="jobId != null">job_id = #{jobId},</if>
        <if test="departmentId != null">department_id = #{departmentId}</if>
    </trim>
    WHERE employee_id = #{empId}
</update>
```

5.6. foreach

동적 SQL에서 공통으로 필요한 것은 collection에 대해 반복처리를 하는 것입니다. SQL 구문에 IN 연산자를 사용할 때 유용합니다. 예를 들면 다음 코드에서처럼….

```
<select id="getEmpCountByDeptIDs" resultType="int">
    SELECT COUNT(*)
    FROM employees
    WHERE department_id IN
    <foreach item="dept" collection="deptList" open="(" separator="," close=")">
        #{dept}
    </foreach>
</select>
```

foreach 엘리먼트는 매우 강력하고 collection을 명시하는 것을 허용합니다. 엘리먼트 내부에서 사용할 수 있는 item, index 두 가지 속성에 변수를 선언할 수 있습니다.

collection 속성에 Map이나 배열 객체와 더불어 List, Set 등과 같은 반복 가능한 객체를 전달할 수 있습니다. 만일 collection 속성의 객체가 컬렉션 객체 또는 배열 객체이면 index는 현재 몇 번째 반복인지를 나타내고 value 항목은 반복과정에서 가져오는 요소를 나타냅니다. 만일 collection 속성의 객체가 맵(Map) 객체이면 index는 key 객체가 되고 항목은 value 객체가 됩니다.

이 엘리먼트는 또한 열고 닫는 문자열("("와 ")")을 명시할 수 있고 반복 사이에 둘 수 있는 구분자(",")도 추가할 수 있습니다.

● 동적 SQL 구문은 태그(<…>)로 구성되어 있으므로 <![CDATA[와]]> 안에 있으면 안 됩니다. XML에서 <![CDATA[와]]>는 CDATA 섹션이라고 불리는 것을 나타냅니다. "CDATA"는 "Character Data"의 약자로, 이 섹션 내에 포함된 데이터는 문자 데이터로 간주되어 특수 문자나 XML 구문을 해석하지 않고 그대로 처리됩니다. 이것은 주로 특수 문자나 XML 마크업을 포함한 텍스트 데이터를 XML 문서에 포함할 때 사용됩니다.

● 마이바티스에 대한 더 많은 자료를 원한다면 공식 사이트를 참고하세요.
  - https://mybatis.org/mybatis-3/ko/index.html

6. SQL 쿼리 로그

MyBatis는 내부적으로 JDBC의 PreparedStatement를 이용해서 SQL 구문을 실행합니다. 그래서 SQL에 전달되는 파라미터는 JDBC에서처럼 '?'로 치환되어 처리됩니다. 스프링 프레임워크에서 MyBatis를 이용할 경우 SQL 구문에 파라미터가 어떤 값이 매핑되는지, 동적쿼리는 어떻게 실행되는지 알 수 있다면 개발이 더 쉬워집니다.

6.1. 스프링 프레임워크에서 SQL 쿼리 로그 남기기

log4jdbc[35]를 이용하면 마이바티스 SQL 쿼리 로그를 남길수 있습니다.

1) 라이브러리 의존성 추가

pom.xml 파일에 log4jdbc 라이브러리 의존성을 추가하세요.

pom.xml

```
91      <!-- log4jdbc -->
92      <dependency>
93          <groupId>org.bgee.log4jdbc-log4j2</groupId>
94          <artifactId>log4jdbc-log4j2-jdbc4</artifactId>
95          <version>1.16</version>
96      </dependency>
```

2) log4jdbc.log4j2.properties 파일 추가

프로젝트의 src/main/resources/ 폴더 아래에 log4jdbc.log4j2.properties 파일을 추가하세요.

resources/log4jdbc.log4j2.properties

```
1 # Log4JDBC가 사용할 로깅 델리게이터 지정, SLF4J를 사용함
2 log4jdbc.spylogdelegator.name=net.sf.log4jdbc.log.slf4j.Slf4jSpyLogDelegator
3 # SQL 쿼리의 최대 길이 설정, 0이면 모든 SQL 쿼리가 전체로 로깅됨
4 log4jdbc.dump.sql.maxlinelength=0
```

---

35) https://log4jdbc.brunorozendo.com/

3) dataSource 설정

root-context.xml 파일을 열어 데이터소스 설정을 수정해야 합니다. log4jdbc를 사용하려면 driverClassName은 net.sf.log4jdbc.sql.jdbcapi.DriverSpy을 사용하고, url에는 log4jdbc가 들어가게 해야합니다.

src/main/webapp/WEB-INF/spring/root-context.xml

```
 1 <?xml version="1.0" encoding="UTF-8"?>
   ... 생략 ...
14    <bean id="dataSource" class="org.apache.commons.dbcp2.BasicDataSource">
15       <property name="driverClassName" value="net.sf.log4jdbc.sql.jdbcapi.DriverSpy"/>
16       <property name="url" value="jdbc:log4jdbc:oracle:thin:@localhost:1521:xe"/>
17       <property name="username" value="hr"/>
18       <property name="password" value="hr"/>
19    </bean>
   ... 생략 ...
```

4) log4j.xml 수정

log4j.xml 파일을 수정해서 로그 레벨을 설정하세요.

resources/log4j.xml

```
 1 <?xml version="1.0" encoding="UTF-8"?>
   ... 생략 ...
42   <!-- Log4JDBC 로그 레벨 설정 -->
43   <logger name="jdbc.audit">
44      <level value="warn"/> <!-- JDBC 문제해결을 위한 경우 외는 권장 안함 -->
45   </logger>
46   <logger name="jdbc.resultset">
47      <level value="warn"/> <!-- ResultSet과 관련된 메시지의 로깅 레벨을 설정 -->
48   </logger>
49   <logger name="jdbc.resultsettable">
50      <level value="info"/> <!-- SQL 실행 결과를 데이터 Table형식으로 출력 -->
51   </logger>
52   <logger name="jdbc.sqlonly">
53      <level value="info"/> <!-- SQL 구문 출력, TRACE이면 매개변수도 출력 -->
54   </logger>
55   <logger name="jdbc.sqltiming">
56      <level value="info"/> <!-- SQL 실행시간 출력 -->
57   </logger>
58   <logger name="jdbc.connection">
59      <level value="info"/> <!-- 커넥션 생성 및 반환 정보 출력 -->
60   </logger>
61 </log4j:configuration>
```

6.2. 스프링 부트에서 SQL 쿼리 로그 남기기

스프링 부트는 8장에서 소개됩니다. 이 절은 8장 내용을 학습하고 보세요.

스프링 부트에서 마이바티스 SQL 쿼리 로그를 출력하려면 다음 절차를 따르세요.
1. pom.xml에 log4jdbc 라이브러리 의존성 추가(groupId:artifactId:version)

```
org.bgee.log4jdbc-log4j2:log4jdbc-log4j2-jdbc4:1.16
```

2. dataSource 설정 변경(driverClassName과 url)

resources/application.properties

```
# spring.datasource.driver-class-name=oracle.jdbc.OracleDriver
spring.datasource.driver-class-name=net.sf.log4jdbc.sql.jdbcapi.DriverSpy
# spring.datasource.url=jdbc:oracle:thin:@localhost:1521:xe
spring.datasource.url=jdbc:log4jdbc:oracle:thin:@localhost:1521:xe
```

3. log4jdbc.log4j2.properties 파일 추가 및 로깅 설정

resources/log4jdbc.log4j2.properties

```
# Log4JDBC가 사용할 로깅 델리게이터 지정, SLF4J를 사용함
log4jdbc.spylogdelegator.name=net.sf.log4jdbc.log.slf4j.Slf4jSpyLogDelegator
# SQL 쿼리의 최대 길이 설정, 0이면 모든 SQL 쿼리가 전체로 로깅됨
log4jdbc.dump.sql.maxlinelength=0

# HikariCP(High-Performance JDBC Connection Pool) 라이브러리에서 로깅 레벨
# 사용가능한 로깅 레벨: OFF, FATAL, ERROR, WARN, INFO, DEBUG, TRACE
logging.level.com.zaxxer.hikari=INFO
logging.level.javax.sql.DataSource=OFF

# SQL 및 DB 관련 이벤트 로깅 설정, 문제해결을 위한 경우를 제외하고는 사용을 권장 안함
logging.level.jdbc.audit=OFF
# ResultSet과 관련된 메시지의 로깅 레벨을 설정
logging.level.jdbc.resultset=OFF
# ResultSetTable과 관련된 로깅 레벨 설정, SQL 실행 결과를 데이터 Table형식으로 출력
logging.level.jdbc.resultsettable=INFO
# SQL 쿼리에 대한 로깅 설정, sqltiming이 INFO, DEBUG이면 안해도 됨
logging.level.jdbc.sqlonly=OFF
# SQL 실행시간 출력, DEBUG, INFO이면 실행 시간과 쿼리 텍스트 모두 출력
logging.level.jdbc.sqltiming=INFO
# INFO: 커넥션 생성 및 반환 정보 출력, WARN: 경고 메시지 출력
logging.level.jdbc.connection=OFF
```

● 위의 설정은 application.properties 파일에 추가할 수 있습니다.

7장. 멀티게시판 만들기

이 장에서는 첨부파일 저장 및 답변 기능을 포함한 멀티게시판 프로젝트를 소개합니다.

1. 멀티게시판 분석

멀티게시판의 세부 기능들에 관해 설명합니다. 이 책의 전체 소스코드는 깃허브 (https://github.com/hjk7902/spring/)에서 내려받을 수 있습니다.

1.1. 요구사항 분석

게시판은 카테고리별로 글을 작성하거나 조회할 수 있어야 합니다. 게시판은 1개의 첨부 파일을 올릴 수 있어야 합니다. 게시판은 글에 답글을 달 수 있고 답글 여부를 표시해 줄 수 있어야 합니다. 게시글이 삭제되면 해당 게시글의 답글도 같이 삭제되어야 합니다.

그림 1. 게시글 입력 양식

이 게시판은 회원 전용으로 사용되어야 합니다. 게시글은 회원만 작성하고 수정할 수 있어야 합니다. 회원이 아닐 때 게시글의 목록조회와 글 상세 조회를 할 수 있습니다. 첨부 파일을 내려받을 수 있는 권한도 회원만 가능합니다.

게시판 프로젝트를 먼저 완성한 후 회원관리 기능을 추가하는 방법을 사용해야 합니다. 회원관리 기능이 완성되지 않은 상태에서도 게시판을 사용할 수 있어야 합니다.

1.2. 개발환경

이 예제를 실행시키기 위한 개발환경과 실행환경은 다음과 같습니다.
- Windows 10
- Java SE 8(JDK 8)
- 전자정부표준프레임워크 개발환경 3.9
- Spring Framework 4.3.9.RELEASE
- apache-tomcat 9.0.6
- Oracle 18c Expression Edition
- SQL Developer

● 전자정부표준프레임워크 4.0 이상을 사용하려면 JDK는 11버전 이상이어야 합니다.

1.3. 테이블 명세서

이 프로젝트를 위한 ERD(Entity Relationship Diagram)입니다.

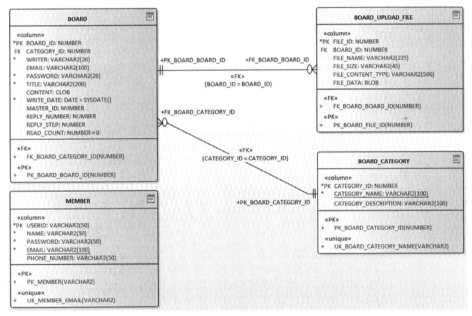

그림 2. 게시판 ERD

게시판 관련 테이블은 BOARD, BOARD_CATEGORY, BOARD_UPLOAD_FILE입니다.
BOARD 테이블은 게시판 정보를 저장합니다. BOARD_CATEGORY는 게시판의 카테고리 정보를 저장합니다. BOARD_UPLOAD_FILE은 게시글 작성 시 업로드하는 첨부파일 정보를 저장합니다.

1.4. 테이블 생성문

다음 구문은 게시판 정보를 저장하기 위한 테이블들과 시퀀스를 생성시키는 구문입니다. 테이블은 카테고리 정보를 저장하는 BOARD_CATEGORY, 게시글 정보를 저장하는 BOARD, 게시글의 첨부파일을 저장하는 BOARD_UPLOAD_FILE입니다.[36]

```
DROP TABLE BOARD_UPLOAD_FILE;
DROP TABLE BOARD;
DROP TABLE BOARD_CATEGORY;

CREATE TABLE BOARD (
    BOARD_ID        NUMBER CONSTRAINT PK_BOARD_BOARD_ID PRIMARY KEY,
    CATEGORY_ID     NUMBER,
    WRITER          VARCHAR2(20)   NOT NULL,
    EMAIL           VARCHAR2(100),
    PASSWORD        VARCHAR2(20)   NOT NULL,
    TITLE           VARCHAR2(500)  NOT NULL,
    CONTENT         CLOB,
    WRITE_DATE      DATE DEFAULT SYSDATE NOT NULL,
    MASTER_ID       NUMBER,
    REPLY_NUMBER    NUMBER,
    REPLY_STEP      NUMBER,
    READ_COUNT      NUMBER DEFAULT 0
);

CREATE TABLE BOARD_CATEGORY (
    CATEGORY_ID          NUMBER CONSTRAINT PK_BOARD_CATEGORY_ID PRIMARY KEY,
    CATEGORY_NAME        VARCHAR2(100) NOT NULL,
    CATEGORY_DESCRIPTION VARCHAR2(100) NULL
);

CREATE TABLE BOARD_UPLOAD_FILE (
    FILE_ID           NUMBER CONSTRAINT PK_BOARD_FILE_ID PRIMARY KEY,
    BOARD_ID          NUMBER NULL,
    FILE_NAME         VARCHAR2(235) NULL,
    FILE_SIZE         VARCHAR2(45) NULL,
    FILE_CONTENT_TYPE VARCHAR2(500) NULL,
    FILE_DATA         BLOB NULL
);
```

---

36) 테이블 생성을 위한 SQL 코드는 https://github.com/hjk7902/spring -〉 /share -〉 /sql에 있습니다.

다음 구문은 테이블에 제약조건을 설정합니다.

```
ALTER TABLE BOARD_CATEGORY
 ADD CONSTRAINT UK_BOARD_CATEGORY_NAME UNIQUE (CATEGORY_NAME)
 USING INDEX;

ALTER TABLE BOARD
  ADD CONSTRAINT FK_BOARD_CATEGORY_ID
    FOREIGN KEY (CATEGORY_ID) REFERENCES BOARD_CATEGORY (CATEGORY_ID);

ALTER TABLE BOARD_UPLOAD_FILE
  ADD CONSTRAINT FK_BOARD_BOARD_ID
    FOREIGN KEY (BOARD_ID) REFERENCES BOARD (BOARD_ID);
```

다음 구문은 BOARD_CATEGORY 테이블에 샘플 데이터를 입력하는 구문입니다. 이 프로젝트는 카테고리를 관리하는 기능을 포함되어 있지 않습니다.

```
INSERT INTO BOARD_CATEGORY (CATEGORY_ID, CATEGORY_NAME, CATEGORY_DESCRIPTION)
VALUES (1, '게시판', '답변형 멀티게시판');

INSERT INTO BOARD_CATEGORY (CATEGORY_ID, CATEGORY_NAME, CATEGORY_DESCRIPTION)
VALUES (2, '자료실', '파일 업로드 자료실');

INSERT INTO BOARD_CATEGORY (CATEGORY_ID, CATEGORY_NAME, CATEGORY_DESCRIPTION)
VALUES (3, '갤러리', '이미지 갤러리');

COMMIT;
```

다음은 BOARD 테이블에 샘플 데이터를 입력하는 구문입니다.

```
INSERT INTO BOARD (BOARD_ID, CATEGORY_ID, WRITER, EMAIL, PASSWORD, TITLE, CONTENT,
WRITE_DATE, MASTER_ID, REPLY_NUMBER, REPLY_STEP)
VALUES (1, 1, '홍길동', 'hong@hong.com', '1234', '방가요', '내용없음', '2015-12-20',
1, 0, 0);

INSERT INTO BOARD (BOARD_ID, CATEGORY_ID, WRITER, EMAIL, PASSWORD, TITLE, CONTENT,
WRITE_DATE, MASTER_ID, REPLY_NUMBER, REPLY_STEP)
VALUES (2, 1, '이순신', 'lee@lee.com', '1234', '나도', '내용없음', '2015-12-21', 2,
0, 0);

INSERT INTO BOARD (BOARD_ID, CATEGORY_ID, WRITER, EMAIL, PASSWORD, TITLE, CONTENT,
WRITE_DATE, MASTER_ID, REPLY_NUMBER, REPLY_STEP)
VALUES (3, 1, '홍길동', 'hong@hong.com', '1234', '오랜만이야~ 순신', '그렇지',
'2015-12-22', 2, 4, 1);
```

```
INSERT INTO BOARD (BOARD_ID, CATEGORY_ID, WRITER, EMAIL, PASSWORD, TITLE, CONTENT,
WRITE_DATE, MASTER_ID, REPLY_NUMBER, REPLY_STEP)
VALUES (4, 1, '무명씨', 'noname@name.com', '1234', '할루', '재미없음', '2015-12-23',
4, 0, 0);

INSERT INTO BOARD (BOARD_ID, CATEGORY_ID, WRITER, EMAIL, PASSWORD, TITLE, CONTENT,
WRITE_DATE, MASTER_ID, REPLY_NUMBER, REPLY_STEP)
VALUES (5, 1, '홍길서', 'seo@hong.com', '1234', '나도야 순신', '나도나도',
'2015-12-24', 2, 1, 1);

INSERT INTO BOARD (BOARD_ID, CATEGORY_ID, WRITER, EMAIL, PASSWORD, TITLE, CONTENT,
WRITE_DATE, MASTER_ID, REPLY_NUMBER, REPLY_STEP)
VALUES (6, 1, '조심씨', 'josim@josim.com', '1234', '조심해 길서', '안전하게',
'2015-12-25', 2, 2, 2);

INSERT INTO BOARD (BOARD_ID, CATEGORY_ID, WRITER, EMAIL, PASSWORD, TITLE, CONTENT,
WRITE_DATE, MASTER_ID, REPLY_NUMBER, REPLY_STEP)
VALUES (7, 1, '안전씨', 'an@anjeon.com', '1234', '자나깨나', '불조심', '2015-12-26',
4, 1, 1);

INSERT INTO BOARD (BOARD_ID, CATEGORY_ID, WRITER, EMAIL, PASSWORD, TITLE, CONTENT,
WRITE_DATE, MASTER_ID, REPLY_NUMBER, REPLY_STEP)
VALUES (8, 1, '소심씨', 'so@so.com', '1234', '조심해는 잘삐져', '조심씨',
'2015-12-27', 2, 3, 3);

COMMIT;
```

게시판 프로젝트를 시작하기 전에 리소스파일(image, css, js), 헤더파일(include에 사용),
국제화 설정 파일(properties 파일)을 미리 내려받으세요.
  - resource 파일 : https://javaspecialist.co.kr/board/1155
  - include 파일 : https://javaspecialist.co.kr/board/1156
  - i18n 국제화 설정 파일 : https://javaspecialist.co.kr/board/1157

위의 3개 파일은 아래의 깃허브 주소에서도 내려받을 수 있습니다.
  - https://github.com/hjk7902/spring -> /share -> /ch7

2. 프로젝트 구조

2.1. 프로젝트 생성

Spring Legacy Project로 스프링 프로젝트를 생성하세요.
File > New > Spring Legacy Project 메뉴 선택 후
 - Templates: Spring MVC Project
 - Project name: MultiBoard
 - top-level package: com.example.myapp

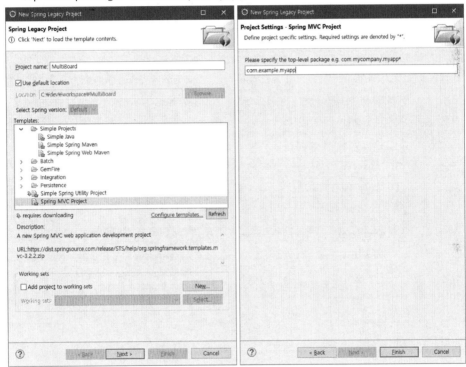

그림 3. MultiBoard 프로젝트 생성

* 프로젝트는 생성해 두세요.
* 프로젝트를 생성한 다음 pom.xml 파일에서 자바 버전은 1.8, 스프링 프레임워크 버전은 4.3.9.RELEASE로 수정해 주세요.

```
<java-version>1.8</java-version>
<org.springframework-version>4.3.9.RELEASE</org.springframework-version>
```

2.2. 요청 매핑 URL

다음은 프로젝트의 기능별 요청 URL과 전달되어야 하는 파라미터, 요청방식, 그리고 핸들러 메서드와 뷰입니다.

표 1. 요청 URL과 핸들러 메서드

기능		URL	파라미터	요청 방식	핸들러 메서드	뷰
게시판	게시글 목록 조회	/board/cat/{categoryId}/{page}	categoryId, page		getListByCategory(int, int, HttpSession, Model)	board/list
		/board/cat/{categoryId}	categoryId		getListByCategory(int, HttpSession, Model)	board/list
	게시글 조회	/board/{boardId}/{page}	boardId, page		getBoardDetails(int, int, Model)	board/view
		/board/{boardId}	boardId		getBoardDetails(int, Model)	board/view
	게시글 입력	/board/write/{categoryId}	categoryId	GET	writeArticle(int, Model)	board/write
		/board/write	Board	POST	writeArticle(Board, BindingResult, String, HttpSession, RedirectAttributes)	redirect:/board/cat/{categoryId}
	파일 다운로드	/file/{fileId}	fileId		getFile(int) : ResponseEntity(byte[])	ResponseEntity(byte[])
	답글 쓰기	/board/reply/{boardId}	boardId	GET	replyArticle(int, Model)	board/reply
		/board/reply		POST	replyArticle(Board, RedirectAttributes, HttpSession)	redirect:/board/cat/{categoryId}
	게시글 수정	/board/update/{boardId}	boardId	GET	updateArticle(int, Model)	board/update
		/board/update	Board	POST	updateArticle(Board, RedirectAttributes)	redirect:/board/{boardId}
	게시글 삭제	/board/delete/{boardId}	boardId	GET	deleteArticle(int, Model)	board/delete
		/board/delete	Board	POST	deleteArticle(Board, HttpSession, RedirectAttributes)	redirect:/board/cat/{categoryId}
	게시글 검색	/board/search	keyword		search(String, int, HttpSession, Model)	board/dlist
회원 관리	회원가입	/member/insert		GET	insertMember(HttpSession, Model)	member/form
		/member/insert	Member	POST	insertMember(Member, BindingResult, String, HttpSession, Model)	index
	로그인	/member/login		GET	login()	member/login
		/member/login	userid, password	POST	login(String, String, HttpSession, Model)	member/login
	회원 정보 수정	/member/update		GET	updateMember(HttpSession, Model)	member/update
		/member/update	Member	POST	updateMember(Member, BindingResult, HttpSession, Model)	member/login
	회원 탈퇴	/member/delete		GET	deleteMember(HttpSession, Model)	member/delete
		/member/delete	password	POST	deleteMember(String, HttpSession, Model)	member/login

BoardController 클래스는 게시판 관련 요청을 처리하는 메서드를 가지고 있습니다. MemberController 클래스는 회원 관리 기능을 처리하는 메서드를 가지고 있습니다. 카테고리를 관리하는 컨트롤러는 이 책에서는 구현하지 않았습니다. 카테고리는 SQL문을 이용해 직접 카테고리 정보를 입력해야 합니다.

2.3. 프로젝트 구조

다음 그림은 완성된 프로젝트의 구조입니다.

```
v  SpringBook_Chapter7_MultiBoard [spring-book main]
   >  Deployment Descriptor: SpringBook_Chapter7_MultiBoard
   >  Spring Elements
   >  JAX-WS Web Services
   v  Java Resources
      v  src/main/java
         v  com.example.myapp
            v  board
               v  controller
                  >  BoardController.java
               v  dao
                  >  IBoardCategoryRepository.java
                  >  IBoardRepository.java
               v  model
                  >  Board.java
                  >  BoardCategory.java
                  >  BoardUploadFile.java
               v  service
                  >  BoardCategoryService.java
                  >  BoardService.java
                  >  IBoardCategoryService.java
                  >  IBoardService.java
            v  common.filter
               >  LoginInterceptor.java
            v  member
               v  controller
                  >  MemberController.java
               v  dao
                  >  IMemberRepository.java
               v  model
                  >  Member.java
               v  service
                  >  IMemberService.java
                  >  MemberService.java
            >  HomeController.java
      v  src/main/resources
         v  i18n
            board_en.properties
            board_ko.properties
            header_en.properties
            header_ko.properties
            member_en.properties
            member_ko.properties
         v  mapper
            v  board
               BoardCategoryMapper.xml
               BoardMapper.xml
            v  member
               MemberMapper.xml
         log4j.xml

v  src
   v  main
      >  java
      v  resources
         v  i18n
            board_en.properties
            board_ko.properties
            header_en.properties
            header_ko.properties
            member_en.properties
            member_ko.properties
         v  mapper
            v  board
               BoardCategoryMapper.xml
               BoardMapper.xml
            v  member
               MemberMapper.xml
         log4j.xml
         MEMBER_DDL.sql
         MULTIBOARD_DDL.sql
         MULTIBOARD_SAMPLE_DML.sql
      v  webapp
         v  WEB-INF
            v  resources
               >  assets
               >  css
               >  font-awesome
               >  js
               favicon.png
            v  spring
               v  appServlet
                  servlet-context.xml
               root-context.xml
            v  tags
               paging.tag
               reply.tag
               search-paging.tag
            v  views
               >  board
               >  error
               >  include
               >  member
               home.jsp
            web.xml
   >  test
   >  target
   pom.xml
```

그림 4. 완성된 프로젝트의 구조

● 완성된 프로젝트의 구조를 이용해 프로젝트를 진행할 때 파일들이 있어야 하는 위치를 참고하세요.

3. 설정 파일

3.1. pom.xml

다음은 메이븐 의존성 설정 파일입니다. 자바 버전은 1.8, 스프링 프레임워크의 버전을 4.3.9.RELEASE로 변경하고 의존성을 추가하세요.

pom.xml

```
42  <?xml version="1.0" encoding="UTF-8"?>
43  <project xmlns="http://maven.apache.org/POM/4.0.0"
    xmlns:xsi="http://www.w3.org/2001/XMLSchema-instance"
44      xsi:schemaLocation="http://maven.apache.org/POM/4.0.0
    http://maven.apache.org/maven-v4_0_0.xsd">
45      <modelVersion>4.0.0</modelVersion>
46      <groupId>com.example</groupId>
47      <artifactId>myapp</artifactId>
48      <name>MultiBoard</name>
49      <packaging>war</packaging>
50      <version>1.0.0-BUILD-SNAPSHOT</version>
51      <properties>
52          <java-version>1.8</java-version>
53          <org.springframework-version>4.3.9.RELEASE</org.springframework-version>
54          <org.aspectj-version>1.6.10</org.aspectj-version>
55          <org.slf4j-version>1.6.6</org.slf4j-version>
56      </properties>
57      <dependencies>
58          <!-- Spring -->
59          <dependency>
60              <groupId>org.springframework</groupId>
61              <artifactId>spring-context</artifactId>
62              <version>${org.springframework-version}</version>
63              <exclusions>
64                  <!-- Exclude Commons Logging in favor of SLF4j -->
65                  <exclusion>
66                      <groupId>commons-logging</groupId>
67                      <artifactId>commons-logging</artifactId>
68                  </exclusion>
69              </exclusions>
70          </dependency>
71          <dependency>
72              <groupId>org.springframework</groupId>
73              <artifactId>spring-webmvc</artifactId>
74              <version>${org.springframework-version}</version>
```

```
75       </dependency>
76
77       <!-- AspectJ -->
78       <dependency>
79           <groupId>org.aspectj</groupId>
80           <artifactId>aspectjrt</artifactId>
81           <version>${org.aspectj-version}</version>
82       </dependency>
83
84       <!-- AOP -->
85       <dependency>
86           <groupId>org.aspectj</groupId>
87           <artifactId>aspectjweaver</artifactId>
88           <version>1.9.1</version>
89       </dependency>
90
91       <!-- Spring JDBC -->
92       <dependency>
93           <groupId>org.springframework</groupId>
94           <artifactId>spring-jdbc</artifactId>
95           <version>${org.springframework-version}</version>
96       </dependency>
97
98       <!-- Connection Pool -->
99       <dependency>
100          <groupId>org.apache.commons</groupId>
101          <artifactId>commons-dbcp2</artifactId>
102          <version>2.9.0</version>
103      </dependency>
104
105      <!-- Oracle JDBC Driver -->
106      <dependency>
107          <groupId>com.oracle.database.jdbc</groupId>
108          <artifactId>ojdbc8</artifactId>
109          <version>21.1.0.0</version>
110       </dependency>
111
112      <!-- MyBatis & MyBatis-Spring -->
113      <dependency>
114          <groupId>org.mybatis</groupId>
115          <artifactId>mybatis</artifactId>
116          <version>3.4.0</version>
117      </dependency>
118
119      <dependency>
120          <groupId>org.mybatis</groupId>
```

```
121            <artifactId>mybatis-spring</artifactId>
122            <version>1.3.0</version>
123        </dependency>
124
125        <!-- File upload -->
126        <dependency>
127            <groupId>commons-fileupload</groupId>
128            <artifactId>commons-fileupload</artifactId>
129            <version>1.4</version>
130        </dependency>
131
132        <!-- XSS Filter -->
133        <dependency>
134            <groupId>org.jsoup</groupId>
135            <artifactId>jsoup</artifactId>
136            <version>1.15.3</version>
137        </dependency>
138
139        <!-- Logging -->
        ... 생략 ...
```

3.2. web.xml

web.xml 파일에 스프링 공통 빈 설정 파일의 위치와 웹 빈 설정 파일의 위치를 확인하고, 인코딩 필터를 추가하세요.

WEB-INF/web.xml

```
1 <?xml version="1.0" encoding="UTF-8"?>
2 <web-app version="2.5" xmlns="http://java.sun.com/xml/ns/javaee"
3     xmlns:xsi="http://www.w3.org/2001/XMLSchema-instance"
4     xsi:schemaLocation="http://java.sun.com/xml/ns/javaee
  https://java.sun.com/xml/ns/javaee/web-app_2_5.xsd">
5
6 <!-- The definition of the Root Spring Container shared by all Servlets and Filters -->
7     <context-param>
8         <param-name>contextConfigLocation</param-name>
9         <param-value>/WEB-INF/spring/root-context.xml</param-value>
10    </context-param>
11
12    <!-- Creates the Spring Container shared by all Servlets and Filters -->
13    <listener>
14        <listener-class>
15            org.springframework.web.context.ContextLoaderListener
16        </listener-class>
```

```
17     </listener>
18
19     <!-- 인코딩 필터 -->
20     <filter>
21        <filter-name>encodingFilter</filter-name>
22        <filter-class>
23           org.springframework.web.filter.CharacterEncodingFilter
24        </filter-class>
25        <init-param>
26           <param-name>encoding</param-name>
27           <param-value>utf-8</param-value>
28        </init-param>
29     </filter>
30     <filter-mapping>
31        <filter-name>encodingFilter</filter-name>
32        <url-pattern>/*</url-pattern>
33     </filter-mapping>
34
35     <!-- Processes application requests -->
36     <servlet>
37        <servlet-name>appServlet</servlet-name>
38        <servlet-class>
39           org.springframework.web.servlet.DispatcherServlet
40        </servlet-class>
41        <init-param>
42           <param-name>contextConfigLocation</param-name>
43           <param-value>
44              /WEB-INF/spring/appServlet/servlet-context.xml
45           </param-value>
46        </init-param>
47        <load-on-startup>1</load-on-startup>
48     </servlet>
49
50     <servlet-mapping>
51        <servlet-name>appServlet</servlet-name>
52        <url-pattern>/</url-pattern>
53     </servlet-mapping>
54
55 </web-app>
```

● root-context.xml 파일은 공통 빈 설정 파일입니다. 그리고 servlet-context.xml 파일은 웹 빈 설정 파일입니다. servlet-context.xml 파일의 기본 네임스페이스는 mvc 네임스페이스이므로 mvc 관련 태그들에는 테그 이름에 네임스페이스 이름이 붙지 않습니다.

3.3. root-context.xml

root-context.xml 파일은 공통 빈 설정 파일입니다. 이 파일에는 dataSource, jdbcTemplate, sqlSessionFactory, transactionManager, exceptionResolver 빈을 설정합니다. 그리고 컴포넌트 스캔 태그를 추가해 주세요. 추가해야 할 스키마는 context, mybatis-spring, tx입니다.

WEB-INF/spring/root-context.xml

```
 1 <?xml version="1.0" encoding="UTF-8"?>
 2 <beans xmlns="http://www.springframework.org/schema/beans"
 3     xmlns:xsi="http://www.w3.org/2001/XMLSchema-instance"
 4     xmlns:mybatis-spring="http://mybatis.org/schema/mybatis-spring"
 5     xmlns:context="http://www.springframework.org/schema/context"
 6     xmlns:tx="http://www.springframework.org/schema/tx"
 7     xsi:schemaLocation="http://mybatis.org/schema/mybatis-spring
   http://mybatis.org/schema/mybatis-spring-1.2.xsd
 8         http://www.springframework.org/schema/beans
   https://www.springframework.org/schema/beans/spring-beans.xsd
 9         http://www.springframework.org/schema/context
   http://www.springframework.org/schema/context/spring-context-4.3.xsd
10         http://www.springframework.org/schema/tx
   http://www.springframework.org/schema/tx/spring-tx-4.3.xsd">
11
12     <!-- Root Context: defines shared resources visible to all other web
   components -->
13     <bean id="dataSource" class="org.apache.commons.dbcp2.BasicDataSource">
14         <property name="driverClassName" value="oracle.jdbc.OracleDriver"/>
15         <property name="url" value="jdbc:oracle:thin:@localhost:1521:xe"/>
16         <property name="username" value="hr"/>
17         <property name="password" value="hr"/>
18     </bean>
19
20     <bean id="jdbcTemplate" class="org.springframework.jdbc.core.JdbcTemplate">
21         <property name="dataSource" ref="dataSource"/>
22     </bean> <!-- jdbcTemplate 빈 설정은 없어도 됩니다. -->
23
24     <bean id="sqlSessionFactory" class="org.mybatis.spring.SqlSessionFactoryBean">
25         <property name="dataSource" ref="dataSource"/>
26         <property name="mapperLocations" value="classpath:mapper/**/*.xml"/>
27     </bean>
28
29     <bean id="transactionManager"
30         class="org.springframework.jdbc.datasource.DataSourceTransactionManager">
31         <property name="dataSource" ref="dataSource"/>
32     </bean>
33
```

```
34      <tx:annotation-driven/>
35
36      <bean id="exceptionResolver"
    class="org.springframework.web.servlet.handler.SimpleMappingExceptionResolver">
37          <property name="exceptionMappings">
38              <props>
39                  <prop key="java.lang.RuntimeException">
40                      error/runtime
41                  </prop>
42              </props>
43          </property>
44          <property name="defaultErrorView" value="error/default"/>
45      </bean>
46
47 </beans>
```

● src/main/resources에 mapper 폴더를 만들어두세요.

3.4. servlet-context.xml

servlet-context.xml은 웹 빈 설정 파일입니다. 이 설정 파일에 뷰 리졸버 빈 설정을 하고
〈mvc:view-controller〉 태그를 이용해 뷰 컨트롤러 설정을 하세요.

WEB-INF/spring/appServlet/servlet-context.xml

```
 1 <?xml version="1.0" encoding="UTF-8"?>
 2 <beans:beans xmlns="http://www.springframework.org/schema/mvc"
 3     xmlns:xsi="http://www.w3.org/2001/XMLSchema-instance"
 4     xmlns:beans="http://www.springframework.org/schema/beans"
 5     xmlns:context="http://www.springframework.org/schema/context"
 6     xsi:schemaLocation="http://www.springframework.org/schema/mvc
   http://www.springframework.org/schema/mvc/spring-mvc.xsd
 7         http://www.springframework.org/schema/beans
   http://www.springframework.org/schema/beans/spring-beans.xsd
 8         http://www.springframework.org/schema/context
   http://www.springframework.org/schema/context/spring-context.xsd">
 9
10     <annotation-driven />
11
12     <beans:bean
13         class="org.springframework.web.servlet.view.InternalResourceViewResolver">
14         <beans:property name="prefix" value="/WEB-INF/views/"/>
15         <beans:property name="suffix" value=".jsp"/>
16     </beans:bean>
17
```

```
18       <view-controller path="/" view-name="home"/>
19
20       <resources location="/WEB-INF/resources/" mapping="/**"/>
21       <resources location="/WEB-INF/resources/js/" mapping="/js/**"/>
22       <resources location="/WEB-INF/resources/css/" mapping="/css/**"/>
23       <resources location="/WEB-INF/resources/images/" mapping="/images/**"/>
24
25       <beans:bean id="multipartResolver"
   class="org.springframework.web.multipart.commons.CommonsMultipartResolver">
26           <beans:property name="maxUploadSize" value="50000000"/>
27       </beans:bean>
28
29 </beans>
```

3.5. 프로젝트 실행해 보기

지금까지의 설정만으로 프로젝트가 정상실행 되어야 합니다.

● 컨텍스트 이름은 myapp입니다.

그림 5. 프로젝트 실행

404(Not Found) 에러가 발생하면 아래 내용들을 확인해 보세요
 - 설정 파일의 위치가 올바른지 확인하세요.
 - mapper 폴더를 작성했는지 확인하세요.
 - 빈 설정이 잘 되어 있는지 확인하세요.
 - 대부분의 오류는 Console의 에러메시지에서 원인을 찾을 수 있습니다.

4. 멀티게시판 소스코드

4.1. 리소스 파일

웹 애플리케이션에서 사용하는 자바스크립트, CSS 파일들과 image 파일들은 홈페이지에서 내려받아 프로젝트에 포함하세요[37]. 내려받은 resources.zip 파일의 압축을 풀고 WEB-INF 폴더에 복사하세요.

servlet-context.xml 파일에 리소스 설정이 되어있는지 확인해 보세요. 다음처럼 WEB-INF/resources/ 폴더 아래의 폴더들에 대해 리소스 설정이 되어있어야 합니다.

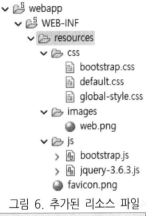

그림 6. 추가된 리소스 파일

```
20    <resources location="/WEB-INF/resources/" mapping="/**"/>
21    <resources location="/WEB-INF/resources/js/" mapping="/js/**"/>
22    <resources location="/WEB-INF/resources/css/" mapping="/css/**"/>
23    <resources location="/WEB-INF/resources/images/" mapping="/images/**"/>
```

4.2. Lombok 라이브러리 사용하기

프로젝트에서 Lombok[38] 아노테이션을 이용해서 DTO 클래스에 setter, getter, toString, equals, hashCode 그리고 생성자 등을 쉽게 정의할 수 있습니다.

먼저 이클립스 설정 파일인 eclipse.ini 파일의 맨 아래에 다음처럼 lombok 라이브러리의 위치를 지정하세요. 다음 예는 lombok.jar 파일이 C:₩dev 폴더에 있을 경우입니다.

```
-javaagent:C:\dev\lombok.jar
```

pom.xml 파일에 다음처럼 라이브러리 의존성을 추가하세요.

```
50    <!-- Lombok -->
51    <dependency>
52        <groupId>org.projectlombok</groupId>
53        <artifactId>lombok</artifactId>
54        <version>1.18.28</version>
55    </dependency>
```

---

37) https://github.com/hjk7902/spring/blob/main/share/ch7/resources.zip
38) https://projectlombok.org/

4.3. DTO

게시판 정보를 저장할 DTO 클래스들을 설명합니다.

1) BoardCategory

BoardCategory는 카테고리 정보를 저장합니다. 변수들만 선언한 후 setter/getter는 자동 생성기능을 이용하세요.

com/example/myapp/board/model/BoardCategory.java

```
 1 package com.example.myapp.board.model;
 2
 3 import lombok.Getter;
 4 import lombok.Setter;
 5 import lombok.ToString;
 6
 7 @Setter @Getter
 8 @ToString
 9 public class BoardCategory {
10     private int categoryId;           // 카테고리 아이디
11     private String categoryName;      // 카테고리 이름
12     private String categoryDescription; // 카테고리 설명
13 }
```

2) BoardUploadFile

BoardUploadFile 클래스는 게시판에 첨부될 파일의 정보를 저장할 클래스입니다. 몇 번 게시글의 첨부파일인지 알아야 하므로 boardId를 가져야 합니다. 첨부파일 데이터를 저장할 변수의 타입은 byte[] 타입으로 선언합니다.

Lombok @ToString 아노테이션의 exclude 속성을 이용해서 fileData는 toString() 메서드에서 제외하세요. 그래야 파일 정보를 콘솔에 출력할 때 느려지지 않습니다.

com/example/myapp/board/model/BoardUploadFile.java

```
 1 package com.example.myapp.board.model;
 2
 3 import lombok.Getter;
 4 import lombok.Setter;
 5 import lombok.ToString;
 6
 7 @Setter @Getter
```

```
 8 @ToString(exclude="fileData")
 9 public class BoardUploadFile {
10     private int fileId;         // 파일 아이디, 1씩 증가
11     private int boardId;        // 첨부파일이 있는 게시글의 아이디(글번호)
12     private String fileName;    // 파일 이름
13     private long fileSize;      // 파일 크기
14     private String fileContentType;    // 파일 타입(MIME Type)
15     private byte[] fileData;           // 파일 데이터
16 }
```

3) Board

게시판 글을 저장하기 위한 DTO입니다. BOARD 테이블의 열들을 저장하기 위한 변수와 카테고리 정보를 저장하기 위한 변수, 그리고 업로드 파일을 저장하기 위한 변수를 추가로 선언해 주세요.

com/example/myapp/board/model/Board.java

```
 1 package com.example.myapp.board.model;
 2
 3 import java.sql.Timestamp;
 4
 5 import org.springframework.web.multipart.MultipartFile;
 6
 7 import lombok.Getter;
 8 import lombok.Setter;
 9 import lombok.ToString;
10
11 @Setter @Getter
12 @ToString(exclude="file")
13 public class Board {
14     private int boardId;
15     private int categoryId;
16     private String writer;
17     private String email;
18     private String password;
19     private String title;
20     private String content;
21     private Timestamp writeDate;
22     private int masterId;
23     private int readCount;
24     private int replyNumber;
25     private int replyStep;
26     private int page;
27
```

```
28    private MultipartFile file;
29    private int fileId;
30    private String fileName;
31    private long fileSize;
32    private String fileContentType;
33 }//end class
```

4.4. DAO

1) IBoardRepository

IBoardRepository 인터페이스의 메서드는 BoardService 클래스에서 사용합니다. 이들 메서드는 게시글을 입력/수정/삭제/조회하는 기능을 수행합니다.

이 예제는 댓글 기능이 있는 게시판입니다. 그래서 글을 올릴 때 일반 글과 댓글을 구분해서 저장해야 합니다. 그리고 게시글 작성 시 첨부파일을 올릴 수 있는 기능이 있으므로 파일을 업로드할 수 있는 기능이 있어야 합니다. 다음 인터페이스의 코드를 작성하기 전에 먼저 어떤 기능이 있는지를 확인하고 작성하길 바랍니다.

com/example/myapp/board/dao/IBoardRepository.java

```
 1 package com.example.myapp.board.dao;
 2
 3 import java.util.List;
 4
 5 import org.apache.ibatis.annotations.Param;
 6
 7 import com.example.myapp.board.model.Board;
 8 import com.example.myapp.board.model.BoardUploadFile;
 9
10 public interface IBoardRepository {
11    List<Board> selectArticleListByCategory(@Param("categoryId") int
   categoryId, @Param("start") int start, @Param("end") int end);
12
13    Board selectArticle(int boardId);
14    void updateReadCount(int boardId);
15
16    int selectMaxArticleNo();
17    int selectMaxFileId();
18    void insertArticle(Board board);
19    void insertFileData(BoardUploadFile file);
20
```

```
21      BoardUploadFile getFile(int fileId);
22
23      void updateReplyNumber(@Param("masterId") int masterId,
   @Param("replyNumber") int replyNumber);
24      void replyArticle(Board boardId);
25
26      String getPassword(int boardId);
27      void updateArticle(Board board);
28      void updateFileData(BoardUploadFile file);
29
30      Board selectDeleteArticle(int boardId);
31      void deleteFileData(int boardId);
32      void deleteArticleByBoardId(int boardId);
33
34      void deleteReplyFileData(int boardId);
35      void deleteArticleByMasterId(int boardId);
36
37      int selectTotalArticleCount();
38      int selectTotalArticleCountByCategoryId(int categoryId);
39
40      int selectTotalArticleCountByKeyword(String keyword);
41
42      List<Board> searchListByContentKeyword(@Param("keyword") String keyword,
   @Param("start") int start, @Param("end") int end);
43 }
```

2) BoardMapper

BoardMapper.xml 파일은 IBoardRepository 인터페이스를 구현한 MyBatis 매퍼 XML 파일입니다. 코드 안에서 SQL 구문이 <![CDATA[...]]> 섹션으로 둘러싸여 있습니다. CDATA는 Character Data를 의미하며 <![CDATA[와]]> 사이에 작성한 텍스트는 XML 파서가 파싱을 하지 않습니다. 그리고 매퍼 파일에서 SQL 구문에 있는 띄어쓰기 및 들여 쓰기는 코드의 가독성을 높이기 위해서 넣은 것입니다.

src/main/resources/아래 mapper/board/BoardMapper.xml

```
1 <?xml version="1.0" encoding="UTF-8"?>
2 <!DOCTYPE mapper PUBLIC "-//mybatis.org//DTD Mapper 3.0//EN"
3     "http://mybatis.org/dtd/mybatis-3-mapper.dtd">
4
5 <mapper namespace="com.example.myapp.board.dao.IBoardRepository">
6
7     <select id="selectArticleListByCategory" parameterType="hashmap"
```

```
        resultType="com.example.myapp.board.model.Board">
 8      <![CDATA[
 9        SELECT
10            board_id      AS "boardId",
11            category_id   AS "categoryId",
12            writer        AS "writer",
13            email         AS "email",
14            title         AS "title",
15            write_date    AS "writeDate",
16            master_id     AS "masterId",
17            reply_number  AS "replyNumber",
18            reply_step    AS "replyStep",
19            read_count    AS "readCount"
20        FROM (
21          SELECT
22              board_id, category_id, writer, email, title, write_date,
23              master_id, reply_number, reply_step, read_count,
24              rownum AS rnum
25          FROM (
26              SELECT * FROM board
27              WHERE category_id=#{categoryId}
28              ORDER BY master_id DESC, reply_number, reply_step
29          )
30        )
31        WHERE rnum BETWEEN #{start} AND #{end}
32      ]]>
33      </select>
34
35      <select id="selectArticle" parameterType="int"
        resultType="com.example.myapp.board.model.Board">
36      <![CDATA[
37        SELECT
38            board.board_id            AS "boardId",
39            category_id               AS "categoryId",
40            writer                    AS "writer",
41            email                     AS "email",
42            title                     AS "title",
43            content                   AS "content",
44            read_count                AS "readCount",
45            write_date                AS "writeDate",
46            master_id                 AS "masterId",
47            reply_number              AS "replyNumber",
48            reply_step                AS "replyStep",
49            board_upload_file.file_id   AS "fileId",
50            board_upload_file.file_name AS "fileName",
51            board_upload_file.file_size AS "fileSize",
```

```
52              board_upload_file.file_content_type    AS "fileContentType"
53          FROM board
54          LEFT OUTER JOIN board_upload_file
55              ON board.board_id=board_upload_file.board_id
56          WHERE board.board_id=#{boardId}
57      ]]>
58    </select>
59
60    <update id="updateReadCount" parameterType="int">
61    <![CDATA[
62        UPDATE board SET read_count = read_count+1 WHERE board_id=#{boardId}
63    ]]>
64    </update>
65
66    <select id="selectMaxArticleNo" resultType="int">
67    <![CDATA[
68        SELECT NVL(MAX(board_id),0) AS "articleNo" FROM board
69    ]]>
70    </select>
71
72    <select id="selectMaxFileId" resultType="int">
73    <![CDATA[
74        SELECT NVL(MAX(file_id),0) AS "fileId" FROM board_upload_file
75    ]]>
76    </select>
77
78    <insert id="insertArticle" parameterType="com.example.myapp.board.model.Board">
79    <![CDATA[
80        INSERT INTO board
81            (board_id, category_id, writer, email, password, title, content,
    write_date, master_id, reply_number, reply_step)
82        VALUES
83            (#{boardId}, #{categoryId}, #{writer}, #{email}, #{password},
    #{title}, #{content}, SYSDATE, #{boardId}, 0, 0)
84    ]]>
85    </insert>
86
87    <insert id="insertFileData"
    parameterType="com.example.myapp.board.model.BoardUploadFile">
88    <![CDATA[
89        INSERT INTO board_upload_file (file_id, board_id, file_name, file_size,
    file_content_type, file_data)
90        VALUES (#{fileId}, #{boardId}, #{fileName}, #{fileSize},
    #{fileContentType}, #{fileData})
91    ]]>
92    </insert>
```

```
93
94    <select id="getFile" parameterType="int"
   resultType="com.example.myapp.board.model.BoardUploadFile">
95    <![CDATA[
96       SELECT
97            file_id           AS "fileId",
98            board_id          AS "boardId",
99            file_name         AS "fileName",
100           file_size         AS "fileSize",
101           file_content_type AS "fileContentType",
102           file_data         AS "fileData"
103      FROM board_upload_file
104      WHERE file_id=#{fileId}
105    ]]>
106   </select>
107
108   <insert id="updateReplyNumber" parameterType="hashmap">
109   <![CDATA[
110      UPDATE board SET reply_number=reply_number+1
111      WHERE  master_id = #{masterId} AND reply_number > #{replyNumber}
112    ]]>
113   </insert>
114
115   <insert id="replyArticle"
   parameterType="com.example.myapp.board.model.Board">
116   <![CDATA[
117      INSERT INTO board
118          (board_id, category_id, writer, email, password, title, content,
   write_date, master_id, reply_number, reply_step)
119      VALUES
120          (#{boardId}, #{categoryId}, #{writer}, #{email}, #{password},
   #{title}, #{content}, SYSDATE, #{masterId}, #{replyNumber}, #{replyStep})
121    ]]>
122   </insert>
123
124   <select id="getPassword" parameterType="int" resultType="string">
125   <![CDATA[
126      SELECT password FROM board WHERE board_id=#{boardId}
127    ]]>
128   </select>
129
130   <update id="updateArticle"
   parameterType="com.example.myapp.board.model.Board">
131   <![CDATA[
132      UPDATE board
133      SET
```

```
134            category_id=#{categoryId}, writer=#{writer},
135            email=#{email}, title=#{title},
136            content=#{content}, write_date=SYSDATE
137        WHERE   board_id=#{boardId}
138    ]]>
139    </update>
140
141    <update id="updateFileData"
   parameterType="com.example.myapp.board.model.BoardUploadFile">
142    <![CDATA[
143        UPDATE board_upload_file
144        SET
145            file_name=#{fileName}, file_size=#{fileSize},
146            file_content_type=#{fileContentType}, file_data=#{fileData}
147        WHERE   file_id=#{fileId}
148    ]]>
149    </update>
150
151    <select id="selectDeleteArticle" parameterType="int"
   resultType="com.example.myapp.board.model.Board">
152    <![CDATA[
153        SELECT
154            category_id    AS "categoryId",
155            master_id      AS "masterId",
156            reply_number   AS "replyNumber"
157        FROM    board
158        WHERE   board_id=#{boardId}
159    ]]>
160    </select>
161
162    <delete id="deleteFileData" parameterType="int">
163    <![CDATA[
164        DELETE FROM board_upload_file
165        WHERE EXISTS (SELECT board_id FROM board
166                      WHERE board.board_id=#{boardId}
167                      AND board.board_id=board_upload_file.board_id)
168    ]]>
169    </delete>
170
171    <delete id="deleteReplyFileData" parameterType="int">
172    <![CDATA[
173        DELETE FROM board_upload_file
174        WHERE EXISTS (SELECT board_id FROM board
175                      WHERE board.master_id=#{boardId}
176                      AND board.board_id=board_upload_file.board_id)
177    ]]>
```

```
178     </delete>
179
180     <delete id="deleteArticleByBoardId" parameterType="int">
181     <![CDATA[
182         DELETE FROM board WHERE board_id=#{boardId}
183     ]]>
184     </delete>
185
186     <delete id="deleteArticleByMasterId" parameterType="int">
187     <![CDATA[
188         DELETE FROM board WHERE master_id=#{boardId}
189     ]]>
190     </delete>
191
192     <select id="selectTotalArticleCount" resultType="int">
193     <![CDATA[
194         SELECT COUNT(board_id) AS "count" FROM board
195     ]]>
196     </select>
197
198     <select id="selectTotalArticleCountByCategoryId" parameterType="int"
    resultType="int">
199     <![CDATA[
200         SELECT COUNT(board_id) AS "count" FROM board
201         WHERE category_id=#{categoryId}
202     ]]>
203     </select>
204
205     <select id="selectTotalArticleCountByKeyword" parameterType="string"
    resultType="int">
206     <![CDATA[
207         SELECT COUNT(*) FROM board
208         WHERE title LIKE #{keyword} OR content LIKE #{keyword}
209     ]]>
210     </select>
211
212     <select id="searchListByContentKeyword" parameterType="hashmap"
    resultType="com.example.myapp.board.model.Board">
213     <![CDATA[
214         SELECT
215             board_id        AS "boardId",
216             category_id     AS "categoryId",
217             writer          AS "writer",
218             email           AS "email",
219             title           AS "title",
220             write_date      AS "writeDate",
```

```
221            master_id     AS "masterId",
222            reply_number  AS "replyNumber",
223            reply_step    AS "replyStep",
224            read_count    AS "readCount"
225        FROM (
226            SELECT
227                board_id, category_id, writer, email, title, write_date,
228                master_id, reply_number, reply_step, read_count,
229                rownum AS rnum
230            FROM (
231                SELECT * FROM board
232                WHERE title LIKE #{keyword} OR content LIKE #{keyword}
233                ORDER BY master_id DESC, reply_number, reply_step
234            )
235        )
236        WHERE rnum BETWEEN #{start} AND #{end}
237    ]]>
238    </select>
239 </mapper>
```

● 오라클 12c 버전 이상이라면 Top-N 쿼리를 위해 OFFSET ~ FETCH 절을 사용할 수 있습니다. 그래서 위 코드에서 selectArticleListByCategory에 사용한 3중 쿼리는 다음처럼 OFFSET과 FETCH 절을 이용해서 단일 쿼리로 표현할 수 있습니다.

```
7    <select id="selectArticleListByCategory" parameterType="hashmap"
   resultType="com.example.myapp.board.model.Board">
8    <![CDATA[
9      SELECT
10         board_id      AS "boardId",
11         category_id   AS "categoryId",
12         writer        AS "writer",
13         email         AS "email",
14         title         AS "title",
15         write_date    AS "writeDate",
16         master_id     AS "masterId",
17         reply_number  AS "replyNumber",
18         reply_step    AS "replyStep",
19         read_count    AS "readCount"
20      FROM board WHERE category_id=#{categoryId}
21      ORDER BY master_id DESC, reply_number, reply_step
22      OFFSET #{start}-1 ROWS FETCH FIRST 10 ROWS ONLY
23    ]]>
24    </select>
```

● OFFSET n ROWS는 n개 행을 건너뛰라는 의미이며, FETCH FIRST m ROWS ONLY 는 m개 행만큼 조회하라는 의미합니다.

3) IBoardCategoryRepository

게시판 카테고리를 입력/수정/삭제/조회하기 위한 메서드를 선언한 인터페이스입니다.
com/example/myapp/board/dao/IBoardCategoryRepository.java

```java
1 package com.example.myapp.board.dao;
2
3 import java.util.List;
4
5 import com.example.myapp.board.model.BoardCategory;
6
7 public interface IBoardCategoryRepository {
8     int selectMaxCategoryId();
9     List<BoardCategory> selectAllCategory();
10    void insertNewCategory(BoardCategory boardCategory);
11    void updateCategory(BoardCategory boardCategory);
12    void deleteCategory(int categoryId);
13 }
```

4) BoardCategoryMapper

이 예제에서는 카테고리 정보를 입력/수정/삭제/조회하는 기능이 있지만 실제로 사용하지 않습니다. 만일 카테고리를 관리하는 기능을 추가하려면 컨트롤러와 뷰 페이지를 만들어야 합니다.

다음은 IBoardCategoryRepository 인터페이스를 구현한 파일입니다.
src/main/resources/아래 mapper/board/BoardCategoryMapper.xml

```xml
1 <?xml version="1.0" encoding="UTF-8"?>
2 <!DOCTYPE mapper PUBLIC "-//mybatis.org//DTD Mapper 3.0//EN"
3     "http://mybatis.org/dtd/mybatis-3-mapper.dtd">
4
5 <mapper namespace="com.example.myapp.board.dao.IBoardCategoryRepository">
6
7     <select id="selectAllCategory"
  resultType="com.example.myapp.board.model.BoardCategory">
8        <![CDATA[
9         SELECT
10            category_id                 AS categoryId,
11            category_name               AS categoryName,
12            category_description        AS categoryDescription
13        FROM board_category
14        ORDER BY category_id
15        ]]>
```

```
16    </select>
17
18    <select id="selectMaxCategoryId" resultType="int">
19    <![CDATA[
20       SELECT
21           NVL(MAX(category_id),0) AS "categoryId"
22       FROM board_category
23    ]]>
24    </select>
25
26    <insert id="insertNewCategory"
   parameterType="com.example.myapp.board.model.BoardCategory">
27    <![CDATA[
28       INSERT INTO board_category
29           (category_id, category_name, category_description)
30       VALUES
31           (#{categoryId}, #{categoryName}, #{categoryDescription})
32    ]]>
33    </insert>
34
35    <update id="updateCategory"
   parameterType="com.example.myapp.board.model.BoardCategory">
36    <![CDATA[
37       UPDATE board_category
38       SET
39           category_name = #{categoryName},
40           category_description = #{categoryDescription}
41       WHERE
42           category_id = #{categoryId}
43    ]]>
44    </update>
45
46    <delete id="deleteCategory" parameterType="int">
47    <![CDATA[
48       DELETE board_category
49       WHERE category_id = #{categoryId}
50    ]]>
51    </delete>
52
53 </mapper>
```

● 카테고리 정보를 입력/출력/삭제/조회하기 위한 컨트롤러와 뷰가 없으므로 실제로 카테고리 정보를 관리할 수는 없습니다. 이 장의 예제 코드를 모두 완성한 후 카테고리 정보를 입력/수정/삭제/조회할 수 있도록 컨트롤러와 뷰를 추가해서 기능을 완성해 보세요.

4.5. Service

1) IBoardService

IBoardService 인터페이스는 BoardController에서 게시글 정보를 입력/출력/삭제/조회하기 위해 사용합니다.

com/example/myapp/board/service/IBoardService.java

```
1 package com.example.myapp.board.service;
2
3 import java.util.List;
4
5 import com.example.myapp.board.model.Board;
6 import com.example.myapp.board.model.BoardUploadFile;
7
8 public interface IBoardService {
9     void insertArticle(Board board);
10    void insertArticle(Board board, BoardUploadFile file);
11
12    List<Board> selectArticleListByCategory(int categoryId, int page);
13
14    Board selectArticle(int boardId);
15
16    BoardUploadFile getFile(int fileId);
17
18    void replyArticle(Board board);
19    void replyArticle(Board board, BoardUploadFile file);
20
21    String getPassword(int boardId);
22
23    void updateArticle(Board board);
24    void updateArticle(Board board, BoardUploadFile file);
25
26    Board selectDeleteArticle(int boardId);
27    void deleteArticle(int boardId, int replyNumber);
28
29    int selectTotalArticleCount();
30    int selectTotalArticleCountByCategoryId(int categoryId);
31
32    List<Board> searchListByContentKeyword(String keyword, int page);
33    int selectTotalArticleCountByKeyword(String keyword);
34 }
```

2) BoardService

IBoardRepository를 이용해 게시판 서비스를 구현한 클래스입니다. BoardService 클래스에서 트랜잭션 처리를 합니다.

com/example/myapp/board/service/BoardService.java

```
1 package com.example.myapp.board.service;
2
3 import java.util.List;
4
5 import org.springframework.beans.factory.annotation.Autowired;
6 import org.springframework.stereotype.Service;
7 import org.springframework.transaction.annotation.Transactional;
8
9 import com.example.myapp.board.dao.IBoardRepository;
10 import com.example.myapp.board.model.Board;
11 import com.example.myapp.board.model.BoardUploadFile;
12
13 @Service
14 public class BoardService implements IBoardService {
15
16     @Autowired
17     IBoardRepository boardRepository;
18
19     @Transactional
20     public void insertArticle(Board board) {
21         board.setBoardId(boardRepository.selectMaxArticleNo()+1);
22         boardRepository.insertArticle(board);
23     }
24
25     @Transactional
26     public void insertArticle(Board board, BoardUploadFile file) {
27         board.setBoardId(boardRepository.selectMaxArticleNo()+1);
28         boardRepository.insertArticle(board);
29         if(file != null && file.getFileName() != null &&
   !file.getFileName().equals("")) {
30             file.setBoardId(board.getBoardId());
31             file.setFileId(boardRepository.selectMaxFileId()+1);
32             boardRepository.insertFileData(file);
33         }
34     }
35
36     @Override
37     public List<Board> selectArticleListByCategory(int categoryId, int page) {
38         int start = (page-1)*10 + 1;
39         return boardRepository.selectArticleListByCategory(categoryId, start,
```

```
       start+9); // 오라클은 BETWEEN a AND b에서 a와 b 모두 포함하므로 9를 더함
40     }
41
42     @Transactional
43     public Board selectArticle(int boardId) {
44         boardRepository.updateReadCount(boardId);
45         return boardRepository.selectArticle(boardId);
46     }
47
48     @Override
49     public BoardUploadFile getFile(int fileId) {
50         return boardRepository.getFile(fileId);
51     }
52
53     @Transactional
54     public void replyArticle(Board board) {
55         boardRepository.updateReplyNumber(board.getMasterId(),
   board.getReplyNumber());
56         board.setBoardId(boardRepository.selectMaxArticleNo()+1);
57         board.setReplyNumber(board.getReplyNumber()+1);
58         board.setReplyStep(board.getReplyStep()+1);
59         boardRepository.replyArticle(board);
60     }
61
62     @Transactional
63     public void replyArticle(Board board, BoardUploadFile file) {
64         boardRepository.updateReplyNumber(board.getMasterId(),
   board.getReplyNumber());
65         board.setBoardId(boardRepository.selectMaxArticleNo()+1);
66         board.setReplyNumber(board.getReplyNumber()+1);
67         board.setReplyStep(board.getReplyStep()+1);
68         boardRepository.replyArticle(board);
69         if(file != null && file.getFileName() != null &&
   !file.getFileName().equals("")) {
70             file.setBoardId(board.getBoardId());
71             file.setFileId(boardRepository.selectMaxFileId()+1);
72             boardRepository.insertFileData(file);
73         }
74     }
75
76     @Override
77     public String getPassword(int boardId) {
78         return boardRepository.getPassword(boardId);
79     }
80
81     @Override
```

```
82      public void updateArticle(Board board) {
83          boardRepository.updateArticle(board);
84      }
85
86      @Transactional
87      public void updateArticle(Board board, BoardUploadFile file) {
88          boardRepository.updateArticle(board);
89          if(file != null && file.getFileName() != null &&
   !file.getFileName().equals("")) {
90              file.setBoardId(board.getBoardId());
91
92              if(file.getFileId()>0) {
93                  boardRepository.updateFileData(file);
94              }else {
95                  file.setFileId(boardRepository.selectMaxFileId()+1);
96                  boardRepository.insertFileData(file);
97              }
98          }
99      }
100
101     @Override
102     public Board selectDeleteArticle(int boardId) {
103         return boardRepository.selectDeleteArticle(boardId);
104     }
105
106     @Transactional
107     public void deleteArticle(int boardId, int replyNumber) {
108         if(replyNumber>0) {
109             boardRepository.deleteFileData(boardId);
110             boardRepository.deleteArticleByBoardId(boardId);
111         }else if(replyNumber==0){
112             boardRepository.deleteReplyFileData(boardId);
113             boardRepository.deleteArticleByMasterId(boardId);
114         }else {
115             throw new RuntimeException("WRONG_REPLYNUMBER");
116         }
117     }
118
119     @Override
120     public int selectTotalArticleCount() {
121         return boardRepository.selectTotalArticleCount();
122     }
123
124     @Override
125     public int selectTotalArticleCountByCategoryId(int categoryId) {
126         return boardRepository.selectTotalArticleCountByCategoryId(categoryId);
```

```
127     }
128
129     @Override
130     public List<Board> searchListByContentKeyword(String keyword, int page) {
131         int start = (page-1)*10 + 1;
132         return boardRepository.searchListByContentKeyword("%"+keyword+"%",
    start, start+9); // 오라클은 BETWEEN a AND b에서 a와 b 모두 포함하므로 9를 더함
133     }
134
135     @Override
136     public int selectTotalArticleCountByKeyword(String keyword) {
137         return boardRepository.selectTotalArticleCountByKeyword("%"+keyword+"%");
138     }
139 }
```

3) IBoardCategoryService

IBoardCategoryService 인터페이스는 BoardController에서 사용합니다.
com/example/myapp/board/service/IBoardCategoryService.java

```
1 package com.example.myapp.board.service;
2
3 import java.util.List;
4
5 import com.example.myapp.board.model.BoardCategory;
6
7 public interface IBoardCategoryService {
8     List<BoardCategory> selectAllCategory();
9     void insertNewCategory(BoardCategory boardCategory);
10    void updateCategory(BoardCategory boardCategory);
11    void deleteCategory(int categoryId);
12 }
```

● IBoardCategoryService 인터페이스를 구현한 서비스클래스도 이 예제에서 사용하지 않습니다. 카테고리 정보를 관리하려면 컨트롤러와 뷰코드가 있어야 합니다. 이 장의 모든 예제코드를 완성한 후 카테고리를 관리하는 예를 추가해 보세요.

4) BoardCategoryService

다음은 IBoardCategoryService 인터페이스를 구현한 클래스입니다.
com/example/myapp/board/service/BoardCategoryService.java

```java
 1 package com.example.myapp.board.service;
 2
 3 import java.util.List;
 4
 5 import org.springframework.beans.factory.annotation.Autowired;
 6 import org.springframework.stereotype.Service;
 7
 8 import com.example.myapp.board.dao.IBoardCategoryRepository;
 9 import com.example.myapp.board.model.BoardCategory;
10
11 @Service
12 public class BoardCategoryService implements IBoardCategoryService{
13
14     @Autowired
15     IBoardCategoryRepository boardCategoryRepository;
16
17     @Override
18     public List<BoardCategory> selectAllCategory() {
19         return boardCategoryRepository.selectAllCategory();
20     }
21
22     @Override
23     public void insertNewCategory(BoardCategory boardCategory) {
24         int newCategoryId = boardCategoryRepository.selectMaxCategoryId() + 1;
25         boardCategory.setCategoryId(newCategoryId);
26         boardCategoryRepository.insertNewCategory(boardCategory);
27     }
28
29     @Override
30     public void updateCategory(BoardCategory boardCategory) {
31         boardCategoryRepository.updateCategory(boardCategory);
32     }
33
34     @Override
35     public void deleteCategory(int categoryId) {
36         boardCategoryRepository.deleteCategory(categoryId);
37     }
38 }
```

4.6. 설정 파일 수정

1) root-context.xml

공통 빈 설정 파일(root-context.xml)에 아래의 설정을 추가하세요.

```
47      <mybatis-spring:scan  base-package="com.example.myapp.board.dao"/>
48      <context:component-scan base-package="com.example.myapp.board.service"/>
```

2) servlet-context.xml

웹 빈 설정 파일 servlet-context.xml 파일에 아래의 설정을 추가하세요.

```
31      <context:component-scan base-package="com.example.myapp.board.controller"/>
```

* 여러분의 작업 환경에서 라인 번호와 이 책의 라인 번호는 다를 수 있습니다.

4.7. Controller

1) BoardController

BoardController는 게시글 관련 요청을 처리하는 컨트롤러 클래스입니다.

아래의 코드를 모두 입력한 후 뷰 코드를 작성하고 테스트하려면 jsoup 라이브러리 의존성이 추가되어 있어야 합니다. jsoup 라이브러리는 XSS 공격 취약점을 해결하기 위해 사용합니다. jsoup은 XSS 공격에 대응하기 위해 사용합니다. XSS 공격 대응은 [6. XSS 공격 대응]에서 설명합니다.

모든 메서드를 작성하고 테스트하려면 상당한 인내력이 필요합니다. 메서드 하나씩 구현하고 뷰코드를 작성한 후 테스트하세요.

com/example/myapp/board/controller/BoardController.java

```java
1 package com.example.myapp.board.controller;
2
3 import java.io.UnsupportedEncodingException;
4 import java.net.URLEncoder;
5 import java.util.List;
6 import java.util.UUID;
7
8 import javax.servlet.http.HttpSession; // tomcat 10은 jakarta.servlet
9
```

```
10 import org.jsoup.Jsoup;
11 import org.jsoup.safety.Safelist;
12 import org.slf4j.Logger;
13 import org.slf4j.LoggerFactory;
14 import org.springframework.beans.factory.annotation.Autowired;
15 import org.springframework.http.HttpHeaders;
16 import org.springframework.http.HttpStatus;
17 import org.springframework.http.MediaType;
18 import org.springframework.http.ResponseEntity;
19 import org.springframework.stereotype.Controller;
20 import org.springframework.ui.Model;
21 import org.springframework.validation.BindingResult;
22 import org.springframework.web.bind.annotation.GetMapping;
23 import org.springframework.web.bind.annotation.PathVariable;
24 import org.springframework.web.bind.annotation.PostMapping;
25 import org.springframework.web.bind.annotation.RequestParam;
26 import org.springframework.web.multipart.MultipartFile;
27 import org.springframework.web.servlet.mvc.support.RedirectAttributes;
28
29 import com.example.myapp.board.model.Board;
30 import com.example.myapp.board.model.BoardCategory;
31 import com.example.myapp.board.model.BoardUploadFile;
32 import com.example.myapp.board.service.IBoardCategoryService;
33 import com.example.myapp.board.service.IBoardService;
34
35 @Controller
36 public class BoardController {
37     private final Logger logger = LoggerFactory.getLogger(this.getClass());
38
39     @Autowired
40     IBoardService boardService;
41
42     @Autowired
43     IBoardCategoryService categoryService;
44
45     @GetMapping("/board/cat/{categoryId}/{page}")
46     public String getListByCategory(@PathVariable int categoryId, @PathVariable
   int page, HttpSession session, Model model) {
47         session.setAttribute("page", page);
48         model.addAttribute("categoryId", categoryId);
49         List<Board> boardList =
   boardService.selectArticleListByCategory(categoryId, page);
50         model.addAttribute("boardList", boardList);
51         int bbsCount =
   boardService.selectTotalArticleCountByCategoryId(categoryId);
52         int totalPage = 0;
53         if(bbsCount > 0) {
```

```
54              totalPage= (int)Math.ceil(bbsCount/10.0);
55          }
56          model.addAttribute("totalPageCount", totalPage);
57          model.addAttribute("page", page);
58          return "board/list";
59      }
60
61      @GetMapping("/board/cat/{categoryId}")
62      public String getListByCategory(@PathVariable int categoryId, HttpSession
    session, Model model) {
63          return getListByCategory(categoryId, 1, session, model);
64      }
65
66      @GetMapping("/board/{boardId}/{page}")
67      public String getBoardDetails(@PathVariable int boardId, @PathVariable int
    page, Model model) {
68          Board board = boardService.selectArticle(boardId);
69          model.addAttribute("board", board);
70          model.addAttribute("page", page);
71          model.addAttribute("categoryId", board.getCategoryId());
72          logger.info("getBoardDetails " + board.toString());
73          return "board/view";
74      }
75
76      @GetMapping("/board/{boardId}")
77      public String getBoardDetails(@PathVariable int boardId, Model model) {
78          return getBoardDetails(boardId, 1, model);
79      }
80
81      @GetMapping(value="/board/write/{categoryId}")
82      public String writeArticle(@PathVariable int categoryId, HttpSession
    session, Model model) {
83          // CSRF 토큰 생성 후 세션에 저장
84          String csrfToken = UUID.randomUUID().toString(); // CSRF 토큰 생성
85          session.setAttribute("csrfToken", csrfToken);    // 세션에 저장
86          List<BoardCategory> categoryList = categoryService.selectAllCategory();
87          model.addAttribute("categoryList", categoryList);
88          model.addAttribute("categoryId", categoryId);
89          return "board/write";
90      }
91
92      @PostMapping(value="/board/write")
93      public String writeArticle(Board board, BindingResult results, String
    csrfToken, HttpSession session, RedirectAttributes redirectAttrs) {
94          logger.info("/board/write : " + board.toString() + csrfToken);
95          String sessionToken = (String) session.getAttribute("csrfToken");
96          if(csrfToken==null || !csrfToken.equals(sessionToken)) {
97              throw new RuntimeException("CSRF Token Error.");
```

> BindingResult는 폼 입력값 검증에 사용됩니다. Board에 csrfToken 속성이 없으므로 반드시 포함해야 합니다.

```
 98            }
 99          try{
100              board.setContent(board.getContent().replace("\r\n", "<br>"));
101              board.setTitle(Jsoup.clean(board.getTitle(), Safelist.basic()));
102              board.setContent(Jsoup.clean(board.getContent(),
        Safelist.basic()));
103              MultipartFile mfile = board.getFile();
104              if(mfile!=null && !mfile.isEmpty()) {
105                  BoardUploadFile file = new BoardUploadFile();
106                  file.setFileName(mfile.getOriginalFilename());
107                  file.setFileSize(mfile.getSize());
108                  file.setFileContentType(mfile.getContentType());
109                  file.setFileData(mfile.getBytes());
110                  boardService.insertArticle(board, file);
111              }else {
112                  boardService.insertArticle(board);
113              }
114          }catch(Exception e){
115              e.printStackTrace();
116              redirectAttrs.addFlashAttribute("message", e.getMessage());
117          }
118          return "redirect:/board/cat/"+board.getCategoryId();
119      }
120
121      @GetMapping("/file/{fileId}")
122      public ResponseEntity<byte[]> getFile(@PathVariable int fileId) {
123          BoardUploadFile file = boardService.getFile(fileId);
124          logger.info("getFile " + file.toString());
125          final HttpHeaders headers = new HttpHeaders();
126          String[] mtypes = file.getFileContentType().split("/");
127          headers.setContentType(new MediaType(mtypes[0], mtypes[1]));
128          headers.setContentLength(file.getFileSize());
129          try {
130              String encodedFileName = URLEncoder.encode(file.getFileName(),
        "UTF-8");
131              headers.setContentDispositionFormData("attachment",
        encodedFileName);
132          } catch (UnsupportedEncodingException e) {
133              throw new RuntimeException(e);
134          }
135          return new ResponseEntity<byte[]>(file.getFileData(), headers,
        HttpStatus.OK);
136      }
137
138      @GetMapping(value="/board/reply/{boardId}")
139      public String replyArticle(@PathVariable int boardId, Model model) {
140          Board board = boardService.selectArticle(boardId);
```

```
141          board.setWriter("");
142          board.setEmail("");
143          board.setTitle("[Re]"+board.getTitle());
144          board.setContent("\n\n\n---------\n" + board.getContent().replaceAll(
     "<br>", "\n"));
145          model.addAttribute("board", board);
146          model.addAttribute("next", "reply");
147          return "board/reply";
148      }
149
150      @PostMapping(value="/board/reply")
151      public String replyArticle(Board board, RedirectAttributes redirectAttrs,
     HttpSession session) {
152          logger.info("/board/reply : " + board.toString());
153          try{
154              board.setContent(board.getContent().replace("\r\n", "<br>"));
155              board.setTitle(Jsoup.clean(board.getTitle(), Safelist.basic()));
156              board.setContent(Jsoup.clean(board.getContent(),
     Safelist.basic()));
157              MultipartFile mfile = board.getFile();
158              if(mfile!=null && !mfile.isEmpty()) {
159                  BoardUploadFile file = new BoardUploadFile();
160                  file.setFileName(mfile.getOriginalFilename());
161                  file.setFileSize(mfile.getSize());
162                  file.setFileContentType(mfile.getContentType());
163                  file.setFileData(mfile.getBytes());
164                  boardService.replyArticle(board, file);
165              }else {
166                  boardService.replyArticle(board);
167              }
168          }catch(Exception e){
169              e.printStackTrace();
170              redirectAttrs.addFlashAttribute("message", e.getMessage());
171          }
172          if(session.getAttribute("page") != null) {
173              return "redirect:/board/cat/"+board.getCategoryId() + "/" +
     (Integer)session.getAttribute("page");
174          }else {
175              return "redirect:/board/cat/"+board.getCategoryId();
176          }
177      }
178
179      @GetMapping(value="/board/update/{boardId}")
180      public String updateArticle(@PathVariable int boardId, Model model) {
181          List<BoardCategory> categoryList = categoryService.selectAllCategory();
182          Board board = boardService.selectArticle(boardId);
183          model.addAttribute("categoryList", categoryList);
184          model.addAttribute("categoryId", board.getCategoryId());
```

> 글 수정(updateArticle)과 댓글(replyArticle) 기능도 CSRF 공격에 대비한 코드를 추가해야 합니다.

```
185        board.setContent(board.getContent().replaceAll("<br>", "\r\n"));
186        model.addAttribute("board", board);
187        return "board/update";
188    }
189
190    @PostMapping(value="/board/update")
191    public String updateArticle(Board board, RedirectAttributes redirectAttrs) {
192        logger.info("/board/update " + board.toString());
193        String dbPassword = boardService.getPassword(board.getBoardId());
194        if(!board.getPassword().equals(dbPassword)) {
195            redirectAttrs.addFlashAttribute("passwordError", "게시글 비밀번호가
    다릅니다");
196            return "redirect:/board/update/" + board.getBoardId();
197        }
198        try{
199            board.setContent(board.getContent().replace("\r\n", "<br>"));
200            board.setTitle(Jsoup.clean(board.getTitle(), Safelist.basic()));
201            board.setContent(Jsoup.clean(board.getContent(),
    Safelist.basic()));
202            MultipartFile mfile = board.getFile();
203            if(mfile!=null && !mfile.isEmpty()) {
204                logger.info("/board/update : " + mfile.getOriginalFilename());
205                BoardUploadFile file = new BoardUploadFile();
206                file.setFileId(board.getFileId());
207                file.setFileName(mfile.getOriginalFilename());
208                file.setFileSize(mfile.getSize());
209                file.setFileContentType(mfile.getContentType());
210                file.setFileData(mfile.getBytes());
211                logger.info("/board/update : " + file.toString());
212                boardService.updateArticle(board, file);
213            }else {
214                boardService.updateArticle(board);
215            }
216        }catch(Exception e){
217            e.printStackTrace();
218            redirectAttrs.addFlashAttribute("message", e.getMessage());
219        }
220        return "redirect:/board/"+board.getBoardId();
221    }
222
223    @GetMapping(value="/board/delete/{boardId}")
224    public String deleteArticle(@PathVariable int boardId, Model model) {
225        Board board = boardService.selectDeleteArticle(boardId);
226        model.addAttribute("categoryId", board.getCategoryId());
227        model.addAttribute("boardId", boardId);
228        model.addAttribute("replyNumber", board.getReplyNumber());
229        return "board/delete";
230    }
```

```
231
232     @PostMapping(value="/board/delete")
233     public String deleteArticle(Board board, HttpSession session,
    RedirectAttributes model) {
234         try {
235             String dbpw = boardService.getPassword(board.getBoardId());
236             if(dbpw.equals(board.getPassword())) {
237                 boardService.deleteArticle(board.getBoardId(),
    board.getReplyNumber());
238                 return "redirect:/board/cat/" + board.getCategoryId() + "/" +
    (Integer)session.getAttribute("page");
239             }else {
240                 model.addFlashAttribute("message",
    "WRONG_PASSWORD_NOT_DELETED");
241                 return "redirect:/board/delete/" + board.getBoardId();
242             }
243         }catch(Exception e){
244             model.addAttribute("message", e.getMessage());
245             e.printStackTrace();
246             return "error/runtime";
247         }
248     }
249
250     @GetMapping("/board/search/{page}")
251     public String search(@RequestParam(required=false, defaultValue="") String
    keyword, @PathVariable int page, HttpSession session, Model model) {
252         try {
253             List<Board> boardList =
    boardService.searchListByContentKeyword(keyword, page);
254             model.addAttribute("boardList", boardList);
255             int bbsCount =
    boardService.selectTotalArticleCountByKeyword(keyword);
256             int totalPage = 0;
257             if(bbsCount > 0) {
258                 totalPage= (int)Math.ceil(bbsCount/10.0);
259             }
260             model.addAttribute("totalPageCount", totalPage);
261             model.addAttribute("page", page);
262             model.addAttribute("keyword", keyword);
263             logger.info(totalPage + ":" + page + ":" + keyword);
264         } catch(Exception e) {
265             e.printStackTrace();
266         }
267         return "board/search";
268     }
269 }
```

4.8. 뷰(JSP)

1) include 파일

include 파일은 staticFiles.jsp, bodyHeader.jsp, footer.jsp 파일이 있습니다. 이들 파일은 웹애플리케이션의 화면 배치에 따라 코드가 다르게 작성될 수 있습니다. 이 프로젝트를 위한 include 파일은 https://github.com/hjk7902/spring -> /share -> /ch7 -> include.zip에서 내려받을 수 있습니다. 내려받은 파일은 WEB-INF/views/include/ 폴더에 압축을 풀어 놓으세요.

2) 목록 페이징 처리 태그

게시글 목록 뷰에서 페이징 처리를 위한 사용자 정의 태그 파일입니다. 이 태그 파일은 board/list 뷰에서 페이징 처리를 위해 사용합니다.

WEB-INF/tags/paging.tag

```
1 <%@ tag language="java" pageEncoding="UTF-8" trimDirectiveWhitespaces="true"%>
2 <%@ tag body-content="empty"%>
3 <%@ attribute name="categoryId" type="java.lang.Integer" required="true"%>
4 <%@ attribute name="totalPageCount" type="java.lang.Integer" required="true"%>
5 <%@ attribute name="nowPage" type="java.lang.Integer" required="true"%>
6 <%
7 int totalPageBlock = (int)(Math.ceil(totalPageCount/10.0));
8 int nowPageBlock = (int) Math.ceil(nowPage/10.0);
9 int startPage = (nowPageBlock-1)*10 + 1;
10 int endPage = 0;
11 String contextPath = application.getContextPath();
12 if(contextPath == null || contextPath.trim().equals("")) {
13     contextPath = "";
14 }
15 if(totalPageCount > nowPageBlock*10) {
16     endPage = nowPageBlock*10;
17 }else {
18     endPage = totalPageCount;
19 }
20 out.println("<nav aria-label=\"Page navigation\">");
21 out.println("<ul class=\"pagination\">");
22 if(nowPageBlock>1) {
23     out.print("<li>");
24     out.print("<a href=\"" + contextPath + "/board/cat/" + categoryId+"/" +
(startPage-1) + "\" aria-label=\"Previous\">");
25     out.print("◀</a>");
```

```
26      out.println("</li>");
27 }
28 for(int i=startPage; i<=endPage; i++) {
29      out.print(" ");
30      if(i==nowPage) {
31          out.print("<li class=\"active\">");
32      }else {
33          out.print("<li>");
34      }
35      out.print("<a href=\"" + contextPath + "/board/cat/" + categoryId+"/" + (i)
   + "\">");
36      out.print(i);
37      out.print("</a>");
38      out.println("</li>");
39 }
40 if(nowPageBlock<totalPageBlock) {
41      out.print("<li>");
42      out.print("<a href=\"" + contextPath + "/board/cat/" + categoryId+"/" +
   (endPage+1) + "\" aria-label=\"Next\">");
43      out.print("►</a>");
44      out.println("</li>");
45 }
46 out.println("</ul>");
47 out.println("</nav>");
48 %>
```

3) 답글 표시 태그

이 태그 파일은 메인글과 답글을 구분해 주기 위해 사용합니다. 답글은 들여쓰기와 ㄴ 기호가 표시됩니다.

WEB-INF/tags/reply.tag

```
 1 <%@ tag pageEncoding="utf-8" trimDirectiveWhitespaces="true"%>
 2 <%@ tag body-content="empty"%>
 3 <%@ attribute name="replynum" type="java.lang.Integer"%>
 4 <%@ attribute name="replystep" type="java.lang.Integer"%>
 5 <%
 6 if(replynum==0){
 7      out.print("");      //메인 글임을 나타냄
 8 } else {
 9      for(int i=0; i<replystep; i++) {
10          out.print(" ");  //공백
11      }
12      out.print("ㄴ");      //답변글임을 나타냄
13 }//end if
14 %>
```

4) 에러 처리 페이지

runtime.jsp 파일은 RuntimeException이 발생했을 때 보일 페이지입니다. 에러를 처리할 페이지는 isErrorPage 속성의 값을 "true"로 설정하고, 응답 코드를 200으로 지정해야 합니다.

WEB-INF/views/error/runtime.jsp

```
 1 <%@ page contentType="text/html; charset=utf-8" isErrorPage="true"%>
 2 <%@ taglib prefix="c" uri="http://java.sun.com/jsp/jstl/core"%>
 3 <%
 4 response.setStatus(200);
 5 %>
 6 <!DOCTYPE html>
 7 <html>
 8 <jsp:include page="/WEB-INF/views/include/staticFiles.jsp"/>
 9 <body>
10 <jsp:include page="/WEB-INF/views/include/bodyHeader.jsp"/>
11 <div class="container">
12 <div class="content">
13    <div class="jumbotron">
14        <h2 style="color:red;">${exception.message}</h2>
15        <p>
16        <!--
17            Failed URL: ${url}
18            Exception:  ${exception.message}
19            <c:forEach items="${exception.stackTrace}" var="ste">    ${ste}
20            </c:forEach>
21        -->
22        </p>
23        <p><a class="btn btn-primary" href="<c:url value='/'/>">Home</a></p>
24    </div>
25 </div>
26 </div>
27 <jsp:include page="/WEB-INF/views/include/footer.jsp"/>
28 </body>
29 </html>
```

● 시스템에서 발생하는 대부분의 예외는 이 페이지를 통해 보여집니다.

다음 리스트 페이지를 작성하기 전에 아래 주소에서 국제화를 위한 프로퍼티 파일들은 내려받아 src/main/resources/i18n 폴더에 복사하세요.
 - https://github.com/hjk7902/spring/blob/main/share/ch7/i18n.zip

5) 게시글 목록 출력하기

list.jsp는 게시글 목록을 출력하는 뷰 페이지입니다.

WEB-INF/views/board/list.jsp

```
 1 <%@ page contentType="text/html; charset=utf-8"%>
 2 <%@ taglib prefix="c" uri="http://java.sun.com/jsp/jstl/core"%>
 3 <%@ taglib prefix="fmt" uri="http://java.sun.com/jsp/jstl/fmt"%>
 4 <fmt:setBundle basename="i18n/board"/>
 5 <%@ taglib prefix="jk" tagdir="/WEB-INF/tags"%>
 6 <!DOCTYPE html>
 7 <html>
 8 <jsp:include page="/WEB-INF/views/include/staticFiles.jsp"/>
 9 <body>
10 <jsp:include page="/WEB-INF/views/include/bodyHeader.jsp"/>
11 <div class="container">
12     <div class="pg-opt">
13         <div class="row">
14             <div class="col-md-6">
15                 <h2><fmt:message key="BOARD_LIST"/>
16                 <c:if test="${empty name}">
17                 <small style="color:red;"><fmt:message key="LOGIN"/></small>
18                 </c:if>
19                 </h2>
20             </div>
21             <div class="col-md-6">
22                 <ol class="breadcrumb">
23                     <li><fmt:message key="BOARD"/></li>
24                     <li class="active"><fmt:message key="BOARD_LIST"/></li>
25                 </ol>
26             </div>
27         </div>
28     </div>
29     ${message}
30     <div class="content">
31         <form action="<c:url value='/board/search/1'/>" method="get">
32             <div class="pull-right" style="margin-bottom: 5px;">
33             <div class="col-xs-9">
34                 <input type="text" name="keyword" class="form-control">
35             </div>
36                 <input type="submit" class="btn btn-warning" value="<fmt:message
   key='SEARCH'/>">
37             </div>
38         </form>
39         <table class="table table-hover table-bordered">
40             <thead>
```

```
41      <tr>
42          <td><fmt:message key="BOARD_ID"/></td>
43          <td class="pc"><fmt:message key="WRITER"/></td>
44          <td><fmt:message key="SUBJECT"/></td>
45          <td class="pc"><fmt:message key="WRITE_DATE"/></td>
46          <td class="pc"><fmt:message key="READ_COUNT"/></td>
47      </tr>
48      </thead>
49      <c:forEach var="board" items="${boardList}">
50      <tr>
51          <td>${board.boardId}<!-- (${board.categoryId})--></td>
52          <td class="pc">${board.writer}</td>
53          <td>
54          <jk:reply replynum="${board.replyNumber}"
   replystep="${board.replyStep}"/>
55          <c:url var="viewLink" value="/board/${board.boardId}/${page}"/>
56          <a href="${viewLink}">${board.title}</a>
57          </td>
58          <td class="pc"><fmt:formatDate value="${board.writeDate}"
   pattern="YYYY-MM-dd"/></td>
59          <td class="pc">${board.readCount}</td>
60      </tr>
61      </c:forEach>
62      </table>
63      <table class="table">
64      <tr>
65          <td align="left">
66              <jk:paging categoryId="${categoryId}"
   totalPageCount="${totalPageCount}" nowPage="${page}"/>
67          </td>
68          <td align="right">
69              <a href='<c:url value="/board/write/${categoryId}"/>'><button
   type="button" class="btn btn-info"><fmt:message
   key="WRITE_NEW_ARTICLE"/></button> </a>
70          </td>
71      </tr>
72      </table>
73      </div>
74  </div>
75  <jsp:include page="/WEB-INF/views/include/footer.jsp"/>
76  </body>
77  </html>
```

카테고리 1번의 목록을 조회하면 다음처럼 목록이 출력되어야 합니다.
http://localhost:8080/myapp/board/cat/1

글번호	작성자	제목	작성일	조회수
4	무명씨	알루	2015-12-23	0
7	안전씨	ㄴ 자나깨나	2015-12-26	0
2	이순신	나도	2015-12-21	0
5	홍길서	ㄴ 나도야 순신	2015-12-24	0
6	조심씨	ㄴ 조심해 길서	2015-12-25	0
8	소심씨	ㄴ조심해는 잘삐져	2016-12-27	0
3	홍길동	ㄴ 오랜만이야~ 순신	2015-12-22	0
1	홍길동	방가요	2015-12-20	0

`1`

`새 글 쓰기`

그림 7. 목록 조회

6) 새 글 입력 폼

write.jsp는 새 글을 입력하기 위한 입력양식을 제공하는 뷰 페이지입니다.
WEB-INF/views/board/write.jsp

```
1  <%@ page contentType="text/html; charset=utf-8"%>
2  <%@ taglib prefix="c" uri="http://java.sun.com/jsp/jstl/core"%>
3  <%@ taglib prefix="fmt" uri="http://java.sun.com/jsp/jstl/fmt"%>
4  <fmt:setBundle basename="i18n/board"/>
5  <!DOCTYPE html>
6  <html>
7  <jsp:include page="/WEB-INF/views/include/staticFiles.jsp"/>
8  <body>
9  <jsp:include page="/WEB-INF/views/include/bodyHeader.jsp"/>
10 <div class="container">
11    <div class="pg-opt">
12       <div class="row">
13          <div class="col-md-6 pc">
14             <h2><fmt:message key="WRITE_NEW_ARTICLE"/></h2>
15          </div>
16          <div class="col-md-6">
17             <ol class="breadcrumb">
18                <li><fmt:message key="BOARD"/></li>
19                <li class="active"><fmt:message
   key="WRITE_NEW_ARTICLE"/></li>
```

```
20              </ol>
21            </div>
22          </div>
23        </div>
24      <div class="content">
25      <form action="<c:url value='/board/write'/>" method="post"
   enctype="multipart/form-data" class="form-horizontal">
26      <input type="hidden" name="csrfToken" value="${sessionScope.csrfToken}">
27      <c:if test="${!empty categoryList}">
28      <div class="form-group">
29        <label class="control-label col-sm-2" for="categoryId"><fmt:message
   key="CATEGORY"/></label>
30        <div class="col-sm-4">
31          <select name="categoryId" id="categoryId" class="form-control"
   required>
32            <c:forEach var="category" items="${categoryList}">
33            <option value="${category.categoryId}" ${category.categoryId eq
   requestScope.categoryId ? "selected" : ""}>${category.categoryName}</option>
34            </c:forEach>
35          </select>
36        </div>
37      </div>
38      </c:if>
39      <div class="form-group">
40        <label class="control-label col-sm-2" for="writer"><fmt:message
   key="WRITER"/></label>
41        <div class="col-sm-2">
42          <input type="text" name="writer" id="writer" class="form-control"
   value="${sessionScope.name}" ${!empty sessionScope.name ? "readonly" : "" }
   autocomplete="off" required>
43        </div>
44      </div>
45      <div class="form-group">
46        <label class="control-label col-sm-2" for="email"><fmt:message
   key="EMAIL"/></label>
47        <div class="col-sm-4">
48          <input type="text" name="email" id="email" class="form-control"
   value="${sessionScope.email}" ${!empty sessionScope.email ? "readonly" : "" }
   autocomplete="off" required>
49        </div>
50      </div>
51      <div class="form-group">
52        <label class="control-label col-sm-2" for="password"><fmt:message
   key="PASSWORD"/></label>
53        <div class="col-sm-2">
54          <input type="password" name="password" id="password"
```

```
    class="form-control" required>
55      </div>
56    </div>
57    <div class="form-group">
58      <label class="control-label col-sm-2" for="title"><fmt:message
    key="SUBJECT"/></label>
59      <div class="col-sm-8">
60        <input type="text" name="title" id="title" class="form-control"
    required>
61      </div>
62    </div>
63    <div class="form-group">
64      <label class="control-label col-sm-2" for="content"><fmt:message
    key="CONTENT"/></label>
65      <div class="col-sm-8">
66        <textarea name="content" id="content" rows="10" cols="100"
    class="form-control"></textarea>
67      </div>
68    </div>
69    <div class="form-group">
70      <label class="control-label col-sm-2" for="file"><fmt:message
    key="FILE"/></label>
71      <div class="col-sm-8">
72        <input type="file" id="file" name="file"><span id="droparea"
    class="help-block"><fmt:message key="FILESIZE_ERROR"/></span>
73      </div>
74    </div>
75    <div class="form-group">
76      <div class="col-sm-offset-2 col-sm-8">
77        <input type="hidden" name="boardId" value="${board.boardId}">
78        <input type="hidden" name="masterId" value="${board.masterId}">
79        <input type="hidden" name="replyNumber"
    value="${board.replyNumber}">
80        <input type="hidden" name="replyStep" value="${board.replyStep}">
81        <input type="submit" class="btn btn-info" value="<fmt:message
    key="SAVE"/>">
82        <input type="reset" class="btn btn-info" value="<fmt:message
    key="CANCEL"/>">
83      </div>
84    </div>
85    </form>
86    </div>
87 </div>
88 <jsp:include page="/WEB-INF/views/include/footer.jsp"/>
89 </body>
90 </html>
```

새 글 쓰기 입력 양식은 다음 그림과 같습니다.
http://localhost:8080/myapp/board/write/1

그림 8. 새 글 쓰기

첨부파일을 갖는 글도 저장할 수 있습니다.

그림 9. 첨부파일 저장하기

7) 글 상세 조회

view.jsp는 글 상세 조회 결과를 출력하는 뷰 페이지입니다.

WEB-INF/views/board/view.jsp

```
1  <%@ page contentType="text/html; charset=utf-8"%>
2  <%@ taglib prefix="c" uri="http://java.sun.com/jsp/jstl/core"%>
3  <%@ taglib prefix="fn" uri="http://java.sun.com/jsp/jstl/functions"%>
4  <%@ taglib prefix="fmt" uri="http://java.sun.com/jsp/jstl/fmt"%>
5  <fmt:setBundle basename="i18n/board"/>
6  <!DOCTYPE html>
7  <html>
8  <jsp:include page="/WEB-INF/views/include/staticFiles.jsp"/>
9  <body>
10 <jsp:include page="/WEB-INF/views/include/bodyHeader.jsp"/>
11 <div class="container">
12     <div class="pg-opt">
13         <div class="row">
14             <div class="col-md-6 pc">
15                 <h2><fmt:message key="CONTENT"/></h2>
16             </div>
17             <div class="col-md-6">
18                 <ol class="breadcrumb">
19                     <li><fmt:message key="BOARD"/></li>
20                     <li class="active"><fmt:message key="CONTENT"/></li>
21                 </ol>
22             </div>
23         </div>
24     </div>
25     <div class="content">
26     <table class="table table-bordered">
27     <tr class="pc">
28         <td colspan=2 align="right">
29         <a href='<c:url value="/board/cat/${categoryId}/${page}"/>'><button
   type="button" class="btn btn-info"><fmt:message
   key="BOARD_LIST"/></button></a>
30         <a href='<c:url value="/board/write/${categoryId}"/>'><button
   type="button" class="btn btn-info"><fmt:message
   key="WRITE_NEW_ARTICLE"/></button></a>
31         <a href='<c:url value="/board/reply/${board.boardId}"/>'><button
   type="button" class="btn btn-info"><fmt:message key="REPLY"/></button></a>
32         <a href='<c:url value="/board/update/${board.boardId}"/>'><button
   type="button" class="btn btn-info"><fmt:message key="UPDATE"/></button></a>
33         <a href='<c:url value="/board/delete/${board.boardId}"/>'><button
   type="button" class="btn btn-info"><fmt:message key="DELETE"/></button></a>
34         </td>
35     </tr>
36     <tr>
```

```
37        <td width="20%"><fmt:message key="BOARD_ID"/></td>
38        <td>${board.boardId}</td>
39    </tr>
40    <tr>
41        <td width="20%"><fmt:message key="WRITER"/></td>
42        <td>${board.writer}</td>
43    </tr>
44    <tr>
45        <td width="20%"><fmt:message key="WRITE_DATE"/></td>
46        <td><fmt:formatDate value="${board.writeDate}" pattern="YYYY-MM-dd
   HH:mm:ss"/></td>
47    </tr>
48    <tr>
49        <td><fmt:message key="SUBJECT"/> </td>
50        <td>${board.title}</td>
51    </tr>
52    <tr>
53        <td><fmt:message key="CONTENT"/></td>
54        <td class="board_content">${board.content}</td>
55    </tr>
56    <c:if test="${!empty board.fileName}">
57    <tr>
58        <td><fmt:message key="FILE"/></td>
59        <td>
60        <c:set var="len" value="${fn:length(board.fileName)}"/>
61        <c:set var="filetype"
   value="${fn:toUpperCase(fn:substring(board.fileName, len-4, len))}"/>
62        <c:if test="${(filetype eq '.JPG') or (filetype eq 'JPEG') or (filetype
   eq '.PNG') or (filetype eq '.GIF')}"><img src='<c:url
   value="/file/${board.fileId}"/>' class="img-thumbnail"><br></c:if>
63        <a href='<c:url value="/file/${board.fileId}"/>'>${board.fileName}
   (<fmt:formatNumber>${board.fileSize}</fmt:formatNumber>byte)</a>
64        </td>
65    </tr>
66    </c:if>
67    <tr>
68        <td colspan=2 align="right">
69        <a href='<c:url value="/board/cat/${categoryId}/${page}"/>'><button
   type="button" class="btn btn-info"><fmt:message
   key="BOARD_LIST"/></button></a>
70        <a href='<c:url value="/board/write/${categoryId}"/>'><button
   type="button" class="btn btn-info"><fmt:message
   key="WRITE_NEW_ARTICLE"/></button></a>
71        <a href='<c:url value="/board/reply/${board.boardId}"/>'><button
   type="button" class="btn btn-info"><fmt:message key="REPLY"/></button></a>
72        <a href='<c:url value="/board/update/${board.boardId}"/>'><button
   type="button" class="btn btn-info"><fmt:message key="UPDATE"/></button></a>
73        <a href='<c:url value="/board/delete/${board.boardId}"/>'><button
```

```
     type="button" class="btn btn-info"><fmt:message key="DELETE"/></button></a>
74          </td>
75       </tr>
76       </table>
77   </div>
78   </div>
79   <jsp:include page="/WEB-INF/views/include/footer.jsp"/>
80   </body>
81   </html>
```

다음 그림은 글 상세 조회 결과입니다.
http://localhost:8080/myapp/board/9

글번호	9
작성자	허진경
작성일	2018-04-09 21:55:31
제목	Lorem ipsum dolor sit amet, consectetur adipiscing elit
내용	Maecenas ultricies consectetur est, elementum accumsan urna cursus in. Quisque pulvinar velit ante, nec imperdiet leo ultricies sagittis. Ut elementum lorem et nibh tempus ornare. Integer aliquet enim vel sem volutpat bibendum. Nam tempus lacus at felis ullamcorper, sed rutrum nisl mattis. Proin elementum et nisl laoreet dictum. Nunc semper eleifend purus ac viverra. In hac habitasse platea dictumst. Nam aliquam nisl tortor, nec maximus est eleifend ac. Vestibulum ac odio scelerisque elit porttitor fringilla non non ex. Donec sed ornare felis, quis dapibus leo. Nulla at hendrerit lacus. Aenean id nisi luctus, euismod sapien suscipit, pretium elit. Phasellus ornare felis dui, et blandit tellus cursus a. Integer porttitor aliquet dolor at sodales. Vivamus at elit eget odio tempor ultrices id semper eros. Sed vel hendrerit lacus, vitae tristique nisi. In in enim id libero tempor tempus eu vitae elit.

그림 10. 글 상세 조회

첨부파일은 다운로드도 가능해야 합니다.

	자료실 목록 · 새 글 쓰기 · 답글 · 수정 · 삭제
글번호	9
작성자	허진경
작성일	2018-04-09 22:13:40
제목	첨부파일을 가진 게시글입니다.
내용	첨부파일을 함께 업로드 합니다. 첨부파일의 최대 크기는 50MB 입니다.
첨부파일	스프링을 이용한 갓진경의 멀티보드.pptx (1,562,707byte)
	자료실 목록 · 새 글 쓰기 · 답글 · 수정 · 삭제

스프링을 이용한 ...pptx ^   전체 보기

그림 11. 첨부파일 다운로드

● 지금은 첨부파일을 누구나 다운로드할 수 있습니다. 그러나 회원관리 기능이 추가된 후에는 첨부파일 다운로드는 로그인 한 사용자만 가능하도록 수정할 예정입니다.

8) 글 수정 양식

update.jsp는 글을 수정하기 위한 입력양식을 제공하는 뷰페이지입니다. 글을 수정하기 위해 기존에 입력한 게시글 내용을 조회하여 입력양식을 통해 출력합니다.

WEB-INF/views/board/update.jsp

```
1  <%@ page contentType="text/html; charset=utf-8"%>
2  <%@ taglib prefix="c" uri="http://java.sun.com/jsp/jstl/core"%>
3  <%@ taglib prefix="fmt" uri="http://java.sun.com/jsp/jstl/fmt"%>
4  <fmt:setBundle basename="i18n/board"/>
5  <!DOCTYPE html>
6  <html>
7  <jsp:include page="/WEB-INF/views/include/staticFiles.jsp"/>
8  <body>
9  <jsp:include page="/WEB-INF/views/include/bodyHeader.jsp"/>
10 <div class="container">
11     <div class="pg-opt">
12         <div class="row">
13             <div class="col-md-6 pc">
14                 <h2><fmt:message key="UPDATE_ARTICLE"/></h2>
15             </div>
16             <div class="col-md-6">
17                 <ol class="breadcrumb">
18                     <li><fmt:message key="BOARD"/></li>
19                     <li class="active"><fmt:message
   key="UPDATE_ARTICLE"/></li>
20                 </ol>
21             </div>
22         </div>
23     </div>
24     <div class="content">
25     <form action="<c:url value='/board/update'/>" method="post"
   enctype="multipart/form-data" class="form-horizontal">
26     <c:if test="${!empty categoryList}">
27     <div class="form-group">
28       <label class="control-label col-sm-2" for="categoryId"><fmt:message
   key="CATEGORY"/></label>
29       <div class="col-sm-4">
30         <select name="categoryId" id="categoryId" class="form-control"
   required>
31           <c:forEach var="category" items="${categoryList}">
32           <option value="${category.categoryId}" ${category.categoryId eq
   board.categoryId ? "selected" : ""}>${category.categoryName}</option>
33           </c:forEach>
34         </select>
35       </div>
36     </div>
```

```
37        </c:if>
38        <div class="form-group">
39          <label class="control-label col-sm-2" for="writer"><fmt:message
     key="WRITER"/></label>
40          <div class="col-sm-2">
41            <input type="text" name="writer" id="writer" class="form-control"
     value="${board.writer}" readonly>
42          </div>
43        </div>
44        <div class="form-group">
45          <label class="control-label col-sm-2" for="email"><fmt:message
     key="EMAIL"/></label>
46          <div class="col-sm-4">
47            <input type="text" name="email" id="email" class="form-control"
     value="${board.email}" autocomplete="off" required readonly>
48          </div>
49        </div>
50        <div class="form-group">
51          <label class="control-label col-sm-2" for="password"><fmt:message
     key="PASSWORD"/></label>
52          <div class="col-sm-2">
53            <input type="password" name="password" id="password"
     class="form-control" required>
54          </div>${passwordError} <!-- 게시글 비밀번호가 다를 경우 메시지 출력 -->
55        </div>
56        <div class="form-group">
57          <label class="control-label col-sm-2" for="title"><fmt:message
     key="TITLE"/></label>
58          <div class="col-sm-8">
59            <input type="text" name="title" id="title" class="form-control"
     value="${board.title}" required>
60          </div>
61        </div>
62        <div class="form-group">
63          <label class="control-label col-sm-2" for="content"><fmt:message
     key="CONTENT"/></label>
64          <div class="col-sm-8">
65            <textarea name="content" id="content" rows="15" cols="100"
     class="form-control">${board.content}</textarea>
66          </div>
67        </div>
68        <div class="form-group">
69          <label class="control-label col-sm-2" for="file"><fmt:message
     key="FILE"/></label>
70          <div class="col-sm-8">
71            <input type="hidden" name="fileId" value="${board.fileId}">
72            <input type="file" id="file" name="file">${board.fileName}
73          </div>
```

```
74        </div>
75        <div class="form-group">
76           <div class="col-sm-offset-2 col-sm-8">
77              <input type="hidden" name="boardId" value="${board.boardId}">
78              <input type="hidden" name="masterId" value="${board.masterId}">
79              <input type="hidden" name="replyNumber"
   value="${board.replyNumber}">
80              <input type="hidden" name="replyStep" value="${board.replyStep}">
81              <input type="submit" class="btn btn-info" value="<fmt:message
   key="UPDATE"/>">
82              <input type="reset" class="btn btn-info" value="<fmt:message
   key="CANCEL"/>">
83           </div>
84        </div>
85        </form>
86        </div>
87    </div>
88    <jsp:include page="/WEB-INF/views/include/footer.jsp"/>
89    </body>
90    </html>
```

다음 그림은 글 수정하기 화면입니다. 글을 수정할 때 첨부파일도 수정할 수 있어야 합니다.

그림 12. 글 수정하기

9) 답글 입력 양식

reply.jsp는 답글을 입력하기 위한 폼입니다. 메인 글의 제목과 내용을 출력한 상태에서 답글을 달 수 있도록 합니다.

WEB-INF/views/board/reply.jsp

```
1  <%@ page contentType="text/html; charset=utf-8"%>
2  <%@ taglib prefix="c" uri="http://java.sun.com/jsp/jstl/core"%>
3  <%@ taglib prefix="fmt" uri="http://java.sun.com/jsp/jstl/fmt"%>
4  <fmt:setBundle basename="i18n/board"/>
5  <!DOCTYPE html>
6  <html>
7  <jsp:include page="/WEB-INF/views/include/staticFiles.jsp"/>
8  <body>
9  <jsp:include page="/WEB-INF/views/include/bodyHeader.jsp"/>
10 <div class="container">
11    <div class="pg-opt">
12       <div class="row">
13          <div class="col-md-6 pc">
14             <h2><fmt:message key="REPLY_ARTICLE"/></h2>
15          </div>
16          <div class="col-md-6">
17             <ol class="breadcrumb">
18                <li><fmt:message key="BOARD"/></li>
19                <li class="active"><fmt:message key="REPLY_ARTICLE"/></li>
20             </ol>
21          </div>
22       </div>
23    </div>
24    <div class="content">
25    <form action="<c:url value='/board/reply'/>" method="post"
   enctype="multipart/form-data" class="form-horizontal">
26       <div class="form-group">
27          <label class="control-label col-sm-2" for="writer"><fmt:message
   key="WRITER"/></label>
28          <div class="col-sm-2">
29             <input type="text" name="writer" id="writer" class="form-control"
   value="${sessionScope.name}" ${!empty sessionScope.name ? "readonly" : "" }
   required>
30          </div>
31       </div>
32       <div class="form-group">
33          <label class="control-label col-sm-2" for="email"><fmt:message
   key="EMAIL"/></label>
34          <div class="col-sm-4">
35             <input type="text" name="email" id="email" class="form-control"
```

```
       value="${sessionScope.email}" ${!empty sessionScope.email ? "readonly" : "" }
   autocomplete="off" required>
36        </div>
37      </div>
38      <div class="form-group">
39        <label class="control-label col-sm-2" for="password"><fmt:message
   key="PASSWORD"/></label>
40        <div class="col-sm-2">
41          <input type="password" name="password" id="password"
   class="form-control" required>
42        </div>
43      </div>
44      <div class="form-group">
45        <label class="control-label col-sm-2" for="title"><fmt:message
   key="TITLE"/></label>
46        <div class="col-sm-8">
47          <input type="text" name="title" id="title" class="form-control"
   value="${board.title}" required>
48        </div>
49      </div>
50      <div class="form-group">
51        <label class="control-label col-sm-2" for="content"><fmt:message
   key="CONTENT"/></label>
52        <div class="col-sm-8">
53          <textarea name="content" id="content" rows="10" cols="100"
   class="form-control">${board.content}</textarea>
54        </div>
55      </div>
56
57      <div class="form-group">
58        <label class="control-label col-sm-2" for="file"><fmt:message
   key="FILE"/></label>
59        <div class="col-sm-8">
60          <input type="file" id="file" name="file">
61        </div>
62      </div>
63
64      <div class="form-group">
65        <div class="col-sm-offset-2 col-sm-8">
66            <input type="hidden" name="boardId" value="${board.boardId}">
67            <input type="hidden" name="categoryId" value="${board.categoryId}">
68            <input type="hidden" name="masterId" value="${board.masterId}">
69            <input type="hidden" name="replyNumber"
   value="${board.replyNumber}">
70            <input type="hidden" name="replyStep" value="${board.replyStep}">
71            <input type="submit" class="btn btn-info" value="<fmt:message
```

```
   key="SAVE"/>">
72        <input type="reset" class="btn btn-info" value="<fmt:message
   key="CANCEL"/>">
73        </div>
74      </div>
75    </form>
76    </div>
77 </div>
78 <jsp:include page="/WEB-INF/views/include/footer.jsp"/>
79 </body>
80 </html>
```

다음 그림은 댓글 달기 화면입니다.
http://localhost:8080/myapp/board/reply/9

작성자	홍길동
이메일	hong@hong.com
비밀번호	••••••••••
제목	[Re]Lorem ipsum dolor sit amet, consectetur adipiscing elit
내용	Class aptent taciti sociosqu ad litora torquent per conubia nostra, per inceptos himenaeos. Donec id quam tellus. Phasellus placerat mi vitae tellus maximus, vel ultrices dui efficitur. Sed non porttitor mauris. Nulla tincidunt porta lacinia. Donec mollis nunc nec sapien lacinia, eu aliquet erat efficitur. Etiam quis augue hendrerit enim mattis blandit.

Maecenas ultricies consectetur est, elementum accumsan urna cursus in. Quisque pulvinar velit ante, nec imperdiet leo ultricies sagittis. Ut elementum lorem et nibh tempus ornare. |
| 첨부파일 | 파일 선택 선택된 파일 없음 |
| | 저장 취소 |

그림 13. 댓글 달기

댓글은 메인글 아래에 표시됩니다.
http://localhost:8080/myapp/board/cat/1/1

[_____] 찾기

글번호	작성자	제목	작성일	조회수
9	허진경	Lorem ipsum dolor sit amet, consectetur adipiscing elit	2018-04-09	4
10	홍길동	└ [Re]Lorem ipsum dolor sit amet, consectetur adipiscing elit	2018-04-09	0
4	무명씨	할루	2015-12-23	1
7	안전씨	└ 자나깨나	2015-12-26	0
2	이순신	나도	2015-12-21	0

그림 14. 댓글 달기 결과

10) 글 삭제

delete.jsp는 글 삭제를 할 때 비밀번호를 묻는 입력양식을 제공합니다.

WEB-INF/views/board/delete.jsp

```
1 <%@ page contentType="text/html; charset=utf-8"%>
2 <%@ taglib prefix="c" uri="http://java.sun.com/jsp/jstl/core"%>
3 <%@ taglib prefix="fmt" uri="http://java.sun.com/jsp/jstl/fmt"%>
4 <fmt:setBundle basename="i18n/board"/>
5 <!DOCTYPE html>
6 <html>
7 <jsp:include page="/WEB-INF/views/include/staticFiles.jsp"/>
8 <body>
9 <jsp:include page="/WEB-INF/views/include/bodyHeader.jsp"/>
10 <div class="container">
11     <div class="pg-opt">
12         <div class="row">
13             <div class="col-md-6 pc">
14                 <h2><fmt:message key="DELETE_ARTICLE"/></h2>
15             </div>
16             <div class="col-md-6">
17                 <ol class="breadcrumb">
18                     <li><fmt:message key="BOARD"/></li>
19                     <li class="active"><fmt:message
    key="DELETE_ARTICLE"/></li>
20                 </ol>
21             </div>
22         </div>
23     </div>
24     <div class="content">
25         <h3><fmt:message key="DELETE_MSG"/></h3>
26         <form action='<c:url value="/board/delete"/>' class="form-inline"
    method="post">
27         <input type="hidden" name="boardId" value="${boardId}">
28         <input type="hidden" name="replyNumber" value="${replyNumber}">
29         <input type="hidden" name="categoryId" value="${categoryId}">
30         <div class="form-group">
31         <div class="col-sm-8">
32         <input type="password" name="password" class="form-control" required>
33         <c:if test="${!empty message}">
34         <br><span style="color:red;"><fmt:message key="${message}"/></span>
35         </c:if>
36         </div>
37         <div class="col-sm-2">
38         <input type="submit" class="btn btn-danger" value="<fmt:message
    key="DELETE_ARTICLE"/>">
```

```
39        </div>
40        </div>
41       </form>
42    </div>
43 </div>
44 <jsp:include page="/WEB-INF/views/include/footer.jsp"/>
45 </body>
46 </html>
```

글을 삭제하려면 삭제하려는 게시글의 비밀번호를 입력해야 합니다. 비밀번호가 올바르지 않으면 삭제 처리가 되지 않습니다.

삭제하려는 글의 비밀번호를 입력하세요.

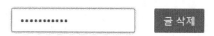

그림 15. 글 삭제하기

댓글을 삭제하면 해당 댓글만 삭제됩니다. 그러나 메인글을 삭제하면 댓글도 함께 삭제됩니다.

글번호	작성자	제목	작성일	조회수
4	무명씨	할루	2015-12-23	0
7	안전씨	ㄴ 자나깨나	2015-12-26	0
2	이순신	나도	2015-12-21	0
5	홍길서	ㄴ 나도야 순신	2015-12-24	0
6	조심씨	ㄴ 조심해 길서	2015-12-25	0
8	소심씨	ㄴ 조심해는 잘빼져	2016-12-27	0
3	홍길동	ㄴ 오랜만이야~ 순신	2015-12-22	0
1	홍길동	방가요	2015-12-20	0

1   새 글 쓰기

그림 16. 글 삭제 결과

11) 검색 페이징 처리 태그

검색 결과 페이지에서 페이징 처리를 위한 사용자 정의 태그파일입니다. 이 태그 파일은
board/search 뷰에서 페이징 처리를 위해 사용합니다.

WEB-INF/tags/search-paging.tag

```
1  <%@ tag language="java" pageEncoding="UTF-8" trimDirectiveWhitespaces="true"%>
2  <%@ tag body-content="empty"%>
3  <%@ attribute name="totalPageCount" type="java.lang.Integer" required="true"%>
4  <%@ attribute name="nowPage" type="java.lang.Integer" required="true"%>
5  <%@ attribute name="keyword" type="java.lang.String" required="false"%>
6  <%
7  int totalPageBlock = (int)(Math.ceil(totalPageCount/10.0));
8  int nowPageBlock = (int) Math.ceil(nowPage/10.0);
9  int startPage = (nowPageBlock-1)*10 + 1;
10 int endPage = 0;
11 String contextPath = application.getContextPath();
12
13 if(contextPath == null || contextPath.trim().equals("")) {
14     contextPath = "";
15 }else {
16     //contextPath = "/"+contextPath;
17 }
18 if(totalPageCount > nowPageBlock*10) {
19     endPage = nowPageBlock*10;
20 }else {
21     endPage = totalPageCount;
22 }
23
24 out.println("<nav aria-label=\"Page navigation\">");
25 out.println("<ul class=\"pagination\">");
26 if(nowPageBlock>1) {
27     out.print("<li>");
28     out.print("<a href=\"" + contextPath + "/board/search/" + (startPage-1) +
   "?keyword=" + keyword + "\" aria-label=\"Previous\">");
29     out.print("◄</a>");
30     out.println("</li>");
31 }
32 for(int i=startPage; i<=endPage; i++) {
33     out.print(" ");
34     if(i==nowPage) {
35         out.print("<li class=\"active\">");
36     }else {
37         out.print("<li>");
38     }
39     out.print("<a href=\"" + contextPath + "/board/search/" + (i) + "?keyword="
```

```
         + keyword  + "\">");
40    out.print(i);
41    out.print("</a>");
42    out.println("</li>");
43 }
44 if(nowPageBlock<totalPageBlock) {
45    out.print("<li>");
46    out.print("<a href=\"" + contextPath + "/board/search/" + (endPage+1) +
   "?keyword=" + keyword  + "\" aria-label=\"Next\">");
47    out.print("►</a>");
48    out.println("</li>");
49 }
50 out.println("</ul>");
51 out.println("</nav>");
52 %>
```

12) 검색 결과 출력

search.jsp는 제목과 내용에서 키워드를 포함한 글을 찾아 출력하는 뷰입니다.
WEB-INF/views/board/search.jsp

```
 1 <%@ page contentType="text/html; charset=utf-8"%>
 2 <%@ taglib prefix="c" uri="http://java.sun.com/jsp/jstl/core"%>
 3 <%@ taglib prefix="fmt" uri="http://java.sun.com/jsp/jstl/fmt"%>
 4 <fmt:setBundle basename="i18n/board"/>
 5 <%@ taglib prefix="jk" tagdir="/WEB-INF/tags"%>
 6 <!DOCTYPE html>
 7 <html>
 8 <jsp:include page="/WEB-INF/views/include/staticFiles.jsp"/>
 9 <body>
10 <jsp:include page="/WEB-INF/views/include/bodyHeader.jsp"/>
11 <div class="container">
12    <div class="pg-opt">
13       <div class="row">
14          <div class="col-md-6 pc">
15             <h2><fmt:message key="BOARD_LIST"/>
16             <c:if test="${empty name}">
17             <small style="color:red;"><fmt:message key="LOGIN"/></small>
18             </c:if>
19             </h2>
20          </div>
21          <div class="col-md-6">
22             <ol class="breadcrumb">
23                <li><fmt:message key="BOARD"/></li>
```

```
24              <li class="active"><fmt:message key="BOARD_LIST"/></li>
25            </ol>
26          </div>
27        </div>
28      </div>
29    ${message}
30    <div class="content">
31      <form action="<c:url value='/board/search/1'/>" method="get">
32        <div class="pull-right" style="margin-bottom: 5px;">
33        <div class="col-xs-9">
34          <input type="text" name="keyword" class="form-control">
35        </div>
36          <input type="submit" class="btn btn-warning"
    value="<fmt:message key="SEARCH"/>">
37        </div>
38      </form>
39      <table class="table table-hover table-bordered">
40      <thead>
41      <tr>
42        <td><fmt:message key="BOARD_ID"/></td>
43        <td class="pc"><fmt:message key="WRITER"/></td>
44        <td><fmt:message key="SUBJECT"/></td>
45        <td class="pc"><fmt:message key="WRITE_DATE"/></td>
46        <td class="pc"><fmt:message key="READ_COUNT"/></td>
47      </tr>
48      </thead>
49      <c:forEach var="board" items="${boardList}">
50      <tr>
51        <td>${board.boardId}<!-- (${board.categoryId})--></td>
52        <td class="pc">${board.writer}</td>
53        <td>
54        <a href='<c:url
    value="/board/${board.boardId}"/>'>${board.title}</a>
55        </td>
56        <td class="pc"><fmt:formatDate value="${board.writeDate}"
    pattern="YYYY-MM-dd"/></td>
57        <td class="pc">${board.readCount}</td>
58      </tr>
59      </c:forEach>
60      </table>
61      <table class="table">
62      <tr>
63        <td align="left">
64          <jk:search-paging totalPageCount="${totalPageCount}"
    nowPage="${page}" keyword="${keyword}"/>
65        </td>
```

```
66              <td align="right">
67                   
68              </td>
69          </tr>
70          </table>
71      </div>
72  </div>
73  <jsp:include page="/WEB-INF/views/include/footer.jsp"/>
74  </body>
75  </html>
```

글 찾기는 게시글 목록 화면에서 할 수 있습니다. 키워드를 입력하고 찾기 버튼은 클릭하세요.

글번호	작성자	제목	작성일	조회수
4	무명씨	할루	2015-12-23	0
7	안전씨	ㄴ 자나깨나	2015-12-26	0
2	이순신	나도	2015-12-21	0
5	홍길서	ㄴ 나도아 순신	2015-12-24	0
6	조심씨	ㄴ 조심해 길서	2015-12-25	0
8	소심씨	ㄴ 조심해는 잘삐져	2016-12-27	0
3	홍길동	ㄴ 오랜만이야~ 순신	2015-12-22	0
1	홍길동	방가요	2015-12-20	0

그림 17. 글 찾기

글 찾기는 모든 카테고리에서 찾습니다.

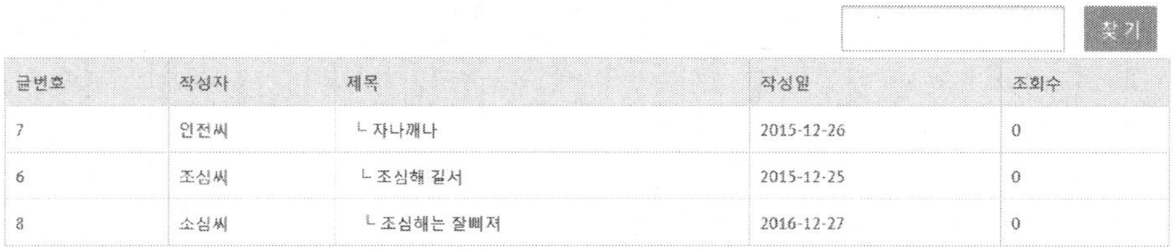

글번호	작성자	제목	작성일	조회수
7	안전씨	ㄴ 자나깨나	2015-12-26	0
6	조심씨	ㄴ 조심해 길서	2015-12-25	0
8	소심씨	ㄴ 조심해는 잘삐져	2016-12-27	0

그림 18. 글 찾기 결과

13) 국제화 설정 파일

미리 만들어진 국제화를 위한 설정 파일은 https://github.com/hjk7902/spring -> /share -> /ch7 -> i18n.zip에서 내려받을 수 있습니다. 내려받은 파일은 압축을 풀고 src/main/resources/i18n 폴더에 복사해 놓으세요.

이 파일들은 JSP 파일에서 〈fmt:message key="*메시지키*"/〉 태그가 있는 곳에 출력되어 야 할 메시지들의 설정을 포함하고 있습니다.

14) 홈 화면

home.jsp는 홈 화면입니다. 이 파일에 입력하는 텍스트는 아무런 의미가 없는 문장들입니다. Lorem Ipsum 홈페이지 https://lipsum.com/에서 임의의 문장을 생성해 사용하세요.

WEB-INF/views/home.jsp

```
1  <%@ page contentType="text/html; charset=UTF-8"%>
2  <%@ taglib prefix="c" uri="http://java.sun.com/jsp/jstl/core"%>
3  <%@ taglib prefix="fmt" uri="http://java.sun.com/jsp/jstl/fmt"%>
4  <fmt:setBundle basename="i18n/header"/>
5  <!DOCTYPE html>
6  <html>
7  <jsp:include page="/WEB-INF/views/include/staticFiles.jsp"/>
8  <body>
9  <jsp:include page="/WEB-INF/views/include/bodyHeader.jsp"/>
10 <div class="container">
11     <div class="pg-opt">
12         <div class="row">
13             <div class="col-md-6 pc">
14                 <h2><fmt:message key="HOME"/></h2>
15             </div>
16             <div class="col-md-6">
17                 <ol class="breadcrumb">
18                     <li><fmt:message key="DASHBOARD"/></li>
19                     <li class="active"><fmt:message key="HOME"/></li>
20                 </ol>
21             </div>
22         </div>
23     </div>
24
25     <div class="content">
```

```
26    <div class="alert alert-warning" class="page-header">
27        <h3><fmt:message key="WELCOME_MESSAGE"/></h3>
28    </div>
29        <div class="row">
30            <div class="col-xs-12 col-sm-6 col-md-4 col-lg-4">
31                <a href="board/cat/1">카테고리 1번 게시판 리스트</a><br>
32                <a href="board/cat/2">카테고리 2번 게시판 리스트</a><br>
33                <a href="board/cat/3">카테고리 3번 게시판 리스트</a><br>
34            </div>
35            <div class="col-xs-12 col-sm-6 col-md-4 col-lg-4">Curabitur
36                sed bibendum neque, at congue ipsum. Lorem ipsum dolor samet,
37                consectetur adipiscing elit. Vivamus mattis a mauris.</div>
38            <div class="col-xs-12 col-sm-6 col-md-4 col-lg-4">Integer
39                commodo euismod accumsan. Mauris bibendum ante at aliquet, eu
40                dictum orci porttitor. Mauris cursus cursus.</div>
41        </div>
42        <div class="progress">
43    <div class="progress-bar progress-bar-danger" role="progressbar"
    aria-valuenow="100" aria-valuemin="0" aria-valuemax="100" style="width:
    100%;">
44        <span class="sr-only"></span>
45        </div>
46    </div>
47    <div class="progress">
48        <div class="progress-bar progress-bar-warning" role="progressbar"
    aria-valuenow="100" aria-valuemin="0" aria-valuemax="100" style="width:
    100%;">
49        <span class="sr-only"></span>
50        </div>
51    </div>
52    <div class="alert alert-info">
53        <ol>
54            <li>Donec vitae suscipit leo. Mauris arcu felis, eleifend id porta.
55        </ol>
56    </div>
57    </div>
58 </div>
59 <jsp:include page="/WEB-INF/views/include/footer.jsp"/>
60 </body>
61 </html>
```

5. 회원관리 기능 추가

회원관리 기능을 추가하고 게시판의 일부 기능을 회원만 사용할 수 있도록 합니다.

5.1. 테이블 생성문

다음은 회원 정보를 저장하는 MEMBER 테이블을 생성하는 구문입니다.

```
DROP TABLE MEMBER; -- 테이블이 있으면 기존 테이블을 삭제합니다.
CREATE TABLE MEMBER (
    USERID VARCHAR2(50) PRIMARY KEY,
    NAME VARCHAR2(50) NOT NULL,
    PASSWORD VARCHAR2(150) NOT NULL,
    EMAIL VARCHAR2(100) NOT NULL,
    PHONE VARCHAR2(50),
    ROLE VARCHAR2(20) DEFAULT 'ROLE_USER'
);
ALTER TABLE MEMBER  ADD CONSTRAINT UK_MEMBER_EMAIL UNIQUE (EMAIL)  USING INDEX;
```

> PASSWORD 컬럼은 스프링 시큐리티를 이용해서 비밀번호를 암호화한 후 저장하려면 크기를 충분히 확보해야 합니다.

> ROLE 컬럼은 스프링 시큐리에서 사용합니다.

5.2. DTO

Member 클래스는 회원 정보를 저장할 DTO입니다.

com/example/myapp/member/model/Member.java

```java
1 package com.example.myapp.member.model;
2
3 import lombok.Getter;
4 import lombok.Setter;
5 import lombok.ToString;
6
7 @Setter @Getter @ToString
8 public class Member {
9     private String userid;
10     private String name;
11     private String password;
12     private String password2;
13     private String phone;
14     private String email;
15     private String role;
16 }
```

5.3. DAO

1) IMemberRepository

IMemberRepository는 회원 정보기능을 선언한 인터페이스입니다.
com/example/myapp/member/dao/IMemberRepository.java

```
1 package com.example.myapp.member.dao;
2
3 import java.util.List;
4
5 import com.example.myapp.member.model.Member;
6
7 public interface IMemberRepository {
8     void insertMember(Member member) ;
9     Member selectMember(String userid);
10    List<Member> selectAllMembers();
11    void updateMember(Member member);
12    void deleteMember(Member member);
13    String getPassword(String userid);
14 }
```

2) MemberMapper

IMemberRepository 인터페이스를 구현한 MyBatis XML 파일입니다. <mapper> 태그
의 namespace 속성의 값은 인터페이스의 이름과 같아야 하며, <select> <insert>,
<update>, <delete> 태그의 id 속성의 값은 인터페이스의 메서드 이름과 같아야 합니다.
src/main/resources/아래 mapper/member/MemberMapper.xml

```
1 <?xml version="1.0" encoding="UTF-8"?>
2 <!DOCTYPE mapper PUBLIC "-//mybatis.org//DTD Mapper 3.0//EN"
3     "http://mybatis.org/dtd/mybatis-3-mapper.dtd">
4
5 <mapper namespace="com.example.myapp.member.dao.IMemberRepository">
6
7     <insert id="insertMember"
   parameterType="com.example.myapp.member.model.Member">
8       <![CDATA[
9         INSERT INTO member (userid, name, password, phone, email)
10        VALUES (#{userid}, #{name}, #{password}, #{phone}, #{email})
11      ]]>
12    </insert>
13
```

```
14      <select id="selectMember" parameterType="string"
    resultType="com.example.myapp.member.model.Member">
15        <![CDATA[
16          SELECT userid, name, password, phone, email, role
17          FROM    member
18          WHERE   userid=#{userid}
19        ]]>
20      </select>
21
22      <select id="selectAllMembers"
    resultType="com.example.myapp.member.model.Member">
23        <![CDATA[
24          SELECT userid, name, password, phone, address, role
25          FROM    member
26        ]]>
27      </select>
28
29      <update id="updateMember"
    parameterType="com.example.myapp.member.model.Member">
30        <![CDATA[
31          UPDATE MEMBER
32          SET name=#{name}, password=#{password}, phone=#{phone}, email=#{email}
33          WHERE   userid=#{userid}
34        ]]>
35      </update>
36
37      <delete id="deleteMember"
    parameterType="com.example.myapp.member.model.Member">
38        <![CDATA[
39          DELETE FROM member
40          WHERE   userid=#{userid} AND password=#{password}
41        ]]>
42      </delete>
43
44      <select id="getPassword" parameterType="string" resultType="string">
45        <![CDATA[
46          SELECT password
47          FROM    member
48          WHERE userid=#{userid}
49        ]]>
50      </select>
51  </mapper>
```

5.4. Service

1) IMemberService

IMemberService는 회원관리 서비스 메서드를 정의한 인터페이스입니다.
com/example/myapp/member/service/IMemberService.java

```
 1 package com.example.myapp.member.service;
 2
 3 import java.util.List;
 4
 5 import com.example.myapp.member.model.Member;
 6
 7 public interface IMemberService {
 8     void insertMember(Member member) ;
 9     Member selectMember(String userid);
10     List<Member> selectAllMembers();
11     void updateMember(Member member);
12     void deleteMember(Member member);
13     String getPassword(String userid);
14 }
```

2) MemberService

MemberService 클래스는 IMemberService 인터페이스를 구현한 클래스입니다. 이 클래스는IMemberRepository 타입 빈을 의존성 주입받아야 합니다.
com/example/myapp/member/service/MemberService.java

```
 1 package com.example.myapp.member.service;
 2
 3 import java.util.List;
 4
 5 import org.springframework.beans.factory.annotation.Autowired;
 6 import org.springframework.stereotype.Service;
 7
 8 import com.example.myapp.member.dao.IMemberRepository;
 9 import com.example.myapp.member.model.Member;
10
11 @Service
12 public class MemberService implements IMemberService {
13
14     @Autowired
```

```
15      IMemberRepository memberDao;
16
17      @Override
18      public void insertMember(Member member) {
19          memberDao.insertMember(member);
20      }
21
22      @Override
23      public Member selectMember(String userid) {
24          return memberDao.selectMember(userid);
25      }
26
27      @Override
28      public List<Member> selectAllMembers() {
29          return memberDao.selectAllMembers();
30      }
31
32      @Override
33      public void updateMember(Member member) {
34          memberDao.updateMember(member);
35      }
36
37      @Override
38      public void deleteMember(Member member) {
39          memberDao.deleteMember(member);
40      }
41
42      @Override
43      public String getPassword(String userid) {
44          return memberDao.getPassword(userid);
45      }
46
47  }
```

● Service 인터페이스 및 클래스 그리고 DAO 인터페이스와 매퍼파일을 작성한 후
  root-context.xml 파일에 마이바티스-스프링 스캔 태그와 컴포넌트 스캔 태그를 추가
  하세요.

```
50      <mybatis-spring:scan  base-package="com.example.myapp.member.dao"/>
51      <context:component-scan base-package="com.example.myapp.member.service"/>
```

5.5. Controller

MemberController는 회원관리 기능 요청을 처리하기 위한 컨트롤러 클래스입니다.

com/example/myapp/member/controller/MemberController.java

```java
 1 package com.example.myapp.member.controller;
 2
 3 import java.util.UUID;
 4
 5 import javax.servlet.http.HttpServletRequest;
 6 import javax.servlet.http.HttpSession;
 7
 8 import org.slf4j.Logger;
 9 import org.slf4j.LoggerFactory;
10 import org.springframework.beans.factory.annotation.Autowired;
11 import org.springframework.dao.DuplicateKeyException;
12 import org.springframework.stereotype.Controller;
13 import org.springframework.ui.Model;
14 import org.springframework.web.bind.annotation.GetMapping;
15 import org.springframework.web.bind.annotation.PostMapping;
16
17 import com.example.myapp.member.model.Member;
18 import com.example.myapp.member.service.IMemberService;
19
20 @Controller
21 public class MemberController {
22
23     private final Logger logger = LoggerFactory.getLogger(this.getClass());
24
25     @Autowired
26     IMemberService memberService;
27
28     @GetMapping(value="/member/insert")
29     public String insertMember(HttpSession session, Model model) {
30         String csrfToken = UUID.randomUUID().toString();
31         session.setAttribute("csrfToken", csrfToken);
32         logger.info("/member/insert, GET", csrfToken);
33         model.addAttribute("member", new Member());    // 폼 입력값 검증에 사용
34         return "member/form";
35     }
36
37     @PostMapping(value="/member/insert")
38     public String insertMember(Member member, String csrfToken, HttpSession
   session, Model model) {
39         String sessionToken = (String) session.getAttribute("csrfToken");
40         if(csrfToken==null || !csrfToken.equals(sessionToken)) {
```

```
41            throw new RuntimeException("CSRF Token Error.");
42        }
43        try {
44            if(!member.getPassword().equals(member.getPassword2())) {
45                model.addAttribute("member", member);
46                model.addAttribute("message", "MEMBER_PW_RE");
47                return "member/form";
48            }
49            memberService.insertMember(member);
50        }catch(DuplicateKeyException e) {
51            member.setUserid(null);
52            model.addAttribute("member", member);
53            model.addAttribute("message", "ID_ALREADY_EXIST");
54            return "member/form";
55        }
56        session.invalidate();
57        return "home";
58    }
59
60    @GetMapping(value="/member/login")
61    public String login() {
62        return "member/login";
63    }
64
65    @PostMapping(value="/member/login")
66    public String login(String userid, String password, HttpSession session,
   Model model) {
67        Member member = memberService.selectMember(userid);
68        if(member != null) {
69            logger.info(member.toString());
70            String dbPassword = member.getPassword();
71            if(dbPassword.equals(password)) {        // 비밀번호 일치
72                session.setMaxInactiveInterval(600);  // 세션 타임아웃 10분
73                session.setAttribute("userid", userid);
74                session.setAttribute("name", member.getName());
75                session.setAttribute("email", member.getEmail());
76            }else {    // 비밀번호가 다름
77                session.invalidate();
78                model.addAttribute("message", "WRONG_PASSWORD");
79            }
80        }else {        // 아이디가 없음
81            session.invalidate();
82            model.addAttribute("message", "USER_NOT_FOUND");
83        }
84        return "member/login";
85    }
```

```
86
87    @GetMapping(value="/member/logout")
88    public String logout(HttpSession session, HttpServletRequest request) {
89        session.invalidate(); // 세션을 무효로 함(로그아웃)
90        return "home";
91    }
92
93    @GetMapping(value="/member/update")
94    public String updateMember(HttpSession session, Model model) {
95        String userid = (String)session.getAttribute("userid");
96        if(userid != null && !userid.equals("")) {
97            Member member = memberService.selectMember(userid);
98            model.addAttribute("member", member);
99            model.addAttribute("message", "UPDATE_USER_INFO");
100           return "member/update";
101       }else {
102           model.addAttribute("message", "NOT_LOGIN_USER");
103           return "member/login";
104       }
105   }
106
107   @PostMapping(value="/member/update")
108   public String updateMember(Member member, HttpSession session, Model model) {
109       try{
110           memberService.updateMember(member);
111           model.addAttribute("message", "UPDATED_MEMBER_INFO");
112           model.addAttribute("member", member);
113           session.setAttribute("email", member.getEmail());
114           return "member/login";
115       }catch(Exception e){
116           model.addAttribute("message", e.getMessage());
117           e.printStackTrace();
118           return "member/error";
119       }
120   }
121
122   @GetMapping(value="/member/delete")
123   public String deleteMember(HttpSession session, Model model) {
124       String userid = (String)session.getAttribute("userid");
125       if(userid != null && !userid.equals("")) {
126           Member member = memberService.selectMember(userid);
127           model.addAttribute("member", member);
128           model.addAttribute("message", "MEMBER_PW_RE");
129           return "member/delete";
130       }else {
131           model.addAttribute("message", "NOT_LOGIN_USER");
132           return "member/login";
133       }
```

```
134        }
135
136        @PostMapping(value="/member/delete")
137        public String deleteMember(String password, HttpSession session, Model
    model) {
138            try {
139                Member member = new Member();
140                member.setUserid((String)session.getAttribute("userid"));
141                String dbpw = memberService.getPassword(member.getUserid());
142                if(password != null && password.equals(dbpw)) {
143                    member.setPassword(password);
144                    memberService.deleteMember(member) ;
145                    session.invalidate();    // 회원 정보가 삭제되면 로그아웃 처리
146                    return "member/login";
147                }else {
148                    model.addAttribute("message", "WRONG_PASSWORD");
149                    return "member/delete";
150                }
151            }catch(Exception e){
152                model.addAttribute("message", "DELETE_FAIL");
153                e.printStackTrace();
154                return "member/delete";
155            }
156        }
157 }
```

● 컨트롤러를 작성한 후 servlet-context.xml 파일에 컴포넌트 스캔 태그를 추가하세요.

```
32 <context:component-scan base-package="com.example.myapp.member.controller"/>
```

5.6. 뷰(JSP)

1) 회원가입 폼

form.jsp는 회원 정보 입력을 위한 양식입니다. JSP 파일에서 〈fmt:setBuldle〉 태그는 국제화 설정 파일의 이름을 지정합니다. 〈fmt:message key="프로퍼티키"/〉 태그는 국제화 설정 파일에 있는 키를 지정합니다.

WEB-INF/views/member/form.jsp

```
1 <%@ page contentType="text/html; charset=utf-8"%>
2 <%@ taglib prefix="c" uri="http://java.sun.com/jsp/jstl/core"%>
3 <%@ taglib prefix="fmt" uri="http://java.sun.com/jsp/jstl/fmt"%>
4 <fmt:setBundle basename="i18n/member"/>
```

```
 5 <!DOCTYPE html>
 6 <html>
 7 <jsp:include page="/WEB-INF/views/include/staticFiles.jsp"/>
 8 <body>
 9 <jsp:include page="/WEB-INF/views/include/bodyHeader.jsp"/>
10 <div class="container">
11     <div class="pg-opt">
12         <div class="row">
13             <div class="col-md-6 pc">
14                 <h2><fmt:message key="INSERT_USER_INFO"/></h2>${message}
15             </div>
16             <div class="col-md-6">
17                 <ol class="breadcrumb">
18                     <li><fmt:message key="MEMBER"/></li>
19                     <li class="active"><fmt:message
   key="INSERT_USER_INFO"/></li>
20                 </ol>
21             </div>
22         </div>
23     </div>
24     <div class="content">
25     <form action="<c:url value='/member/insert'/>" method="post" id="joinForm"
   class="form-horizontal">
26     <div class="form-group">
27         <label class="control-label col-sm-2" for="userid"><fmt:message
   key="MEMBER_ID"/></label>
28         <div class="col-sm-4">
29             <input type="text" name="userid" id="userid"
   value="${member['userid']}" ${empty member.userid ? "" : "readonly"}
   title="<fmt:message key='USERID_TITLE'/>" pattern="\w+" class="form-control"
   placeholder="<fmt:message key="MEMBER_ID"/>" required>
30         </div>
31     </div>
32     <div class="form-group">
33         <label class="control-label col-sm-2" for="password"><fmt:message
   key="MEMBER_PW"/></label>
34         <div class="col-sm-4">
35             <input type="password" name="password" id="password"
   value="${member.password}" class="form-control" title="<fmt:message
   key='PASSWORD_TITLE'/>" pattern="(?=.*\d)(?=.*[a-z])(?=.*[A-Z]).{6,}"
   required>
36         </div>
37     </div>
38     <div class="form-group">
39         <label class="control-label col-sm-2" for="password2"><fmt:message
   key="MEMBER_PW_RE"/></label>
```

```
40        <div class="col-sm-4">
41            <input type="password" name="password2" id="password2"
    class="form-control" required>
42            <span id="passwordConfirm"></span>
43        </div>
44      </div>
45      <div class="form-group">
46          <label class="control-label col-sm-2" for="name"><fmt:message
    key="MEMBER_NAME"/></label>
47          <div class="col-sm-4">
48              <input type="text" name="name" id="name" value="${member.name}"
    class="form-control" autocomplete="off" required>
49          </div>
50      </div>
51      <div class="form-group">
52          <label class="control-label col-sm-2" for="phone"><fmt:message
    key="MEMBER_PHONE"/></label>
53          <div class="col-sm-6">
54              <input type="text" name="phone" id="phone" value="${member.phone}"
    class="form-control" autocomplete="off" required>
55          </div>
56      </div>
57      <div class="form-group">
58          <label class="control-label col-sm-2" for="email"><fmt:message
    key="MEMBER_EMAIL"/></label>
59          <div class="col-sm-8">
60              <input type="email" name="email" id="email" value="${member.email}"
    class="form-control" autocomplete="off" required>
61          </div>
62      </div>
63      <div class="form-group">
64          <div class="col-sm-offset-2 col-sm-8">
65              <input type="submit" class="btn btn-info" value="<fmt:message
    key="SAVE"/>">
66              <input type="reset" class="btn btn-info" value="<fmt:message
    key="CANCEL"/>">
67          </div>
68      </div>
69      </form>
70      </div>
71 </div>
72 <jsp:include page="/WEB-INF/views/include/footer.jsp"/>
73 </body>
74 <script type="text/javascript">
75 var pw1 = document.querySelector("#password");
76 var pw2 = document.querySelector("#password2");
```

```
77  var pwConfirm = document.querySelector("#passwordConfirm");
78  pw2.onkeyup = function(event) {
79      if(pw1.value !== pw2.value) {
80          pwConfirm.innerText = "비밀번호가 일치하지 않습니다.";
81      }else {
82          pwConfirm.innerText = "";
83      }
84  }
85  </script>
86  </html>
```

다음은 회원가입 양식입니다. 아이디는 6자리 이상이어야 하며, 비밀번호는 영문자 대/소문자와 숫자, 특수문자를 포함해야 합니다. 회원가입이 성공하면 홈 화면으로 이동합니다.

그림 19. 회원 가입 폼

2) 로그인

login.jsp는 로그인 입력양식입니다. 아이디와 비밀번호를 입력하고 로그인 버튼을 클릭하세요. 이 입력양식은 사용자가 로그인하면 사용자의 아이디와 이메일 주소를 보여줍니다.

WEB-INF/views/member/login.jsp

```
1  <%@ page contentType="text/html; charset=utf-8"%>
2  <%@ taglib prefix="c" uri="http://java.sun.com/jsp/jstl/core"%>
3  <%@ taglib prefix="fmt" uri="http://java.sun.com/jsp/jstl/fmt"%>
4  <fmt:setBundle basename="i18n/member"/>
5  <!DOCTYPE html>
6  <html>
7  <jsp:include page="/WEB-INF/views/include/staticFiles.jsp"/>
8  <body>
```

```
 9 <jsp:include page="/WEB-INF/views/include/bodyHeader.jsp"/>
10 <div class="container">
11     <div class="pg-opt">
12         <div class="row">
13             <div class="col-md-6 pc">
14                 <h2><fmt:message key="LOGIN"/><small style="color:red">
   <fmt:message key="${not empty message ? message : 'BLANK'}"/></small></h2>
15             </div>
16             <div class="col-md-6">
17                 <ol class="breadcrumb">
18                     <li><fmt:message key="MEMBER"/></li>
19                     <li class="active"><fmt:message key="LOGIN"/></li>
20                 </ol>
21             </div>
22         </div>
23     </div>
24 <div class="content">
25 <c:if test="${empty sessionScope.userid}">
26     <form action="<c:url value='/member/login'/>" method="post"
   class="form-horizontal">
27     <div class="form-group">
28         <label class="control-label col-sm-2" for="id"><fmt:message
   key="MEMBER_ID"/></label>
29         <div class="col-sm-8">
30             <input type="text" name="userid" id="id" class="form-control"
   placeholder="<fmt:message key="MEMBER_ID"/>">
31         </div>
32     </div>
33     <div class="form-group">
34         <label class="control-label col-sm-2" for="pw"><fmt:message
   key="MEMBER_PW"/></label>
35         <div class="col-sm-8">
36             <input type="password" name="password" id="pw" class="form-control"
   placeholder="<fmt:message key="MEMBER_PW"/>">
37         </div>
38     </div>
39     <div class="form-group">
40         <div class="col-sm-offset-2 col-sm-8">
41         <input type="submit" class="btn btn-info" value="<fmt:message
   key="SIGN_IN"/>">
42         <input type="reset" class="btn btn-info" value="<fmt:message
   key="CANCEL"/>">
43         <a href="<c:url value='/member/insert'/>" class="btn
   btn-success"><fmt:message key="INSERT_USER_INFO"/></a>
44         </div>
45     </div>
```

```
46        </form>
47  </c:if>
48  <!-- 로그아웃 -->
49  <c:if test="${not empty sessionScope.userid}">
50      <h4>${userid}</h4>
51      <h4>${email}</h4>
52      <a href="<c:url value='/member/update'/>">[<fmt:message
    key="UPDATE_USER_INFO"/>]</a>
53      <a href="<c:url value='/member/logout'/>">[<fmt:message
    key="SIGN_OUT"/>]</a>
54      <a href="<c:url value='/member/delete'/>">[<fmt:message
    key="EXIT_MEMBER"/>]</a>
55  </c:if>
56  </div>
57  </div>
58  <jsp:include page="/WEB-INF/views/include/footer.jsp"/>
59  </body>
60  </html>
```

다음 그림은 로그인 폼입니다.
http://localhost:8080/myapp/member/login

| 사용자 아이디 | heojk1 |
| 비밀번호 | ••••••••• |

[로그인] [취소] [회원 가입]

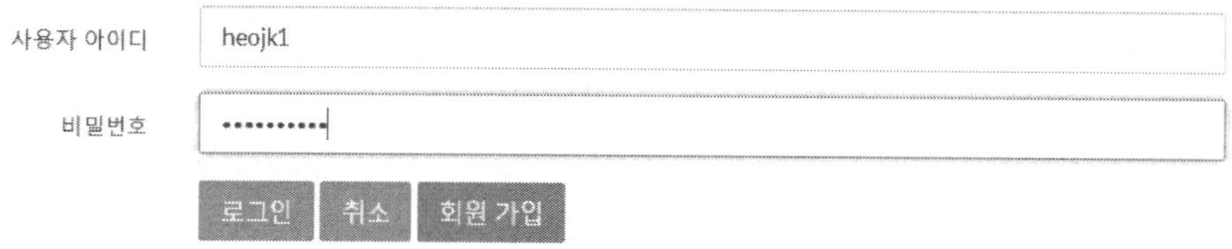

그림 20. 로그인 폼

다음 그림은 로그인 성공하면 보이는 페이지입니다.
http://localhost:8080/myapp/member/login

Heojk1

Hjk7902@Gmail.Com

[회원 정보 수정] [로그아웃] [회원 탈퇴]

그림 21. 로그인 성공

3) 사용자 정보 수정

update.jsp는 사용자 정보를 수정하는 폼입니다. form.jsp 내용과 많이 비슷합니다.

WEB-INF/views/member/update.jsp

```
1 <%@ page contentType="text/html; charset=utf-8"%>
2 <%@ taglib prefix="c" uri="http://java.sun.com/jsp/jstl/core"%>
3 <%@ taglib prefix="fmt" uri="http://java.sun.com/jsp/jstl/fmt"%>
4 <fmt:setBundle basename="i18n/member"/>
5 <!DOCTYPE html>
6 <html>
7 <jsp:include page="/WEB-INF/views/include/staticFiles.jsp"/>
8 <body>
9 <jsp:include page="/WEB-INF/views/include/bodyHeader.jsp"/>
10 <div class="container">
11     <div class="pg-opt">
12         <div class="row">
13             <div class="col-md-6 pc">
14                 <h2><fmt:message key="UPDATE_USER_INFO"/><small> <fmt:message key="${message}"/></small></h2>
15             </div>
16             <div class="col-md-6">
17                 <ol class="breadcrumb">
18                     <li><fmt:message key="MEMBER"/></li>
19                     <li class="active"><fmt:message key="UPDATE_USER_INFO"/></li>
20                 </ol>
21             </div>
22         </div>
23     </div>
24     <div class="content">
25     <form action="<c:url value='/member/update'/>" method="post" id="joinForm" class="form-horizontal">
26     <div class="form-group">
27         <label class="control-label col-sm-2" for="userid"><fmt:message key="MEMBER_ID"/></label>
28         <div class="col-sm-4">
29             <input type="text" name="userid" id="userid" value="${member['userid']}" ${empty member.userid ? "" : "readonly"} class="form-control" placeholder="<fmt:message key="MEMBER_ID"/>" required>
30         </div>
31     </div>
32     <div class="form-group">
33         <label class="control-label col-sm-2" for="password"><fmt:message key="MEMBER_PW"/></label>
34             <div class="col-sm-4">
```

363

```
35          <input type="password" name="password" id="password"
     class="form-control" title="<fmt:message key='PASSWORD_TITLE'/>"
     pattern="(?=.*\d)(?=.*[a-z])(?=.*[A-Z]).{6,}" required>
36        </div>
37      </div>
38      <div class="form-group">
39        <label class="control-label col-sm-2" for="password2"><fmt:message
     key="MEMBER_PW_RE"/></label>
40        <div class="col-sm-4">
41          <input type="password" name="password2" id="password2"
     class="form-control" required>
42          <span id="passwordConfirm"></span>
43        </div>
44      </div>
45      <div class="form-group">
46        <label class="control-label col-sm-2" for="name"><fmt:message
     key="MEMBER_NAME"/></label>
47        <div class="col-sm-4">
48          <input type="text" name="name" id="name" value="${member.name}"
     class="form-control" required>
49        </div>
50      </div>
51      <div class="form-group">
52        <label class="control-label col-sm-2" for="phone"><fmt:message
     key="MEMBER_PHONE"/></label>
53        <div class="col-sm-6">
54          <input type="text" name="phone" id="phone" value="${member.phone}"
     class="form-control" required>
55        </div>
56      </div>
57      <div class="form-group">
58        <label class="control-label col-sm-2" for="email"><fmt:message
     key="MEMBER_EMAIL"/></label>
59        <div class="col-sm-8">
60          <input type="text" name="email" id="email" value="${member.email}"
     class="form-control" required>
61        </div>
62      </div>
63      <div class="form-group">
64        <div class="col-sm-offset-2 col-sm-8">
65        <input type="submit" class="btn btn-info" value="<fmt:message
     key="SAVE"/>">
66        <input type="reset" class="btn btn-info" value="<fmt:message
     key="CANCEL"/>">
67        </div>
68      </div>
```

```
69      </form>
70      </div>
71  </div>
72  <jsp:include page="/WEB-INF/views/include/footer.jsp"/>
73  </body>
74  <script type="text/javascript">
75  var pw1 = document.querySelector("#password");
76  var pw2 = document.querySelector("#password2");
77  var pwConfirm = document.querySelector("#passwordConfirm");
78  pw2.onkeyup = function(event) {
79      if(pw1.value !== pw2.value) {
80          pwConfirm.innerText = "비밀번호가 일치하지 않습니다.";
81      }else {
82          pwConfirm.innerText = "";
83      }
84  }
85  </script>
86  </html>
```

다음 그림은 회원 정보를 수정하는 폼입니다.
http://localhost:8080/myapp/member/update

사용자 아이디	heojk1
비밀번호	••••••••••
비밀번호 확인	••••••••••
사용자 이름	허진경
전화번호	010-3402-7902
이메일 주소	heojk@daum.net

저장 취소

그림 22. 회원 정보 수정

Heojk1

Heojk@Daum.Net

[회원 정보 수정] [로그아웃] [회원 탈퇴]

그림 23. 회원 정보 수정 후

4) 로그아웃

로그아웃을 위한 페이지는 따로 없습니다. login.jsp 파일에 로그인 한 사용자의 정보를 보여주는 코드와 로그아웃 링크가 있습니다. [내 정보] 페이지 페이지에서 [로그아웃] 링크를 클릭하면 로그아웃 처리 후 홈 화면으로 이동합니다.

5) 회원 탈퇴

delete.jsp는 회원 탈퇴를 위해 비밀번호를 입력하는 폼입니다.

WEB-INF/views/member/delete.jsp

```
 1 <%@ page contentType="text/html; charset=utf-8"%>
 2 <%@ taglib prefix="c" uri="http://java.sun.com/jsp/jstl/core"%>
 3 <%@ taglib prefix="fmt" uri="http://java.sun.com/jsp/jstl/fmt"%>
 4 <fmt:setBundle basename="i18n/member"/>
 5 <!DOCTYPE html>
 6 <html>
 7 <jsp:include page="/WEB-INF/views/include/staticFiles.jsp"/>
 8 <body>
 9 <jsp:include page="/WEB-INF/views/include/bodyHeader.jsp"/>
10 <div class="container">
11     <div class="pg-opt">
12         <div class="row">
13             <div class="col-md-6 pc">
14                 <h2><fmt:message key="EXIT_MEMBER"/></h2>
15             </div>
16             <div class="col-md-6">
17                 <ol class="breadcrumb">
18                     <li><fmt:message key="MEMBER"/></li>
19                     <li class="active"><fmt:message key="EXIT_MEMBER"/></li>
20                 </ol>
21             </div>
22         </div>
23     </div>
24     <div class="content">
25     <form action="<c:url value='/member/delete'/>" method="post"
   class="form-horizontal">
26     <div class="form-group">
27         <label class="control-label col-sm-2" for="password"><fmt:message
   key="MEMBER_PW"/></label>
28         <div class="col-sm-4">
29         <input type="password" name="password" id="password"
   class="form-control"><h4 style="color:red;"><fmt:message
```

```
    key="${message}"/></h4>
30        </div>
31      </div>
32      <div class="form-group">
33        <div class="col-sm-offset-2 col-sm-8">
34        <input type="submit" class="btn btn-info" value="<fmt:message
    key="DELETE_USER_INFO"/>">
35        </div>
36      </div>
37      </form>
38    </div>
39  </div>
40  <jsp:include page="/WEB-INF/views/include/footer.jsp"/>
41  </body>
42  </html>
```

다음 그림은 회원 정보를 삭제하기 위해 비밀번호를 입력하는 폼입니다.

그림 24. 회원 탈퇴를 위한 비밀번호 입력

회원 정보를 삭제할 때는 로그인한 사용자의 세션 정보를 삭제합니다. 회원 정보 삭제 후 로그인 폼 화면으로 이동합니다.

그림 25. 회원 정보 삭제 후 로그인 폼으로 이동

● 이 예제는 CSRF(Cross-Site Request Forgery) 공격에 대비해서 게시글 입력과 회원 가입기능에 CSRF Token을 사용했습니다. 그렇다고 하더라도 여전히 XSS(Cross Site Scripting) 보안 취약점은 존재합니다. XSS 보안 취약점은 다음 절에서 설명합니다.

5.7. 인터셉터를 이용한 게시판 기능 제한

1) 로그인 인터셉터

LoginInterceptor 클래스는 HandlerInterceptor 인터페이스를 구현한 클래스입니다. 이 클래스는 세션에서 로그인한 사용자의 이메일 주소를 조회합니다.

로그인 처리 컨트롤러에서 로그인하면 사용자의 아이디와 이메일 주소를 저장합니다. 그러므로 만일 로그인한 사용자라면 세션에 이메일 주소가 저장되어 있어야 합니다. 세션에 이메일 주소가 없으면 로그인하지 않은 사용자이므로 이럴 때 /member/login 핸들러로 리다이렉트 해서 로그인을 유도합니다.

다음은 로그인 인터셉터 클래스입니다.

com/example/myapp/common/filter/LoginInterceptor.java

```
 1 package com.example.myapp.common.filter;
 2
 3 import javax.servlet.http.HttpServletRequest;  // tomcat 10은 jakarta.servlet
 4 import javax.servlet.http.HttpServletResponse;
 5
 6 import org.springframework.web.servlet.HandlerInterceptor;
 7 import org.springframework.web.servlet.ModelAndView;
 8
 9 public class LoginInterceptor implements HandlerInterceptor {
10
11     @Override
12     public boolean preHandle(HttpServletRequest request, HttpServletResponse
   response, Object handler) throws Exception {
13         try {
14             String email= (String) request.getSession().getAttribute("email");
15             if(email == null || email.equals("")){
16                 response.sendRedirect(request.getContextPath() +
   "/member/login");
17                 return false;
18             }
19         } catch (Exception e) {
20             e.printStackTrace();
21         }
22         return true;
23     }
24
25     @Override
26     public void postHandle(HttpServletRequest request, HttpServletResponse
```

```
              response, Object handler, ModelAndView modelAndView) throws Exception {
27        }
28
29        @Override
30        public void afterCompletion(HttpServletRequest request, HttpServletResponse
              response, Object handler, Exception ex) throws Exception {
31        }
32   }
```

2) 인터셉터 설정

servlet-context.xml 파일에 인터셉터 설정을 추가해 줍니다. 다음은 〈mapping〉 태그를
이용해서 인터셉터를 통과해야 할 URL들을 매칭 설정합니다. 여기에 설정되지 않은 모든
다른 URL은 인터셉터를 적용하지 않습니다.

WEB-INF/spring/appServlet/servlet-context.xml

```
34        <interceptors>
35            <interceptor>
36                <mapping path="/file/**"/>
37                <mapping path="/board/write/**"/>
38                <mapping path="/board/update/**"/>
39                <mapping path="/board/reply/**"/>
40                <mapping path="/board/delete/**"/>
41                <beans:bean class="com.example.myapp.common.filter.LoginInterceptor"/>
42            </interceptor>
43        </interceptors>
```

● 인터셉터에 의한 필터링에서 제외할 경로 설정은 mvc 네임스페이스에 있는
   〈exclude-mapping〉 태그를 이용하세요.
   예: 〈exclude-mapping path="/board/cat/**"/〉

3) 제한된 페이지 확인

로그인하기 전 목록보기와 게시글 상세보기 기능을 사용할 수 있습니다. 그러나 파일 다
운로드 기능과 글쓰기 기능 등을 시도하면 로그인 페이지로 이동되는 것을 확인할 수 있
습니다. 사용자는 로그인 후 게시판의 모든 기능을 사용할 수 있습니다.

● *CSRF 토큰을 생성하고 확인하는 것을 인터셉터를 이용하여 해결할 수도 있습니다.*

6. XSS 공격 대응

6.1. XSS 개요

XSS(Cross Site Scripting) 공격은 해커가 사용자의 PC를 공격하는 기법으로, Server Side에서 Client Side로 전송하는 JavaScript에 악성 코드를 심어놓고 사용자의 Browser 에서 실행하도록 하는 기법입니다. 이 공격으로 사용자의 브라우저에 저장돼있는 쿠키값 (특히 세션 아이디)을 가로채거나, 사용자의 페이지를 임의 사이트로 이동시켜 사용자의 정보를 빼가는 등의 공격을 할 수 있습니다.

만일 게시글의 내용에 다음과 같이 스크립트를 작성한다면 제목과 내용을 출력하는 페이 지에는 입력한 스크립트가 실행되어 경고창(alert)이 보일 것입니다.

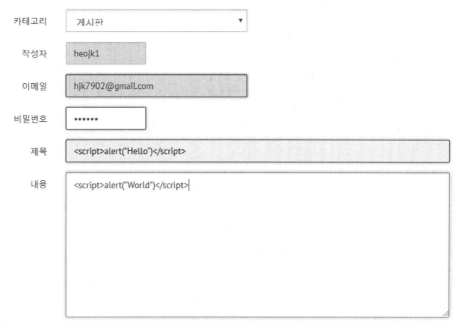

그림 26. 스크립트를 포함한 게시글

XSS 공격에 대응하는 방법은 크게 4가지가 있습니다.
- Spring Interceptor
- Servlet Filter와 Wrapper
- Spring Message Converter
- 컨트롤러에 직접 코딩하기

이 중, 무엇이 옳고 그르다고 말할 수는 없습니다. 가장 중요한 원리는 스프링 인터셉터, 필터와 래퍼 그리고 메시지 컨버터 중 하나를 선택하는 것은 Script 태그를 HTML 태그로 처리하는 곳이 어디에 위치하는지의 차이일 뿐입니다.

이 예에서는 Jsoup을 이용해서 컨트롤러에 직접 게시글이 제목과 내용에서 신뢰하지 못할만한 코드를 제거하는 방법을 사용하겠습니다.

6.2. Maven 의존성 추가

pom.xml 파일에 jsoup 라이브러리 의존성을 추가해야 합니다. jsoup 1.15.1 아래 버전을 사용하면 자바 코드에서 Safelist 클래스가 아닌 Whitelist 클래스를 사용해야 합니다.

pom.xml

```
91      <!-- XSS Filter -->
92      <dependency>
93          <groupId>org.jsoup</groupId>
94          <artifactId>jsoup</artifactId>
95          <version>1.15.3</version>
96      </dependency>
```

6.3. BoardController에 코드 추가

아래의 코드 예처럼 게시글을 입력/수정/댓글달기 처리하는 곳에 Jsoup.clean() 메서드를 이용해 게시글의 제목(title)과 내용(content)을 처리해야 합니다.

```
@PostMapping(value="/board/write")
public String writeArticle(Board board, RedirectAttributes redirectAttrs) {
    logger.info("/board/write : " + board.toString());

    try{
        board.setContent(board.getContent().replace("\r\n", "<br>"));
        board.setTitle(Jsoup.clean(board.getTitle(), Safelist.basic()));
        board.setContent(Jsoup.clean(board.getContent(), Safelist.basic()));
        MultipartFile mfile = board.getFile();
```

● POST 방식 요청을 처리하는 writeArticle(), replyArticle(), updateArticle() 메서드에 이 코드가 포함되어 있어야 합니다.

Jsoup의 Safelist 클래스는 클리너를 통해 허용할 HTML을 정의합니다. 나머지는 모두 제거됩니다. 우리는 none(), simpleText(), basic(), basicWithImages(), relaxed() 중 하나를 사용할 수 있습니다. 더 많은 것을 허용하기 위해 addTags(), addAttributes() 등을 사용할 수 있으며 기존 허용 목록에서 제거하기 위해 removeTags(), removeAttributes() 등을 사용할 수 있습니다. 더 자세한 내용은 API 문서39)를 참고하세요.

6.4. 적용 결과

서버를 재시작하고 게시글에 스크립트와 태그를 포함한 내용을 입력하고 저장해 보세요.

그림 27. 스크립트를 포함한 글 저장

게시글의 내용에 다음과 같이 자바스크립트 코드를 작성하고 저장해 보면 스크립트 코드의 실행 여부를 확인할 수 있습니다.

```
<script>alert("Hello")</script>
```

39) https://jsoup.org/apidocs/org/jsoup/safety/Safelist.html

저장된 글을 조회하면 스크립트가 동작하지 않는 것을 확인할 수 있습니다.

글번호	14
작성자	heojk1
작성일	2018-04-11 03:24:07
제목	태그를 포함한 글입니다.

내용	Hello
	
	``
	public class HelloWorld {
	    public static void main(String[] args) {
	        System.out.println("HelloWorld");
	    }
	}
	``
	
	coderby

그림 28. 스크립트가 동작하지 않는 글

글 수정 버튼을 눌러 저장된 내용을 확인해 보세요. 일부 태그는 저장할 때 사라진 것을 확인할 수 있습니다.

그림 29. 스크립트와 일부 태그가 제거되고 저장된 글

7장의 멀티게시판 프로젝트는 스프링 프레임워크를 공부하는 데 있어 좋은 예인 것은 틀림없습니다. 이 예제는 깃허브를 통해 지속해서 코드의 수정이 이뤄지고 있습니다. 소스 코드는 다음 깃허브 주소에서 내려받을 수 있습니다.

  - https://github.com/hjk7902/spring

소스코드를 실행하려면 데이터베이스 연결 설정은 수정해야 할 수 있습니다. 그리고 프로젝트 안에 src/main/resources 폴더 아래에 게시판 및 회원 정보를 저장할 테이블 생성 DDL 구문을 포함했으므로 데이터베이스 테이블 생성 및 샘플 데이터를 입력한 후 실행시켜야 합니다. 데이터베이스 연결 설정은 WEB-INF/spring/root-context.xml 파일에 있으므로 이 파일을 수정하세요.

처음부터 스프링 부트 프로젝트를 이용해서 프로젝트를 진행하면 좋겠지만 아직 현업의 개발환경 및 실행환경은 아직도 스프링 레거시 프로젝트를 이용하여 만든 스프링 프레임워크 프로젝트를 더 많이 사용합니다. 그러므로 스프링 부트 프로젝트를 배우기 전에 스프링 프레임워크 프로젝트를 먼저 배우는 것이 바람직합니다. 스프링 프레임워크 프로젝트에 대해 익숙해졌다면 다음 8장 스프링 부트 프로젝트를 학습하면서 7장의 프로젝트를 스프링 부트 프로젝트로 바꿔보세요.

Instructor Note: 스프링 프레임워크와 스프링 부트 프로젝트 뷰 페이지를 작성하기 위해서 가장 많이 사용될 기술은?

스프링 프레임워크를 사용하여 뷰 페이지를 작성하는 경우, 가장 많이 사용되는 기술은 다음과 같습니다:
  1. Thymeleaf: 스프링 프레임워크와 통합되어 사용할 수 있는 HTML 템플릿엔진입니다.
  2. JSP (JavaServer Pages): 자바 웹 애플리케이션 개발에 흔히 사용되는 기술입니다.
  3. FreeMarker: 자바 기반의 템플릿 엔진으로, 스프링 프레임워크와 통합되어 사용할 수 있습니다.

스프링 부트 프로젝트에서 뷰 페이지를 작성하는 경우, 가장 많이 사용되는 기술은 다음과 같습니다:
  1. Thymeleaf: 스프링 부트와 통합되어 사용할 수 있는 HTML 템플릿 엔진입니다.
  2. FreeMarker: 스프링 부트와 통합되어 사용할 수 있는 HTML 템플릿 엔진입니다.
  3. JSP: 자바 웹 애플리케이션 개발에 흔히 사용되는 기술입니다. 그러나 스프링 부트에서는 권장되지 않은 기술일 수 있습니다.

선택하는 기술은 개발자의 경험, 프로젝트의 특성, 그리고 개발팀의 선호도 등이 영향을 미칩니다. 적절한 기술을 선택하기 위해서는 적절한 탐색과 평가가 필요할 수 있습니다.

8장. 스프링 부트 프로젝트

이 장에서는 스프링 부트를 활용하여 프로젝트를 생성하고 실행하는 방법을 설명하며, 7장에서 소개한 멀티게시판을 스프링 부트 프로젝트로 변환하는 과정을 안내합니다. 이 프로세스에서 JSP로 작성된 뷰 코드를 타임리프로 변환하는 방법도 소개합니다. 스프링 부트를 활용하면 최소한의 설정으로 애플리케이션을 실행할 수 있습니다.

1. 스프링 부트

스프링 프레임워크가 자바 기반 개발을 위한 훌륭한 프레임워크인 것은 모두가 인정합니다. 그런데 이 프레임워크는 진입장벽이 높다는 것이 단점입니다. 프로젝트를 생성하고 처음 웹 애플리케이션을 실행해 보는 것, 예를 들면 프로그램의 "Hello World"를 출력하는 것, 이것이 처음 배우는 사람에겐 무척 어렵게 느껴집니다.

스프링 부트(Spring Boot)를 사용하면 수작업으로 초기 설정하는 과정 없이 간단히 프로젝트를 띄울 수 있습니다. 스프링에서 제공하는 Spring Tool Suite 개발 도구를 사용하면 마법사를 통해 기본적인 프로젝트 성격과 프로젝트에서 필요로 하는 라이브러리를 선택할 수 있습니다. 수작업으로 설정하더라도 이전보다 상당히 단순해집니다.

프로젝트마다 일상적으로 설정하게 되는 사항들을 이미 내부적으로 가지고 있고 개별적으로 차이가 나는 부분만 설정 파일에 포함하면 됩니다. 예를 들어 데이터베이스 연결 설정과 스프링의 데이터베이스 연결 설정을 각각 하지 않고 데이터베이스 연결 설정만 설정 파일에 적어놓으면 됩니다. 데이터베이스 드라이버, 트랜잭션 등 당연히 들어가는 것들은 알아서 처리됩니다.

스프링 보안(Security), 스프링 데이터 JPA와 같이 다른 스프링 프레임워크의 다른 구성 요소들을 쉽게 가져다 쓸 수 있으며 이 과정에서 프로토타이핑이나 기능을 시험해보는 시간이 전보다 단축됩니다.

톰캣(Tomcat)이나 제티(Jetty)를 기본 내장할 수 있으며 웹 프로젝트를 실행시키는 시간이 독립적인 톰캣으로 실행시키는 시간보다 단축됩니다. 또한, 서블릿 컨테이너가 내장될 수 있으므로 프로젝트를 '.jar' 파일 형태로 간단히 만들어 배포할 수 있습니다.

메이븐의 pom.xml 파일에 의존성 라이브러리의 버전을 일일이 지정하지 않아도 됩니다. 스프링 부트가 권장 버전을 관리합니다. 또한, Spring Tool Suite를 사용한다면 이클립스의 "컨텐트 어시스트" 기능을 통해 의존성 라이브러리를 자동 완성 방식으로 입력할 수 있습니다.

스프링 부트 프로젝트를 이용해서 개발하려면 전자정부표준프레임워크 4.0 이상 또는 Spring Tools 4 이상 사용해야 합니다.

2. 스프링 부트 프로젝트 만들기

2.1. 스프링 스타터 프로젝트

이클립스에서 File > New > Spring Starter Project를 선택하면 스프링 부트 프로젝트를 생성할 수 있습니다. 테스트만 할 목적이면 기본값을 그대로 사용해도 됩니다. 그러나 톰캣에서 실행시키려면 Packaging은 War를 선택하세요. 그래야 pom.xml 파일에 패키징 타입이 war로 설정됩니다.

그림 1. New Spring Starter Project

다음 표는 스프링 스타터 프로젝트의 입력 항목들입니다.

표 1. Spring Starter Project의 항목들

항목	기본값	설명
Service URL	http://start.spring.io	스프링 프로젝트의 서비스 URL입니다.
Name	demo	프로젝트의 이름으로 만들어집니다.
Type	Maven	형상관리도구를 지정합니다. Maven과 Gradle이 있습니다.
Packaging	Jar	패키징할 기본 형식을 지정합니다. jar 또는 war가 있습니다.
Java Version	8	자바의 버전을 지정합니다.
Language	Java	사용할 언어를 지정합니다. Java 외에도 Kotlin, Groovy 등이 있습니다.
Group	com.example	그룹 이름을 지정합니다. 주로 도메인 이름까지 사용합니다.
Artifact	demo	아티팩트는 메이븐 빌드의 결과로 얻을 수 있는 일반적인 jar나 war 또는 여타의 실행 파일의 이름으로 지정됩니다.
Version	0.0.1-SNAPSHOT	버전을 지정합니다.
Description	Demo project for Spring Boot	이 프로젝트의 설명을 기록합니다.
Package	com.example.demo	기본 패키지 이름을 지정합니다.

2.2. 프로젝트 의존성 선택

New Spring Start Project Dependencies 창에서 프로젝트에 필요한 의존성을 선택만 하면 자동으로 의존성 설정이 완료됩니다. 이 예에서는 [Developer Tools] 항목의 [Spring Boot DevTools]와 [Lombok], [SQL] 항목의 [JDBC API,] [MyBatis Framework], [Oracle Driver] 항목을 선택했고, [Web] 항목의 [Spring Web] 항목을 선택했습니다.40)

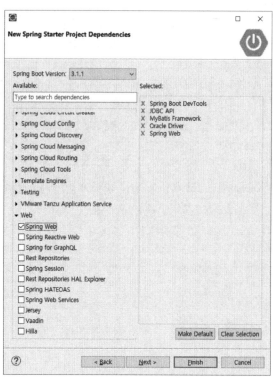

이러한 설정으로 프로젝트를 생성하는 것은 기존의 방식으로 프로젝트를 만드는 것보다 의존성 설정을 더 쉽게 해 줍니다. [Next] 버튼을 클릭하면 다음 화면으로 넘어갑니다.

그림 2. 프로젝트 의존성 선택

[Finish] 버튼을 클릭해서 프로젝트를 생성합니다.

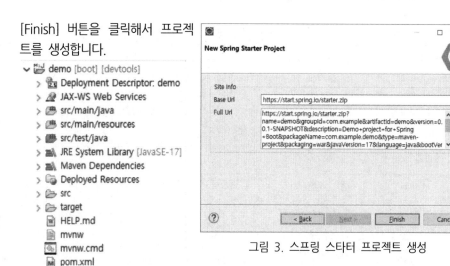

- demo [boot] [devtools]
  - Deployment Descriptor: demo
  - JAX-WS Web Services
  - src/main/java
  - src/main/resources
  - src/test/java
  - JRE System Library [JavaSE-17]
  - Maven Dependencies
  - Deployed Resources
  - src
  - target
  - HELP.md
  - mvnw
  - mvnw.cmd
  - pom.xml

그림 3. 스프링 스타터 프로젝트 생성

그림 4. 만들어진 스프링 프로젝트

40) 뷰 페이지에 타임리프를 사용하려면 Template Engines 항목 아래의 Thymeleaf를 선택하세요.

3. 스프링 부트 애플리케이션 실행하기

3.1. 프로젝트 구조

다음 그림은 스프링 부트 프로젝트의 기본 구조입니다.

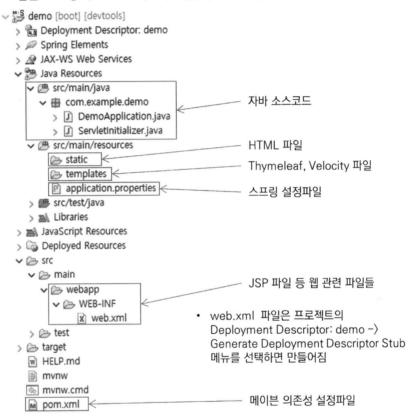

그림 5. 프로젝트 구조

● 스프링 부트 프로젝트 생성 후 다음처럼 UnKnown 에러가 발생하면 properties 태그
안에 maven-jar-plugin.version을 추가하세요.

```
<properties>
    <maven-jar-plugin.version>3.1.1</maven-jar-plugin.version>
    <java.version>17</java.version>
</properties>
```

3.2. 스프링 설정 파일

src/main/resources 폴더에 있는 application.properties[41] 파일에 포트번호, 뷰 리졸버, 데이터소스, 멀티파트, 마이바티스 인터페이스 위치와 매퍼파일의 위치 등을 설정합니다. 사실 이 예제에서 데이터베이스와 파일 업로드 기능을 사용하지는 않습니다. 참고를 위해 추가한 내용입니다. 이 예제를 실행해 보기 위해서라면 9라인까지만 작성해도 됩니다.

src/main/resource/application.properties

```
 1 server.port=8080
 2
 3 spring.mvc.view.prefix=/WEB-INF/views/
 4 spring.mvc.view.suffix=.jsp
 5
 6 spring.datasource.driver-class-name=oracle.jdbc.OracleDriver
 7 spring.datasource.url=jdbc:oracle:thin:@localhost:1521:xe
 8 spring.datasource.username=hr
 9 spring.datasource.password=hr
10
11 spring.servlet.multipart.enabled=true
12 spring.servlet.multipart.max-file-size=50MB
13 spring.servlet.multipart.max-request-size=50MB
14
15 mybatis.type-aliases-package=com.example.myapp
16 mybatis.mapper-locations=classpath:mapper/**/*.xml
17
18 logging.level.com.example.myapp=info
```

3.3. 컨트롤러 추가하기

다음 컨트롤러는 /와 /hello 요청을 처리하는 컨트롤러입니다.

src/main/java/com/example/demo/HelloController.java

```
 1 package com.example.demo;
 2
 3 import org.springframework.stereotype.Controller;
 4 import org.springframework.ui.Model;
 5 import org.springframework.web.bind.annotation.GetMapping;
 6 import org.springframework.web.bind.annotation.RequestParam;
 7 import org.springframework.web.bind.annotation.ResponseBody;
 8
 9 @Controller
```

---

41) https://docs.spring.io/spring-boot/docs/current/reference/html/application-properties.html

```
10 public class HelloController {
11
12     @GetMapping("/")
13     public @ResponseBody String index() {
14         return "welcome home";
15     }
16
17     @GetMapping("/hello")
18     public String hello(@RequestParam(required=false) String name, Model model) {
19         String greetings = "Hello, " + name + "!";
20         model.addAttribute("greetings", greetings);
21         return "hello";
22     }
23 }
```

3.4. 뷰 작성하기

스프링 부트에서는 Thymeleaf[42], FreeMarker[43], Groovy[44], Velocity[45], JSP 등 여러 가지 뷰를 사용할 수 있습니다. 그러나 이 예는 JSP를 뷰로 사용했기 때문에 pom.xml 파일에 다음의 의존성을 추가해 줘야 합니다.

pom.xml

```
    ... 생략 ...
58         <dependency>
59             <groupId>javax.servlet</groupId>
60             <artifactId>jstl</artifactId>
61             <version>1.2</version>
62         </dependency>
63
64         <dependency>
65             <groupId>org.apache.tomcat.embed</groupId>
66             <artifactId>tomcat-embed-jasper</artifactId>
67             <scope>provided</scope>
68         </dependency>
    ... 생략 ...
```

앞의 스프링 부트 설정대로라면 JSP 파일은 src/main/webapp/WEB-INF/views/ 폴더 아래에 작성해야 합니다.

---

42) https://www.thymeleaf.org/
43) https://freemarker.apache.org/
44) http://groovy.apache.org/
45) http://velocity.apache.org/

뷰 리졸버 설정을 통해 prefix를 '/WEB-INF/views/'로 했고, suffix를 '.jsp'로 했으므로 /hello 요청을 처리하기 위한 뷰 페이지는 src/main/webapp/WEB-INF/views/ 디렉터리에 hello.jsp 파일로 작성해야 합니다.

WEB-INF/views/hello.jsp

```
1  <%@ page contentType="text/html;charset=utf-8"%>
2  <%@ taglib prefix="c" uri="http://java.sun.com/jsp/jstl/core"%>
3  <!DOCTYPE html>
4  <html>
5  <head>
6      <meta charset="UTF-8">
7      <title>Hello~</title>
8  </head>
9  <body>
10     <h1>Hello.jsp</h1>
11     ${greetings}
12 </body>
13 </html>
```

3.5. 실행

이클립스에서 Run > Run As > Spring Boot App 메뉴를 선택하면 스프링 부트 애플리케이션이 실행됩니다. 이때 톰캣 서버는 별도로 설치되어 있지 않아도 됩니다. 이클립스에 이 메뉴가 없으면 다음[3.6. DemoApplication과 ServletInitializer]절의 내용을 보세요.

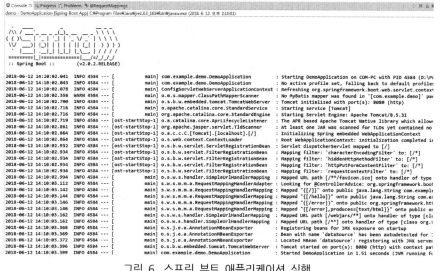

그림 6. 스프링 부트 애플리케이션 실행

이클립스의 콘솔(Console) 탭에 애플리케이션이 실행된 것을 확인하면 웹브라우저로 실행을 확인해 볼 수 있습니다. 다음 그림은 http://localhost:8080/hello?name=JK로 요청한 결과입니다.

그림 7. http://localhost:8080/hello?name=JK

3.6. DemoApplication과 ServletInitializer

전자정부표준프레임워크 3.9 이하 버전에서는 스프링 부트 메뉴를 지원하지 않습니다. 그래서 Run > Run As 메뉴 아래에 Spring Boot App 메뉴가 없습니다. 그럴 때 DemoApplication 또는 ServletInitializer를 사용하여 스프링 부트 프로젝트를 실행시킬 수 있습니다.

만일 별도의 톰캣이 설치되어 있지 않은 경우는 스프링 부트 프로젝트 아래에 있는 DemoApplication 클래스를 이용해서 Run > Run As > Java Application으로 실행시키세요. 이 경우 테스트할 요청 주소는 http://localhost:8080/입니다.

```
1 import org.springframework.boot.SpringApplication;
2 import org.springframework.boot.autoconfigure.SpringBootApplication;
3
4 @SpringBootApplication
5 public class DemoApplication {
6     public static void main(String[] args) {
7         SpringApplication.run(DemoApplication.class, args);
8     }
9 }
```

여러분의 환경에 톰캣이 설치되어 있다면 ServletInitializer를 이용해서 실행시키세요. 프로젝트에서 Run > Run As > Run on Server를 선택하면 프로젝트를 실행할 서버를 선택할 수 있습니다. 이 경우는 테스트할 경로에 컨텍스트 이름이 붙습니다.

앞의 예처럼 프로젝트 이름이 demo이면 요청 주소를 http://localhost:8080/demo/로 해야 합니다.

```
1 import org.springframework.boot.builder.SpringApplicationBuilder;
2 import org.springframework.boot.web.servlet.support.SpringBootServletInitializer;
3
4 public class ServletInitializer extends SpringBootServletInitializer {
5     @Override
6     protected SpringApplicationBuilder configure(SpringApplicationBuilder application) {
7         return application.sources(DemoApplication.class);
8     }
9 }
```

● 스프링 부트 애플리케이션이 JDK 17버전에서 컴파일되었으므로, JDK도 그 이상이어
야 합니다.

3.7. 스프링 부트 vs. 스프링 프레임워크

Spring Starter Project를 이용해서 스프링 부트 프로젝트를 생성해야 할지 아니면,
Spring Legacy Project를 이용해서 스프링 프레임워크 프로젝트를 생성해야 할지 많은
분이 문의합니다.

스프링 부트는 애플리케이션을 시작하는 가장 쉽고 빠른 방법을 제공합니다. 스프링 부트
는 스프링을 처음 시작하는 분이 "Hello World"를 만나기 위한 진입장벽을 상당히 낮출
수 있습니다. 스프링 부트를 사용하면 많은 구성이 프로젝트를 만들 때 자동으로 작성되
므로 구성을 작성할 필요가 없습니다. 그러나 스프링 레거시 프로젝트를 사용하면 더 많
은 설정을 해야 합니다. 직접 설정 설정하는 것은 더 복잡하지만, 학습자에게는 더 중요합
니다. 이 책의 예제가 레거시 프로젝트로 설명된 이유는 설정을 직접 해보도록 함으로써
여러분이 스프링 프로젝트를 위한 설정들에 대해 더 익숙해지도록 위해서입니다.

스프링 부트는 스프링 클라우드 등 낯선 영역에 쉬운 방법으로 도전할 기회를 제공합니
다. 그러나 스프링 프레임워크의 설정이 어려워서 대체 수단으로 사용되어서는 안 됩니다.
현업에서라면 개발 환경을 설정하는 데 많은 시간이 소요되지 않으며, 대부분의 웹 사이
트는 스프링 MVC 형태로 만들어 WAS(tomcat 등)에 배포하는 방식을 사용하므로 개발
환경 설정을 쉽게 한다는 이유만으로 스프링 부트를 선택해서는 안 됩니다.

만일 여러분이 뷰(View) 코드를 작성하는데 JSP가 익숙하다면 스프링 프레임워크가 더
쉽게 다가올 것입니다. 그런데 반드시 스프링 부트 프로젝트를 사용해야 한다면 뷰 코드
에 타임리프(Thymeleaf)를 사용하는 것을 권합니다.

4. Thymeleaf 뷰 템플릿

Thymeleaf(타임리프)는 Java 언어 기반의 서버 측 템플릿 엔진으로, 주로 웹 애플리케이션의 뷰 레이어를 처리하는 데 사용됩니다. Thymeleaf는 HTML, XML, JavaScript, CSS 등과 같은 다양한 문서 유형을 지원하며, 특히 서버 측 렌더링을 지원하면서도 클라이언트 측에서도 렌더링될 수 있습니다.[46]

다음은 타임리프의 장점입니다.
자연스러운 문법: Thymeleaf는 HTML과 유사한 문법을 가지고 있어, 일반적인 HTML 문서에 자연스럽게 통합됩니다. 이는 디자이너와 협업 시에도 유용하게 사용될 수 있습니다.

표현 언어: Thymeleaf는 강력하고 유연한 표현 언어를 제공합니다. 서버 측 데이터를 템플릿에 쉽게 바인딩하고 동적인 컨텐츠를 생성할 수 있습니다.

단위 및 통합 테스트 용이성: Thymeleaf 템플릿은 단위 테스트 및 통합 테스트에 적합하도록 설계되어 있습니다. 이로써 템플릿의 동작을 더 쉽게 테스트할 수 있습니다.

자체적인 렌더링 가능: Thymeleaf는 클라이언트 측에서도 렌더링될 수 있습니다. 이는 서버 측에서 렌더링되는 것과 동일한 템플릿을 사용하여 더 일관된 경험을 제공할 수 있습니다.

템플릿 재사용 및 레이아웃 지원: Thymeleaf는 레이아웃을 쉽게 정의하고 템플릿을 재사용할 수 있는 기능을 제공합니다.

스프링 부트에서 타임리프를 사용하려면 라이브러리 의존성 설정이 추가되어야 합니다.
pom.xml

```
<dependency>
    <groupId>org.springframework.boot</groupId>
    <artifactId>spring-boot-starter-thymeleaf</artifactId>
</dependency>
```

라이브러리 의존성을 직접 추가해도 되지만 스프링 부트 프로젝트(Spring Starter Project)를 만들 때 [Templage Engines] 항목 아래에 있는 [Thymeleaf]를 선택해도 됩니다.

---

46) 타임리프 치트키: http://javaspecialist.co.kr/board/1182

4.1. 기본 설정

타임리프(Thymeleaf) 파일의 확장자는 .html을 권장합니다. 그리고 스프링 부트 프로젝트에서 타임리프 파일의 위치는 src/main/resource/templates/입니다. 그리고 모든 html 파일은 다음처럼 타임리프 네임스페이스를 설정해야 합니다.

```
<html xmlns:th="http://www.thymeleaf.org">
```

타임리프에서 사용할 수 있는 표준 표현식(Standard Expression)은 5가지가 있습니다.
 - Variable Expressions: ${...}은 변수의 값을 출력할 때 사용합니다.
 - Selection Variable Expressions: *{...}은 선택한 객체의 값을 출력할 때 사용합니다.
 - Message Expressions: #{...}은 국제화 메시지를 출력할 때 사용합니다.
 - Link URL Expressions: @{...}은 링크 주소를 설정할 때 사용합니다.
 - Fragment Expressions: ~{...}은 별도로 작성된 조각파일을 포함할 때 사용합니다.

4.2. 국제화 메시지 출력

국제화 메시지 출력은 태그의 th:text 속성에 #{ }를 사용합니다. 이때 태그와 태그 사이의 텍스트는 타임리프를 지원하지 않는 환경에서 출력되는 기본 텍스트입니다.

```
<p th:text="#{home.message}">message</p>
```

태그 사이에 국제화 메시지를 출력하도록 설정하려면 다음처럼 [[ ]]를 이용하세요.

```
<p>[[#{home.message}]]</p>
```

만일 국제화 설정이 한국어와 영어를 지원하도록 basename이 i18n/message이고 설정 파일이 i18n 폴더 아래에 message_ko.properties 파일과 message_en.properties 파일이 있는데, 만일 message_en.properties 파일에 다음처럼 되어있다면…

```
home.message=Welcome!!!
```

요청 URL에 http://localhost:8080/?lang=en처럼 lang 파라미터에 en이 전달되면 국제화 메시지 결과는 'Welcome!!!'이 출력됩니다. lang=en 파라미터가 없어도 브라우저의 언어 기본 설정이 영어이면 마찬가지로 'Welcome!!!'이 출력됩니다.

4.3. 데이터 출력

request에 저장된 데이터의 출력은 ${ }를 사용합니다. 이 경우도 국제화 메시지 출력에서처럼 th:text="${...}" 또는 th:utext="${...}" 속성을 사용하거나 [[${...}]] 또는 [(${...})] 형식으로 사용합니다. th:text 속성과 [[${...}]]는 태그를 포함하면 <와 >가 <와 >로 바뀌어 태그가 표시되지만 th:utext 속성과 [(${...})]는 태그를 실행합니다.

```
<p th:text="${message}">message</p>
```

그래서 위의 코드는 다음과 같습니다.

```
<p>[[${message}]]</p>
```

세션(session)에 저장된 데이터를 출력하려면 session 객체를 사용하세요.

```
<p th:text="${session.message}">message</p>
```

서블릿 컨텍스트(application)의 데이터를 출력하려면 application 객체를 사용하세요.

```
<p th:text="${application.message}">message</p>
```

파라미터의 값을 출력하려면 param 객체를 사용하세요. 파라미터의 이름이 name일 경우 이 값을 출력하려면 다음처럼 사용합니다.

```
<p th:text="${param.name}">name</p>
```

변수 출력 시 ${ } 형식 대신 *{ } 형식을 사용할 수 있습니다. 만일 <form> 태그에 다음처럼 th:object 속성이 있다면….

```
<form th:object="${board}" action="/board/update" method="post">
```

입력 양식에서 다음처럼 사용할 수 있습니다. 이 예에서는 board 객체에 writer 필드가 있다고 가정합니다.

```
<input type="text" name="writer" th:value="*{writer}">
```

th:object 속성은 <form> 태그에만 사용하는 것은 아닙니다. <div> 태그에 사용하면 그 태그 안에서 *{ }를 사용해서 객체 안의 필드 이름만으로 값을 출력할 수 있습니다.

문자열과 컨텍스트 변수를 같이 출력하려면 +를 이용하거나 |를 사용할 수 있습니다.

```
<span th:text="'Welcome to our application, ' + ${user.name} + '!'">
```

위 구문은 |(수직바 기호)를 사용해서 아래처럼 표현할 수 있습니다.

```
<span th:text="|Welcome to our application, ${user.name}!|">
```

폼 입력값 유효성 검증 후 BindingResult에 매핑된 에러 메시지를 출력하려면 th:errors 속성을 사용합니다.

```
<span id="passwordConfirm" th:errors="${member.password2}"></span>
```

4.4. URL 설정

링크는 〈img th:src〉, 〈a th:href〉, 〈form th:action〉에 @{ }를 사용합니다. 이것은 JSP
의 response.encodeURL(...) 또는 JSTL의 〈c:url value=.../〉와 같은 기능을 합니다.

```
<a th:href="@{/}">
```

〈img〉 태그의 src 속성에 URL을 설정할 때도 @{ }를 사용합니다. 이미지 파일은
src/main/resources 아래의 static 폴더에 있어야 합니다.

```
<img th:src="@{/images/web.png}">
```

다음처럼 URL에 컨텍스트 파라미터를 추가할 수 있습니다.

```
<a th:href="@{/board/{id}(id=${board.boardId})}">
```

이 코드는 다음처럼 파라미터를 __${ }__ 형식으로 지정할 수 있습니다.

```
<a th:href="@{/board/__${board.boardId}__}">
```

URL에 파라미터를 2개 이상 사용할 수 있습니다.

```
<a th:href="@{/board/{id}/{page}(id=${board.boardId}, page=${session.page})}">
```

〈img〉 태그의 src 속성에도 URL 파라미터를 사용할 수 있습니다.

```
<img th:src="@{/file/{id}(id=${board.fileId})}">
```

위의 코드는 다음과 같습니다.

```
<img th:src="@{/file/__${board.fileId}__}">
```

4.5. 반복 처리

반복 처리는 th:each 속성을 사용합니다. 다음 예는 request에 있는 boardList의 객체를
하나씩 꺼내서 board 변수에 저장하고 이를 모두 소비할 때까지 반복실행합니다.

```
<tr th:each="board : ${boardList}">
    <td th:text="${board.boardId}">boardId</td>
</tr>
```

반복 처리 시 인덱스를 사용하려면 #numbers.sequence() 함수를 사용합니다. 다음 코드
는 request에 저장된 count 변수가 정수이면 1부터 count까지 연속된 숫자를 갖는 시퀀
스 객체를 이용해서 반복 실행합니다.

```
<p th:each="num : ${#numbers.sequence(1, count)}">
```

4.6. 조건 처리

조건 처리는 th:if, th:unless 속성을 사용합니다. 컨텍스트의 변수가 null인지 또는 특정 값보다 크거나 같은지를 평가할 수 있습니다. th:if는 false, 0을 제외하고 값이 있으면 모두 true로 판별됩니다.

```
<p th:if="${email==null}">...</p>
<span th:if="${board.replyNumber>0}">...</span>
```

th:unless 속성은 else 구문을 대체할 수 있습니다.

```
<a href="comments.html"
   th:href="@{/comments/__${product.id}__}"
   th:unless="${#lists.isEmpty(product.comments)}">view</a>
```

th:switch와 th:case 속성은 th:switch 속성의 값에 따라 다르게 동작할 때 사용합니다. 만일 문자열과 비교하려면 '와 '로 문자열을 감싸야 합니다.

```
<div th:switch="${user.role}">
   <p th:case="'admin'">User is an administrator</p>
   <p th:case="#{roles.manager}">User is a manager</p>
</div>
```

4.7. 연산자

비교 연산자는 >(gt), <(lt), >=(ge), <=(le) 가 있습니다.

동등연산자는 ==(eq), !=(ne)가 있습니다.

조건 연산자로 다음 3가지 형식을 사용할 수 있습니다. 아래의 연산자들은 다음 페이지에서 설명하는 th:classappend, th:attrappend에서 사용합니다.
- if-then 형식: (if) ? (then)
- if-then-else 형식: (if) ? (then) : (else)
- default 형식: (value) ?: (defaultvalue)

논리 연산자로 and, or, !(not)을 사용할 수 있습니다.

산술연산자는 +, -, *, /, %를 사용할 수 있으며, 문자열 연산에서 '+'는 문자열을 연결합니다. '/'는 나눗셈, '%'는 나머지 연산자입니다.

4.8. 입력 양식의 속성

⟨input⟩ 태그의 기본값을 설정하려면 th:value 속성을 사용합니다.

```
⟨input type="button" th:value="#{SIGN_IN}"⟩
```

th:placeholder 속성은 HTML의 placeholder 속성과 같습니다.

```
⟨input type="text" name="passwprd" th:placeholder="#{MEMBER_PW}"⟩
```

th:field 속성을 이용하면 name 속성, id 속성, 그리고 value 속성에 표현할 값을 한번에 설정할 수 있습니다.

```
⟨input type="text" th:field="${emp.firstName}"⟩
```

⟨option⟩ 태그의 selected 속성을 추가하려면 th:selected를 이용하세요. 이 속성이 값은 비교 연산자를 이용해서 연산 결과가 true일 경우만 속성이 추가되게 할 수 있습니다. 이 속성을 보통 th:each 속성과 같이 사용될 수 있습니다.

```
⟨select name="jobId"⟩
  ⟨option th:each="job: ${jobList}" th:value="${job.jobId}"
th:text="${job.jobTitle}" th:selected="${emp.jobId}==${job.jobId}"⟩⟨/option⟩
⟨/selet⟩
```

● 위의 코드에서 jobList는 List⟨Map⟨String, Object⟩⟩ 형식이며, 데이터는 `[{jobId=AD_PRES, jobTitle=President}, {jobId=AD_VP, jobTitle=Administration Vice President},...]` 형식으로 저장되어 있다고 가정했을 때의 예입니다.

4.9. 속성 추가

조건에 따라 속성을 추가할 수 있습니다. 만일 email이 널이 아닐 때 class="has-email" 속성을 추가하고 싶다면 다음처럼 합니다.

```
⟨p th:classappend="${email!=null}?has-email"⟩
```

새로운 속성을 추가하려면 th:attrappend 속성을 이용합니다.

```
⟨option th:attrappend="data-path=${email!=null}?@{/account/__${user}__}"⟩
```

boolean 속성이라면 다음처럼 설정합니다. selected 속성은 boolean 속성이므로 값이 필요 없습니다. 그래서 th:selected 속성의 값이 true 또는 false가 되도록 했습니다.

```
⟨option th:value="${userEmail}" th:selected="${user.gender eq 'F'}"⟩
```

4. Thymeleaf 뷰 템플릿

4.10. 날짜 및 숫자 형식

날짜 형식은 #dates.format() 함수를 사용합니다.

```
<p th:text="${#dates.format(board.writeDate, 'YYYY-MM-dd')}">
```

숫자 형식은 #numbers.formatDecimal(값, 최소 정수 자릿수, 3자리 구분자, 최소 소수 자릿수, 소숫점 구분자) 함수를 사용할 수 있습니다.

```
<p th:text="${#numbers.formatDecimal(board.fileSize, 3, 'COMMA', 2, 'POINT')}">
```

#dates와 #numbers 객체는 ${ }안에 사용하므로 Expression utility라고 부릅니다. 이 객체들 외에 #calenders, #temporals, #strings, #objects, #booleans, #arrays, #lists, #sets, #maps, #aggregates 등 더 많은 정보는 다음 주소에서 볼 수 있습니다.
https://www.thymeleaf.org/doc/tutorials/3.1/usingthymeleaf.html#appendix-b-expression-utility-objects

4.11. include

외부 파일을 include 하려면 include 되는 파일의 엘리먼트는 다음과 같이 fragment 속성이 있어야 하며….

```
<head th:fragment="header">
```

include 하는 곳에는 다음과 같이 ~{ }를 이용한 th:replace 속성이 있어야 합니다. th:replace 속성의 이름에서 보는 바와 같이 포함되는 내용으로 대체됩니다.

```
<head th:replace="~{include/header :: header}"></head>
```

만일 외부 파일을 삽입하고 싶다면 th:insert를 이용하세요

```
<head th:insert="~{include/header :: header}"></head>
```

4.12. 폼 검증 후 오류메시지 출력

폼 입력값 검증 후 BindingResult 객체에 저장되어 있는 입력값 검증 오류 메시지를 출력하려면 th:errors 속성을 사용할 수 있습니다. 만일 emp 폼 객체를 입력값 검증 후 BindingResults에 바인딩되어 있는 오류메시지를 출력하려면 다음처럼 사용하세요.

```
<span th:errors="${emp.firstName}"></span>
```

#fields 객체와 th:if를 사용하면 오류가 있을 경우의 조건을 처리할 수 있습니다.

```
<span th:if="${#fields.hasErrors('firstName')}">입력값 오류</span>
```

5. AOP

스프링 AOP에 관한 설명은 이미 2장에서 했었습니다. 이 절은 스프링 부트에서 AOP를 설정하고 사용하는 방법을 설명합니다.

스프링 부트에서는 빈 설정을 자바 Config 파일과 아노테이션을 이용합니다. 그러므로 이 절에서는 아노테이션을 이용한 AOP에 대해 설명합니다.

5.1. 설정

1) 라이브러리 의존성 추가

스프링 부트에서 AOP를 사용하려면 spring-boot-start-aop 의존성을 추가해야 합니다.
pom.xml

```
<dependency>
    <groupId>org.springframework.boot</groupId>
    <artifactId>spring-boot-starter-aop</artifactId>
</dependency>
```

2) AOP 사용 설정 추가

다음은 설정 파일에 AOP 설정을 위한 아노테이션을 추가합니다.

```
import org.springframework.context.annotation.EnableAspectJAutoProxy;
...

@EnableAspectJAutoProxy
@Configuration
public class WebMvcConfig implements WebMvcConfigurer {
...
```

5.2. 공통 클래스 작성

다음 Before 어드바이스의 예는 BoardService 클래스의 메서드를 포인트컷으로 지정하는 예입니다.

```
@Before("execution(* com.example.myapp..BoardService.*(..))")
public void beforeLog(JoinPoint joinPoint) {
    Signature signature = joinPoint.getSignature();
```

JoinPoint는 org.aspectj.lang 패키지에 있는 인터페이스입니다. 공통코드 메서드의 첫 번째 매개변수로 정의되면 호출되는 핵심코드 메서드의 정보를 알 수 있습니다. JoinPoint의 주요 메서드는 toLongString(), toShortString(), getSignature()입니다. 만일 BoardService 클래스의 selectArticleListByCatetory() 메서드가 포인트컷으로 사용된다면 다음 JoinPoint의 메서드에 다른 예상되는 결과는 다음과 같습니다.

```
toLongString() - execution(public int com.example.myapp.board.service.BoardService.
selectTotalArticleCountByCategoryId(int))
```

```
toShortString() - execution(BoardService.selectTotalArticleCountByCategoryId(..))
```

getSignature() 메서드의 반환 유형인 Signature 를 이용하면 메서드의 이름, 타입, 제한자 등에 대한 정보를 알 수 있습니다.

```
getDeclaringTypeName() : String - Signature
getName() : String - Signature
getClass() : Class<?> - Object
getDeclaringType() : Class - Signature
getModifiers() : int - Signature
```

그림 8. Signature의 get 메서드

AfterThrowing 어드바이스와 AfterReturning 어드바이스는 핵심코드에서 발생한 예외와 실행 결과를 공통코드에 전달할 수 있습니다.

다음 AfterThrowing 어드바이스는 BoardController 클래스의 메서드에서 예외가 발생하면 공통코드 메서드의 exception이라는 파라미터에 예외를 전달합니다.

```
@AfterThrowing(pointcut="execution(* com.example..BoardController.*(..))",
throwing="exception")
public void afterThrowingLog(JoinPoint joinPoint, Exception exception) {
```

다음 AfterReturning 어드바이스는 BoardService 클래스의 메서드 실행 결과를 result 파라미터에 전달합니다.

```
@AfterReturning(pointcut="execution(* com.example.myapp..BoardService.*(..))",
returning="result")
public void afterReturningLog(JoinPoint joinPoint, Object result) {
```

Around 어드바이스는 첫 번째 매개변수로 ProceedingJoinPoint를 선언해야 하며 이 객체를 이용해서 proceed() 메서드를 호출하고 그 결과를 반환하도록 구현해야 합니다. 다음 어드바이스는 BoardService 클래스의 모든 메서드를 포인트컷으로 지정 합니다.

```java
@Around("execution(* com.example.myapp..BoardService.*(..))")
public Object aroundLog(ProceedingJoinPoint joinPoint) {

    ....
    Object result = null;
    try {
        result = joinPoint.proceed();
    }catch(Throwable e) {
        log.info("[[[AOP-around Log-exception]]]");
    }
    ...
    return result;
}
```

다음은 공통 코드로 사용하는 Aspect 클래스의 전체 코드입니다.

src/main/java/com/example/myapp/common/aop/LogAspect.java

```java
69 package com.example.myapp.common.aop;
70
71 import org.aspectj.lang.JoinPoint;
72 import org.aspectj.lang.ProceedingJoinPoint;
73 import org.aspectj.lang.Signature;
74 import org.aspectj.lang.annotation.After;
75 import org.aspectj.lang.annotation.AfterReturning;
76 import org.aspectj.lang.annotation.AfterThrowing;
77 import org.aspectj.lang.annotation.Around;
78 import org.aspectj.lang.annotation.Aspect;
79 import org.aspectj.lang.annotation.Before;
80 import org.springframework.stereotype.Component;
81
82 import lombok.extern.slf4j.Slf4j;
83
84 @Slf4j
85 @Aspect
86 @Component
87 public class LogAspect {
88
89     @Before("execution(* com.example.myapp..BoardService.*(..))")
90     public void beforeLog(JoinPoint joinPoint) {
91         Signature signature = joinPoint.getSignature();
92         String methodName = signature.getName();
93         log.info("[[[AOP-before log]]]-{}", methodName);
94     }
95
96     @After("execution(* com.example.myapp..MemberService.*(..))")
```

```
97      public void afterLog(JoinPoint joinPoint) {
98          Signature signature = joinPoint.getSignature();
99          String methodName = signature.getName();
100         log.info("[[[AOP-after log]]]-{}", methodName);
101     }
102
103     @AfterThrowing(pointcut="execution(* com.example..BoardController.*(..))",
    throwing="exception")
104     public void afterThrowingLog(JoinPoint joinPoint, Exception exception) {
105         Signature signature = joinPoint.getSignature();
106         String methodName = signature.getName();
107         log.info("[[[AOP-after throwing log]]]-{}, ex: {}", methodName,
    exception.getMessage());
108     }
109
110     @AfterReturning(pointcut="execution(*
    com.example.myapp..BoardService.*(..))", returning="result")
111     public void afterReturningLog(JoinPoint joinPoint, Object result) {
112         Signature signature = joinPoint.getSignature();
113         String methodName = signature.getName();
114         String resultString = "None";
115         if(result != null) {
116             resultString = result.toString();
117         }
118         log.info("[[[AOP-after returning log]]]-{}, result: {}", methodName,
    resultString);
119     }
120
121     @Around("execution(* com.example.myapp..BoardService.*(..))")
122     public Object aroundLog(ProceedingJoinPoint joinPoint) {
123         Signature signature = joinPoint.getSignature();
124         String methodName = signature.getName();
125
126         Long start = System.currentTimeMillis();
127         Object result = null;
128         try {
129             result = joinPoint.proceed();
130         }catch(Throwable e) {
131             log.info("[[[AOP-around Log-exception]]]");
132         }
133         Long end = System.currentTimeMillis();
134         log.info("[[[AOP-around log]]] execution time-{}, methodName-{}",
    (end-start), methodName);
135         return result;
136     }
137 }
```

6. 스프링 부트 멀티게시판

스프링 부트 프로젝트가 스프링 레거시 프로젝트와 다른 점 몇 가지를 고르면 다음과 같습니다.

1. 기본 설정은 application.properties 파일을 이용합니다.
2. 빈 생성 및 의존성 설정은 XML 파일보다 자바 Config파일과 아노테이션을 더 많이 사용합니다.
3. 라이브러리 의존성 설정에 메이븐외에 그래들(Gradle)을 사용하기도 합니다.
4. 뷰 페이지를 JSP가 아닌 타임리프(Thymeleaf) 템플릿을 더 많이 사용합니다.

스프링 부트를 이용해서 개발하려면 타임리프(Thymelaf) 템플릿을 뷰로 사용할 것을 권합니다. JSP 파일에 EL과 JSTL을 이용해서 개발하고 있던 개발자라면 JSP를 타임리프 뷰 템플릿으로 바꾸는 것은 어렵지 않습니다. 어차피 배워야하는 것이라면 거부감을 갖지 마시길 바랍니다. 이 장의 프로젝트가 7장의 멀티게시판에서 가장 많이 바뀐 것은 뷰 페이지를 모두 타임리프 코드로 바꾼 것입니다.

6.1. 스프링 부트를 이용한 게시판 프로젝트

이클립스에서 File > New > Spring Starter Project 메뉴를 선택하고 새로운 부트 프로젝트 생성을 시작하세요.

새로 만드는 프로젝트의 기본정보는 다음과 같습니다.

Name:	myapp		
Type:	Maven	Packaging:	War
Java Version:	17	Language:	Java
Group:	com.example		
Artifact:	myapp		
Version:	1.0		
Description:	Spring Boot를 이용한 게시판		
Package:	com.example.myapp		

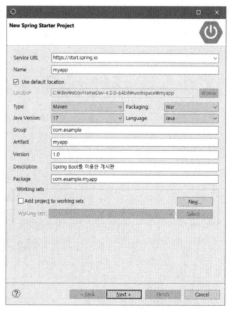

그림 9. 스프링 부트 프로젝트(멀티게시판)

이 프로젝트는 뷰 템플릿에 타임리프 (Thymeleaf)를 사용합니다. 프로젝트 생성 시 부트 버전과 의존성은 아래와 같습니다.

- **Developer Tools**
  - Spring Boot DevTools
- **SQL**
  - JDBC API
  - MyBatis Framework
  - Oracle Driver
- **Template Engines**
  - Thymeleaf
- **Web**
  - Spring Web

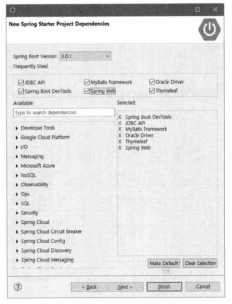

그림 10. 스프링 부트 멀티게시판 의존성

pom.xml 파일에 Tomcat embed, fileupload, jsoup 라이브러리 의존성을 추가하세요.

```
61        <!-- Tomcat embed -->
62        <dependency>
61            <groupId>org.apache.tomcat.embed</groupId>
62            <artifactId>tomcat-embed-jasper</artifactId>
63        </dependency>
64
65        <!-- File upload -->
66        <dependency>
67            <groupId>commons-fileupload</groupId>
68            <artifactId>commons-fileupload</artifactId>
69            <version>1.4</version>
70        </dependency>
71
72        <!-- XSS Filter -->
73        <dependency>
74            <groupId>org.jsoup</groupId>
75            <artifactId>jsoup</artifactId>
76            <version>1.15.3</version>
77        </dependency>
```

> boot 3.1.1 버전이나 3.0.8 버전에서 pom.xml 파일의 선언부에 *'Description Resource Path Location Type The container 'Maven Dependencies' references non existing library ...'* 오류가 발생하면 pom.xml 파일의 〈parent〉 태그 안의 spring-boot-starter-parent 버전을 3.0.4로 내려주세요.

● 이 장의 예제를 톰캣에서 실행하려면 버전 10 이상이어야 합니다.

1) 기존 파일 복사하기

7장에서 만들어진 프로젝트의 자바 소스코드를 이 프로젝트에 복사하세요.

src/main/java 아래의 모든 패키지와 소스코드를 복사하세요. 7장의 프로젝트를 톰캣 9 버전에서 실행시켰으므로 일부 클래스(BoardController, MemberController, LoginInterceptor)의 import 구문에서 오류가 발생합니다. 톰캣 10 버전부터는 서블릿 라이브러리 패키지 이름이 javax.servlet에서 jakarta.servlet으로 바뀌었으므로 import 구문을 수정해줘야 합니다. 이클립스에서 import 구문을 쉽게 정리하는 방법은 단축키 [컨트롤+쉬프트+o]를 누르는 것입니다.

```
import javax.servlet.http.HttpSession;
          ⇩
import jakarta.servlet.http.HttpSession;
```

그림 11. javax.servlet을 jakarta.servlet으로 수정

src/main/resource에 복사되어야 할 파일은 CSS, JavaScript, Image 파일 등 WEB-INF/resource 폴더의 파일과 뷰 페이지, 국제화 설정 파일, 그리고 마이바티스 매퍼 XML 파일입니다.

- 이 프로젝트는 JSP를 뷰로 사용하지 않습니다. 그렇더라도 기존 JSP 파일이 있으면 모든 코드를 다시 작성해야 하는 부담을 줄일 수 있습니다. 그래서 7장의 프로젝트에서 src/main/webapp/WEB-INF/view/ 폴더의 모든 파일을 이 프로젝트의 src/main/resources/templates/ 폴더에 복사한 후 이 파일들의 확장자를 html로 바꿔 사용하면 뷰 페이지를 작성하는 시간을 줄일 수 있습니다. 그런데 아래의 주소에서 resources.zip 파일을 내려받아 사용하면 여러 파일을 복사해야 하는 번거로움을 줄일 수 있습니다.
  - https://github.com/hjk7902/spring/blob/main/share/ch8/resources.zip
- resources.zip 파일에는 i18n, mapper, static, templates 폴더가 있습니다.
  - i18n : 국제화 설정 파일이 있습니다.
  - mapper : 마이바티스 매퍼 XML 파일이 있습니다.
  - static : CSS, JavaScript, Image 파일이 있습니다.
  - templates : Thymeleaf 코드로 변환해야 할 HTML 파일이 있습니다.

이 예제에서는 스프링 빈 설정에 XML 파일을 사용하지 않았습니다. 모든 설정은 아노테이션과 자바 설정 파일을 이용했습니다.

2) application.properties

이 파일에 최소한의 설정만 작성해 두세요. 뒤에서 더 자세한 설정을 알려줍니다.

```
server.port=8080
spring.datasource.driver-class-name=oracle.jdbc.OracleDriver
spring.datasource.url=jdbc:oracle:thin:@localhost:1521:xe
```

3) Repository 인터페이스 수정

IBoardRepository.java, IBoardCategoryRepository.java, IMemberRepository.java 파일 안에 아래처럼 @Reposiotry와 @Mapper 아노테이션을 주가하세요

```
@Repository
@Mapper
public interface IBoardRepository { ... }
```

4) HomeController와 home.html

src/main/java/ 폴더의 com.example.myapp 패키지 아래에 HomeController를 추가하세요.

```
 6 @Controller
 7 public class HomeController {
 8
 9     @GetMapping("/")
10     public String home() {
11         return "home";
12     }
13 }
```

src/main/resource/templates 폴더에 home.html 파일을 추가하고 최소한의 코드만 입력한 후 프로젝트가 실행되는지 확인하세요. src/main/webapp/ 폴더 아래에 파일이 만들어지면 src/main/resource/templates 폴더에 복사해야 합니다.

```
1 <!DOCTYPE html>
2 <html xmlns:th="http://www.thymeleaf.org">
3 <head></head>
4 <body>
5 <h3>Welcome</h3>
6 </body>
7 </html>
```

● 여기까지 만들어진 프로젝트 파일은 https://github.com/hjk7902/spring -> /share -> /ch7 ->SpringBook_Multiboard_start.zip에서 내려받을 수 있습니다.

6.2. 설정 파일

1) application.properties

다음 그림은 완성된 프로젝트의 application.properties 파일입니다.
src/main/resource/application.properties

```
 1  server.port=8080
 2
 3  spring.thymeleaf.cache=false
 4  spring.thymeleaf.check-template-location=true
 5  spring.thymeleaf.prefix=classpath:/templates/
 6  spring.thymeleaf.suffix=.html
 7
 8  spring.datasource.driver-class-name=oracle.jdbc.OracleDriver
 9  spring.datasource.url=jdbc:oracle:thin:@localhost:1521:xe
10  spring.datasource.username=hr
11  spring.datasource.password=hr
12
13  spring.servlet.multipart.enabled=true
14  spring.servlet.multipart.max-file-size=50MB
15  spring.servlet.multipart.max-request-size=50MB
16
17  mybatis.type-aliases-package=com.example.myapp
18  mybatis.mapper-locations=classpath:/mapper/**/*.xml
```

● 9라인의 데이터베이스 연결정보는 여러분의 환경에 맞게 수정하세요.

● 17라인은 매퍼 XML 파일이 구현하려는 자바 인터페이스가 있는 패키지를 지정합니다. 상위 패키지를 지정하면 하위 패키지까지 찾습니다. 매퍼 XML이 구현하려는 인터페이스는 아래 코드처럼 @Repository 아노테이션과 @Mapper 아노테이션이 설정되어 있어야 합니다.

```
@Repository
@Mapper
public interface IBoardRepository {
    ... 생략 ...
```

● 18라인은 매퍼 XML파일의 위치를 지정합니다. 매퍼 XML 파일은 디렉토리 형식으로 지정해야 하며 src/main/resources 폴더 아래에 있으면 classpath: 접두어를 경로 앞에 붙여야 합니다.

2) 자바 Config 파일

국제화 메시지를 사용하려면 국제화를 위한 설정이 있어야 합니다. 다음 코드는 앞에서
보여준 WebMvcConfig.java 파일의 일부입니다. 이 코드는 LocaleResolver 빈에 디폴트
로케일을 KOREAN으로 설정했고, 로케일을 바꿀 때 파라미터를 이용할 수 있도록
LocaleChangeInterceptor 빈에 파라미터를 지정했습니다. 그리고 국제화 설정 파일 이
름을 지정하기 위해 MessageSource 빈을 만들 때 basename을 i18n/message로 지정
했습니다. 그러면 국제화 설정 파일은 src/main/resources/i18n/message_ko.properties
형식으로 만들어져야 합니다. 아래 코드에서 메서드 이름만 정확하다면 @Bean의 value
속성은 넣지 않아도 됩니다.

com.example.myapp.config.WebMvcConfig.java

```
17  @Configuration
18  public class WebMvcConfig implements WebMvcConfigurer {
19
20      @Bean(value="localeResolver")
21      LocaleResolver localeResolver() {
22          SessionLocaleResolver slr = new SessionLocaleResolver();
23          slr.setDefaultLocale(Locale.KOREAN);
24          return slr;                            기본 로케일을
25      }                                          한국어로 설정
26
27      @Bean(value="messageSource")
28      MessageSource messageSource() {
29          ResourceBundleMessageSource msessageSource = new
    ResourceBundleMessageSource();
30          messageSource.setBasenames("i18n/message");
31          messageSource.setDefaultEncoding("UTF-8");
32          return messageSource;                  로케일 설정 파일의 위치
33      }                                          지정 및 인코딩 설정
34
35      @Bean(value="localeChangeInterceptor")
36      LocaleChangeInterceptor localeChangeInterceptor() {
37          LocaleChangeInterceptor lci = new LocaleChangeInterceptor();
38          lci.setParamName("lang");
39          return lci;                            lang 파라미터를 이용해서
40      }                                          로케일 변경하는 인터셉터 빈
41
42      @Override
43      void addInterceptors(InterceptorRegistry registry) {
44          registry.addInterceptor(localeChangeInterceptor());
45      }                                          인터셉터 추가
46  }
```

3) 메시지 출력 확인

home.html 파일의 내용을 아래처럼 하세요.

templates/home.html

```
1 <!DOCTYPE html>
2 <html xmlns:th="http://www.thymeleaf.org">
3 <head></head>
4 <body>
5 <div class="container">
6 <h3 th:text="#{home.message}">Welcome</h3>
7 </body>
8 </html>
```

국제화 메시지 출력은 태그의 th:text 속성에 #{ }를 사용합니다. 만일 국제화 설정이 한국어와 영어를 지원하도록 basename이 i18n/message이고 설정 파일이 i18n 폴더 아래에 message_ko.properties 파일과 message_en.properties 파일이 있다고 가정하겠습니다.

message_ko.properties 파일에는 다음처럼 되어있고….

```
home.message=환영합니다.
```

message_en.properties 파일 안에 다음처럼 돼있다면….

```
home.message=Welcome!!!
```

요청 url에 http://localhost:8080/?lang=en처럼 lang 파라미터에 en이 전달되면 메시지 결과는 'Welcome!!!'이 출력됩니다.

그림 12. http://localhost:8080/?lang=en

브라우저의 언어 설정이 영어로 돼있어도 http://localhost:8080/?lang=ko라고 요청하면 '환영합니다.'가 출력됩니다.

6.3. 타임리프 뷰 파일 - 게시판

1) error/runtime.html

이 파일은 컨트롤러에서 예외가 발생하면 보일 뷰입니다. 컨트롤러에 예외처리를 위한 메서드가 있어야 합니다.

templates/error/runtime.html

```
 1 <!DOCTYPE html>
 2 <html xmlns:th="http://www.thymeleaf.org">
 3 <head th:replace="~{/include/header :: header}"></head>
 4 <body>
 5 <div th:replace="~{/include/body-header :: bodyHeader}"></div>
 6 <div class="container">
 7 <div class="content">
 8     <div class="jumbotron">
 9         <h2 style="color:red;" th:text="${exception}">예외발생</h2>
10         <p>Failed URL: <span th:text="${url}">예외가 발생한 경로</span></p>
11         <th:block th:each="ste : ${stackTrace}" th:text="${ste+' '}">예외 상세 내용
    </th:block>
12         <p><a class="btn btn-primary" th:href="@{/}">Home</a></p>
13     </div>
14 </div>
15 </div>
16 <footer th:replace="~{/include/footer :: footer}"></footer>
17 </body>
18 </html>
```

● 타임리프 뷰 파일을 처음부터 작성하는 일은 매우 번거롭습니다. 아래 주소에서 일부 코드가 작성된 파일을 내려받아 사용하세요.
https://github.com/hjk7902/spring/blob/main/share/templates.zip

2) home.html

Welcome 페이지로 사용한 home.html입니다.

templates/home.html

```
 1 <!DOCTYPE html>
 2 <html xmlns:th="http://www.thymeleaf.org">
 3 <head th:replace="~{/include/header :: header}"></head>
 4 <body>
 5 <div th:replace="~{/include/body-header :: bodyHeader}"></div>
```

```
6  <div class="container">
7     <div class="pg-opt">
8        <div class="row">
9           <div class="col-md-6 pc">
10             <h2 th:text="#{home}">홈</h2>
11          </div>
12          <div class="col-md-6">
13             <ol class="breadcrumb">
14                <li th:text="#{home.dashboard}">대시보드</li>
15                <li th:text="#{home}" class="active">홈</li>
16             </ol>
17             <span th:text="#{lang.change}"></span>:
18             <select id="locales">
19                <option value="" th:text="#{lang.select}"></option>
20                <option value="en" th:text="#{lang.eng}"></option>
21                <option value="kr" th:text="#{lang.kor}"></option>
22             </select>
23          </div>
24       </div>
25    </div>
26
27    <div class="content">
28    <div class="alert alert-warning page-header">
29       <h3 th:text="#{home.message}">Welcome</h3>
30       <h3>request 데이터 : <span th:text="#{message}"></span></h3>
31    </div>
32          <div class="row">
33             <div class="col-xs-12 col-sm-6 col-md-4 col-lg-4">
34                <a th:href="@{/board/cat/1}">카테고리 1번 게시판</a><br>
35                <a th:href="@{/board/cat/2}">카테고리 2번 게시판</a><br>
36                <a th:href="@{/board/cat/3}">카테고리 3번 게시판</a><br>
37             </div>
38             <div class="col-xs-12 col-sm-6 col-md-4 col-lg-4">여기에 아무거나
   입력해 놓으세요,</div>
39             <div class="col-xs-12 col-sm-6 col-md-4 col-lg-4">여기에 아무거나
   입력해 놓으세요,</div>
40          </div>
41          <div class="progress">
42       <div class="progress-bar progress-bar-danger" role="progressbar"
   aria-valuenow="100" aria-valuemin="0" aria-valuemax="100" style="width:
   100%;">
43       <span class="sr-only"></span>
44       </div>
45    </div>
46    <div class="progress">
47       <div class="progress-bar progress-bar-warning" role="progressbar"
```

```
   aria-valuenow="100" aria-valuemin="0" aria-valuemax="100" style="width:
   100%;">
48        <span class="sr-only"></span>
49        </div>
50     </div>
51     <div class="alert alert-info">
52        <ol>
53           <li>여기에 아무거나 입력해 놓으세요,
54           <li><img th:src="@{/images/web.png}">
55        </ol>
56     </div>
57     </div>
58 </div>
59 <footer th:replace="~{/include/footer :: footer}"></footer>
60 </body>
61 </html>
```

● 홈 화면이 실행된 후 다음 내용을 진행하세요. 에러가 발생하면 1) 데이터베이스 연결
  은 잘 되는지, 2) 설정 파일은 문제가 없는지, 3) 기존 코드들은 올바른 위치에 복사
  가 잘 되어있는지, 4) 타임리프의 표현식에 구문 오류가 없는지 등을 확인하세요.
● 자주 발생하는 오류의 원인은 타임리프 표현식의 구문 오류입니다. 닫는 중괄호())를
  빠뜨렸는지도 확인해 보세요.

3) board/list.html

다음은 게시판 목록을 출력하는 페이지입니다.

templates/board/list.html

```
 1 <!DOCTYPE html>
 2 <html xmlns:th="http://www.thymeleaf.org">
 3 <head th:replace="~{/include/header :: header}"></head>
 4 <body>
 5 <div th:replace="~{/include/body-header :: bodyHeader}"></div>
 6 <div class="container">
 7    <div class="pg-opt">
 8       <div class="row">
 9          <div class="col-md-6 pc">
10             <h2><span th:text="#{BOARD_LIST}">BOARD LIST</span>
11             <small style="color:red;" th:if="${email==null}"
   th:text="#{LOGIN}"></small>
12             </h2>
13          </div>
14          <div class="col-md-6">
```

```
15              <ol class="breadcrumb">
16                  <li th:text="#{BOARD}">BOARD</li>
17                  <li class="active" th:text="#{BOARD_LIST}">BOARD LIST</li>
18              </ol>
19          </div>
20      </div>
21  </div>
22  <span th:text="${message}">message</span>
23  <div class="content">
24      <form th:action="@{/board/search/1}" method="get">
25          <div class="pull-right" style="margin-bottom: 5px;">
26          <div class="col-xs-9">
27              <input type="text" name="keyword" class="form-control">
28          </div>
29              <input type="submit" class="btn btn-warning"
    th:value="#{SEARCH}">
30          </div>
31      </form>
32      <table class="table table-hover table-bordered">
33      <thead>
34      <tr>
35          <td th:text="#{BOARD_ID}">BOARD ID</td>
36          <td class="pc" th:text="#{WRITER}">WRITER</td>
37          <td th:text="#{SUBJECT}">SUBJECT</td>
38          <td class="pc" th:text="#{WRITE_DATE}">WRITE DATE</td>
39          <td class="pc" th:text="#{READ_COUNT}">READ COUNT</td>
40      </tr>
41      </thead>
42      <tr th:each="board : ${boardList}">
43          <td th:text="${board.boardId}">ID</td>
44          <td class="pc" th:text="${board.writer}">작성자</td>
45          <td>
46          <span th:if="${board.replyNumber>0}">
47              <span th:each="num: ${#numbers.sequence(1, board.replyStep)}">
     </span>
48              <span>└</span>
49          </span>
50          <a th:href="@{/board/__${board.boardId}__/__${session.page}__}"
    th:text="${board.title}">제목</a>
51          </td>
52          <td class="pc" th:text="${#dates.format(board.writeDate,
    'YYYY-MM-dd')}">YYYY-MM-dd</td>
53          <td class="pc" th:text="${board.readCount}">0</td>
54      </tr>
55      </table>
56      <table class="table">
```

```
57        <tr>
58            <td align="left">
59                <div th:replace="~{/include/paging :: paging}"></div>
60            </td>
61            <td align="right">
62                <a th:href="@{/board/write/__${categoryId}__}"><button
   type="button" class="btn btn-info" th:text="#{WRITE_NEW_ARTICLE}">WRITE
   NEW ARTICLE</button></a>
63            </td>
64        </tr>
65        </table>
66    </div>
67 </div>
68 <footer th:replace="~{/include/footer :: footer}"></footer>
69 </body>
70 </html>
```

다음은 게시글 목록을 조회한 결과입니다.

그림 13. 게시글 목록 조회

4) board/view.html

다음 페이지는 게시글 상세보기에 사용합니다. 코드를 처음부터 작성하지 말고 기존 JSP 파일을 수정하면서 어떤 부분이 달라지는지 경험해 보길 바랍니다. 그래야 JSP와 타임리프에 대한 이해도가 높아집니다.

templates/board/view.html

```html
1  <!DOCTYPE html>
2  <html xmlns:th="http://www.thymeleaf.org">
3  <head th:replace="~{/include/header :: header}"></head>
4  <body>
5  <div th:replace="~{/include/body-header :: bodyHeader}"></div>
6  <div class="container">
7     <div class="pg-opt">
8        <div class="row">
9           <div class="col-md-6 pc">
10             <h2 th:text="#{CONTENT}">CONTENT</h2>
11          </div>
12          <div class="col-md-6">
13             <ol class="breadcrumb">
14                <li th:text="#{BOARD}">BOARD</li>
15                <li class="active" th:text="#{CONTENT}">CONTENT</li>
16             </ol>
17          </div>
18       </div>
19    </div>
20    <div class="content">
21    <table class="table table-bordered">
22    <tr class="pc">
23       <td colspan=2 align="right">
24       <a th:href="@{/board/cat/__${categoryId}__/__${page}__}"><button
   type="button" class="btn btn-info" th:text="#{BOARD_LIST}">BOARD LIST
   </button></a>
25          <a th:href="@{/board/write/__${categoryId}__}"><button type="button"
   class="btn btn-info" th:text="#{WRITE_NEW_ARTICLE}">WRITE NEW ARTICLE
   </button></a>
26          <a th:href="@{/board/reply/__${board.boardId}__}"><button type="button"
   class="btn btn-info" th:text="#{REPLY}">REPLY</button></a>
27          <a th:href="@{/board/update/__${board.boardId}__}"><button
   type="button" class="btn btn-info" th:text="#{UPDATE}">UPDATE</button></a>
28          <a th:href="@{/board/delete/__${board.boardId}__}"><button
   type="button" class="btn btn-info" th:text="#{DELETE}">DELETE</button></a>
29       </td>
30    </tr>
31    <tr>
32       <td width="20%" th:text="#{BOARD_ID}">BOARD ID</td>
33       <td th:text="${board.boardId}">ID</td>
34    </tr>
35    <tr>
36       <td width="20%" th:text="#{WRITER}">WRITER</td>
37       <td th:text="${board.writer}">작성자</td>
38    </tr>
39    <tr>
```

```
40          <td width="20%" th:text="#{WRITE_DATE}">WRITE DATE</td>
41          <td th:text="${#dates.format(board.writeDate, 'YYYY-MM-dd')}">
    YYYY-MM-DD</td>
42      </tr>
43      <tr>
44          <td th:text="#{SUBJECT}">SUBJECT</td>
45          <td th:text="${board.title}">제목</td>
46      </tr>
47      <tr>
48          <td th:text="#{CONTENT}">CONTENT</td>
49          <td class="board_content" th:utext="${board.content}">내용</td>
50      </tr>
51      <tr th:if="${board.fileName!=null}">
52          <td th:text="#{FILE}">FILE</td>
53          <td>
54          <img th:src="@{/file/{id}(id=${board.fileId})}"
55              th:if="${fileType=='.JPG' || fileType=='.JPEG' || fileType=='.PNG' ||
    fileType=='.GIF'}" class="img-thumbnail"><br>
56          <a th:href="@{/file/{fileId}(fileId=${board.fileId})}" th:text="${board.fileName}">
    (<span th:text="/($#numbers.formatDecimal(board.fileSize/1024.0, 1, 'COMMA', 2,
    'POINT')}KB/">0</span>KB)</a>
57          </td>
58      </tr>
59      <tr>
60          <td colspan=2 align="right">
61          <a th:href="@{/board/cat/__${categoryId}__/__${page}__}"><button
    type="button" class="btn btn-info" th:text="#{BOARD_LIST}">BOARD LIST
    </button></a>
62          <a th:href="@{/board/write/__${categoryId}__}"><button type="button"
    class="btn btn-info" th:text="#{WRITE_NEW_ARTICLE}">WRITE NEW ARTICLE
    </button></a>
63          <a th:href="@{/board/reply/__${board.boardId}__}"><button type="button"
    class="btn btn-info" th:text="#{REPLY}">REPLY</button></a>
64          <a th:href="@{/board/update/__${board.boardId}__}"><button
    type="button" class="btn btn-info" th:text="#{UPDATE}">UPDATE</button></a>
65          <a th:href="@{/board/delete/__${board.boardId}__}"><button type="button"
    class="btn btn-info" th:text="#{DELETE}">DELETE</button></a>
66          </td>
67      </tr>
68      </table>
69 </div>
70 </div>
71 <footer th:replace="~{/include/footer :: footer}"></footer>
72 </body>
73 </html>
```

5) getBoardDetails() 수정

BoardController의 getBoardDetails() 메서드를 아래처럼 수정해 주세요. 그래야 이미지 파일(JPG, JPEG, PNG, GIF)일 경우 〈img〉 태그로 이미지가 출력됩니다.

com.example.myapp.board.BoardController.java

```
82      @GetMapping("/board/{boardId}/{page}")
83      public String getBoardDetails(@PathVariable int boardId, @PathVariable int
    page, Model model) {
84          Board board = boardService.selectArticle(boardId);
85          String fileName = board.getFileName();
86          if(fileName!=null) {
87              int fileLength = fileName.length();
88              String fileType = fileName.substring(fileLength-4,
    fileLength).toUpperCase();
89              model.addAttribute("fileType", fileType);
90          }
91          model.addAttribute("board", board);
92          model.addAttribute("page", page);
93          model.addAttribute("categoryId", board.getCategoryId());
94          logger.info("getBoardDetails " + board.toString());
95          return "board/view";
96      }
```

다음은 이미지가 업로드됐을 경우 게시글 상세보기 화면입니다.

그림 14. 게시글 상세 조회

6) board/write.html

다음 페이지는 새 글을 작성하기 위해 사용합니다.

templates/board/write.html

```
1  <!DOCTYPE html>
2  <html xmlns:th="http://www.thymeleaf.org">
3  <head th:replace="~{/include/header :: header}"></head>
4  <body>
5  <div th:replace="~{/include/body-header :: bodyHeader}"></div>
6  <div class="container">
7      <div class="pg-opt">
8          <div class="row">
9              <div class="col-md-6 pc">
10                 <h2 th:text="#{WRITE_NEW_ARTICLE}">WRITE NEW
   ARTICLE</h2>
11             </div>
12             <div class="col-md-6">
13                 <ol class="breadcrumb">
14                     <li th:text="#{BOARD}">BOARD</li>
15                     <li class="active" th:text="#{WRITE_NEW_ARTICLE}">WRITE
   NEW ARTICLE</li>
16                 </ol>
17             </div>
18         </div>
19     </div>
20     <div class="content">
21     <form th:action="@{/board/write}" method="post"
   enctype="multipart/form-data" class="form-horizontal">
22     <input type="hidden" name="csrfToken" th:value="${session.csrfToken}">
23     <div class="form-group" th:if="#{categoryList!=null}">
24     <label for="categoryId" class="control-label col-sm-2"
   th:text="#{CATEGORY}">CATEGORY</label>
25         <div class="col-sm-4">
26         <select name="categoryId" id="categoryId" class="form-control" required>
27             <th:block th:each="category: ${categoryList}">
28             <option th:value="${category.categoryId}"
   th:text="${category.categoryName}" th:selected="${category.categoryId eq
   categoryId}"></option>
29             </th:block>
30         </select>
31     </div>
32     </div>
33     <div class="form-group">
34     <label for="writer" class="control-label col-sm-2"
   th:text="#{WRITER}">WRITER</label>
```

```
35      <div class="col-sm-2">
36          <input type="text" name="writer" id="writer" th:value="${session.name}"
    th:readonly="${session.name!=null ? 'readonly': false}" class="form-control">
37      </div>
38    </div>
39    <div class="form-group">
40        <label for="email" class="control-label col-sm-2"
    th:text="#{EMAIL}">EMAIL</label>
41        <div class="col-sm-4">
42            <input type="text" name="email" id="email" th:value="${session.email}"
    th:readonly="${session.email!=null ? 'readonly': false}" class="form-control"
    autocomplete="off" required>
43        </div>
44    </div>
45    <div class="form-group">
46        <label for="password" class="control-label col-sm-2"
    th:text="#{PASSWORD}">PASSWORD</label>
47        <div class="col-sm-2">
48            <input type="password" name="password" id="password"
    class="form-control" required>
49        </div>
50    </div>
51    <div class="form-group">
52        <label for="title" class="control-label col-sm-2"
    th:text="#{SUBJECT}">SUBJECT</label>
53        <div class="col-sm-8">
54            <input type="text" name="title" id="title" class="form-control" required>
55        </div>
56    </div>
57    <div class="form-group">
58        <label for="content" class="control-label col-sm-2" th:text="#{CONTENT}">
    CONTENT</label>
59        <div class="col-sm-8">
60            <textarea name="content" rows="10" cols="100"
    class="form-control"></textarea>
61        </div>
62    </div>
63    <div class="form-group">
64        <label class="control-label col-sm-2" for="file" th:text="#{FILE}">FILE</label>
65        <div class="col-sm-8">
66            <input type="file" name="file" id="file"><span id="droparea"
    class="help-block" th:text="#{FILESIZE_ERROR}">FILESIZE ERROR</span>
67        </div>
68    </div>
69    <div class="form-group">
70        <div class="col-sm-offset-2 col-sm-8">
```

```
71              <input type="submit" id="i_submit" class="btn btn-info"
   th:value="#{SAVE}">
72              <input type="reset" class="btn btn-info" th:value="#{CANCEL}"
   onclick="history.back()">
73          </div>
74      </div>
75      </form>
76      </div>
77 </div>
78 <footer th:replace="~{/include/footer :: footer}"></footer>
79 </body>
80 </html>
```

다음은 게시글 쓰기 화면입니다.

그림 15. 게시글 쓰기

뷰 코드가 바뀌었더라도 서비스와 리포지토리 클래스는 변경된 것이 없습니다. 컨트롤러 클래스의 변경도 없으므로 게시글 저장과 게시글 저장 시 첨부파일 업로드 기능, 그리고 게시글 상세조회 후 첨부파일 다운로드 기능까지 사용할 수 있습니다.

로그인 인터셉터를 설정한 후에는 글을 쓰려면 로그인해야 합니다. 그러나 지금은 로그인 인터셉터를 사용하지 않으므로 로그인하지 않아도 글쓰기가 가능합니다.

7) board/reply.html

다음은 댓글을 쓰는 페이지입니다.

templates/board/reply.html

```
 1 <!DOCTYPE html>
 2 <html xmlns:th="http://www.thymeleaf.org">
 3 <head th:replace="~{/include/header :: header}"></head>
 4 <body>
 5 <div th:replace="~{/include/body-header :: bodyHeader}"></div>
 6 <div class="container">
 7     <div class="pg-opt">
 8         <div class="row">
 9             <div class="col-md-6 pc">
10                 <h2 th:text="#{REPLY_ARTICLE}">REPLY ARTICLE</h2>
11             </div>
12             <div class="col-md-6">
13                 <ol class="breadcrumb">
14                     <li th:text="#{BOARD}">BOARD</li>
15                     <li class="active" th:text="#{REPLY_ARTICLE}">REPLY
    ARTICLE</li>
16                 </ol>
17             </div>
18         </div>
19     </div>
20     <div class="content">
21     <form th:action="@{/board/reply}" method="post"
    enctype="multipart/form-data" class="form-horizontal">
22     <div class="form-group">
23         <label class="control-label col-sm-2" for="writer"
    th:text="#{WRITER}">WRITER</label>
24         <div class="col-sm-2">
25             <input type="text" name="writer" id="writer" th:value="${session.name}"
    th:readonly="${session.name!=null ? 'readonly': false}" class="form-control"
    autocomplete="off" required>
26         </div>
27     </div>
28     <div class="form-group">
29         <label class="control-label col-sm-2" for="email"
    th:text="#{EMAIL}">EMAIL</label>
30         <div class="col-sm-4">
31             <input type="text" name="email" id="email" th:value="${session.email}"
    th:readonly="${session.email!=null ? 'readonly': false}" class="form-control"
    required>
32         </div>
33     </div>
```

```
34      <div class="form-group">
35        <label class="control-label col-sm-2" for="password"
   th:text="#{PASSWORD}">PASSWORD</label>
36        <div class="col-sm-2">
37          <input type="password" name="password" id="password"
   class="form-control" required>
38        </div>
39      </div>
40      <div class="form-group">
41        <label class="control-label col-sm-2" for="title"
   th:text="#{TITLE}">TITLE</label>
42        <div class="col-sm-8">
43          <input type="text" name="title" id="title" class="form-control"
   th:value="${board.title}" required>
44        </div>
45      </div>
46      <div class="form-group">
47        <label class="control-label col-sm-2" for="content"
   th:text="#{CONTENT}">CONTENT</label>
48        <div class="col-sm-8">
49          <textarea name="content" id="content" rows="10" cols="100"
   class="form-control" th:text="${board.content}"></textarea>
50        </div>
51      </div>
52      <div class="form-group">
53        <label class="control-label col-sm-2" for="file" th:text="#{FILE}">FILE</label>
54        <div class="col-sm-8">
55          <input type="file" id="file" name="file">
56        </div>
57      </div>
58      <div class="form-group">
59        <div class="col-sm-offset-2 col-sm-8">
60          <input type="hidden" name="boardId" th:value="${board.boardId}">
61          <input type="hidden" name="categoryId"
   th:value="${board.categoryId}">
62          <input type="hidden" name="masterId" th:value="${board.masterId}">
63          <input type="hidden" name="replyNumber"
   th:value="${board.replyNumber}">
64          <input type="hidden" name="replyStep"
   th:value="${board.replyStep}">
65          <input type="submit" th:value="#{SAVE}" class="btn btn-info">
66          <input type="reset" th:value="#{CANCEL}" onclick="history.back()"
   class="btn btn-info">
67        </div>
68      </div>
69    </form>
```

```
70    </div>
71 </div>
72 <footer th:replace="~{/include/footer :: footer}"></footer>
73 </body>
74 </html>
```

다음은 댓글을 작성하는 화면입니다. 뷰페이지가 올바르게 동작한다면 [답글] 버튼을 클릭해서 댓글을 작성해 보세요.

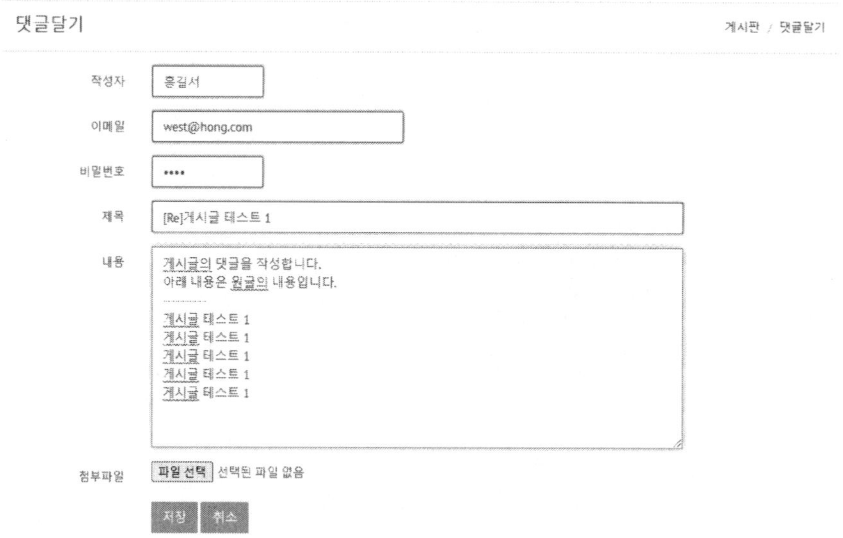

그림 16. 댓글 작성하기

8) board/update.html

다음은 게시글을 수정하기 위해 사용합니다.

templates/board/update.html

```
1 <!DOCTYPE html>
2 <html xmlns:th="http://www.thymeleaf.org">
3 <head th:replace="~{/include/header :: header}"></head>
4 <body>
5 <div th:replace="~{/include/body-header :: bodyHeader}"></div>
6 <div class="container">
7    <div class="pg-opt">
8        <div class="row">
9            <div class="col-md-6 pc">
```

```
10                    <h2 th:text="#{UPDATE_ARTICLE}">UPDATE ARTICLE</h2>
11              </div>
12           <div class="col-md-6">
13              <ol class="breadcrumb">
14                 <li th:text="#{BOARD}">BOARD</li>
15                 <li class="active" th:text="#{UPDATE_ARTICLE}">UPDATE
   ARTICLE</li>
16              </ol>
17           </div>
18        </div>
19     </div>
20     <div class="content">
21     <form th:object="${board}" th:action="@{/board/update}" method="post"
   enctype="multipart/form-data" class="form-horizontal">
22     <div class="form-group">
23        <label class="control-label col-sm-2" for="categoryId"
   th:text="#{CATEGORY}">CATEGORY</label>
24        <div class="col-sm-4">
25           <select name="categoryId" id="categoryId" class="form-control" required>
26              <th:block th:each="category : ${categoryList}">
27              <option th:value="${category.categoryId}"
   th:text="${category.categoryName}" th:selected="${category.categoryId eq
   categoryId}"></option>
28              </th:block>
29           </select>
30        </div>
31     </div>
32     <div class="form-group">
33        <label class="control-label col-sm-2" for="writer"
   th:text="#{WRITER}">WRITER</label>
34        <div class="col-sm-2">
35           <input type="text" name="writer" id="writer" class="form-control"
   readonly th:value="*{writer}">
36        </div>
37     </div>
38     <div class="form-group">
39        <label class="control-label col-sm-2" for="email"
   th:text="#{EMAIL}">EMAIL</label>
40        <div class="col-sm-4">
41           <input type="text" name="email" id="email" class="form-control"
   autocomplete="off" required readonly th:value="${board.email}">
42        </div>
43     </div>
44     <div class="form-group">
45        <label class="control-label col-sm-2" for="password"
   th:text="#{PASSWORD}">PASSWORD</label>
```

```
46        <div class="col-sm-2">
47            <input type="password" name="password" id="password"
   class="form-control" required>
48         </div><span th:if="${passwordError != null}" th:text="${passwordError}">
   </span>
49      </div>
50      <div class="form-group">
51        <label class="control-label col-sm-2" for="title" th:text="#{TITLE}">TITLE
   </label>
52         <div class="col-sm-8">
53            <input type="text" name="title" id="title" class="form-control" required
   th:value="${board.title}">
54         </div>
55      </div>
56      <div class="form-group">
57        <label class="control-label col-sm-2" for="content" th:text="#{CONTENT}">
   CONTENT</label>
58        <div class="col-sm-8">
59            <textarea name="content" id="content" rows="15" cols="100"
   class="form-control" th:text="${board.content}"></textarea>
60        </div>
61      </div>
62      <!-- th:block th:if="${userid!=null}"-->
63      <div class="form-group">
64        <label class="control-label col-sm-2" for="file" th:text="#{FILE}">FILE</label>
65        <div class="col-sm-8">
66          <input type="hidden" name="fileId" th:value="${board.fileId}">
67          <input type="file" id="file" name="file">[[${board.fileName}]]
68        </div>
69      </div>
70      <!-- /th:block-->
71      <div class="form-group">
72        <div class="col-sm-offset-2 col-sm-8">
73            <input type="hidden" name="boardId" th:value="${board.boardId}">
74            <input type="hidden" name="masterId" th:value="${board.masterId}">
75            <input type="hidden" name="replyNumber"
   th:value="${board.replyNumber}">
76            <input type="hidden" name="replyStep"
   th:value="${board.replyStep}">
77            <input type="submit" class="btn btn-info" th:value="#{UPDATE}">
78            <input type="reset" class="btn btn-info" th:value="#{CANCEL}"
   onclick="history.back()">
79        </div>
80      </div>
81    </form>
82  </div>
```

```
83 </div>
84 <footer th:replace="~{/include/footer :: footer}"></footer>
85 </body>
86 </html>
```

게시글을 수정하려면 게시글 작성 시 입력한 비밀번호를 올바르게 입력해야 합니다. 비밀번호가 다르면 게시글이 수정되지 않습니다.

컨트롤러, 서비스, 리포지토리는 코드 변경이 없어도 게시글 수정은 정상 동작합니다.

다음은 게시글 수정화면입니다.

그림 17. 게시글 수정

9) board/delete.html

다음은 삭제 페이지입니다. 로그인 사용자라면 아무 비밀번호나 입력해도 삭제됩니다.

templates/board/delete.html

```
1 <!DOCTYPE html>
2 <html xmlns:th="http://www.thymeleaf.org">
3 <head th:replace="~{/include/header :: header}"></head>
4 <body>
5 <div th:replace="~{/include/body-header :: bodyHeader}"></div>
6 <div class="container">
7 <div class="pg-opt">
8     <div class="row">
9         <div class="col-md-6 pc">
10            <h2 th:text="#{DELETE_ARTICLE}">DELETE ARTICLE</h2>
```

```
11          </div>
12          <div class="col-md-6">
13              <ol class="breadcrumb">
14              <li th:text="#{BOARD}">BOARD</li>
15              <li class="active" th:text="#{DELETE_ARTICLE}">DELETE ARTICLE</li>
16              </ol>
17          </div>
18      </div>
19  </div>
20  <div class="content">
21      <h3 th:text="#{DELETE_MSG}">DELETE MESSAGE</h3>
22      <form th:action="@{/board/delete}" class="form-inline" method="post">
23          <input type="hidden" name="boardId" th:value="${boardId}">
24          <input type="hidden" name="replyNumber" th:value="${replyNumber}">
25          <input type="hidden" name="categoryId" th:value="${categoryId}">
26          <div class="form-group">
27          <div class="col-sm-8">
28          <input type="password" name="password" class="form-control" required>
29          <span style="color:red;" th:if="${message != null}"><br>[[#{${message}}]]
30          </span>
31          </div>
32          <div class="col-sm-2">
33          <input type="submit" class="btn btn-danger"
    th:value="#{DELETE_ARTICLE}">
34          </div>
35          </div>
36      </form>
37  </div>
38  </div>
39  <footer th:replace="~{/include/footer :: footer}"></footer>
40  </body>
41  </html>
```

다음은 게시글 삭제 화면입니다. 게시글의 비밀번호를 입력해야 글을 삭제할 수 있습니다. 삭제처리 후 글 목록을 보여주는 페이지로 리다이렉트 됩니다.

그림 18. 게시글 삭제

로그인한 사용자가 본인의 글을 삭제할 때 비밀번호를 입력하지 않고 지우도록 구현하려면 다음과 같은 단계를 따를 수 있습니다.

- **사용자 세션(Session) 구현:** 로그인한 사용자의 정보(userid, email 등)를 세션에 저장합니다. 이는 사용자가 로그인한 후에만 가능합니다.
- **게시글 삭제 요청 처리:** 사용자가 게시글을 삭제하려고 할 때, 로그인 상태를 확인 합니다. 그리고 게시글의 작성자 아이디 또는 이메일 주소를 가져옵니다.
- **권한 확인:** 로그인한 사용자의 세션에 저장된 정보와 게시글의 작성자 정보를 비교 합니다. 만약 두 정보가 일치한다면, 삭제 권한을 부여합니다.
- **삭제 작업 실행:** 권한이 부여된 경우, 비밀번호를 묻지 않고 게시글을 삭제합니다. 그렇지 않다면 비밀번호를 요청하거나 다른 추가적인 보안 절차를 거칠 수 있습니다.

10)board/search.html

이 페이지는 검색 결과를 출력하는 데 사용합니다.

templates/board/search.html

```
1 <!DOCTYPE html>
2 <html xmlns:th="http://www.thymeleaf.org">
3 <head th:replace="~{/include/header :: header}"></head>
4 <body>
5 <div th:replace="~{/include/body-header :: bodyHeader}"></div>
6 <div class="container">
7     <div class="pg-opt">
8         <div class="row">
9             <div class="col-md-6 pc">
10                 <h2>[[#{SEARCH_RESULT}]]
11                     <small th:if="${name==null}"
   th:text="#{LOGIN}">LOGIN</small>
12                 </h2>
13             </div>
14             <div class="col-md-6">
15                 <ol class="breadcrumb">
16                     <li th:text="#{BOARD}">BOARD</li>
17                     <li class="active" th:text="#{BOARD_LIST}">BOARD LIST</li>
18                 </ol>
19             </div>
20         </div>
21     </div>
22     <span th:text="${message}">message</span>
23     <div class="content">
24         <form th:action="@{/board/search/1}" method="get">
25             <div class="pull-right" style="margin-bottom: 5px;">
26                 <div class="col-xs-9">
27                     <input type="text" name="keyword" class="form-control">
```

```
28              </div>
29                  <input type="submit" class="btn btn-warning"
   th:value="#{SEARCH}">
30              </div>
31          </form>
32          <table class="table table-hover table-bordered">
33          <thead>
34          <tr>
35              <td th:text="#{CATEGORY}">CATEGORY</td>
36              <td th:text="#{BOARD_ID}">BOARD ID</td>
37              <td class="pc" th:text="#{WRITER}">WRITER</td>
38              <td th:text="#{SUBJECT}">SUBJECT</td>
39              <td class="pc" th:text="#{WRITE_DATE}">WRITE DATE</td>
40              <td class="pc" th:text="#{READ_COUNT}">READ COUNT</td>
41          </tr>
42          </thead>
43          <tr th:each="board : ${boardList}">
44              <td th:text="${board.categoryId}"></td>
45              <td th:text="${board.boardId}"></td>
46              <td class="pc" th:text="${board.writer}"></td>
47              <td>
48              <a th:href="@{/board/__${board.boardId}__}"
   th:text="${board.title}"></a>
49              </td>
50              <td class="pc" th:text="${#dates.format(board.writeDate,
   'YYYY-MM-dd')}"></td>
51              <td class="pc" th:text="${board.readCount}"></td>
52          </tr>
53          </table>
54          <table class="table">
55          <tr>
56              <td align="left">
57          <!-- <div th:replace="~{/include/search-paging :: searchPaging}"></div> -->
58              </td>
59              <td></td>
60          </tr>
61          </table>
62      </div>
63  </div>
64  <footer th:replace="~{/include/footer :: footer}"></footer>
65  </body>
66  </html>
```

● 57라인의 검색 결과를 페이징 처리하는 코드는 주석 처리해 두세요.

6.4. 태그 파일을 include 파일로 변환하기

7장의 페이징 처리(paging.tag, search-paging.tag)와 댓글의 들여쓰기를 위한 태그 (reply.tag)파일은 타임리프에서 사용할 수 없습니다.

게시판 목록에서 댓글일 경우 글의 제목에 들여쓰기와 └를 표시하는 tag 파일은 다음처럼 th:if와 th:each를 이용해서 표현할 수 있습니다.

templates/board/list.html

```
46 <span th:if="${board.replyNumber>0}">
47 <span th:each="num : ${#numbers.sequence(1, board.replyStep)}"> </span>
48 <span> └</span>
49 </span>
```

1) 게시판 목록 페이징 처리

페이징 처리를 하려면 태그 파일에 있던 자바 코드는 컨트롤러로 옮겨 모델에 저장하고, 페이징 처리를 위한 태그 파일은 타임리프 조각파일을 만들어 th:replace 속성을 이용해서 페이징 처리가 들어갈 곳에 포함해야 합니다.

다음 코드는 BoardController의 게시판 목록을 조회하는 핸들러 메서드입니다. 페이징 처리를 위해 필요한 값을 계산한 후 model에 저장하는 코드를 추가했습니다.

com.example.myapp.board.controller.BoardController.java

```java
97      @GetMapping("/board/cat/{categoryId}/{page}")
98      public String getListByCategory(@PathVariable int categoryId, @PathVariable
   int page, HttpSession session, Model model) {
99          session.setAttribute("page", page);
100         model.addAttribute("categoryId", categoryId);
101
102         List<Board> boardList =
   boardService.selectArticleListByCategory(categoryId, page);
103         model.addAttribute("boardList", boardList);
104
105         int bbsCount =
   boardService.selectTotalArticleCountByCategoryId(categoryId);
106         int totalPage = 0;
107         if(bbsCount > 0) {
108             totalPage= (int)Math.ceil(bbsCount/10.0);
109         }
110
```

```
111        int totalPageBlock = (int)(Math.ceil(totalPage/10.0));
112        int nowPageBlock = (int) Math.ceil(page/10.0);
113        int startPage = (nowPageBlock-1)*10 + 1;
114        int endPage = 0;
115        if(totalPage > nowPageBlock*10) {
116            endPage = nowPageBlock*10;
117        }else {
118            endPage = totalPage;
119        }
120        model.addAttribute("totalPageCount", totalPage);
121        model.addAttribute("nowPage", page);
122        model.addAttribute("totalPageBlock", totalPageBlock);
123        model.addAttribute("nowPageBlock", nowPageBlock);
124        model.addAttribute("startPage", startPage);
125        model.addAttribute("endPage", endPage);
126        return "board/list";
127    }
```

다음 코드는 페이징 처리를 위한 타임리프 조각파일입니다.

templates/include/paging.html

```
 1 <!DOCTYPE html>
 2 <html xmlns:th="http://www.thymeleaf.org">
 3 <!-- paging -->
 4 <div th:fragment="paging">
 5 <nav aria-label="Page navigation">
 6 <ul class="pagination">
 7    <li th:if="${nowPageBlock>1}">
 8        <a th:href="@{/board/cat/__${categoryId}__/__${startPage-1}__}"
   aria-label="Previous">◀</a>
 9    </li>
10
11    <li th:each="i: ${#numbers.sequence(startPage, endPage)}"
   th:classappend="${i==nowPage}?active">
12        <a th:href="@{/board/cat/__${categoryId}__/__${i}__}">[[${i}]]</a>
13    </li>
14
15    <li th:if="${nowPageBlock<totalPageBlock}">
16        <a th:href="@{/board/cat/__${categoryId}__/__${endPage+1}__}"
   aria-label="Next">▶</a>
17    </li>
18 </ul>
19 </nav>
20 </div>
```

paging.html을 페이징 처리가 필요한 list.html에 ~{ }를 사용해서 포함해야 합니다.

`templates/board/list.html`

```
58 <td align="left">
59    <div th:replace="~{/include/paging :: paging}"></div>
60 </td>
```

다음은 페이징 처리가 된 게시글 목록 화면입니다.

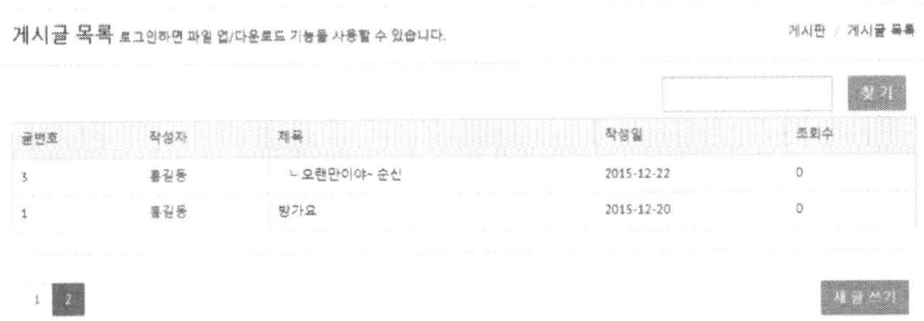

그림 19. 게시글 목록 페이징 처리

2) 검색 결과 페이징 처리

게시글에서 키워드로 검색한 결과 화면의 페이징 처리를 하려면 BoardController 클래스를 수정해야 합니다. 앞에서 게시글 목록 화면의 페이징 처리와 유사하지만 검색에 사용한 단어를 저장한 keyword 변수가 추가되어야 합니다.

`com.example.myapp.board.BoardController.java`

```
264    @GetMapping("/board/search/{page}")
265    public String search(@RequestParam(required=false, defaultValue="") String
       keyword, @PathVariable int page, HttpSession session, Model model) {
266        try {
267            List<Board> boardList =
       boardService.searchListByContentKeyword(keyword, page);
268            model.addAttribute("boardList", boardList);
269
270            int bbsCount =
       boardService.selectTotalArticleCountByKeyword(keyword);
271            int totalPage = 0;
272            if(bbsCount > 0) {
273                totalPage= (int)Math.ceil(bbsCount/10.0);
274            }
275
276            int totalPageBlock = (int)(Math.ceil(totalPage/10.0));
277            int nowPageBlock = (int) Math.ceil(page/10.0);
278            int startPage = (nowPageBlock-1)*10 + 1;
```

```
279            int endPage = 0;
280            if(totalPage > nowPageBlock*10) {
281                endPage = nowPageBlock*10;
282            }else {
283                endPage = totalPage;
284            }
285            model.addAttribute("keyword", keyword);
286            model.addAttribute("totalPageCount", totalPage);
287            model.addAttribute("nowPage", page);
288            model.addAttribute("totalPageBlock", totalPageBlock);
289            model.addAttribute("nowPageBlock", nowPageBlock);
290            model.addAttribute("startPage", startPage);
291            model.addAttribute("endPage", endPage);
292        } catch(Exception e) {
293            e.printStackTrace();
294        }
295        return "board/search";
296    }
```

다음은 검색 결과를 페이징 처리하는 코드입니다. 이 파일도 타임리프 조각파일이며
search.html 파일에서 th:replace 속성을 이용해서 포함해야 합니다.

templates/include/search-paging.html

```
 1 <!DOCTYPE html>
 2 <html xmlns:th="http://www.thymeleaf.org">
 3 <!-- paging -->
 4 <div th:fragment="searchPaging">
 5 <nav aria-label="Page navigation">
 6 <ul class="pagination">
 7    <li th:if="${nowPageBlock>1}">
 8        <a th:href="@{/board/search/__${startPage-1}__?keyword=__${keyword}__}"
   aria-label="Previous">◀</a>
 9    </li>
10
11    <li th:each="i: ${#numbers.sequence(startPage, endPage)}"
   th:classappend="${i==nowPage}?active">
12        <a th:href="@{/board/search/__${i}__?keyword=__${keyword}__}">[[${i}]]</a>
13    </li>
14
15    <li th:if="${nowPageBlock<totalPageBlock}">
16        <a th:href="@{/board/search/__${endPage+1}__}" aria-label="Next">▶</a>
17    </li>
18 </ul>
19 </nav>
20 </div>
```

search-paging.html을 페이징 처리가 필요한 search.html에 ~{ }를 사용해서 포함해야
합니다.

templates/board/search.html

```
56 <td align="left">
57    <div th:replace="~{/include/search-paging :: searchPaging}"></div>
58 </td>
```

다음은 페이징 처리가 된 게시글 목록 화면입니다.

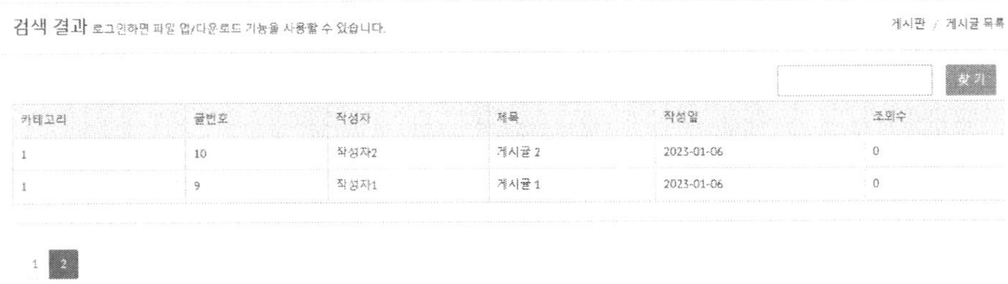

검색 결과 로그인하면 파일 업/다운로드 기능을 사용할 수 있습니다.   게시판 / 게시글 목록

카테고리	글번호	작성자	제목	작성일	조회수
1	10	작성자2	게시글 2	2023-01-06	0
1	9	작성자1	게시글 1	2023-01-06	0

1 **2**

그림 20. 검색 결과 페이징 처리

BoardController에 에러 처리를 위한 메서드를 추가해야 예외가 발생하면 예외페이지가
실행됩니다.

```
302    @ExceptionHandler({RuntimeException.class})
303    public String error(HttpServletRequest request, Exception ex, Model model) {
304        model.addAttribute("exception", ex);
305        model.addAttribute("stackTrace", ex.getStackTrace());
306        model.addAttribute("url", request.getRequestURI());
307        return "error/runtime";
308    }
```

6.5. 수정된 BoardController

다음은 수정된 게시판 컨트롤러 전체 코드입니다. 기존 코드와 비교하고 추가되거나 수정
되는 부분을 확인하세요. 수정한 메서드는 getListByCategory(), getBoardDetails(),
search()이고 새로 추가한 메서드는 errors()입니다.

com.example.myapp.board.controller.BoardController.java

```
1 package com.example.myapp.board.controller;
2
3 import java.io.UnsupportedEncodingException;
```

```
 4 import java.net.URLEncoder;
 5 import java.util.List;
 6
 7 import org.jsoup.Jsoup;
 8 import org.jsoup.safety.Safelist;
 9 import org.slf4j.Logger;
10 import org.slf4j.LoggerFactory;
11 import org.springframework.beans.factory.annotation.Autowired;
12 import org.springframework.http.HttpHeaders;
13 import org.springframework.http.HttpStatus;
14 import org.springframework.http.MediaType;
15 import org.springframework.http.ResponseEntity;
16 import org.springframework.stereotype.Controller;
17 import org.springframework.ui.Model;
18 import org.springframework.validation.BindingResult;
19 import org.springframework.web.bind.annotation.ExceptionHandler;
20 import org.springframework.web.bind.annotation.PathVariable;
21 import org.springframework.web.bind.annotation.RequestMapping;
22 import org.springframework.web.bind.annotation.RequestParam;
23 import org.springframework.web.multipart.MultipartFile;
24 import org.springframework.web.servlet.mvc.support.RedirectAttributes;
25
26 import com.example.myapp.board.model.Board;
27 import com.example.myapp.board.model.BoardCategory;
28 import com.example.myapp.board.model.BoardUploadFile;
29 import com.example.myapp.board.service.IBoardCategoryService;
30 import com.example.myapp.board.service.IBoardService;
31
32 import jakarta.servlet.http.HttpServletRequest; // tomcat 9이하면 javax.servlet
33 import jakarta.servlet.http.HttpSession;
34
35 @Controller
36 public class BoardController {
37     static final Logger logger = LoggerFactory.getLogger(this.getClass());
38
39     @Autowired
40     IBoardService boardService;
41
42     @Autowired
43     IBoardCategoryService categoryService;
44
45     @GetMapping("/board/cat/{categoryId}/{page}")
46     public String getListByCategory(@PathVariable int categoryId, @PathVariable
    int page, HttpSession session, Model model) {
47         session.setAttribute("page", page);
48         model.addAttribute("categoryId", categoryId);
49
```

```
50        List<Board> boardList =
   boardService.selectArticleListByCategory(categoryId, page);
51        model.addAttribute("boardList", boardList);
52
53        int bbsCount =
   boardService.selectTotalArticleCountByCategoryId(categoryId);
54        int totalPage = 0;
55        if(bbsCount > 0) {
56            totalPage= (int)Math.ceil(bbsCount/10.0);
57        }
58        int totalPageBlock = (int)(Math.ceil(totalPage/10.0));
59        int nowPageBlock = (int) Math.ceil(page/10.0);
60        int startPage = (nowPageBlock-1)*10 + 1;
61        int endPage = 0;
62        if(totalPage > nowPageBlock*10) {
63            endPage = nowPageBlock*10;
64        }else {
65            endPage = totalPage;
66        }
67        model.addAttribute("totalPageCount", totalPage);
68        model.addAttribute("nowPage", page);
69        model.addAttribute("totalPageBlock", totalPageBlock);
70        model.addAttribute("nowPageBlock", nowPageBlock);
71        model.addAttribute("startPage", startPage);
72        model.addAttribute("endPage", endPage);
73        return "board/list";
74    }
75
76    @GetMapping("/board/cat/{categoryId}")
77    public String getListByCategory(@PathVariable int categoryId, HttpSession
   session, Model model) {
78        return getListByCategory(categoryId, 1, session, model);
79    }
80
81    @GetMapping("/board/{boardId}/{page}")
82    public String getBoardDetails(@PathVariable int boardId, @PathVariable int
   page, Model model) {
83        Board board = boardService.selectArticle(boardId);
84        String fileName = board.getFileName();
85        if(fileName!=null) {
86            int fileLength = fileName.length();
87            String fileType = fileName.substring(fileLength-4,
   fileLength).toUpperCase();
88            model.addAttribute("fileType", fileType);
89        }
90        model.addAttribute("board", board);
```

```
91          model.addAttribute("page", page);
92          model.addAttribute("categoryId", board.getCategoryId());
93          logger.info("getBoardDetails " + board.toString());
94          return "board/view";
95      }
96
97      @GeMapping("/board/{boardId}")
98      public String getBoardDetails(@PathVariable int boardId, Model model) {
99          return getBoardDetails(boardId, 1, model);
100     }
101
102     @GetMapping(value="/board/write/{categoryId}")
103     public String writeArticle(@PathVariable int categoryId, Model model) {
104         List<BoardCategory> categoryList = categoryService.selectAllCategory();
105         model.addAttribute("categoryList", categoryList);
106         model.addAttribute("categoryId", categoryId);
107         return "board/write";
108     }
109
110     @PostMapping(value="/board/write")
111     public String writeArticle(Board board, BindingResult results,
    RedirectAttributes redirectAttrs) {
112         logger.info("/board/write : " + board.toString());
113         try{
114             board.setContent(board.getContent().replace("\r\n", "<br>"));
115             board.setTitle(Jsoup.clean(board.getTitle(), Safelist.basic()));
116             board.setContent(Jsoup.clean(board.getContent(), Safelist.basic()));
117             MultipartFile mfile = board.getFile();
118             if(mfile!=null && !mfile.isEmpty()) {
119                 BoardUploadFile file = new BoardUploadFile();
120                 file.setFileName(mfile.getOriginalFilename());
121                 file.setFileSize(mfile.getSize());
122                 file.setFileContentType(mfile.getContentType());
123                 file.setFileData(mfile.getBytes());
124                 boardService.insertArticle(board, file);
125             }else {
126                 boardService.insertArticle(board);
127             }
128         }catch(Exception e){
129             e.printStackTrace();
130             redirectAttrs.addFlashAttribute("message", e.getMessage());
131         }
132         return "redirect:/board/cat/"+board.getCategoryId();
133     }
134
135     @GetMapping("/file/{fileId}")
```

```
136    public ResponseEntity<byte[]> getFile(@PathVariable int fileId) {
137        BoardUploadFile file = boardService.getFile(fileId);
138        logger.info("getFile " + file.toString());
139        final HttpHeaders headers = new HttpHeaders();
140        String[] mtypes = file.getFileContentType().split("/");
141        headers.setContentType(new MediaType(mtypes[0], mtypes[1]));
142        headers.setContentLength(file.getFileSize());
143        try {
144            String encodedFileName = URLEncoder.encode(file.getFileName(),
       "UTF-8");
145            headers.setContentDispositionFormData("attachment",
       encodedFileName);
146        } catch (UnsupportedEncodingException e) {
147            throw new RuntimeException(e);
148        }
149        return new ResponseEntity<byte[]>(file.getFileData(), headers,
       HttpStatus.OK);
150    }
151
152    @GetMapping(value="/board/reply/{boardId}")
153    public String replyArticle(@PathVariable int boardId, Model model) {
154        Board board = boardService.selectArticle(boardId);
155        board.setWriter("");
156        board.setEmail("");
157        board.setTitle("[Re]"+board.getTitle());
158        board.setContent("\n\n\n----------\n" +
       board.getContent().replaceAll("<br>", "\n"));
159        model.addAttribute("board", board);
160        model.addAttribute("next", "reply");
161        return "board/reply";
162    }
163
164    @PostMapping(value="/board/reply")
165    public String replyArticle(Board board, RedirectAttributes redirectAttrs,
       HttpSession session) {
166        logger.info("/board/reply : " + board.toString());
167        try{
168            board.setContent(board.getContent().replace("\r\n", "<br>"));
169            board.setTitle(Jsoup.clean(board.getTitle(), Safelist.basic()));
170            board.setContent(Jsoup.clean(board.getContent(), Safelist.basic()));
171            MultipartFile mfile = board.getFile();
172            if(mfile!=null && !mfile.isEmpty()) {
173                BoardUploadFile file = new BoardUploadFile();
174                file.setFileName(mfile.getOriginalFilename());
175                file.setFileSize(mfile.getSize());
176                file.setFileContentType(mfile.getContentType());
```

```
177              file.setFileData(mfile.getBytes());
178              boardService.replyArticle(board, file);
179          }else {
180              boardService.replyArticle(board);
181          }
182      }catch(Exception e){
183          e.printStackTrace();
184          redirectAttrs.addFlashAttribute("message", e.getMessage());
185      }
186      if(session.getAttribute("page") != null) {
187          return "redirect:/board/cat/"+board.getCategoryId() + "/" +
    (Integer)session.getAttribute("page");
188      }else {
189          return "redirect:/board/cat/"+board.getCategoryId();
190      }
191  }
192
193  @GetMapping(value="/board/update/{boardId}")
194  public String updateArticle(@PathVariable int boardId, Model model) {
195      List<BoardCategory> categoryList = categoryService.selectAllCategory();
196      Board board = boardService.selectArticle(boardId);
197      model.addAttribute("categoryList", categoryList);
198      model.addAttribute("categoryId", board.getCategoryId());
199      board.setContent(board.getContent().replaceAll("<br>", "\r\n"));
200      model.addAttribute("board", board);
201      return "board/update";
202  }
203
204  @PostMapping(value="/board/update")
205  public String updateArticle(Board board, RedirectAttributes redirectAttrs) {
206      logger.info("/board/update " + board.toString());
207      String dbPassword = boardService.getPassword(board.getBoardId());
208      if(!board.getPassword().equals(dbPassword)) {
209          redirectAttrs.addFlashAttribute("passwordError", "게시글 비밀번호가 다
    릅니다");
210          return "redirect:/board/update/" + board.getBoardId();
211      }
212      try{
213          board.setContent(board.getContent().replace("\r\n", "<br>"));
214          board.setTitle(Jsoup.clean(board.getTitle(), Safelist.basic()));
215          board.setContent(Jsoup.clean(board.getContent(), Safelist.basic()));
216          MultipartFile mfile = board.getFile();
217          if(mfile!=null && !mfile.isEmpty()) {
218              logger.info("/board/update : " + mfile.getOriginalFilename());
219              BoardUploadFile file = new BoardUploadFile();
220              file.setFileId(board.getFileId());
```

```
221             file.setFileName(mfile.getOriginalFilename());
222             file.setFileSize(mfile.getSize());
223             file.setFileContentType(mfile.getContentType());
224             file.setFileData(mfile.getBytes());
225             logger.info("/board/update : " + file.toString());
226             boardService.updateArticle(board, file);
227         }else {
228             boardService.updateArticle(board);
229         }
230     }catch(Exception e){
231         e.printStackTrace();
232         redirectAttrs.addFlashAttribute("message", e.getMessage());
233     }
234     return "redirect:/board/"+board.getBoardId();
235 }
236
237 @GetMapping(value="/board/delete/{boardId}")
238 public String deleteArticle(@PathVariable int boardId, Model model) {
239     Board board = boardService.selectDeleteArticle(boardId);
240     model.addAttribute("categoryId", board.getCategoryId());
241     model.addAttribute("boardId", boardId);
242     model.addAttribute("replyNumber", board.getReplyNumber());
243     return "board/delete";
244 }
245
246 @PostMapping(value="/board/delete")
247 public String deleteArticle(Board board, HttpSession session,
    RedirectAttributes model) {
248     try {
249         String dbpw = boardService.getPassword(board.getBoardId());
250         if(dbpw.equals(board.getPassword())) {
251             boardService.deleteArticle(board.getBoardId(),
    board.getReplyNumber());
252             return "redirect:/board/cat/" + board.getCategoryId() + "/" +
    (Integer)session.getAttribute("page");
253         }else {
254             model.addFlashAttribute("message",
    "WRONG_PASSWORD_NOT_DELETED");
255             return "redirect:/board/delete/" + board.getBoardId();
256         }
257     }catch(Exception e){
258         model.addAttribute("message", e.getMessage());
259         e.printStackTrace();
260         return "error/runtime";
261     }
262 }
263
```

```
264     @GetMapping("/board/search/{page}")
265     public String search(@RequestParam(required=false, defaultValue="") String
    keyword, @PathVariable int page, HttpSession session, Model model) {
266         try {
267             List<Board> boardList =
    boardService.searchListByContentKeyword(keyword, page);
268             model.addAttribute("boardList", boardList);
269             int bbsCount =
    boardService.selectTotalArticleCountByKeyword(keyword);
270             int totalPage = 0;
271             if(bbsCount > 0) {
272                 totalPage= (int)Math.ceil(bbsCount/10.0);
273             }
274             int totalPageBlock = (int)(Math.ceil(totalPage/10.0));
275             int nowPageBlock = (int) Math.ceil(page/10.0);
276             int startPage = (nowPageBlock-1)*10 + 1;
277             int endPage = 0;
278             if(totalPage > nowPageBlock*10) {
279                 endPage = nowPageBlock*10;
280             }else {
281                 endPage = totalPage;
282             }
283             model.addAttribute("keyword", keyword);
284             model.addAttribute("totalPageCount", totalPage);
285             model.addAttribute("nowPage", page);
286             model.addAttribute("totalPageBlock", totalPageBlock);
287             model.addAttribute("nowPageBlock", nowPageBlock);
288             model.addAttribute("startPage", startPage);
289             model.addAttribute("endPage", endPage);
290         } catch(Exception e) {
291             e.printStackTrace();
292         }
293         return "board/search";
294     }
295
296     @ExceptionHandler({RuntimeException.class})
297     public String error(HttpServletRequest request, Exception ex, Model model) {
298         model.addAttribute("exception", ex);
299         model.addAttribute("stackTrace", ex.getStackTrace());
300         model.addAttribute("url", request.getRequestURI());
301         return "error/runtime";
302     }
303 }
```

게시판 기능까지 완성된 파일은 아래의 주소에서 내려받을 수 있습니다.

- https://github.com/hjk7902/spring/share/ch7/SpringBoot_Multiboard_working.zip

내려받은 프로젝트 zip 파일을 이클립스에서 import 하려면 [File] 〉 [Import] 〉 [Existing Projects into Workspace]를 선택한 후 [Next] 버튼을 클릭하세요. 그리고 [Select archive file:] 항목에 [Browse] 버튼을 클릭하여 내려받은 zip을 선택하고 [Finish] 버튼을 누르면 import 됩니다. 만일 zip 파일을 선택했지만, 프로젝트를 선택할 수 없다면 이클립스의 워크스페이스에 같은 이름을 갖는 프로젝트가 있기 때문입니다. 그러면 이클립스의 워크스페이스 폴더에서 프로젝트 폴더를 삭제한 후 다시 import 하세요.

다음에 설명하는 회원기능까지 완성된 코드는 깃허브에서 내려받을 수 있습니다.
 - https://github.com/hjk7902/spring/

다음은 JSP를 타임리프(Thymeleaf)로 변환한 코드를 설명합니다.

6.6. 수정된 타임리프 뷰 파일 - 회원

1) member/login.html

이 페이지는 로그인 화면을 제공합니다. 만일 세션에 userid와 email이 없으면 로그인을 위한 아이디와 비밀번호를 입력하는 화면을 출력하고, userid와 email이 session에 저장되어 있다면 사용자 정보수정, 로그아웃, 회원 탈퇴를 위한 링크를 보여줍니다.

templates/member/login.html

```
 1 <!DOCTYPE html>
 2 <html xmlns:th="http://www.thymeleaf.org">
 3 <head th:replace="~{/include/header :: header}"></head>
 4 <body>
 5 <div th:replace="~{/include/body-header :: bodyHeader}"></div>
 6 <div class="container">
 7     <div class="pg-opt">
 8         <div class="row">
 9             <div class="col-md-6 pc">
10                 <h2><span th:text="#{SIGN_IN}"></span><small style="color:red"
   th:if="${message!=null}">[[#{${message}}]]</small></h2>
11             </div>
12             <div class="col-md-6">
13                 <ol class="breadcrumb">
14                     <li th:text="#{MEMBER}">MEMBER</li>
15                     <li class="active" th:text="#{SIGN_IN}">SIGN IN</li>
16                 </ol>
17             </div>
18         </div>
```

```
19      </div>
20  <div class= "content">
21  <div th:if= "${session.email==null}">
22      <form th:action= "@{/member/login}" method= "post" class= "form-horizontal">
23      <div class= "form-group">
24          <label class= "control-label col-sm-2" for= "id"
    th:text= "#{MEMBER_ID}">MEMBER ID</label>
25          <div class= "col-sm-8">
26          <input type= "text" name= "userid" id= "id" class= "form-control"
    placeholder= "">
27          </div>
28      </div>
29      <div class= "form-group">
30          <label class= "control-label col-sm-2" for= "pw"
    th:text= "#{MEMBER_PW}">MEMBER PASSWORD</label>
31          <div class= "col-sm-8">
32          <input type= "password" name= "password" id= "pw" class= "form-control"
    th:placeholder= "#{MEMBER_PW}">
33          </div>
34      </div>
35      <div class= "form-group">
36          <div class= "col-sm-offset-2 col-sm-8">
37          <input type= "submit" class= "btn btn-info" th:value= "#{SIGN_IN}">
38          <input type= "reset" class= "btn btn-info" th:value= "#{CANCEL}">
39          <a th:href= "@{/member/insert}" class= "btn btn-success"
    th:text= "#{INSERT_USER_INFO}">INSERT USER INFO</a>
40          </div>
41      </div>
42      </form>
43  </div>
44  <!-- 로그아웃 -->
45  <div th:if= "${session.email!=null}">
46      <h4 th:text= "${session.userid}">User ID</h4>
47      <h4 th:text= "${session.email}">Email</h4>
48      [<a th:href= "@{/member/update}" th:text= "#{UPDATE_USER_INFO}">UPDATE
    USER INFO</a>]
49      [<a th:href= "@{/member/logout}" th:text= "#{SIGN_OUT}">SIGN OUT</a>]
50      [<a th:href= "@{/member/delete}" th:text= "#{EXIT_MEMBER}">EXIT
    MEMBER</a>]
51  </div>
52  </div>
53  </div>
54  <footer th:replace= "~{/include/footer :: footer}"></footer>
55  </body>
56  </html>
```

다음은 로그인 화면입니다.

그림 21. 로그인 화면

아직 회원 정보가 입력되어 있지 않으므로 로그인 처리를 확인할 수는 없습니다. 회원 정보를 입력하려면 [회원가입] 기능이 있어야 합니다.

2) member/form.html

회원가입을 위한 입력 양식을 제공합니다.

templates/member/form.html

```
1  <!DOCTYPE html>
2  <html xmlns:th="http://www.thymeleaf.org">
3  <head th:replace="~{/include/header :: header}"></head>
4  <body>
5  <div th:replace="~{/include/body-header :: bodyHeader}"></div>
6  <div class="container">
7     <div class="pg-opt">
8        <div class="row">
9           <div class="col-md-6 pc">
10             <h2 th:text="#{INSERT_USER_INFO}">INSERT USER INFO</h2>
11             <span th:if="${message != null}">[[#{${message}}]]</span>
12          </div>
13          <div class="col-md-6">
14             <ol class="breadcrumb">
15                <li th:text="#{MEMBER}">MEMBER</li>
16                <li class="active" th:text="#{INSERT_USER_INFO}">INSERT
    USER INFO</li>
17             </ol>
18          </div>
19       </div>
20    </div>
21    <div class="content">
```

```
22      <form th:action="@{/member/insert}" method="post" id="joinForm"
    class="form-horizontal">
23        <input type="hidden" name="csrfToken" th:value="${session.csrfToken}">
24        <div class="form-group">
25          <label class="control-label col-sm-2" for="userid"
    th:text="#{MEMBER_ID}">MEMBER ID</label>
26          <div class="col-sm-4">
27            <input type="text" name="userid" id="userid"
    th:value="${member.userid}" th:readonly="${member.userid!=null}"
    pattern="₩w+" class="form-control" th:placeholder="#{MEMBER_ID}" required>
28          </div>
29        </div>
30        <div class="form-group">
31          <label class="control-label col-sm-2" for="password"
    th:text="#{MEMBER_PW}">MEMBER PASSWORD</label>
32          <div class="col-sm-4">
33            <input type="password" name="password" id="password"
    th:value="${member.password}" class="form-control"
    th:title="#{PASSWORD_TITLE}" pattern="(?=.*₩d)(?=.*[a-z])(?=.*[A-Z]).{6,}"
    required>
34          </div>
35        </div>
36        <div class="form-group">
37          <label class="control-label col-sm-2" for="password2"
    th:text="#{MEMBER_PW_RE}">MEMBER PASSWORD RE</label>
38          <div class="col-sm-4">
39            <input type="password" name="password2" id="password2"
    class="form-control" required>
40            <span id="passwordConfirm" th:errors="${member.password2}"></span>
41          </div>
42        </div>
43        <div class="form-group">
44          <label class="control-label col-sm-2" for="name"
    th:text="#{MEMBER_NAME}">MEMBER NAME</label>
45          <div class="col-sm-4">
46            <input type="text" name="name" id="name" class="form-control"
    autocomplete="off" required th:value="${member.name}">
47          </div>
48        </div>
49        <div class="form-group">
50          <label class="control-label col-sm-2" for="phone"
    th:text="#{MEMBER_PHONE}">MEMBER PHONE</label>
51          <div class="col-sm-6">
52            <input type="text" name="phone" id="phone" class="form-control"
    autocomplete="off" required th:value="${member.phone}">
53          </div>
```

```
54        </div>
55        <div class="form-group">
56          <label class="control-label col-sm-2" for="email"
     th:text="#{MEMBER_EMAIL}">MEMBER EMAIL</label>
57          <div class="col-sm-8">
58            <input type="email" name="email" id="email" class="form-control"
     autocomplete="off" required th:value="${member.email}">
59          </div>
60        </div>
61        <div class="form-group">
62          <div class="col-sm-offset-2 col-sm-8">
63            <input type="submit" class="btn btn-info" th:value="#{SAVE}">
64            <input type="reset" class="btn btn-info" th:value="#{CANCEL}">
65          </div>
66        </div>
67      </form>
68    </div>
69 </div>
70 <footer th:replace="~{/include/footer :: footer}"></footer>
71 </body>
72 <script type="text/javascript">
73 var pw1 = document.querySelector("#password");
74 var pw2 = document.querySelector("#password2");
75 var pwConfirm = document.querySelector("#passwordConfirm");
76 pw2.onkeyup = function(event) {
77    if(pw1.value !== pw2.value) {
78        pwConfirm.innerText = "비밀번호가 일치하지 않습니다.";
79    }else {
80        pwConfirm.innerText = "";
81    }
82 }
83 </script>
84 </html>
```

코드의 아래에 있는 자바스크립트는 비밀번호와 비밀번호 확인 값이 같은지 확인합니다. 비밀번호가 다르면 '비밀번호가 일치하지 않습니다.'라는 메시지를 출력합니다.

비밀번호가 다르다고 해서 회원가입이 안 되는 건 아닙니다. 이렇게 한 이유는 뒤에서 폼 입력값 검증기능을 추가하고 테스트하기 위해서입니다. 그리고 폼 입력값 검증을 한 후 다시 입력 화면으로 돌아왔을 때 회원 정보를 출력해야 하는데, 그러한 코드 때문에 신규 회원가입을 위한 입력양식을 요청할 때 컨트롤러에서 Member 객체를 모델에 넣어야 합니다. 다음은 MemberController 클래스의 insertMember(Model) 메서드입니다.
com.example.myapp.member.controller.MemberController.java

```
25    @GetMapping(value="/member/insert")
26    public String insertMember(HttpSession session, Model model) {
27        String csrfToken = UUID.randomUUID().toString();
28        session.setAttribute("csrfToken", csrfToken);
29        logger.info("/member/insert, GET", csrfToken);
30        model.addAttribute("member", new Member());
31        return "member/form";
32    }
```

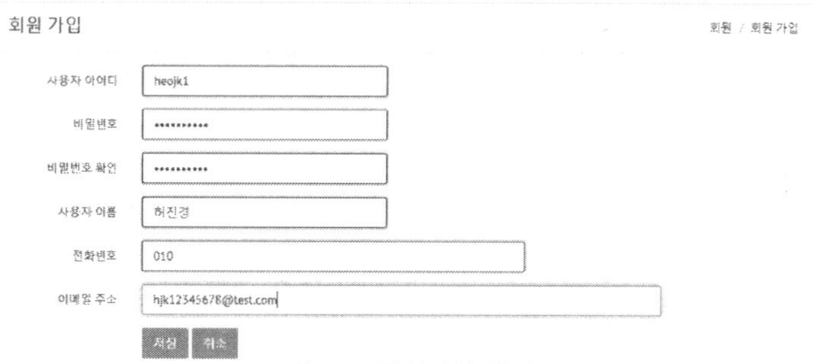

그림 22. 회원가입 화면

3) member/update.html

회원 정보를 수정하는 화면을 제공합니다. 기존의 회원 정보를 입력양식에 출력합니다.

templates/member/update.html

```
1 <!DOCTYPE html>
2 <html xmlns:th="http://www.thymeleaf.org">
3 <head th:replace="~{/include/header :: header}"></head>
4 <body>
5 <div th:replace="~{/include/body-header :: bodyHeader}"></div>
6 <div class="container">
7     <div class="pg-opt">
8         <div class="row">
9             <div class="col-md-6 pc">
10                <h2>[[#{UPDATE_USER_INFO}]]<small th:if="${message!=null}">
   [[#{${message}}]]</small></h2>
11            </div>
12            <div class="col-md-6">
13                <ol class="breadcrumb">
14                    <li th:text="#{MEMBER}">MEMBER</li>
15                    <li class="active" th:text="#{UPDATE_USER_INFO}">UPDATE
   USER INFO</li>
16                </ol>
```

```
17              </div>
18            </div>
19          </div>
20          <div class="content">
21          <form th:action="@{/member/update}" method="post" id="joinForm"
    class="form-horizontal">
22            <div class="form-group">
23              <label class="control-label col-sm-2" for="userid"
    th:text="#{MEMBER_ID}">MEMBER ID</label>
24              <div class="col-sm-4">
25                <input type="text" name="userid" id="userid"
    th:value="${member.userid}" th:readonly="${member.userid!=null}"
    class="form-control" th:placeholder="#{MEMBER_ID}" required>
26              </div>
27            </div>
28            <div class="form-group">
29              <label class="control-label col-sm-2" for="password"
    th:text="#{MEMBER_PW}">MEMBER PASSWORD</label>
30              <div class="col-sm-4">
31                <input type="password" name="password" id="password"
    class="form-control" th:title="#{PASSWORD_TITLE}"
    pattern="(?=.*\d)(?=.*[a-z])(?=.*[A-Z]).{6,}" required>
32              </div>
33            </div>
34            <div class="form-group">
35              <label class="control-label col-sm-2" for="password2"
    th:text="#{MEMBER_PW_RE}">MEMBER PASSWORD RE</label>
36              <div class="col-sm-4">
37                <input type="password" name="password2" id="password2"
    class="form-control" required>
38                <span id="passwordConfirm" th:errors="${member.password2}"></span>
39              </div>
40            </div>
41            <div class="form-group">
42              <label class="control-label col-sm-2" for="name"
    th:text="#{MEMBER_NAME}">MEMBER NAME</label>
43              <div class="col-sm-4">
44                <input type="text" name="name" id="name" class="form-control"
    autocomplete="off" required th:value="${member.name}">
45              </div>
46            </div>
47            <div class="form-group">
48              <label class="control-label col-sm-2" for="phone"
    th:text="#{MEMBER_PHONE}">MEMBER PHONE</label>
49              <div class="col-sm-6">
50                <input type="text" name="phone" id="phone" class="form-control"
```

```
        autocomplete="off" required th:value="${member.phone}">
51      </div>
52    </div>
53    <div class="form-group">
54      <label class="control-label col-sm-2" for="email"
   th:text="#{MEMBER_EMAIL}">MEMBER EMAIL</label>
55      <div class="col-sm-8">
56        <input type="text" name="email" id="email" class="form-control"
   autocomplete="off" required th:value="${member.email}">
57      </div>
58    </div>
59    <div class="form-group">
60      <div class="col-sm-offset-2 col-sm-8">
61        <input type="submit" class="btn btn-info" th:value="#{SAVE}">
62        <input type="reset" class="btn btn-info" th:value="#{CANCEL}">
63      </div>
64    </div>
65    </form>
66    </div>
67 </div>
68 <footer th:replace="~{/include/footer :: footer}"></footer>
69 </body>
70 </html>
71 <script type="text/javascript">
72 var pw1 = document.querySelector("#password");
73 var pw2 = document.querySelector("#password2");
74 var pwConfirm = document.querySelector("#passwordConfirm");
75 pw2.onkeyup = function(event) {
76    if(pw1.value !== pw2.value) {
77        pwConfirm.innerText = "비밀번호가 일치하지 않습니다.";
78    }else {
79        pwConfirm.innerText = "";
80    }
81 }
82 </script>
```

회원가입이 되면 로그인을 한 후 [개인정보 수정] 링크를 클릭하여 개인정보 수정 화면으로 들어갈 수 있습니다.

다음은 로그인 결과 화면입니다.

로그인   회원 / 로그인

Heojk1

Hjk12345678@Test.Com

[개인정보 수정] [로그아웃] [회원 탈퇴]

그림 23. 로그인 결과

다음은 개인정보 수정 화면입니다.

개인정보 수정개인정보 수정   회원 / 개인정보 수정

사용자 아이디	heojk1
비밀번호	
비밀번호 확인	
사용자 이름	허진겸
전화번호	010
이메일 주소	hjk12345678@test.com

저장 취소

그림 24. 비밀번호 수정 화면

로그인한 사용자라면 현재 비밀번호를 수정할 수 있습니다. 그리고 비밀번호와 비밀번호 확인이 다르더라도 회원 정보가 수정됩니다. 뒤에서 폼 입력값 검증 기능을 추가한 후엔 비밀번호와 비밀번호 확인이 같아야 기존 비밀번호를 수정할 수 있습니다.

4) member/delete.html

회원 정보 삭제를 위한 화면입니다. 회원 탈퇴를 하려면 비밀번호를 입력해야 합니다.

templates/member/delete.html

```
 1 <!DOCTYPE html>
 2 <html xmlns:th="http://www.thymeleaf.org">
 3 <head th:replace="~{/include/header :: header}"></head>
 4 <body>
 5 <div th:replace="~{/include/body-header :: bodyHeader}"></div>
 6 <div class="container">
 7     <div class="pg-opt">
 8         <div class="row">
 9             <div class="col-md-6 pc">
10                 <h2>[[#{EXIT_MEMBER}]]</h2>
```

```
11          </div>
12          <div class="col-md-6">
13              <ol class="breadcrumb">
14                  <li>[[#{MEMBER}]]</li>
15                  <li class="active">[[#{EXIT_MEMBER}]]</li>
16              </ol>
17          </div>
18      </div>
19  </div>
20  <div class="content">
21  <form th:action="@{/member/delete}" method="post" class="form-horizontal">
22  <div class="form-group">
23      <label class="control-label col-sm-2"
    for="password">[[#{MEMBER_PW}]]</label>
24      <div class="col-sm-4">
25          <input type="password" name="password" id="password"
    class="form-control"><h4 style="color:red;" th:if="${message !=
    null}">[[#{${message}}]]</h4>
26      </div>
27  </div>
28  <div class="form-group">
29      <div class="col-sm-offset-2 col-sm-8">
30      <input type="submit" class="btn btn-info" th:value="#{DELETE_USER_INFO}">
31      </div>
32  </div>
33  </form>
34  </div>
35  </div>
36  <footer th:replace="~{/include/footer :: footer}"></footer>
37  </body>
38  </html>
```

다음은 비밀번호를 삭제하기 위해서 비밀번호를 입력하는 화면입니다.

그림 25. 비밀번호 삭제 화면

비밀번호를 올바르게 입력하면 데이터베이스에서 해당하는 정보가 완전히 지워집니다. 삭제 후 세션의 모든 정보는 초기화되고 로그인 페이지로 리다이렉트합니다.

6.7. 폼 입력값 검증

이 절은 스프링 부트에서 폼 입력값 검증을 어떻게 하는지 보여주기 위한 예시입니다.

폼 입력값 검증에 관한 더 자세한 내용은 [부록 3]의 [2. 폼 입력값 유효성 검증] 절에서 설명합니다. 이 절의 내용은 7장에는 없는 내용입니다. 이 절의 내용을 완전히 이해하려면 [부록 3]의 [2. 폼 입력값 유효성 검증]의 내용을 이해하고 있어야 합니다.

폼에 입력한 값을 서버에서 검증하려면 JSR-303 아노테이션을 사용하거나는 스프링의 Validator 인터페이스를 구현해 밸리데이터 빈을 정의해야 합니다. 이 절은 Validator 인터페이스를 이용한 폼 입력값 검증의 예시를 설명합니다.

1) MemberValidator.java

다음은 사용자가 입력한 비밀번호 두 개의 값이 같은지 확인하는 밸리데이터 클래스입니다.

입력한 두 비밀번호가 같은지 확인을 서버에서 하지 않고 자바스크립트를 이용해서 클라이언트에서 할 수 있습니다. 이 예는 폼 입력값 검증의 예를 설명하기 위해서 스프링 Validator를 이용한 것입니다.

아래의 밸리데이터가 동작하는지 테스트하려면 비밀번호 두 개의 값을 다르게 입력하고 저장하세요. 그러면 화면에 '비밀번호 확인이 다릅니다.'라는 메시지가 출력되어야 합니다.

com.example.myapp.member.MemberValidator.java

```java
 1 package com.example.myapp.member;
 2
 3 import org.springframework.stereotype.Component;
 4 import org.springframework.validation.Errors;
 5 import org.springframework.validation.Validator;
 6
 7 import com.example.myapp.member.model.Member;
 8
 9 @Component
10 public class MemberValidator implements Validator {
11
12     @Override
13     public boolean supports(Class<?> clazz) {
14         return Member.class.isAssignableFrom(clazz);
15     }
16
```

```
17      @Override
18      public void validate(Object target, Errors errors) {
19          Member member = (Member)target;
20
21          String pw1 = member.getPassword();
22          String pw2 = member.getPassword2();
23          if(pw1 != null && pw1.equals(pw2)) {
24              //pass
25          }else {
26              errors.rejectValue("password2", "PASSWORD_NOT_EQUALS", "비밀번
    호 확인이 다릅니다");
27          }
28      }
29 }
```

2) Member

Member DTO에는 비밀번호 확인을 위한 두 번째 비밀번호 필드의 값을 저장할 변수
(password2)가 있어야 합니다.

`com.example.myapp.model.Member.java`

```
1 package com.example.myapp.member.model;
2
3 import lombok.Getter;
4 import lombok.Setter;
5 import lombok.ToString;
6
7 @Getter @Setter @ToString
8 public class Member {
9      private String userid;
10     private String name;
11     private String password;
12     private String password2;
13     private String phone;
14     private String email;
15 }
```

● @Getter, @Setter, @ToString 아노테이션을 사용하려면 lombok 라이브러리를 사
용할 수 있도록 설정되어 있어야 합니다.

3) MemberController

MemberController 클래스에서 핸들러 메서드의 매개변수는 폼객체(Member)의 유효성 검증을 위해 @Validated 아노테이션을 설정(48라인, 122라인)하고, initBinder() 메서드로 밸리데이터를 지정(34라인)해야 합니다.

com.example.myapp.member.controller.MemberController.java

```java
23  @Controller
24  public class MemberController {
25      private final Logger logger = LoggerFactory.getLogger(this.getClass());
26
27      @Autowired
28      IMemberService memberService;
29
30      @Autowired
31      MemberValidator memberValidator;
32
33      @InitBinder
34      private void initBinder(WebDataBinder binder) {
35          binder.setValidator(memberValidator);
36      }
37
38      @GetMapping(value="/member/insert")
39      public String insertMember(HttpSession session, Model model) {
40          String csrfToken = UUID.randomUUID().toString();
41          session.setAttribute("csrfToken", csrfToken);
42          logger.info("/member/insert, GET", csrfToken);
43          model.addAttribute("member", new Member());
44          return "member/form";
45      }
46
47      @PostMapping(value="/member/insert")
48      public String memberInsert(@Validated Member member, BindingResult
    result, String csrfToken, HttpSession session, Model model) {
49          if(csrfToken==null || "".equals(csrfToken)) {
50              throw new RuntimeException("CSRF 토큰이 없습니다.");
51          }else if(!csrfToken.equals(session.getAttribute("csrfToken"))) {
52              throw new RuntimeException("잘 못된 접근이 감지되었습니다.");
53          }
54          if(result.hasErrors()) {
55              model.addAttribute("member", member);
56              return "member/form";
57          }
58          try {
59              if(!member.getPassword().equals(member.getPassword2())) {
60                  model.addAttribute("member", member);
61                  model.addAttribute("message", "MEMBER_PW_RE");
```

```
62          return "member/form";
63      }
64      memberService.insertMember(member);
65  }catch(DuplicateKeyException e) {
66      member.setUserid(null);
67      model.addAttribute("member", member);
68      model.addAttribute("message", "ID_ALREADY_EXIST");
69      return "member/form";
70  }
71  session.invalidate();
72  return "home";
73 }
       ... 생략 ...
```

다음 코드는 회원 정보를 수정 처리를 하는 핸들러 메서드입니다.

```
121    @PostMapping(value="/member/update")
122    public String updateMember(@Validated Member member, BindingResult
   result, HttpSession session, Model model) {
123        if(result.hasErrors()) {
124            model.addAttribute("member", member);
125            return "member/update";
126        }
127        try{
128            memberService.updateMember(member);
               ... 생략 ...
```

회원 정보를 입력하거나 수정하는 화면에서 비밀번호와 비밀번호 확인이 다를 경우 입력 값 검증이 되는지 확인해 보세요.

그림 26. 회원가입 시 비밀번호 동일성 검사

6.8. 로그인 인터셉터

회원 기능이 정상 동작하면 게시판의 쓰기, 댓글 달기, 첨부파일 다운로드, 수정, 삭제 등의 기능을 로그인한 사용자만 사용할 수 있도록 해야 합니다.

1) LoginInterceptor

다음은 세션에 email이 없으면 로그인 페이지로 리다이렉트 하는 인터셉터 클래스입니다.
com.example.myapp.common.filter.LoginInterceptor.java

```java
package com.example.myapp.common.filter;

import org.springframework.web.servlet.HandlerInterceptor;
import org.springframework.web.servlet.ModelAndView;

import jakarta.servlet.http.HttpServletRequest;
import jakarta.servlet.http.HttpServletResponse;

public class LoginInterceptor implements HandlerInterceptor {

    @Override
    public boolean preHandle(HttpServletRequest request, HttpServletResponse response, Object handler) throws Exception {
        try {
            String email= (String) request.getSession().getAttribute("email");
            if(email == null || email.equals("")){
                response.sendRedirect(request.getContextPath() + "/member/login");
                return false;
            }
        } catch (Exception e) {
            e.printStackTrace();
        }
        return true;
    }

    @Override
    public void postHandle(HttpServletRequest request, HttpServletResponse response, Object handler, ModelAndView modelAndView) throws Exception {
    }

    @Override
    public void afterCompletion(HttpServletRequest request, HttpServletResponse response, Object handler, Exception ex) throws Exception {
    }
}
```

2) WebMvcConfig

이제 로그인 인터셉터가 특정 URL로 요청 시 동작하도록 설정해야 합니다. 다음은 자바 설정 파일의 일부입니다. 이 코드는 로그인 인터셉터 빈을 설정하고 addInterceptor() 메서드를 이용해서 인터셉터 레지스트리에 로그인 인터셉터를 설정합니다.

com.example.myapp.config.WebMvcConfig.java

```java
    ... 생략 ...
15 import com.example.myapp.common.filter.LoginInterceptor;
    ... 생략 ...
42    @Bean
43    LoginInterceptor loginInterceptor() {
44        return new LoginInterceptor();
45    }
46
47    @Override
48    public void addInterceptors(InterceptorRegistry registry) {
49        registry.addInterceptor(localeChangeInterceptor());
50        registry.addInterceptor(loginInterceptor())
51            .addPathPatterns("/file/**")
52            .addPathPatterns("/board/write/**")
53            .addPathPatterns("/board/update/**")
54            .addPathPatterns("/board/reply/**")
55            .addPathPatterns("/board/delete/**");
56    }
57 }
```

위의 인터셉터 설정대로라면 파일 다운로드, 쓰기, 수정, 댓글 삭제 기능을 사용하려면 로그인한 사용자여야 합니다.

스프링 부트로 변환된 전체 코드는 깃허브(https://github.com/hjk7902/spring/)에서 내려받을 수 있습니다.

이클립스에서 File > Import > General 아래의 Existing Projects into Workspace를 선택하고 Next 버튼을 클릭한 후, [Select archive file:]에 내려받은 zip 파일을 선택하면 [Project:] 항목에 Import 할 프로젝트가 선택됩니다. 여기서 [Finish]를 클릭하면 이클립스에 프로젝트가 추가됩니다.

9장. 스프링 시큐리티와 JWT

이 장에서는 8장에서 사용한 세션 기반의 인증 방식을 대신하여 스프링 시큐리티(Spring Security)를 활용한 새로운 접근 방식을 도입합니다. 이를 통해 스프링 시큐리티를 소개하고 설명합니다.

1. 스프링 시큐리티⁴⁷⁾

1.1. 스프링 시큐리티 개요

1) 스프링 시큐리티를 사용하는 이유

최근 자바 웹 애플리케이션에서 인증 처리를 위해 세션과 인터셉터(Interceptor)를 이용한 방식보다 스프링 시큐리티(Spring Security)를 더 많이 사용하는 경향이 있습니다. 이유는 다음과 같습니다:

보안 전문성: 스프링 시큐리티는 보안 전문성을 갖춘 프레임워크로, 웹 애플리케이션의 다양한 보안 요구사항을 처리하기 위한 다양한 기능과 설정을 제공합니다. 인증, 인가, 보안 설정 등에 대한 포괄적인 지원을 제공하여 보안을 효과적으로 관리할 수 있습니다.

커뮤니티 및 문서화: 스프링 시큐리티는 스프링 프레임워크와 함께 개발된 프로젝트로, 많은 개발자가 사용하고 있는 만큼 높은 수준의 커뮤니티 지원과 풍부한 문서화가 제공됩니다. 이는 개발자들이 문제를 해결하고 적절한 방식으로 보안을 구현하는 데 도움이 됩니다.

유연성: 스프링 시큐리티는 다양한 인증 및 인가 방식을 지원하며, 커스터마이징이 가능합니다. 이를 통해 애플리케이션의 특정 요구사항에 맞게 보안을 구성할 수 있습니다.

선언적 보안: 스프링 시큐리티는 XML 또는 어노테이션을 사용하여 보안 설정을 선언적으로 정의할 수 있는 기능을 제공합니다. 이로써 개발자는 코드 내에서 보안 로직을 명시적으로 작성하지 않아도 됩니다.

반면에 인터셉터를 사용한 인증 처리는 보다 직접적으로 개발자가 코드를 작성해야 하며, 보안에 대한 전문적인 처리를 위해서는 많은 추가 작업이 필요할 수 있습니다. 인터셉터를 사용하는 경우에는 보안 이슈에 대한 이해와 주의가 더 필요할 수 있습니다. 그러나 최종 결정은 프로젝트의 요구사항과 개발팀의 선호도에 따라 다를 수 있습니다. 보안 요구사항과 프로젝트의 복잡성을 고려하여 스프링 시큐리티와 인터셉터 중 어떤 것을 사용할지 결정하는 것이 중요합니다.

---

47) 이 절은 8장의 세션을 이용한 인증을 스프링 시큐리티를 이용한 인증으로 변경합니다. 그러므로 이 장은 Spring Boot + Spring Security + Thymeleaf의 예라고 할 수 있습니다.

1.2. 스프링 시큐리티 구조

스프링 시큐리티는 주로 서블릿 필터와 이들로 구성된 필터체인을 사용하고 있습니다. 스프링 시큐리티의 동작 흐름을 이해하면 스프링 시큐리티를 이용한 인증 및 인가 구현이 더 쉽습니다. 다음 그림은 로그인 시 스프링 시큐리티의 동작 흐름을 보여줍니다.

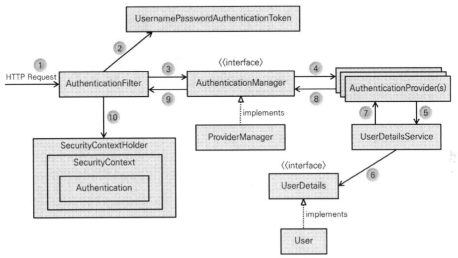

그림 1. 스프링 시큐리티 동작 흐름

① 사용자가 로그인 정보와 함께 인증을 요청(Http Request)합니다.

② AuthenticationFilter가 요청을 가로챕니다. 이때 가로챈 정보를 통해 인증용 객체(UsernamePasswordAuthenticationToken)를 생성합니다.

③ ProviderManager에게 UsernamePasswordAuthenticationToken 객체를 전달합니다. ProviderManager는 AuthenticationManager의 구현체입니다.

④ AuthenticationProvider에 UsernamePasswordAuthenticationToken 객체를 전달합니다.

⑤ 실제 데이터베이스에서 사용자 인증정보를 가져오는 UserDetailsService에 사용자 정보(아이디)를 넘겨줍니다.

⑥ 넘겨받은 사용자 정보를 통해 데이터베이스에서 찾은 사용자 정보인 UserDetails 객체를 만듭니다. 이때 UserDetails는 인증용 객체와 도메인용 객체를 분리하지 않고 인증용 객체에 상속해서 사용하기도 합니다.

⑦ AuthenticationProvider는 UserDetails를 넘겨받고 사용자 정보를 비교합니다.

⑧ 인증이 완료되면 권한 등의 사용자 정보를 담은 Authentication 객체를 반환합니다.

⑨ 다시 처음의 AuthenticationFilter에 Authentication 객체가 반환됩니다.

⑩ Authentication 객체를 SecurityContext에 저장합니다.

2. 스프링 부트에서 스프링 시큐리티 사용하기

스프링 시큐리티에서 사용할 수 있는 인증방식은 다양합니다. 이 장은 데이터베이스를 이용한 사용자 이름 및 비밀번호를 이용한 인증방법에 관해 설명합니다. 다음은 스프링 시큐리티의 인증방법입니다. 더 자세한 내용은 스프링 시큐리티 공식 문서를 참고하세요.

- 사용자 이름 및 비밀번호 – 사용자 이름/비밀번호로 인증하는 방법
- OAuth 2.0 로그인 – OpenID Connect 및 비표준 OAuth 2.0 로그인(예: GitHub을 사용한 OAuth 2.0 로그인)
- SAML 2.0 로그인 – SAML 2.0 로그인
- 중앙 인증 서버(CAS) – 중앙 인증 서버(CAS) 지원
- Remember Me – 세션 만료 이후의 사용자를 기억하는 방법
- JAAS 인증 – JAAS로 인증
- 사전 인증 시나리오 – SiteMinder 또는 Java EE 보안과 같은 외부 인증방법으로 인증하지만, 일반적인 악용에 대한 인증 및 보호를 위해 여전히 Spring Security 를 사용합니다.
- X509 인증 – X509 인증

● 이 장의 예제는 실습하려면 8장의 완성된 프로젝트 파일을 이용하세요.

2.1. 라이브러리 의존성 설정

pom.xml 파일에 spring-boot-starter-security 라이브러리를 추가하고, Thymeleaf에서 sec 네임스페이스를 사용하기 위해 thymeleaf-extras-springsecurity 라이브러리도 의존성을 추가해야 합니다. 스프링 시큐리티 버전에 따라 의존성을 추가할 때, 해당 라이브러리의 artifactId에 버전 번호를 지정해야 합니다.

pom.xml
```
39        <dependency>
40            <groupId>org.springframework.boot</groupId>
41            <artifactId>spring-boot-starter-security</artifactId>
42        </dependency>
43        <dependency>
44            <groupId>org.thymeleaf.extras</groupId>
45            <artifactId>thymeleaf-extras-springsecurity6</artifactId>
46        </dependency>
```

● 이 장은 스프링 시큐리티 6 버전을 사용합니다.

2.2. 기존 자바 코드

1) Member 클래스

회원 정보를 저장하는 Member 클래스에 역할(ROLE) 정보를 저장할 수 있는 필드를 추가하세요.

`com.example.myapp.member.model.Member.java`

```
21 package com.example.myapp.member.model;
22
23 import lombok.Getter;
24 import lombok.Setter;
25 import lombok.ToString;
26
27 @Getter @Setter
28 @ToString
29 public class Member {
30     private String userid;
31     private String name;
32     private String password;
33     private String password2;
34     private String phone;
35     private String email;
36     private String role;
37 }
```

이 장은 스프링 시큐리티를 소개하는 목적으로 작성되었으며, 그래서 member 테이블에 role 컬럼을 추가하지 않았습니다. 그러나 완성된 코드에서는 깃허브에 member 테이블에 role 컬럼이 추가되어 있습니다. 또한, 세션을 이용한 인증 방식과 관련된 코드는 스프링 시큐리티 코드로 수정되었으므로, 이 책에서 다루지 않은 부분에 대해서는 깃허브의 코드를 참고하십시오.
깃허브: https://github.com/hjk7902/spring -)
SpringBook_Sub_Security

일반적으로 스프링 시큐리티에서 데이터베이스를 이용한 인증 방식을 사용할 때, 사용자 정보와 그들의 역할(Role) 정보를 저장하기 위한 테이블이 필요합니다. 이를 통해 각 사용자에게 특정 역할(Role)을 할당하여 인가(Authorization)를 구현할 수 있습니다. 일반적인 접근 방식은 ROLE 정보를 저장하는 테이블(예: UserRole)을 생성하고, 사용자(예: User) 정보와 관련된 테이블(예: UserRoleMapping)을 만들어 사용자에게 역할(Role)을 부여하는 것입니다. 이 방식을 통해 한 사용자가 여러 개의 역할(Role)을 가질 수 있습니다. 그러나 이 예제는 스프링 시큐리티를 경험하기 위한 목적으로, 역할(Role) 정보를 저장하는 별도의 테이블을 추가하지 않았습니다.

2) Service, Repository 인터페이스와 클래스

MemberService, MemberRepository에는 Member getMember(String userid) 메서드가 있어야 합니다. 이 메서드는 사용자이름(username), 비밀번호(password), 역할(ROLE) 정보를 담은 Member 객체를 반환해야 합니다. 지금은 역할(ROLE)을 저장하는 테이블이 없으므로 기존의 코드를 수정하지 않고 그대로 사용합니다.

2.3. 스프링 시큐리티 설정

1) SecurityConfig

스프링 시큐리티 설정(예: SecurityConfig) 클래스는 @EnableWebSecurity 아노테이션을 추가하고 SecurityFilterChain 빈을 생성하는 메서드를 추가해야 합니다.[48]

com.example.myapp.config.SecurityConfig.java

```
 1 package com.example.myapp.config;
 2
 3 import org.springframework.context.annotation.Bean;
 4 import org.springframework.context.annotation.Configuration;
 5 import org.springframework.security.config.annotation.web.builders.HttpSecurity;
 6 import org.springframework.security.config.annotation.web.configuration.EnableWebSecurity;
 7 import org.springframework.security.web.SecurityFilterChain;
 8
 9 @Configuration
10 @EnableWebSecurity
11 public class SecurityConfig {
12     @Bean
13     SecurityFilterChain filterChain(HttpSecurity http) throws Exception {
14         http.csrf((csrfConfig) -> csrfConfig.disable());
15         http.formLogin(formLogin -> formLogin
16                 .loginPage("/member/login")
17                 .usernameParameter("userid")
18                 .defaultSuccessUrl("/"))
19         .logout(logout -> logout
20                 .logoutUrl("/member/logout")
21                 .logoutSuccessUrl("/member/login")
22                 .invalidateHttpSession(true));
23         http.authorizeHttpRequests()
24             .requestMatchers("/file/**").hasRole("ADMIN")
25             .requestMatchers("/board/**").hasAnyRole("USER", "ADMIN")
26             .requestMatchers("/**").permitAll()
27             .requestMatchers("/css/**").permitAll()
28             .requestMatchers("/js/**").permitAll()
29             .requestMatchers("/images/**").permitAll()
30             .requestMatchers("/member/insert").permitAll()
31             .requestMatchers("/member/login").permitAll();
32         return http.build();
33     }
34 }
```

---

48) Spring Security 5 버전까지는 WebSecurityConfigurerAdapter 클래스를 상속하여 구현했지만, Spring Security 6 버전부터는 어댑터 클래스를 상속하여 구현하지 않습니다.

앞의 예에서 14라인부터 22라인까지 람다식으로 작성한 코드는 다음처럼 메서드 체이닝을 사용해서 설정할 수 있습니다. 그러나 Spring Security 6.1.0부터는 메서드 체이닝의 사용을 지양하고, 람다식을 통해 함수형으로 설정하게 지향하고 있습니다. csrf(), formLogin(), and(), logout(), authorizeHttpRequest() 메서드 등에 deprecated 경고가 발생하면 메서드 체이닝을 사용한 코드를 람다식으로 변경하세요.

```
19          http.csrf().disable();
20          http.formLogin()
21                  .loginPage("/member/login")
22                  .usernameParameter("userid")
23                  .defaultSuccessUrl("/")
24              .and()
25              .logout()
26                  .logoutUrl("/member/logout")
27                  .logoutSuccessUrl("/member/login")
28                  .invalidateHttpSession(true);
```

● http.csrf().disable()는 CSRF(Cross-Site Request Forgery) 보호를 비활성화합니다. 8장 예제에서는 CSRF 토큰을 세션에 저장하므로 스프링 시큐리티의 CSRF를 비활성화해야 합니다.[49]

● 로그인 페이지는 '/member/login'이며, 스프링 시큐리티에서 사용자 아이디를 저장하는 요청 파라미터는 'username'이어야 하지만 이 예제에서는 파라미터 이름이 'userid'이므로 usernameParameter()를 이용해서 파라미터 이름을 지정해야 합니다.

● 로그아웃을 위한 URL은 '/member/logout'이며 로그아웃 시 세션을 무효로 합니다.

authorizeHttpRequest() 메서드와 requestMatchers(), hasRole() 등을 이용해서 스프링 시큐리티 필터가 적용할 규칙을 지정합니다. 앞의 예제에서 23~31라인에 사용한 메서드 채인 코드도 다음의 코드처럼 람다식을 이용해서 설정하는 것을 권합니다.

```
23      http.authorizeHttpRequests((authorizeHttpRequests) -> authorizeHttpRequests
24          .requestMatchers("/file/**").hasRole("ADMIN")
25          .requestMatchers("/board/**").hasAnyRole("USER", "ADMIN")
26          .requestMatchers("/**", "/css/**", "/js/**", "/images/**").permitAll()
27          .requestMatchers("/member/insert", "/member/login").permitAll());
```

● requestMatchers() 메서드는 시큐리티 필터가 적용될 URL 패턴을 지정합니다.

● hasRole()은 해당 URL에 접근할 수 있는 역할(ROLE)을 지정하며, hasAnyRole()은 여러 개 역할 중 어느 하나라도 가지고 있으면 접근가능하도록 설정하며, permitAll()은 누구든지 접근가능하게 만듭니다. 이러한 스프링 시큐리티의 내장 표현식은 아래의 주소에서 더 많은 정보를 볼 수 있습니다.

https://docs.spring.io/spring-security/site/docs/5.5.x/reference/html5/#el-access

---

49) 스프링 시큐리티에서 CSRF 토큰 사용은 https://javaspecialist.co.kr/board/1237을 참고하세요.

2) 인증 테스트

데이터베이스를 이용한 인증 전에 테스트를 위한 더미 데이터를 추가합니다. 다음 코드는 'foo', 'bar', 'ted' 사용자를 생성하며, 이들의 비밀번호는 'demo'로 설정됩니다. '{noop}'은 비밀번호를 암호화하지 않았음을 나타냅니다.

com.example.myapp.config.SecurityConfig.java

```
40      @Bean
41      @ConditionalOnMissingBean(UserDetailsService.class)
42      InMemoryUserDetailsManager userDetailsService() {
43          return new InMemoryUserDetailsManager(
44          User.withUsername("foo").password("{noop}demo").roles("ADMIN").build(),
45          User.withUsername("bar").password("{noop}demo").roles("USER").build(),
46          User.withUsername("ted").password("{noop}demo").roles("USER",
    "ADMIN").build());
47      }
```

● 'foo' 사용자는 'ADMIN' 역할을 가지며 게시글 조회 및 첨부파일 다운로드 권한이 있고, 'bar' 사용자는 'USER' 역할만 가지므로 게시판의 글을 볼 수 있지만, 파일을 내려받을 수 없습니다. 'ted' 사용자는 'USER' 및 'ADMIN' 역할을 가지고 있습니다.

3) 타임리프 로그인 페이지 수정

세션을 이용한 인증방식이 아니므로 templates/member/login.html 파일의 일부를 수정해야 합니다. 세션을 이용한 인증방식이 아니므로 세션에 값이 있는지를 체크하는 코드가 필요 없습니다. 스프링 시큐리티에 의해 인증되었는지 아닌지를 알려면 sec:authorize="isAuthenticated()" 속성을 사용하세요. sec 네임스페이스를 사용하려면 〈html〉 태그에 xmlns:sec 네임스페이스 정의를 추가해야 합니다.

templatges/member/login.html

```
35 <!DOCTYPE html>
36 <html xmlns:th="http://www.thymeleaf.org"
37     xmlns:sec="http://www.thymeleaf.org/extras/spring-security">
38 <head th:replace="~{/include/header :: header}"></head>
39 <body>
40 <div th:replace="~{/include/body-header :: bodyHeader}"></div>
41 <div class="container">
42 <div class="pg-opt">
43     <div class="row">
            ... 생략 ...
22     </div>
23 </div>
```

```
24 <div class="content">
25    <div sec:authorize="isAnonymous()">
26       <form th:action="@{/member/login}" method="post"
27          class="form-horizontal"
             ... 생략 ...
49       </form>
50    </div>
51    <div sec:authorize="isAuthenticated()">
52       <div sec:authentication="name"></div>
53       <div sec:authentication="principal.authorities"></div>
54       [<a th:href="@{/member/update}"
   th:text="#{UPDATE_USER_INFO}">UPDATE USER INFO</a>]
55       [<a th:href="@{/member/logout}" th:text="#{SIGN_OUT}">SIGN OUT</a>]
56       [<a th:href="@{/member/delete}" th:text="#{EXIT_MEMBER}">EXIT
   MEMBER</a>]
57    </div>
58 </div>
59 </div>
60 <footer th:replace="~{/include/footer :: footer}"></footer>
61 </body>
62 </html>
```

> th:text로 인증된 사용자의 이름(username)을 출력거나, 인증 여부를 th:if에 사용하려면 $authentication 객체를 사용하세요.
> th:value="${#authentication.name}"
> th:if="${#authorization.expression('isAuthenticated()')}"

● MemberController 내부의 로그인 처리를 하는 @PostMapping("/member/login") 핸들러와 로그아웃 처리를 하는 @GetMapping("/member/logout") 핸들러를 더 이상 사용하지 않으므로 주석 처리하거나 삭제해도 됩니다.

2.4. 인증 처리 클래스

1) UserDetailsService

이제 인증 처리를 위한 클래스를 만들어야 합니다. 그렇게 하려면 UserDetailsService 인터페이스를 구현해야 합니다. 이 클래스를 사용하여 데이터베이스와 연동하여 인증 및 인가 처리를 수행할 수 있습니다. 데이터베이스를 사용하여 인증 처리를 하려면 Service 빈을 주입받아야 하며, 데이터베이스에서 Member 객체를 찾아 User 객체를 생성하고 반환하는 메서드를 재정의해야 합니다. 재정의해야 하는 메서드의 원형은 아래와 같습니다.

```
public UserDetails loadUserByUsername(String username)
```

다음 코드는 MemberService 빈을 의존성 주입받은 후 데이터베이스에서 Member 정보를 조회합니다. 이렇게 조회한 정보를 이용해서 User 객체를 생성해 반환하도록 구현하면 스프링 시큐리티에서 인증 및 인가 처리를 해 줍니다.

com.example.myapp.member.model.MemberUserDetailService.java

```
18  @Component
19  public class MemberUserDetailsService implements UserDetailsService {
20
21      @Autowired
22      private MemberService memberService;
23
24      @Override
25      public UserDetails loadUserByUsername(String username) throws
    UsernameNotFoundException {
26          Member memberInfo = memberService.selectMember(username);
27          if (memberInfo==null) {
28              throw new UsernameNotFoundException("["+ username +"] 사용자를
    찾을 수 없습니다.");
29          }
30          String[] roles = {"ROLE_USER", "ROLE_ADMIN"}; // DB에서 조회한 권한
31          List<GrantedAuthority> authorities =
    AuthorityUtils.createAuthorityList(roles);
32
33          return new User(memberInfo.getUserid(),
    "{noop}"+memberInfo.getPassword(), authorities);
34      }
35  }
```

● 이 예제는 사용자 테이블에 ROLE을 저장하고 있지 않으므로 30라인에서는 임으로 ROLE을 직접 지정했습니다. 사용자의 ROLE 설정이 필요하다면 데이터베이스를 이용해 구현할 수 있습니다. ROLE의 이름은 'ROLE_'로 시작해야 합니다.

2) UserDetails

8장의 예제에서는 세션에 사용자의 이메일을 저장한 후 로그인 페이지에서 이메일을 출력하는 방법을 살펴보았습니다. 마찬가지로 스프링 시큐리티에서도 username과 authorities 외의 추가 정보를 다루기 위해 User 클래스를 상속한 새로운 클래스를 만들어야 합니다. User 클래스는 UserDetails 인터페이스를 구현한 클래스로, 이를 활용하여 사용자 정보를 확장할 수 있습니다.

다음은 User 클래스를 상속하고 이메일 정보를 저장하기 위해 private 멤버변수와 set 메서드를 추가한 예제입니다. 이 클래스는 적어도 하나 이상의 생성자를 가져야 하며, 생성자 내에서는 반드시 super()를 사용하여 User 클래스의 생성자를 호출해야 합니다.

com.example.myapp.member.model.MemberUserDetails.java

```
 8 public class MemberUserDetails extends User {
 9
10     private String userEmail;
11
12     public MemberUserDetails(String username, String password,
13             Collection<? extends GrantedAuthority> authorities, String userEmail) {
14         super(username, password, authorities);
15         this.userEmail = userEmail;
16     }
17
18     public String getUserEmail() {
19         return this.userEmail;
20     }
21 }
```

다음은 MemberUserDetailsService 클래스의 loadUserByUsername(String) 메서드가 MemberUserDetails의 객체를 반환하도록 수정해야 합니다.

com.example.myapp.member.model.MemberUserDetailsService.java

```
26     @Override
27     public UserDetails loadUserByUsername(String memberId) ... {
           ... 생략 ...
36         return new MemberUserDetails(memberInfo.getUserid(),
37                 "{noop}"+memberInfo.getPassword(), authorities,
38                 memberInfo.getEmail());
39     }
```

타임리프 파일에서 sec:authentication 속성을 이용해서 이메일을 출력할 수 있습니다.

templates/member/login.html

```
65     <div sec:authorize="isAuthenticated()">
66         <div sec:authentication="name"></div>
67         <div sec:authentication="principal.userEmail"></div>
```

2.5. 비밀번호 암호화

1) 테이블의 비밀번호 열 크기 변경

> 스프링 시큐리티에서 인코딩된 문자열의 길이는 bcrypt 알고리즘이 68자, pbkdf2와 sha256 알고리즘이 88자, 그리고 script 알고리즘이 148자입니다.

회원 정보를 저장하는 테이블의 비밀번호를 저장하는 열 크기를 70바이트 이상으로 확장해야 합니다. 따라서 기존 테이블의 "password" 열의 크기를 수정해야 합니다.

```
ALTER TABLE member MODIFY (password VARCHAR2(150));
```

2) 비밀번호 인코더 빈 추가

시큐리티 설정 파일(예: SpringConfig.java)에 PasswordEncoder 빈을 추가하세요. 반환하는 값은 암호화에 사용한 객체와 같은 타입 인코더여야 합니다.

`com.example.myapp.config.SecurityConfig.java`

```
53    @Bean
54    PasswordEncoder passwordEncoder() {
55        return PasswordEncoderFactories.createDelegatingPasswordEncoder();
56    }
```

3) 사용자 비밀번호 암호화

데이터베이스에 정보를 저장하기 전에 SecufityConfig에 등록한 passwordEncoder 빈을 이용해서 비밀번호를 인코딩해야 합니다. 다음 코드는 비밀번호를 암호화한 후 사용자 정보를 저장하기 위한 MemberController의 insertMember() 핸들러의 일부입니다.

`com.example.myapp.member.controller.MemberController.java`

```
41    @Autowired
42    PasswordEncoder passwordEncoder;
      ... 생략 ...
45    @PostMapping(value="/member/insert")
46    public String insertMember(@Validated Member member, BindingResult
      result, HttpSession session, Model model) {
      ... 생략 ...
57        String encodedPw = passwordEncoder.encode(member.getPassword());
58        member.setPassword(encodedPw);
59        memberService.insertMember(member);
60    ... 생략 ..
```

> 인코딩 알고리즘을 변경려면 application.properties 파일에 다음 설정을 추가하세요. 사용 가능한 알고리즘으로는 bcrypt, ldap, MD4, MD5, noop, pbkdf2, scrypt, SHA-1, SHA-256, argon2 등이 있으나, 안전한 해시 알고리즘으로는 bcrypt 또는 pbkdf2를 권장합니다. 기본값은 bcrypt입니다.
>
> `spring.security.user.password.encoder=pbkdf2`

4) {noop} 제거

MemberUserDetails 객체를 만들 때 비밀번호 앞에 있는 "{noop}"을 삭제하세요.

`com.example.myapp.member.model.MemberUserDetailsService.java`

```
28    @Override
29    public UserDetails loadUserByUsername(String memberId) ... {
      ... 생략 ...
37        return new MemberUserDetails(memberInfo.getUserid(),
38            memberInfo.getPassword(), authorities, memberInfo.getEmail());
39    }
```

2.6. 회원 정보 수정 및 삭제

이 예제는 세션을 이용하지 않으므로 핸들러 메서드에서 로그인한 사용자의 이름을 가져오려면 다음처럼 Authentication 객체의 getName() 메서드를 호출해야 합니다.

```
Authentication auth = SecurityContextHolder.getContext().getAuthentication();
String userid = auth.getName();
```

Authentication 인터페이스는 org.springframework.security.core 패키지에 있습니다.

1) 회원 정보 수정

회원 정보 수정 요청을 위한 GetMapping 핸들러가 HttpSession을 매개변수로 가질 필요 없습니다. 로그인한 사용자의 이름(사용자아이디)은 Authentication 객체를 이용해서 알 수 있습니다. 다음은 수정 요청을 위한 핸들러 메서드의 일부입니다.

com.example.myapp.member.controller.MemberController.java

```
114    @GetMapping(value="/member/update")
115    public String updateMember(Model model) {
116        Authentication auth = SecurityContextHolder.getContext().getAuthentication();
117        String userid = auth.getName();
118 //      String userid = (String)session.getAttribute("userid");
```

수정한 비밀번호를 저장할 때도 passwordEncoder를 이용해서 비밀번호를 인코딩해야 합니다. 로그인한 사용자는 Principal 객체로부터 getName() 메서드를 이용해서 얻을 수 있습니다. 수정 요청을 처리하는 메서드는 HttpSession을 매개변수로 가질 필요 없으므로 세션을 사용한 코드는 삭제하세요.

com.example.myapp.member.controller.MemberController.java

```
131    @PostMapping(value="/member/update")
132    public String updateMember(@Validated Member member, BindingResult
    result, Principal principal, Model model) {
133        member.setUserid(principal.getName());
           ... 생략 ...
137        try{
138            String encodedPw = passwordEncoder.encode(member.getPassword());
139            member.setPassword(encodedPw);
140            memberService.updateMember(member);
141            model.addAttribute("message", "UPDATED_MEMBER_INFO");
142            model.addAttribute("member", member);
143 //          session.setAttribute("email", member.getEmail());
```

2) 회원 정보 삭제

회원 정보를 삭제할 때도 더 이상 세션을 사용하지 않습니다. 회원 정보 수정의 예처럼 사용자 아이디를 Authentication 객체를 이용해서 가져올 수 있습니다. 그러나 사용자 아이디를 가져오는 더 우아한 방법이 있습니다.

스프링이 런타임에 Principal 인터페이스에 UsernamePasswordAuthenticationToken을 주입하므로 다음처럼 핸들러 메서드 매개변수에 javax.security.Principal 인터페이스를 선언하고 이 객체의 getName() 메서드를 사용할 수 있습니다.

com.example.myapp.member.controller.MemberController.java

```
146     @GetMapping(value="/member/delete")
147     public String deleteMember(Model model, Principal principal) {
148         String userid = principal.getName();
149 //      String userid = (String)session.getAttribute("userid");
```

회원 정보를 삭제하려면 사용자가 입력한 비밀번호와 데이터베이스에 저장된 비밀번호가 일치해야 합니다. 그런데 데이터베이스에는 비밀번호가 인코딩되어 저장되어 있으므로 equals() 메서드로 비교하면 안 됩니다. 입력한 비밀번호와 인코딩된 비밀번호를 비교하려면 PasswordEncoder 객체의 matches(rawPassword, encodedPassword) 메서드를 이용해야 합니다. PasswordEncoder 객체는 앞에서 작성한 SecurityConfig.java에 빈으로 등록되어 있으므로 컨트롤러에서 빈을 의존성 주입받아서 사용하면 됩니다.

com.example.myapp.member.controller.MemberController.java

```
43      @Autowired
44      PasswordEncoder passwordEncoder;
        ... 생략 ...
169     @PostMapping(value="/member/delete")
170     public String deleteMember(String password, Principal principal,
    RedirectAttributes model) {
171         try {
172             Member member = new Member();
173             member.setUserid(principal.getName());
174 //          member.setUserid((String)session.getAttribute("userid"));
175             String dbpw = memberService.getPassword(member.getUserid());
176             if(password != null && passwordEncoder.matches(password, dbpw)) {
177                 member.setPassword(dbpw);
178                 memberService.deleteMember(member);
179                 model.addFlashAttribute("message", "DELETED_USER_INFO");
180                 return "redirect:/member/logout";
181             }else {
```

3. 스프링 시큐리티와 JWT 인증

3.1. JWT 개요

스프링 부트에서 JSON Web Token(JWT)을 사용하는 이유는 주로 인증과 권한 부여를 위한 보안 목적이 있습니다. JWT는 토큰 기반의 인증 시스템을 제공하며, 사용자가 로그인한 후 서버에서 발급된 토큰을 이용하여 인증된 요청을 보낼 수 있습니다. 특히 모바일 앱이나 단일 페이지 애플리케이션(SPA)과 같은 클라이언트 측에서 서버와 통신할 때 효과적으로 사용됩니다.

토큰에는 클레임(사용자 정보, 권한 등)과 서명(signature)이 포함되어 있으며, 클라이언트가 서버에 요청을 보낼 때마다 이 토큰을 사용하여 인증합니다. 토큰의 서명을 통해 토큰이 변조되지 않았음을 보장합니다.

1) JWT 구조

JWT는 Header, Payload, Signature로 이루어져 있으며 각각 점으로 구분됩니다. Base64 인코딩의 경우 "+", "/", "="이 포함되지만, JWT는 URI에서 파라미터로 사용할 수 있도록 URL-Safe한 Base64url 인코딩을 사용합니다.

그림1은 jwt.io의 인코딩된 JWT와 디코딩된 Header, Payload, Signature를 보여줍니다.

그림 2. JWT 구조

Header는 일반적으로 토큰 유형(JWT)과 사용 중인 서명 알고리즘(HMAC, SHA256, RSA 등)이 포함됩니다.

```
{
  "alg": "HS256",
  "typ": "JWT"
}
```

Payload는 토큰에 담을 클레임(claim) 정보를 포함하고 있습니다. Payload에 담는 정보의 한 '조각'을 클레임이라고 부르고, 이는 name / value의 한 쌍으로 이뤄져 있습니다. 토큰에는 여러 개 클레임을 넣을 수 있습니다. 클레임의 정보는 등록된(registered) 클레임, 공개(public) 클레임, 그리고 비공개(private) 클레임으로 세 종류가 있습니다. 등록된 클레임은 iss(발행자; issuer), exp(만료 시간; expiration), sub(제목; subject), aud(대상; audit), userName(사용자아이디), isAdmin(관리자 여부) 등이 있습니다. iss, exp, sub를 제외하고 나머지는 권장되긴 하지만 필수는 아닙니다. 개인 클레임은 서로 정보를 공유하기 위해 생성된 사용자 지정 클레임입니다. 이곳에 원하는 정보들을 넣으면 됩니다.

```
{
  "sub": "1234567890",
  "name": "John Doe",
  "iat": 1516239022
}
```

Signature는 Header, Payload, Secret Key를 합쳐 암호화한 결과입니다.
HS256(base64UrlEncode(header) + "." + base64UrlEncode(payload), Secret key)

```
HMACSHA256(
  base64UrlEncode(header) + "." + base64UrlEncode(payload),
  your-256-bit-secret
) secret base64 encoded
```

JWT의 공식 사양은 Internet Engineering Task Force(IETF)에서 발행된 RFC 7519[50]에 정의되어 있습니다. RFC 7519는 JWT의 구조, 사용 방법, 그리고 보안에 관한 상세한 내용을 확인할 수 있습니다.

JWT.io[51]는 JWT에 대한 정보와 디코딩, 검증, 생성 등을 할 수 있는 툴을 제공합니다. 또한, 여러 언어 및 플랫폼에 대한 라이브러리 및 코드 샘플도 제공하고 있습니다. 이 웹사이트를 통해 JWT를 다루는 데 도움을 얻을 수 있습니다.

---

50) https://datatracker.ietf.org/doc/html/rfc7519
51) https://jwt.io/

3.2. JWT 장단점

1) JWT 장점

서버는 비밀키만 알고 있으면 되기 때문에 세션 방식과 같이 별도의 인증 저장소가 필요하지 않습니다. 사용자 인증에 필요한 모든 정보는 토큰 자체에 포함하기 때문에 별도의 인증 저장소가 필요없다는 것입니다. 그래서 서버측 부하를 감소시킬 수 있습니다. 그리고 여러 개 서버를 사용하는 대형 서비스 같은 경우에 접근 권한 관리가 매우 효율적이며 확장성이 좋습니다. Refresh Token까지 활용한다면 더 높은 보안성을 가질 수 있습니다.

개별 마이크로 서비스에는 토큰 검증과 검증에 필요한 비밀키를 처리하기 위한 미들웨어가 필요합니다. 검증은 서명 및 클레임과 같은 몇 가지 매개변수를 검사하는 것과 토큰이 만료되는 경우로 구성됩니다. 토큰이 올바르게 서명되었는지 확인하는 것은 CPU 사이클을 필요하며 IO 또는 네트워크 액세스가 필요하지 않으며 최신 웹 서버 하드웨어에서 확장하기가 쉽습니다.

JSON 웹 토큰의 사용을 권장하는 몇 가지 이유는 다음과 같습니다.
 - URL 파라미터와 헤더로 사용
 - 수평적 확장이 용이
 - 디버깅 및 관리가 용이
 - 트래픽 대한 부담이 낮음
 - REST 서비스로 제공 가능
 - 내장된 만료
 - 독립적인 JWT

2) JWT 단점

토큰은 클라이언트에 저장되어 데이터베이스에서 사용자 정보를 조작하더라도 토큰에 직접 적용할 수 없습니다. 그래서 토큰 자체를 탈취당하면 대처가 어려우므로 중요한 데이터는 넣을 수 없습니다. Payload의 정보(Claim)가 많아질수록 토큰이 커질 수 있습니다.

로그아웃 시 JWT 방식은 세션이 없는 비상태(Stateless) 방식이기 때문에 토큰 관리가 어렵습니다. 그리고 비상태 애플리케이션에서 토큰은 거의 모든 요청에 대해 전송되므로 데이터트래픽 크기에 영향을 미칠 수 있습니다.

3) JWT 용도

JWT는 다음과 같은 상황에서 유용하게 사용될 수 있습니다.
- **회원 인증:** JWT를 사용하는 가장 흔한 시나리오입니다. 사용자가 로그인하면, 서버는 사용자의 정보를 기반으로 한 토큰을 발급합니다. 그 후, 사용자가 서버에 요청할 때마다 JWT를 포함하여 전달합니다. 서버는 클라이언트에서 요청받을 때마다, 해당 토큰이 유효하고 인증됐는지 검증하고, 사용자가 요청한 작업에 권한이 있는지 확인하여 작업을 처리합니다. 서버에서는 사용자에 대한 세션을 유지 할 필요가 없습니다. 즉 사용자가 로그인되어 있는지 아닌지 신경 쓸 필요가 없고, 사용자가 요청했을 때 토큰만 확인하면 되므로 세션 관리가 필요 없어서 서버 자원과 비용을 절감할 수 있습니다.

- **정보 교류:** JWT는 두 개체 사이에서 안정성 있게 정보를 교환하기에 좋은 방법입니다. 그 이유는, 정보가 서명되어 있으므로 정보를 보낸이가 바뀌진 않았는지, 또 정보가 도중에 조작되지는 않았는지 검증할 수 있습니다.

거대하고 복잡한 단일 애플리케이션 개발에서 서비스를 작은 단위로 분할하여 민첩한 개발을 할 수 있는 마이크로 서비스가 주목받고 있습니다. 언제나 소프트웨어에서 보안은 어려운 문제입니다.

마이크로서비스 아키텍처(MSA)가 발전함에 따라 각각의 API 서버들은 API 클라이언트에 대한 Authentication(인증)과 Authorization(인가/권한부여)를 위한 매커니즘이 필요합니다.

JWT는 마이크로 서비스의 인증, 인가에 사용할 수 있는 서명된 JSON입니다. 토큰을 사용하면 세션을 통한 방식과 달리 서버측 부하를 낮출 수 있고 능률적인 접근 권한 관리를 할 수 있으며 분산/클라우드 기반 인프라스트럭처에 더 잘 대응할 수 있습니다.

4) 구현 절차

코드의 구현 절차는 아래와 같습니다. 아래의 절차를 이해하려면 앞에서 설명한 스프링 시큐리티의 이해를 하고 있어야 합니다.
① JWT 토큰을 생성하는 클래스를 만듭니다. 이 클래스는 키를 정의, 토큰 생성, 토큰에서 인증정보 조회, 회원 정보 추출 등의 기능을 하도록 구현합니다. 다음의 예에서는 클래스 이름을 JwtTokenProvider로 했습니다.
② 토큰을 이용한 인증필터 클래스를 만듭니다. 다음의 예는 인증필터 클래스의 이름을 JwtAuthenticationFilter로 했습니다. 이 클래스는 JwtTokenProvider에 의존해야 하

므로 의존성 설정이 추가되어야 합니다.

③ 스프링 시큐리티 설정 파일(SecufityConfig)을 작성합니다.

④ UserDetailsService를 구현한 클래스를 작성합니다. 다음의 예는 앞 절에서 만들었던 클래스를 그대로 사용합니다.

⑤ 로그인 컨트롤러를 구현합니다. 로그인 컨트롤러에서는 사용자가 입력한 아이디/비밀번호가 데이터베이스의 아이디/비밀번호와 같은지 확인 후 일치하면 JwtTokenProvider에 의해 만들어진 토큰을 반환합니다.

⑥ Postman으로 테스트하고 만들어진 토큰을 이용해서 페이로드를 확인합니다.

3.3. JWT 구현 및 테스트

스프링 시큐리티에서 Json Web Token을 생성하는 예를 만들어보겠습니다.

사용자 정보를 저장하는 테이블의 구조는 다음과 같습니다.

	COLUMN_NAME	DATA_TYPE	NULLABLE	DATA_DEFAULT	COLUMN_ID	COMMENTS
1	USERID	VARCHAR2(50 BYTE)	No	(null)	1	(null)
2	NAME	VARCHAR2(50 BYTE)	No	(null)	2	(null)
3	PASSWORD	VARCHAR2(150 BYTE)	No	(null)	3	(null)
4	EMAIL	VARCHAR2(100 BYTE)	No	(null)	4	(null)
5	PHONE	VARCHAR2(50 BYTE)	Yes	(null)	5	(null)
6	ROLE	VARCHAR2(50 BYTE)	Yes	(null)	6	(null)

그림 3. 사용자 정보를 저장하는 테이블 구조

사용자 정보를 저장하는 테이블에는 다음처럼 정보가 저장되어 있다고 가정합니다.

USERID	NAME	PASSWORD	EMAIL	PHONE	ROLE
heojk	허진경	$2a$10$k73wnK9VD7Em9YIgGEfj..cZaW47qXh/1vQUFNjX9mT4PBAGGu0pm	heoijk@fmd....	010	ROLE_USER

그림 4. 사용자 정보 예

1) 라이브러리 의존성 추가

pom.xml 파일에 다음과 같이 JWT 관련 의존성을 추가합니다.

pom.xml

```
104        <!-- JWT -->
105        <dependency>
106            <groupId>io.jsonwebtoken</groupId>
107            <artifactId>jjwt</artifactId>
108            <version>0.12.3</version>
109        </dependency>
```

2) JWT 토큰을 만들고 검증하는 클래스

가장 먼저 작성할 클래스는 JWT를 생성하고 검증하는 서비스 제공합니다.
`com.example.myapp.jwt.JwtTokenProvider.java`

```java
1 package com.example.myapp.jwt;
2
3 import java.util.Date;
4
5 import javax.crypto.SecretKey;
6
7 import org.springframework.beans.factory.annotation.Autowired;
8 import org.springframework.security.authentication.UsernamePasswordAuthenticationToken;
9 import org.springframework.security.core.Authentication;
10 import org.springframework.security.core.userdetails.UserDetails;
11 import org.springframework.security.core.userdetails.UserDetailsService;
12 import org.springframework.stereotype.Component;
13
14 import com.example.myapp.member.model.Member;
15
16 import io.jsonwebtoken.Claims;
17 import io.jsonwebtoken.Jws;
18 import io.jsonwebtoken.Jwts;
19 import jakarta.servlet.http.HttpServletRequest;
20 import lombok.extern.slf4j.Slf4j;
21
22 /**
23  * JWT를 생성하고 검증하는 서비스를 제공
24  * @author JinKyoung Heo
25  * @version 1.0
26  */
27 @Slf4j
28 @Component
29 public class JwtTokenProvider {
30
31     /**
32      * 토큰 암호화에 사용할 키
33      */
34     private static SecretKey key = Jwts.SIG.HS256.key().build();
35
36     /**
37      * 토큰 유효기간, 30분, 단위 밀리초
38      */
39     private long tokenValidTime = 30 * 60 * 1000L;
40
41     @Autowired
```

```
42        UserDetailsService userDetailsService;
43
44        /**
45         * 토큰을 만들어 반환
46         * @param member 사용자 정보를 저장한 객체, 클래임에 사용자 정보를 저장하기
          위해 필요
47         * @return 생성된 토큰
48         */
49        public String generateToken(Member member) {
50            long now = System.currentTileMillis();
51            Claims claims = Jwts.claims()
52                    .subject(member.getUserid()) // sub
53                    .issuer(member.getName()) // iss
54                    .issuedAt(new Date(now)) // iat
55                    .expiration(new Date(now + tokenValidTime)) // exp
56                    .add("roles", member.getRole()) // roles
57                    .build();
58            return Jwts.builder()
59                    .claims(claims)
60                    .signWith(key)  // 암호화에 사용할 키 설정
61                    .compact();
62        }
63
64        /**
65         * Request의 Header에서 token 값을 가져옴 "X-AUTH-TOKEN" : "TOKEN값"
66         * @param request 요청 객체
67         * @return 토큰
68         */
69        public String resolveToken(HttpServletRequest request) {
70            return request.getHeader("X-AUTH-TOKEN");
71        }
72
73        /**
74         * 토큰에서 회원 정보 추출
75         * @param token 토큰
76         * @return 토큰에서 사용자 아이디를 추출해서 반환
77         */
78        public String getUserId(String token) {
79            log.info(token);
80            return Jwts.parser()
81                    .verifyWith(key)
82                    .build()
83                    .parseSignedClaims(token)
84                    .getPayload()
85                    .getSubject(); // generateToken()에서 subject에 suerid를 담았음
86        }
87
```

```
 88    /**
 89     * JWT 토큰에서 인증 정보 조회
 90     * @param token 토큰
 91     * @return 인증정보 Authentication 객체
 92     */
 93    public Authentication getAuthentication(String token) {
 94        UserDetails userDetails =
userDetailsService.loadUserByUsername(this.getUserId(token));
 95        log.info(userDetails.getUsername());
 96        return new UsernamePasswordAuthenticationToken(userDetails, "",
userDetails.getAuthorities());
 97    }
 98
 99    /**
100     * 토큰의 유효성과 만료일자 확인
101     * @param token 토큰
102     * @return 토큰이 유효한지 확인, 유효하면 true 반환
103     */
104    public boolean validateToken(String token) {
105        try {
106            Jws<Claims> claims = Jwts.parser()
107                    .verifyWith(key)
108                    .build()
109                    .parseSignedClaims(token);
110            return !claims.getPayload().getExpiration().before(new Date());
111        } catch (Exception e) {
112            return false;
113        }
114    }
115 }
```

3) 인증 필터

스프링 부트에서는 OncePerRequestFilter를 확장하여 특정 엔드포인트에 대한 요청을 필터링하여 JWT를 검증할 수 있습니다.

com.example.myapp.jwt.JwtAuthenticationFilter.java

```java
1 package com.example.myapp.jwt;
2
3 import java.io.IOException;
4
5 import org.springframework.beans.factory.annotation.Autowired;
6 import org.springframework.security.core.Authentication;
7 import org.springframework.security.core.context.SecurityContextHolder;
```

```
 8 import org.springframework.web.filter.GenericFilterBean;
 9 import org.springframework.stereotype.Component;
10
11 import jakarta.servlet.FilterChain;
12 import jakarta.servlet.ServletException;
13 import jakarta.servlet.ServletRequest;
14 import jakarta.servlet.ServletResponse;
15 import jakarta.servlet.http.HttpServletRequest;
16
17 @Component
18 public class JwtAuthenticationFilter extends GenericFilterBean {
19
20     @Autowired
21     private JwtTokenProvider jwtTokenProvider;
22
23     @Override
24     public void doFilter(ServletRequest request, ServletResponse response,
    FilterChain chain) throws IOException, ServletException {
25         // 헤더에서 JWT를 받아옴.
26         String token = jwtTokenProvider.resolveToken((HttpServletRequest)
    request);
27         // 유효한 토큰인지 확인.
28         if (token != null && jwtTokenProvider.validateToken(token)) {
29             // 토큰이 유효하면 토큰으로부터 사용자 정보를 받아옴
30             Authentication authentication = jwtTokenProvider.getAuthentication(token);
31             // SecurityContext에 Authentication 객체를 저장.
32             SecurityContextHolder.getContext().setAuthentication(authentication);
33         }
34         chain.doFilter(request, response);
35     }
36 }
```

4) Security 설정에 필터 추가

다음은 스프링 시큐리티 설정 클래스에 토큰을 생성하는 JwtTokenProvider 빈을 정의하고, 인증필터(JwtAuthenticationFilter)를 추가합니다.

com.example.myapp.config.SecurityConfig.java

```
1 package com.example.myapp.config;
2
3 import org.springframework.context.annotation.Bean;
4 import org.springframework.context.annotation.Configuration;
5 import org.springframework.security.config.annotation.web.builders.HttpSecurity;
6 import org.springframework.security.config.annotation.web.configuration.EnableWebSecurity;
```

```
 7 import org.springframework.security.config.http.SessionCreationPolicy;
 8 import org.springframework.security.crypto.bcrypt.BCryptPasswordEncoder;
 9 import org.springframework.security.crypto.password.PasswordEncoder;
10 import org.springframework.security.web.SecurityFilterChain;
11 import org.springframework.security.web.authentication.UsernamePasswordAuthenticationFilter;
12
13 import com.example.myapp.jwt.JwtAuthenticationFilter;
14 import com.example.myapp.jwt.JwtTokenProvider;
15
16 @Configuration
17 @EnableWebSecurity
18 public class SecurityConfig {
19
20     @Bean
21     PasswordEncoder passwordEncoder() {
22         return PasswordEncoderFactories.createDelegatingPasswordEncoder();
23         // return new BCryptPasswordEncoder();
24     }
25
26     @Autowired
27     JwtAuthenticationFilter authenticationFilter;
28
29     @Bean
30     SecurityFilterChain filterChain(HttpSecurity http) throws Exception {
31         http.csrf((csrf)->csrf.disable());
32
33         // 토큰을 사용하는 경우 인가를 적용한 URI 설정
34         http.authorizeHttpRequests((authHttpReq) -> authHttpReq
35             .requestMatchers("/file/**").hasRole("ADMIN")
36             .requestMatchers("/board/**").hasAnyRole("USER", "ADMIN")
37             .requestMatchers("/**","/css/**","/js/**","/images/**").permitAll()
38             .requestMatchers("/member/insert", "/member/login").permitAll());
39
40         // Session 기반의 인증을 사용하지 않고 추후 JWT를 이용하여서 인증 예정
41         http.sessionManagement((session) -> session
42             .sessionCreationPolicy(SessionCreationPolicy.STATELESS));
43
44         // Spring Security JWT 필터 로드
45         http.addFilterBefore(authenticationFilter,
   UsernamePasswordAuthenticationFilter.class);
46         return http.build();
47     }
48 }
```

5) 컨트롤러

다음은 로그인하면 토큰을 생성해 반환하는 컨트롤러와 이렇게 생성된 토큰을 헤더에 전송해서 토큰을 테스트하는 컨트롤러입니다.

com.example.myapp.member.controller.MemberRestController.java

```
1  package com.example.myapp.member.controller;
2
3  import java.util.Map;
4
5  import org.springframework.beans.factory.annotation.Autowired;
6  import org.springframework.security.core.Authentication;
7  import org.springframework.security.crypto.password.PasswordEncoder;
8  import org.springframework.web.bind.annotation.GetMapping;
9  import org.springframework.web.bind.annotation.PostMapping;
10 import org.springframework.web.bind.annotation.RequestBody;
11 import org.springframework.web.bind.annotation.RestController;
12
13 import com.example.myapp.jwt.JwtTokenProvider;
14 import com.example.myapp.member.model.Member;
15 import com.example.myapp.member.service.IMemberService;
16
17 import jakarta.servlet.http.HttpServletRequest;
18 import lombok.extern.slf4j.Slf4j;
19
20 @Slf4j
21 @RestController
22 public class MemberRestController {
23
24     @Autowired
25     IMemberService memberService;
26
27     @Autowired
28     JwtTokenProvider jwtTokenProvider;
29
30     @Autowired
31     PasswordEncoder passwordEncoder;
32
33     @PostMapping("/login")
34     public String login(@RequestBody Map<String, String> user) {
35         log.info(user.toString());
36         Member member = memberService.selectMember(user.get("userid"));
37         if(member==null) {
38             throw new IllegalArgumentException("사용자가 없습니다.");
39         }
40         if (!passwordEncoder.matches(user.get("password"),
```

475

```
member.getPassword())) {
41              throw new IllegalArgumentException("잘못된 비밀번호입니다.");
42          }
43          return jwtTokenProvider.generateToken(member);
44      }
45
46      @GetMapping("/test_jwt")
47      public String testJwt(HttpServletRequest request) {
48          String token = jwtTokenProvider.resolveToken(request);
49          log.info("token {}", token);
50          Authentication auth = jwtTokenProvider.getAuthentication(token);
51          log.info("principal {}, name {}, authorities {}",
52                  auth.getPrincipal(), auth.getName(), auth.getAuthorities());
53          log.info("isValid {}", jwtTokenProvider.validateToken(token));
54          return jwtTokenProvider.getUserId(token);
55      }
56 }
```

● 이 클래스는 키 생성을 위한 비밀키가 없이 토큰을 생성합니다.

6) Postman 테스트

다음은 포스트맨으로 테스트한 결과입니다. Post 방식 요청 시 사용자의 아이디와 비밀번
호를 JSON 형식으로 제공하면 생성된 토큰이 반환됩니다.

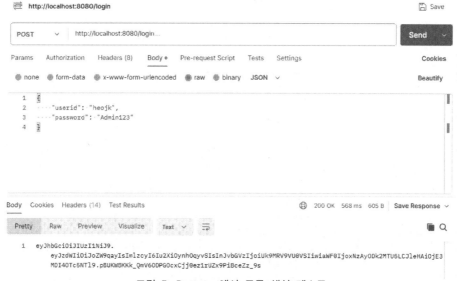

그림 5. Postman에서 토큰 생성 테스트

생성되어 반환한 토큰을 jwt.io에서 확인할 수 있습니다.

그림 6. jwt.io에서 토큰 확인

POST 요청 시 받은 토큰을 복사한 후 요청 헤더의 Key는 X-AUTH-TOKEN, Value는 토큰을 붙여넣은 후 GET 방식으로 /test_jwt를 요청하세요. 그러면 컨트롤러는 요청객체에서 토큰을 빼낸 후 토큰을 디코딩하여 사용자 아이디를 반환합니다. /test_jwt 핸들러 메서드는 요청객체에서 토큰을 빼내고, Authentication 객체를 만들고, 토큰이 유효한지 확인하며, 사용자 아이디를 빼내는 코드를 작성했습니다. 이것은 토큰을 디코딩하는 것을 보여주는 예시입니다. 이 예시를 활용하여 토큰을 사용하시면 됩니다.

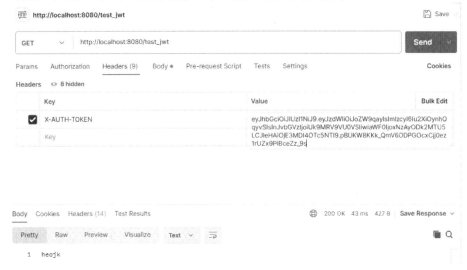

그림 7. Postman에서 토큰 확인

/test_jwt 핸들러 메서드에서 로그를 남기는 코드를 포함했었습니다. 그래서 이클립스의 Console 탭에서 실행 로그를 보면 더 많은 정보를 볼 수 있습니다.

```
com.example.myapp.jwt.JwtTokenProvider    : heojk
2023-12-18T19:47:09.571+09:00  INFO 23100 --- [nio-8080-exec-2]
c.e.m.m.controller.MemberRestController    : principal
com.example.myapp.member.model.MemberUserDetails [Username=heojk, Password=[PROTECTED],
Enabled=true, AccountNonExpired=true, CredentialsNonExpired=true, AccountNonLocked=true, Granted
Authorities=[ROLE_USER]], name heojk, authorities [ROLE_USER]
2023-12-18T19:47:09.571+09:00  INFO 23100 --- [nio-8080-exec-2]
c.e.m.m.controller.MemberRestController    : isValid true
2023-12-18T19:47:09.571+09:00  INFO 23100 --- [nio-8080-exec-2]
com.example.myapp.jwt.JwtTokenProvider     :
eyJhbGciOiJIUzI1NiJ9.eyJzdWIiOiJoZW9qayIsImlzcyI6Iu2XiOynhOqyvSIsInJvbGVzIjoiUk9MRV9VU0VSIiwiaWF0
IjoxNzAyODk2MTU5LCJleHAiOjE3MDI4OTc5NTI9.pBUKW8KKk_QmV6ODPGOcxCjj0ez1rUZx9PiBceZz_9s
```

그림 8. 이클립스 실행 결과 로그

토큰 생성기(JwtTokenProvider)에서 시크릿키 객체를 만들 때 시크릿키를 지정하고 싶다면 다음처럼 작성하세요. 다음 코드는 JwtTokenPrivider에서 key 필드를 대체합니다.

```
private static final String SECRET_KEY = "yourSecretKey";
private static SecretKey key = Keys.hmacShaKeyFor(Decoders.BASE64.decode(SECRET_KEY));
```

3.4. 인증 처리시 토큰 주고받기

JWT를 이용하여 여러 컨테이너 간에 인증 처리를 할 때, JWT 토큰을 서버에서 클라이언트로 전송한 후에 클라이언트 측에서 저장하는 방법은 다음 몇 가지가 있습니다.

1. 메모리 저장 (JavaScript 변수): JavaScript의 전역 변수나 React, Angular, Vue 등의 프레임워크/라이브러리의 상태 관리 시스템에 JWT를 저장합니다.
   장점: XSS 공격에 대해 안전합니다. 토큰이 브라우저의 스토리지에 저장되지 않으므로, 스크립트를 통한 직접 접근이 불가능합니다.
   단점: 페이지를 새로고침하거나 탭을 닫으면 토큰이 사라집니다. 브라우저 세션이 유지되는 동안만 인증 상태를 유지할 수 있습니다.

2. HttpOnly 쿠키: 서버에서 HttpOnly 속성을 가진 쿠키에 JWT를 설정하여 클라이언트로 전송합니다.
   - 장점: XSS 공격으로부터 상대적으로 안전합니다. JavaScript를 통해 쿠키에 접근할 수 없습니다.
   - 단점: CSRF(Cross-Site Request Forgery) 공격에 취약할 수 있으며, 이를 방지하기 위한 추가 보안 조치가 필요합니다.

3. Secure WebSockets: 웹소켓 연결을 통해 JWT를 전송하고, 메모리에 저장합니다.
 - 장점: 실시간 통신이 필요한 애플리케이션에 적합하며, HTTPS와 마찬가지로 암호화된
    연결을 통해 토큰을 안전하게 전송합니다.
 - 단점: 웹소켓 연결이 끊어지면 토큰 정보도 사라지며, 웹소켓 구현이 복잡해집니다.

4. OAuth2 Token Management : OAuth2 프레임워크를 사용하여 토큰의 생명주기를
    관리합니다. 이 방법은 토큰을 클라이언트 측에 저장하지 않고, OAuth2 서버가 토큰
    의 생성, 갱신, 파기를 관리합니다.
 - 장점: 토큰 관리의 복잡성을 OAuth2 서버에 위임하여 보안을 강화할 수 있습니다.
 - 단점: 구현이 복잡하며, OAuth2 인프라가 필요합니다.

5. localStorage/sessionStorage: 클라이언트 측에서 JWT를 로컬 스토리지나 세션 스토
    리지에 저장하고, 필요할 때마다 HTTP 요청에 토큰을 포함시켜 보내는 방식입니다.
 - 장점: JavaScript를 통해 쉽게 접근하고 조작할 수 있어, 사용하기 편리합니다.
 - 단점: XSS 공격에 취약할 수 있습니다.

6. IndexedDB/WebSQL: 브라우저의 IndexedDB 또는 WebSQL을 이용하여 JWT를 저
    장합니다.
 - 장점: 로컬 스토리지보다 더 큰 데이터를 안전하게 저장할 수 있으며, 비동기적으로 작
    동합니다.
 - 단점: XSS 공격에 취약할 수 있으며, 구현이 복잡할 수 있습니다.

다음은 Secure 플래그가 설정된 쿠키에 JWT 토큰을 저장하고 이를 서버로 보내는 방법
은 다음과 같습니다.

1) 서버 측: JWT 토큰을 쿠키에 저장하기

사용자가 로그인에 성공하면, 서버는 JWT 토큰을 생성하고 이를 Secure 플래그가 설정된
쿠키에 담아 클라이언트로 보냅니다.

```java
// 로그인 처리 메서드
public void login(HttpServletResponse response) {
    String jwtToken = createJwtToken();
    Cookie cookie = new Cookie("JWT", jwtToken);
    cookie.setHttpOnly(true); // HTTPS 통신에서만 쿠키 전송
    cookie.setSecure(true);   // JavaScript 접근 방지
    cookie.setPath("/");      // 쿠키 경로 설정
    response.addCookie(cookie);
}
```

2) 클라이언트 측: 쿠키를 사용하여 서버에 요청하기

클라이언트 측에서는 별도의 작업을 수행할 필요가 없습니다. 브라우저는 자동으로 해당 도메인에 대한 모든 요청에 Secure 쿠키를 첨부합니다. 다음 코드는 서버에 특정 API 엔드포인트를 요청하는 자바스크립트 fetch() 함수의 예입니다.

```
fetch('https://yourserver.com/api/resource', {
    method: 'GET',
    credentials: 'include' // 쿠키를 포함하는 데 필요
})
.then(response => response.json())
.then(data => console.log(data))
.catch(error => console.error('Error:', error));
```

3) 로그아웃 기능 구현

쿠키에 JWT 토큰을 저장하는 경우 로그아웃 기능을 구현하는 주요 방법은 서버에서 해당 쿠키를 무효로 하는 것입니다. 쿠키를 무효로 하려면, 서버는 클라이언트에게 해당 쿠키를 삭제하라는 지시를 내려야 합니다. 이를 위해 서버는 같은 쿠키 이름으로 만료된 쿠키를 클라이언트에게 다시 전송합니다. 아래는 자바와 스프링 부트를 사용한 예시입니다.

```
@RestController
public class AuthenticationController {

    // 로그아웃 엔드포인트
    @GetMapping("/logout")
    public ResponseEntity<?> logout(HttpServletResponse response) {
        Cookie cookie = new Cookie("JWT", null);
        cookie.setHttpOnly(true);
        cookie.setSecure(true);
        cookie.setPath("/");
        cookie.setMaxAge(0); // 쿠키를 즉시 만료시킴
        response.addCookie(cookie);
        return ResponseEntity.ok("로그아웃되었습니다.");
    }
}
```

● 위 코드에서는 "/logout" 엔드포인트에 대한 요청이 들어오면, "JWT"라는 이름의 쿠키를 만료시켜서 클라이언트에게 전송합니다. setMaxAge(0)은 쿠키의 만료 시간을 즉시로 설정하여 브라우저가 쿠키를 삭제하도록 합니다.

클라이언트 측에서는 서버로부터 로그아웃 요청의 응답을 받은 후에 필요한 추가적인 클

라이언트 상태 정리 작업을 수행할 수 있습니다. 예를 들면, 사용자 인터페이스에서 로그인 상태를 나타내는 부분을 업데이트하거나, 필요한 경우 사용자를 로그인 페이지로 리다이렉션할 수 있습니다.

4) 세션 쿠키의 사용

쿠키를 사용할 때 브라우저를 닫으면 자동으로 로그아웃하도록 설정하려면, 쿠키의 Max-Age 속성을 설정하지 않거나 0으로 설정해서 세션 쿠키를 만들면 됩니다. 세션 쿠키는 브라우저 세션이 종료될 때 자동으로 삭제됩니다. 여기서 브라우저 세션은 사용자가 브라우저를 완전히 닫을 때까지 지속됩니다.

클라이언트 측에서는 특별한 처리가 필요하지 않습니다. 세션 쿠키는 브라우저가 자동으로 관리하므로, 사용자가 브라우저를 닫으면 쿠키는 사라집니다.

Instructor Note: @Configuration 클래스 안에 @Bean을 선언해야 하는 이유는?

스프링에서는 일반적으로 컴포넌트 스캔을 사용해 자동으로 빈을 등록하는 방법을 이용합니다. 그러나 @Bean 어노테이션을 사용해 수동으로 빈을 등록해야 하는 때도 있습니다. 대표적으로 다음과 같은 경우에 @Bean으로 직접 빈을 등록해 줍니다.
 - 개발자가 직접 제어할 수 없는 라이브러리를 활용할 때
 - 애플리케이션 전 범위 적으로 사용되는 클래스를 등록할 때
 - 다형성을 활용하여 여러 구현체를 등록해야 할 때

@Bean을 이용한 수동 빈 생성 메서드는 스프링 빈 안에만 구현되어 있다면 모두 동작합니다. 그런데, 스프링에서 @Bean은 반드시 @Configuration 어노테이션을 활용하도록 강조합니다. 그 이유는 @Configuration이 있는 클래스를 객체로 생성할 때 CGLib 라이브러리를 사용해 프록시 패턴을 적용한다. 그래서 @Bean이 있는 메서드를 여러 번 호출하여도 항상 동일한 객체를 반환하여 싱글톤을 보장한다.

물론 @Configuration(proxyBeanMethods=false)를 이용한 클래스에 대해서는 프록시가 적용되지 않으며 모든 @Bean 메서드 호출마다 새로운 객체를 생성해 줍니다. 그러나 거의 모든 상황에서 새로운 객체의 생성을 해야 하는 경우는 많지 않습니다. 그래서 @Configuration이 아니라면 빈이 싱글톤임을 보장받을 수 없으므로 @Configuration 안에 @Bean을 사용해주도록 하세요.

Instructor Note: 스프링 부트에서 단위테스트는 어떻게 하죠?

다음 코드는 BoardService 클래스의 insertArticle(Board) 메서드를 테스트합니다. Repository 빈의 의존성을 위해 @Mock을 사용했으므로 실제 Service 객체에 전달되는 빈은 가짜 Repository 객체입니다. 그러므로 이 예는 데이터베이스 연결을 테스트하지 않습니다. 이 클래스를 실행시키려면 Run > Run As > JUnit Test 메뉴를 이용하세요.

```
14  @SpringBootTest                          ┌─ @SpringBootTest
15  class BoardApplicationTests {            │  스프링 통합 테스트
16
17      @Mock                                ┌─ @Mock
18      IBoardRepository boardRepository;    │  테스트에 필요한 가짜 객체를 만듦
19
20      @InjectMocks                         ┌─ @InjectMocks
21      BoardService boardService;           │  테스트에 필요한 가짜 객체를 전달받음
22
23      @Test                 ┌─ @Test
24      @Disabled             │  테스트 함수를 지정
25      void contextLoads() {  ┌─ @Disabled
26      }                      │  테스트를 하지 않음
27
28      @Test
29      @DisplayName("Insert Article Test")  ┌─ @DisplayName
30      void testInsertArticle() {           │  JUnit 뷰에 보일 이름
31          Board board = new Board();       │  (생략 시 메서드 이름)
32          board.setCategoryId(1);          board.setEmail("test@test.com");
33          board.setWriter("Kildong");      board.setPassword("1234");
34          board.setTitle("Test");          board.setContent("Test Content");
35          boardService.insertArticle(board);
36      }
37  }
```

테스트를 통과하면 오른쪽 그림처럼 JUnit 뷰에 그 결과가 보입니다. 이곳에 Errors 항목에 0이 아닌 값이 있다면 메서드가 테스트를 통과하지 못한 것입니다.

그림 9. JUnit Test

● 데이터베이스에 데이터가 저장되는지 확인하기 위해 마이바티스 매퍼 파일을 테스트해야 하면 Repository 객체를 의존성 주입하기 위해 @Autowired를 사용하세요. 그리고 테스트 후 입력하거나 수정한 값을 롤백시키려면 @Transactional 아노테이션을 추가하세요.

```
17      @Autowired                           ┌─ @Autowired
18      IBoardRepository boardRepository;    │  진짜 객체를 의존성 주입함
19
20      @Test
21      @Transactional                       ┌─ @Transactional
22      void testInsertArticle() {           │  테스트 후 롤백함
23          Board board = new Board();
24          ... 생략 ...
25          boardRepository.insertArticle(board);
26      }
```

부록 1. 개발환경 구성하기

이 장에서는 스프링 프로젝트를 생성하고 실행하는 방법에 대해 안내합니다.

1. 개발환경 구성

스프링 프레임워크 프로젝트를 만들고 실행시키기 위해 JDK, Eclipse, Spring Tools, Tomcat, Oracle Database를 설치해야 합니다.

1.1. 스프링 프로젝트를 위한 개발환경

스프링 프레임워크 프로젝트를 이용한 개발환경을 구성하는 방법은 3가지가 있습니다.
 - www.egovframe.go.kr에서 제공하는 전자정부표준프레임워크 개발환경
 - spring.io에서 제공하는 Spring Tools
 - 이클립스에 Spring Tools 플러그인 설치

1) 전자정부표준프레임워크 개발환경 사용하기

전자정부표준프레임워크는 https://www.egovframe.go.kr/ -> 다운로드 -> 개발환경에서 내려받을 수 있습니다. 이곳에서 [4.x 다운로드]를 클릭하여 개발자용 개발환경을 내려받을 수 있습니다.

그림 1. 전자정부표준프레임워크 개발환경 4.x 다운로드

내려받은 파일을 더블클릭하면 압축파일을 풀 경로를 입력하는 창이 보입니다. 필자는 C:₩dev 폴더에 압축을 풀었습니다.

그림 2. 설치 경로 선택

그림 3. 설치 완료

eGovFrame 4.0 버전은 이클립스 2021-03(4.19.0)을 포함하고 있으며, JDK 11버전 이상여야 합니다. Eclipse 실행 후 Failed to create the Java Virtual Machine 오류가 발생 하면 Eclipse 디렉토리 안의 eclipse.ini 파일을 메모장으로 열어 'openFile'아래에 JDK 설정을 추가하세요. 만일 JDK 설치 경로가 C:₩dev₩jdk-19.0.1이면 다음처럼 설정하세요.

```
-vm
C:\dev\jdk-19.0.1\bin\
```

이클립스의 파일에 한글깨짐이 발생 시 인코딩을 설정하세요. 다음은 UTF-8인코딩으로 설정한 예입니다.

```
-Dfile.encoding=UTF-8
```

다음은 eclipse.int 파일에 설정을 추가한 내용입니다.

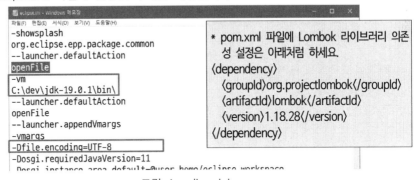

그림 4. eclipse.ini

Lombok 플러그인을 별도로 설치하실 경우는 eclipse.ini에 Lombok 설정이 필요합니다. 기본 설정은 –javaagent:plugins/org.projectlombok.agent_1.18.22/lombok.jar입니다. 별도로 설치한 파일이C:₩dev₩lombok.jar에 있다면 아래처럼 수정하세요.
-javaagent:C:\dev\lombok.jar

2) Spring Tools 사용하기

공식사이트(https://spring.io/tools)에서 Spring Tools 4 for Eclipse를 내려받을 수 있습니다. 내려받은 파일은 확장자가 '.jar'입니다. JDK가 설치되어 있고 Path 환경변수가 설정되어 있다면 더블클릭만 하면 '.jar' 파일이 있는 폴더에 압축이 풀립니다.

공식 사이트에서 제공하는 Spring Tools 4는 Spring Legacy Project 지원하지 않습니다. Sprint Tools 4버전은 Spring Starter Project를 이용하고 스프링 부트프레임워크 기반 프로젝트를 생성할 수 있도록 합니다.

그림 5. Spring Tool Suite 4

만일 Spring Legacy Project를 생성하기 위해 Spring Tools 3 버전을 내려받으려면 아래 Spring Tools wiki 사이트에서 내려받을 수 있습니다.
https://github.com/spring-attic/toolsuite-distribution/wiki/Spring-Tool-Suite-3

Spring Tools wiki에서는 Spring Tools3를 Spring Tools4로 마이그레이션하는 방법과 Spring Tools3를 내려받을 수 있는 주소를 제공합니다.

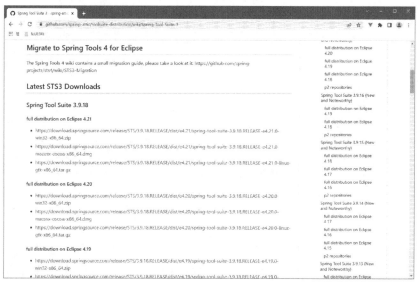

그림 6. Spring Tool Suite 3

3) 이클립스에 Spring Tools 플러그인 설치하기

이클립스에 Spring Tools 플러그인을 설치해서 스프링 프레임워크 개발환경을 구성할 수 있습니다. Spring Tools 플러그인은 [Help] -> [Eclipse Marketplace...] 메뉴를 선택하여 설치를 시작할 수 있습니다.

그림 7. Eclipse Marketplace 메뉴

Search 탭의 [Find:]에 spring을 입력하고 엔터키를 누르면 spring 관련 플러그인들을 볼 수 있습니다.

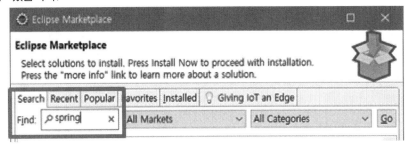

그림 8. Eclipse Marketplace 창에서 spring으로 검색

스프링 부트 프로젝트(Spring Starter Project)를 사용하려면 Spring Tools 4 버전을 설치해야 하고 스프링 프레임워크 프로젝트(Spring Legacy Project)를 사용하려면 Spring Tools 3 버전을 설치해야 합니다.

spring으로 검색하면 Spring Tools 4와 Spring Tools 3 플러그인을 볼 수 있습니다.

스프링 부트 프레임워크를 이용하려면 Spring Tools 4 플러그인을 설치해야 합니다. 그래야 Spring Starter Project 메뉴를 볼 수 있습니다.

Spring Tools 4 플러그인의 Install 버튼을 클릭하세요.

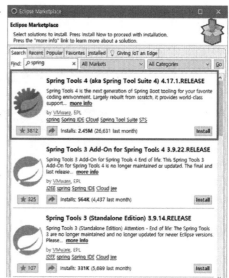

그림 9. Sprint Tools 4 플러그인 설치

구성 요소를 선택하세요. 기본 설정 그대로 두고 [Confirm] 버튼을 클릭하세요.

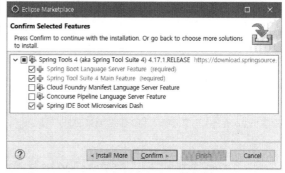

그림 10. 구성요소 선택

다음 화면에서 라이선스 동의를 선택하고 [Finish] 버튼을 클릭하세요. 그러면 설치가 진행됩니다.

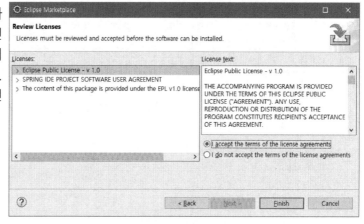

그림 11. 라이선스 동의

설치 도중 Trust창이 보이면 아래 그림처럼 Unsigned 항목을 체크하세요.

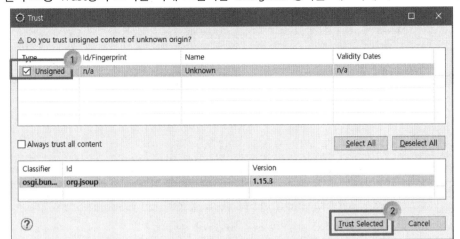

그림 12. 알려지지 않은 소스 신뢰

플러그인 설치가 완료되면 이클립스를 재
시작해야 합니다.

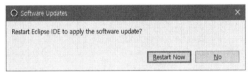

그림 13. 재시작

이클립스를 재시작한 후 Java EE Perspective를 Java EE 로 바꿔보세요. Perspective 변
경은 Window > Perspective > Open Perspective > Other...를 선택하거나 이클립스
화면의 오른쪽 위의 ⬚ (Open Perspective) 아니콘을 선택하면 Perspective를 선택할
수 있는 화면이 보입니다.

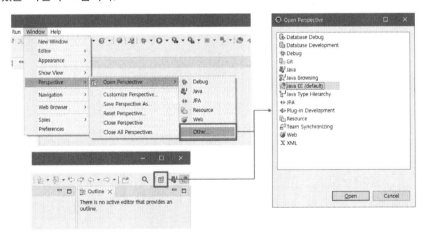

그림 14. Perspective 선택

Java EE Perspective에서 아래 그림처럼 Spring Starter Project 메뉴가 보여야 합니다.

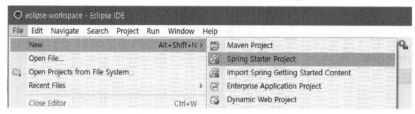

그림 15. Spring Starter Project 메뉴

전저장부표준프레임워크 개발환경에 있는 이클립스를 사용하거나 Spring Tools 4를 설치해서 사용한다면 몇 가지 Perspective를 더 볼 수 있습니다. 전자정부표준프레임워크 개발환경은 eGovFrame과 Spring 퍼스텍티브를 볼 수 있으며, Spring Tools 4에서는 Java 퍼스펙티브에서 Sprint Start Project 메뉴를 볼 수 있습니다.

그림 16. 퍼스펙티브 - 전자정부표준프레임워크(왼쪽), Spring Tools4(오른쪽)

● Spring Tools 3 플러그인은 더 이상 유지 관리되지 않으며 최신 Eclipse 버전에 대해 더 이상 업데이트되지 않습니다. Eclipse용 Spring Tools 4로 업그레이드하세요. 부득이하게 Spring Legacy Project를 만드려면 전자정부표준프레임워크 3.x/4.x 버전 또는 Spring Tools 3를 사용하세요.

1.2. Tomcat 설치

1) Tomcat 다운로드

톰캣은 apache 재단에서 오픈소스로 운영하고 있는 프로젝트 중 하나이며 웹 컨테이너를
포함하고 있습니다. 톰캣(tomcat)은 http://tomcat.apache.org에서 다운로드할 수 있습
니다.

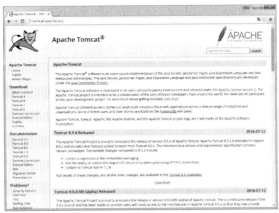

그림 17. http://tomcat.apache.org

사이트에 접속하여 왼쪽의 다운로드 메뉴 중에서 Tomcat 9 서버[52]를 다운로드할 수 있
도록 클릭합니다.

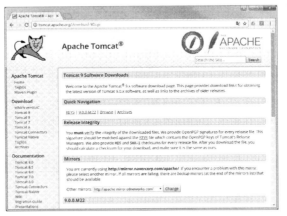

그림 18. Download -> Tomcat 9 선택

---

52) 이클립스 Mars.2 Release 2(4.5.2) 이전 버전에서 톰캣 9 서버 설정 지원을 하지 않습니다. 이클립
스 버전이 Mars.2 Release 2(4.5.2) 이상이면 Tomcat 9를 설치해도 됩니다.

화면을 아래로 조금 스크롤 하면 바이너리 배포판을 내려받을 수 있습니다. 윈도우 시스템이라면 zip파일 형식 또는 윈도우 설치파일 중에서 어떤 것을 내려받아도 됩니다. 본 교재에서는 톰캣 9버전에서 zip 파일을 내려받아 사용하겠습니다.

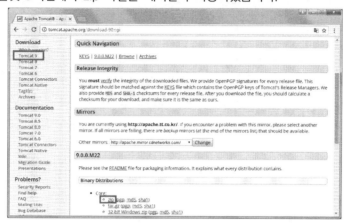

그림 19. zip 파일 다운로드

2) Tomcat 설치

내려받은 파일은 적당한 곳에 압축만 풀어 놓으면 바로 실행 가능합니다. 저자는 C:\dev 폴더에 압축을 풀어 놓았습니다.

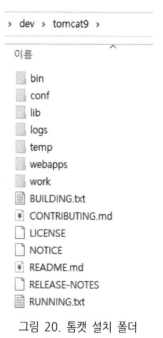

● Windows Service Installer 파일 내려받아 설치하면 윈도우 운영체제의 서비스에 등록됩니다. 윈도우 설치 파일은 설치 도중에 포트 번호를 입력하는 화면이 나타납니다. 톰캣의 기본 포트는 8080번이며 설치 후에도 포트 번호는 변경[53]이 가능합니다. 포트 입력화면에는 관리자의 아이디와 비밀번호를 입력하는 부분도 있습니다. 아이디와 비밀번호는 설치 후 수정[54] 가능합니다.

그림 20. 톰캣 설치 폴더

---

53) 포트번호는 *TOMCAT_HOME*/conf/server.xml파일에서 수정 가능합니다.
54) 관리자 아이디와 비밀번호는 *TOMCAT_HOME*/conf/tomcat-users.xml파일에서 수정 가능합니다.

3) Tomcat 실행

실행은 C:\dev\tomcat9\bin\startup.bat 파일을 이용해서 실행하면 됩니다. 윈도우 탐색기 창에서 startup.bat를 더블클릭하면 명령 프롬프트 창이 뜨면서 서버가 실행됩니다.

startup.bat 실행 후 명령 프롬프트창이 바로 닫히면 서버가 정상 실행되지 않는 것입니다. 그럴 때 명령 프롬프트창에서 C:\dev\tomcat9\bin\ 폴더의 startup.bat 파일을 직접 실행시키면 실행되지 않는 원인을 알 수 있습니다[55]. 서버를 종료할 때는 shutdown.bat 파일을 통해 종료시키면 됩니다. 톰캣 서버 창을 직접 닫아 종료시키

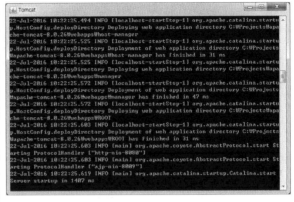

그림 21. startup.bat 실행

면 프로세스가 정상 종료되지 않을 때도 있습니다.

Tomcat 서버 실행 창이 보이고 에러 메시지가 보이지 않으면 브라우저를 실행시키고 주소 표시줄에 http://localhost:8080으로 접속해 보세요. 그리고 브라우저 화면에 고양이가 보이면 서버에 연결이 성공한 것입니다.

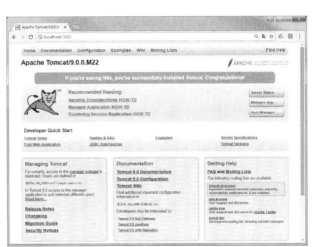

그림 22. 톰캣 실행 후 연결 - http://localhost:8080

● Servlet 5.0부터 javax.servlet 패키지가 jakarta.servlet으로 바뀌었습니다. 그래서 Tomcat 9이하 버전의 코드를 Tomcat 10버전 이상에서 사용하려면 서블릿 패키지를 jakarta.servlet으로 바꿔야 합니다.

---

55) JAVA_HOME 환경변수를 설정하지 않아서 발생하는 문제입니다.

1.3. Oracle 데이터베이스 설치 - 21C Express Edition

오라클 데이터베이스 설치를 위해 https://www.oracle.com/downloads/로 연결합니다.

그림 23. 오라클 다운로드 페이지

다운로드 페이지에서 [Database]를 클릭하거나 화면을 아래로 스크롤 하면 [Database Express Edition] 링크를 볼 수 있습니다.

1) 21c XE 설치

[Database Express Edition] 링크를 클릭하면 오라클 데이터베이스를 내려받을 수 있는 페이지[56]로 연결됩니다. 이곳에서 화면 아래로 스크롤 하면 [Oracle Database Express Edition]을 내려받을 수 있습니다.

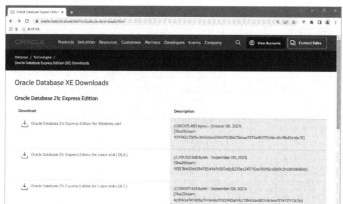

그림 24. Oracle XE 21 다운로드

---

56) https://www.oracle.com/database/technologies/oracle-database-software-downloads.html

내려받은 파일을 압축을 풀고 setup.ext 파일을 실행시켜 설치를 시작하세요.

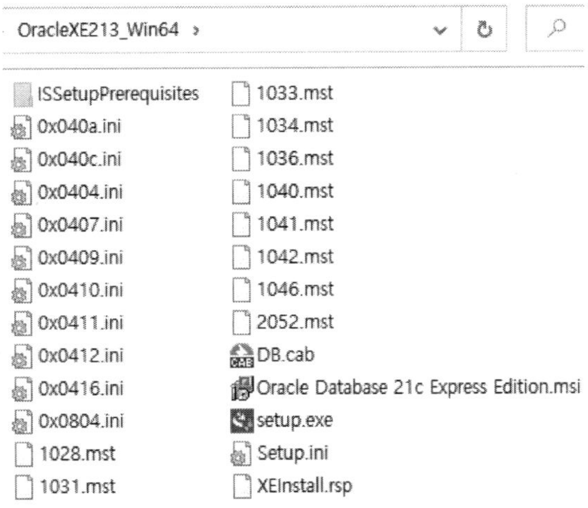

OracleXE213_Win64 >
ISSetupPrerequisites
0x040a.ini
0x040c.ini
0x0404.ini
0x0407.ini
0x0409.ini
0x0410.ini
0x0411.ini
0x0412.ini
0x0416.ini
0x0804.ini
1028.mst
1031.mst
1033.mst
1034.mst
1036.mst
1040.mst
1041.mst
1042.mst
1046.mst
2052.mst
DB.cab
Oracle Database 21c Express Edition.msi
setup.exe
Setup.ini
XEInstall.rsp

그림 25. 압축 푼 파일들

데이터베이스 설치 마법사를 시작합니다. [다음(N)] 버튼을 누르세요

Oracle Database 21c Express Edition
Oracle Database 21c Express Edition용 InstallShield 마법사 시작
InstallShield(R) 마법사가 컴퓨터에 Oracle Database 21c Express Edition을(를) 설치합니다. 계속하려면 [다음]을 누르십시오.
21c ORACLE Database Express Edition
< 뒤로(B)
다음(N) >
취소

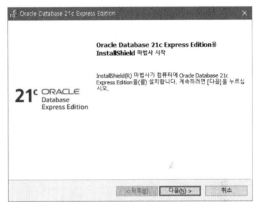

그림 26. 설치 마법사 시작

라이선스 계약에 동의함을 체크하고 [다음(N)] 버튼을 누르세요

Oracle Database 21c Express Edition
라이센스 계약
다음 라이센스 계약을 자세히 읽어 주십시오.
21c ORACLE Database Express Edition
Oracle Free Use Terms and Conditions
Definitions
"Oracle" refers to Oracle America, Inc. "You" and "Your" refers to (a)
a company or organization (each an "Entity")
accessing the Programs,
if use of the Programs will be on behalf of such
Entity; or (b) an
동의함(A)
동의 안함(D)
인쇄(P)
InstallShield
< 뒤로(B)
다음(N) >
취소

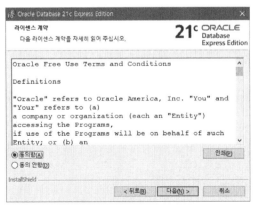

그림 27. 라이선스 동의

설치 대상 폴더를 확인하고 변경할 수 있습니다. 기본 설치 폴더는 C:₩app ₩*사용자명*₩product₩21c₩입니다.

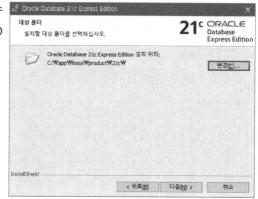

그림 28. 설치 대상 폴더

데이터베이스 비밀번호를 입력하세요. 이 비밀번호는 데이터베이스 관리자 비밀번호로 사용됩니다. 저는 비밀번호에 oracle을 입력했습니다. 이 비밀번호는 기억해둬야 합니다.

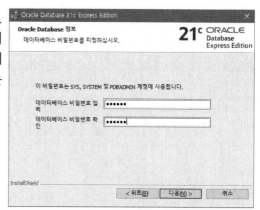

그림 29. 비밀번호 설정

설치를 시작하기 전에 적용할 매개변수를 확인하세요.

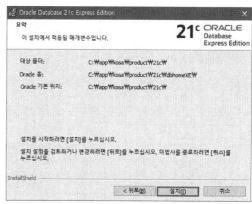

그림 30. 설치 매개변수 확인

파일을 설치하고 있습니다. 수 분 정도 소요됩니다.

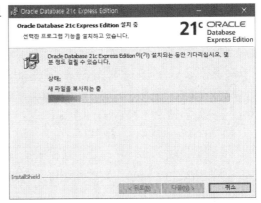

그림 31. 설치 중

윈도우 보안 경고가 보이면 [액세스 허용]을 클릭해 주세요.

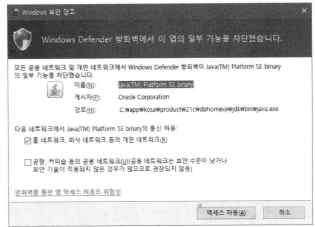

그림 32. 액세스 허용

2) 실행 확인

설치가 완료되면 C:\app*{사용자명}*\product\21c\dbhomeXE 폴더에 제품이 설치된 것을 확인할 수 있습니다.

addnode	database	jdbc	ODE.NET	owm	sqlplus
admin	dbs	jdk	ODP.NET	perl	srvm
apex	deinstall	jlib	olap	plsql	suptools
ASP.NET	demo	ldap	oledb	precomp	ucp
assistants	diagnostics	lib	oledbolap	QOpatch	usm
bin	dmu	log	OPatch	R	utl
cfgtoolilogs	dv	md	opmn	racg	wwg
clone	has	mgw	oracore	rdbms	xdk
crs	hs	MMC Snap-ins	oradata	relnotes	env.ora
css	install	network	oramts	slax	schagent.conf
ctx	instantclient	nls	ord	sqldeveloper	setup.bat
cv	inventory	oci	ords	sqlj	setup.exe
data	javavm	odbc	oui	sqlpatch	

그림 33. 설치 완료

3) 오라클 샘플 스키마

오라클은 수년 동안 SCOTT 스키마[57])의 EMP와 DEPT 두 개의 간단한 테이블을 오라클 설명서 및 교육에 사용해 왔습니다. 그런데 이 두 개의 테이블로는 오라클의 많은 기능을 보여주기에 적합하지 않았습니다. 그래서 여러 샘플 스키마를 오라클 데이터베이스에서 사용할 수 있도록 추가했습니다. 오라클 21C에서 제공하는 샘플 스키마는 HR, OE, OC, PM, IX, SH, CO가 있습니다.

- HR(Human Resources) - 회사 직원, 부서 및 시설 등에 대한 정보를 제공합니다.
- OE(Order Entry) - 다양한 채널을 통해 회사 제품의 제품 재고 및 판매를 제공합니다.
- PM(Product Media) - 회사에서 판매하는 각 제품에 대한 설명 및 자세한 정보를 유지합니다.
- IX(Information Exchange) - B2B 애플리케이션을 통해 배송을 관리합니다.
- SH(Sales) - 는 비즈니스 의사 결정을 쉽게 하기 위해 비즈니스 통계를 제공합니다.
- CO(Customer Orders) - 고객, 제품, 매장 및 주문 데이터로 구성된 간단한 소매 애플리케이션을 모델링합니다.

이 책은 데이터베이스 연결을 테스트하기 위해 HR 샘플 스키마를 사용합니다. 오라클 11g Expression Edition은 데이터베이스를 설치한 후 HR 계정의 잠금(Lock)을 풀고 비밀번호를 설정[58])하면 바로 사용할 수 있습니다. 그러나 21c, 19c, 18c 등은 샘플 스키마를 추가 설치해야 사용할 수 있습니다.

HR 스키마는 EMPLOYEES, DEPARTMENTS, JOBS 테이블 등을 가지고 있습니다. EMPLOYEES 테이블은 사원의 아이디(EMPOLYEE_ID), 이름(FIRST_NAME), 성(LAST_NAME), 이메일(EMAIL), 전화번호(PHONE_NUMBER), 입사일(HIRE_DTAE), 직무아이디(JOB_ID), 급여(SALARY), 보너스율(COMMISSION_PCT), 매니저아이디(MANAGER_ID), 부서아이디(DEPARTMENT_ID) 정보를 가지고 있습니다.

그림 34. 실습 테이블

---

57) 오라클에서 스키마는 객체들의 모음을 일컫는 말입니다. 오라클 스키마는 계정 이름과 같습니다.
58) alter user hr account unlock identified by *hr*; -- 뒤의 hr은 비밀번호입니다.

4) HR 스미카 설치

먼저 깃허브에서 샘플 스키마를 위한 zip 파일을 다운로드하고 파일의 압출을 풉니다.
- 최신버전: https://github.com/oracle/db-sample-schemas/releases/latest
- 21c: https://github.com/oracle-samples/db-sample-schemas/releases/tag/v21.1
- 19c: https://github.com/oracle/db-sample-schemas/releases/tag/v19.2

그림 35. 깃허브의 오라클 샘플 스키마 저장소

21c 샘플 스키마 zip 파일을 내려받아 압축을 풀면 human_resources 폴더를 볼 수 있습니다.

압축을 푼 파일 및 디렉토리에서 보듯이 HR 스키마 외에 다른 스키마를 위한 스크립트 파일도 있습니다. 그러나 우리는 이중에서 HR 스키마를 위한 스크립트 파일만 필요합니다.

human_resources 폴더로 이동하면 다음 스크립트 파일들을 볼 수 있습니다.

그림 36. 21c Sample Schema

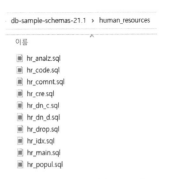

그림 37. HR 스키마 스크립트

샘플 스키마 zip 파일을 내려받아 압축을 풀고 humam_resource 폴더로 이동했다면 스키마 설치는 다음 단계를 따르세요[59].

① human_resources 폴더에서 sqlplus 명령을 실행시키세요.

② SQLPlus에서 as sysdba 권한을 사용해서 connect 명령과 sys 계정으로 접속하세요. 만일 프롬프트가 'SQL〉 이면 다음처럼 connect(또는 conn) 명령으로 접속하세요.

```
SQL> conn sys as sysdba
비밀번호 입력: <--여기에 비밀번호를 입력하세요.
```

만일 프롬프트가 '사용자명 입력:'이면 connect 명령 없이 아래처럼 접속하세요.

```
사용자명 입력: sys as sysdba
비밀번호 입력: <--여기에 비밀번호를 입력하세요.
```

③ 다음 명령으로 hr_main.sql 파일을 실행시키세요. 그리고 HR의 비밀번호를 입력하세요. 아래의 예에서는 HR 스키마의 비밀번호는 *hr*입니다.

```
SQL> @hr_main.sql
specify password for HR as parameter 1:
Enter value for 1: hr
```

● 만일 hr_main.sql 파일을 찾시 못해 아래처럼 오류가 발생합니다. 그 이유는 sqlplus를 실행시킨 디렉토리가 human_resources 폴더가 아니거나 윈도우 시작 메뉴의 [SQL Plus] 메뉴를 통해 실행시켰기 때문입니다.

```
SQL> @hr_main.sql
SP2-0310: 파일 "hr_main.sql"을 열 수 없습니다.
```

④ HR의 테이블스페이스를 입력하세요. HR 계정이 사용할 수 있는 테이블스페이스는 users입니다.

```
specify default tablespace for HR as parameter 2:
Enter value for 2: users
```

⑤ 임시 테이블스페이스를 입력하세요. 임시 테이블스페이스 이름은 temp입니다.

```
specify temporary tablespace for HR as parameter 3:
Enter value for 3: temp
```

---

[59] 다른 스키마를 설치하려면 아래 주소를 참고하세요.
https://docs.oracle.com/en/database/oracle/oracle-database/21/comsc/installing-sample-schemas.html

⑥ SYS 계정의 비밀번호를 입력하세요. 이것은 데이터베이스를 설치할 때 입력했던 비밀번호입니다. 저는 비밀번호를 oracle로 했었습니다.

```
specify password for SYS as parameter 4:
Enter value for 4: oracle
```

⑦ 로그를 저장할 경로를 입력하세요. $ORACLE_HOME/demo/schema/log/를 로그 경로로 지정하려면 아래처럼 입력하세요. %ORACLE_HOME%은 오라클 홈 디렉토리 (C:\app*{사용자명}*\product\21c\dbhomeXE)를 지정한 환경변수를 가져옵니다.

```
specify log path as parameter 5:
Enter value for 5: $ORACLE_HOME/demo/schema/log/
```

● 만일 다음처럼 connect string 파라미터를 입력하라는 메시지가 보이면 오라클 데이터베이스 접속 URL을 입력하세요. connect string은 데이터베이스 접속을 위한 주소입니다. localhost는 이 컴퓨터에 데이터베이스가 설치되어 있는 것이고 오라클의 포트번호는 1521번이며, SID(데이터베이스 시스템 아이디)는 xe일 경우입니다.

```
specify connect string as parameter 6:
6의 값을 입력하십시오: localhost:1521/xe
```

⑧ hr 계정으로 접속한 후 데이터 조회 명령을 실행하세요. 결과가 107이 나와야 합니다.

```
SQL> conn hr/hr
연결되었습니다.
SQL> select count(*) from employees;

  COUNT(*)
----------
       107
```

- 위의 SELECT 구문은 employees 테이블의 행의 수를 출력합니다.

● 만일 hr 계정의 비밀번호를 hr1234로 변경하려면 다음 구문으로 하세요. 앞에서 설정한 hr 계정의 비밀번호는 hr입니다.

```
SQL> ALTER USER hr IDENTIFIED BY hr1234;
```

● HR 스키마를 삭제하려면 hr_drop.sql 파일을 실행시키세요. 이 작업은 되돌릴 수 없습니다.

```
SQL> @hr_drop.sql
```

5) HTTP 포트 변경

오라클의 http 포트 번호와 톰캣의 http 포트 번호의 기본값은 8080입니다. 그러므로 오라클을 설치한 후 톰캣을 실행시키면 포트 충돌로 인해 톰캣이 실행되지 않습니다. 이럴 때는 톰캣의 포트를 변경하거나 오라클의 http 포트 번호를 변경해 충돌을 피할 수 있습니다.

오라클의 http 포트를 8080번에서 8081번으로 바꾸려면 아래와 같이 dbms_xdb 패키지의 setHttpPort() 함수를 이용합니다. 이 명령은 sysdba 권한으로 실행해야 합니다.

```
SQL> conn sys as sysdba
비밀번호 입력:
연결되었습니다.
SQL> exec dbms_xdb.sethttpport(8081)

PL/SQL 처리가 정상적으로 완료되었습니다.

SQL>
```

● 만일 데이터베이스의 포트를 변경하지 않고 톰캣의 포트를 바꾸고 싶다면 톰캣 설치 폴더 아래에 있는 /conf/server.xml 파일에서 〈Connector〉 태그의 port="8080"을 다른 번호로 변경해 주세요.

```
<Connector port="8080" protocol="HTTP/1.1"
        connectionTimeout="20000"
        redirectPort="8443" />
```

● 오라클 데이터베이스를 이용해서 SQL 기본 구문을 학습할 목적이라면 21c 버전이 아니어도 됩니다. 이 책은 11g 이상 버전의 데이터베이스만 있으면 정상실행 됩니다. 그런데 아쉽게도 11g Express Edition은 오라클 공식 사이트에서 제공하지 않습니다. 그러나 10g, 11g 등의 이전 버전 데이터베이스를 내려받으려면 Oracle Software Delivery Cloud 사이트(https://edelivery.oracle.com/)를 통해 내려받을 수 있습니다. 11g 버전의 데이터베이스를 설치했다면 hr 스키마는 락을 풀고 비밀번호만 설정하면 바로 사용할 수 있습니다.

```
SQL> conn sys as sysdba
SQL> alter user hr account unlock identified by hr;
```

1.4. Docker를 이용한 톰캣과 오라클 데이터베이스 설치

여러분이 도커(Docker)를 사용할 수 있다면 톰캣과 오라클 데이터베이스를 컴퓨터에 직접 설치하지 않고 도커를 이용해서 컨테이너를 만들고 실행할 수 있습니다.

이 절은 가상화와 리눅스 기본 명령어, 그리고 도커를 사용할 수 있어야 이해할 수 있습니다. 가상화, 리눅스, 도커는 이 교재의 설명 범위를 벗어나므로 설명하지 않습니다.

1) 윈도우 Docker Desktop을 설치하고 도커를 사용할 경우

윈도우에 도커 데스크탑을 설치하고 도커를 사용하려면 아래 절차를 참고하세요.

1) 도커 데스크탑 설치 (https://www.docker.com/products/docker-desktop)

2) 톰캣 설치
   docker run -d --name tomcat10 -p 8888:8080 jinkyoungheo/tomcat10
   • 톰캣은 오피셜 이미지를 사용해도 됩니다.

3) 오라클 Oracle 21C 설치
   docker run -d --name oracle21c -p 1521:1521 -e ORACLE_PASSWORD=oracle
jinkyoungheo/oracle-xe:21c
   • 명령 프롬프트 또는 PowerShell을 열어 도커 명령을 실행하세요.
   • 위 명령어는 한 줄로 입력하세요. *oracle*은 관리자(sys) 계정의 비밀번호입니다. 다른 비밀번호로 바꿔 사용해도 됩니다.

4) Oracle SQL Developer에서 데이터베이스 연결 설정
   Name: Oracle 21C
   사용자 이름 : hr
   비밀번호: hr
   호스트 이름: localhost
   포트: 1521
   SID: xe
   • jinkyoungheo/oracle-xe:21c 이미지에는 HR 스키마가 설치되어 있고 계정 이름과 비밀번호는 hr로 설정되어 있습니다.

2) 리눅스를 설치하고 리눅스에서 직접 도커를 사용할 경우

클라우드 환경에서 스프링 웹 애플리케이션을 실행하기 위해 컨테이너를 활용하는 경우, 도커는 매우 유용한 도구입니다. 로컬 환경에서는 가상화 프로그램을 활용하여 리눅스를 설치하고 그 위에 도커를 실행하는 것이 좋은 방법입니다. 이는 나중에 클라우드에 애플리케이션을 배포하고 운영할 때 유용한 학습 경험이 될 것입니다.

1) VMWare 다운로드 및 설치 (https://www.vmware.com/go/downloadplayer)

2) 우분투(Ubuntu) 리눅스 다운로드 (https://ubuntu.com/download/desktop)

3) VMWare에 우분투 리눅스 설치

4) 우분투 리눅스 기본 설정
```
sudo apt update
sudo apt install openssh-server <-- OpenSSH 설치
sudo service ssh start <-- OpenSSH 자동 시작
sudo ufw allow 22 <-- 방화벽 22번 포트 접속 허가 설정
id addr <-- 리눅스의 IP 주소 확인(ens33의 inet 주소 확인)
```

5) 우분투에 도커 설치
```
sudo apt install docker.io <-- 도커 설치
sudo docker --version <-- 도커의 버전 확인
sudo usermod -aG docker 사용자명 <-- 사용자를 도커 그룹에 추가
```

6) 오라클 컨테이너 (Oracle 21C)
```
sudo docker run -d --name oracle21c -p 1521:1521 -e ORACLE_PASSWORD=oracle jinkyoungheo/oracle-xe:21c
```
- 위 명령어는 한 줄로 입력하세요. *oracle*은 sys 계정의 비밀번호입니다. 다른 비밀번호로 바꿔 사용해도 됩니다.
- SQL Developer에서 데이터베이스에 연결하려면 리눅스의 아이피 주소를 사용하세요.

7) 톰캣 컨테이너
```
sudo docker run -d --name tomcat10 -p 8888:8080 jinkyoungheo/tomcat10
```

3) 도커 컴포즈와 스웜 사용

도커 컴포즈(Compose)와 스웜(Swarm)을 설치했다면 아래의 컴포즈 파일을 이용해서 컨테이너를 실행할 수 있습니다.

도커 컴포즈를 사용하면 도커 컴포즈를 사용하면 YAML 파일을 통해 애플리케이션의 서비스, 네트워크, 볼륨 등을 정의할 수 있으며, 도커 스웜을 사용하면 여러 대의 도커 호스트를 하나의 가상화된 호스트처럼 관리하고, 컨테이너를 분산 및 조정할 수 있습니다.

1) 도커 컴포즈 설치
   sudo apt install docker-compose

2) 스웜 초기화
   sudo docker swarm init

3) 도커 컴포즈 파일 작성
docker-compose.yml

```
 1 version: '3.8'
 2
 3 services:
 4   oracle-db:
 5     image: jinkyoungheo/oracle-xe:21c
 6     ports:
 7       - 1521:1521
 8
 9   tomcat-app:
10     image: jinkyoungheo/tomcat10
11     deploy:
12       replicas: 3
13       endpoint_mode: vip
14     volumes:
15       - tomcat_vol:/usr/local/tomcat/webapps
16     ports:
17       - 8888:8080
18
19 volumes:
20   tomcat_vol:
```

4) 컴포즈 파일을 이용해서 컨테이너 실행
sudo docker stack deploy -c docker-compose.yml my_stack

5) 서비스 확인
sudo docker service ls

6) 리눅스의 webapps 경로와 매핑할 로컬의 볼륨 디렉토리 확인
sudo docker volume inspect my_stack_tomcat_vol

• 로컬의 볼륨 디렉토리에 웹 애플리케이션을 war 파일로 배포하면 컨테이너가 자동으로 실행됩니다.

2. 스프링 프로젝트 만들기

2.1. Spring MVC Project

File > New > Spring Legacy Project를 선택하면 스프링 프레임워크 프로젝트를 생성할 수 있습니다. New Spring Legacy Project 창에서 [Spring MVC Project]를 선택한 다음 Project name: 에 새로 생성할 프로젝트 이름을 입력하세요. 저는 프로젝트 이름을 SpringProject로 했습니다.

그림 38. New Spring Legacy Project

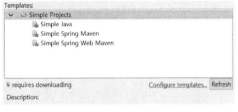

그림 39. Spring MVC Project가 안 보일 때

* 만일 [그림 51]처럼 Templates에 [Spring MVC Project] 항목이 보이지 않을 때 Templates 아래에 있는 [Configure templates...] 링크를 클릭합니다. 그리고 실행한 [Template Projects] 창에서 spring-data-gemfire, spring-integration 항목을 삭제(Remove)하세요. 그리고 [Show self-hosted templates in New Template Wizard] 체크박스를 선택하고 [Apply and Close] 버튼을 클릭하세요.[60]

[그림 50]에서 [Next] 버튼을 클릭하세요. 만일 오른쪽 [그림 52]처럼 다운로드가 필요하다는 화면이 보이면 [Yes]를 클릭하세요. 다음 프로젝트를 생성할 때는 나타나지 않습니다.

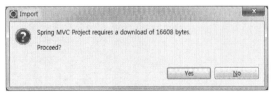

그림 40. 다운로드 필요

---

60) spring-defaults 항목의 URL은
http://dist.springsource.com/release/STS/help/descriptors-3.0.xml 입니다.

다음 화면에서 프로젝트에서 사용할 기본 패키지 이름을 입력해야 합니다. 패키지 이름은 최소 3단위 이상이어야 합니다. 즉 com.example처럼 두 단위 패키지 이름은 사용할 수 없습니다.

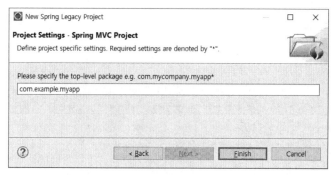

그림 41. 최상위 패키지 이름 입력

프로젝트가 생성되고 잠시 기다리면 프로젝트에 보이던 빨간색 x 표시도 사라집니다.

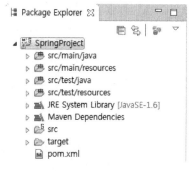

그림 42. 생성된 프로젝트

● 다음과 같은 에러가 발생한다면 JDK 버전을 11버전 또는 8버전으로 바꿔보세요.

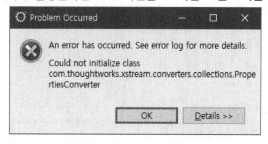

그림 43. PropertiesConverter 에러

2.2. 프로젝트 자바 버전 변경

Spring Legacy Project의 자바 버전 기본값은 1.6입니다. 프로젝트의 자바 버전을 1.8로 바꾸려면 프로젝트 설정을 변경하고 pom.xml 파일을 수정해야 합니다.

프로젝트에서 마우스 오른쪽 버튼을 누르고 Properties 메뉴를 선택[61]한 다음 프로젝트 설정 창에서 [Project Facets] 메뉴를 선택하고 Java의 Version을 1.8로 변경해 주세요.[62]

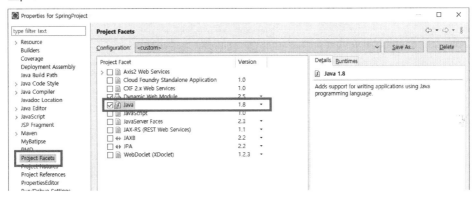

그림 44. Project Facets 변경

pom.xml 파일에서 자바 버전 변경은 〈java-version〉 태그와 〈plubin〉 태그 안의 〈configuration〉 태그에서 〈source〉와 〈target〉 버전을 바꿔야 합니다.

```
... 생략 ...
<properties>
    <java-version>1.8</java-version>
... 생략 ...
        <plugin>
            <groupId>org.apache.maven.plugins</groupId>
            <artifactId>maven-compiler-plugin</artifactId>
            <version>2.5.1</version>
            <configuration>
                <source>1.8</source>
                <target>1.8</target>
                <compilerArgument>-Xlint:all</compilerArgument>
                <showWarnings>true</showWarnings>
                <showDeprecation>true</showDeprecation>
... 생략 ...
```

---

61) 단축키는 Alt+Enter입니다.
62) 반드시 1.8일 필요는 없습니다. Spring 5.x는 JDK 1.80이 최소 사양이지만 Spring 4.x를 지원하는 최소 JDK 버전은 1.6입니다.

2.3. 스프링 프레임워크 버전 변경

프로젝트에서 pom.xml 파일을 더블클릭한 다음 pom.xml 탭을 선택하면 Maven[63] 라이브러리 의존성을 설정할 수 있습니다. 이곳에서 자바와 스프링 프레임워크의 버전을 바꿀 수 있습니다. 이 책은 스프링 프레임워크의 버전을 4.3.9.RELEASE를 사용했습니다.

```
1 <?xml version="1.0" encoding="UTF-8"?>
2 <project xmlns="http://maven.apache.org/POM/4.0.0" xmlns:)
3     xsi:schemaLocation="http://maven.apache.org/POM/4.0.0
4     <modelVersion>4.0.0</modelVersion>
5     <groupId>com.coderby</groupId>
6     <artifactId>myapp</artifactId>
7     <name>SpringProject</name>
8     <packaging>war</packaging>
9     <version>1.0.0-BUILD-SNAPSHOT</version>
10    <properties>
11        <java-version>1.8</java-version>
12        <org.springframework-version>4.3.9.RELEASE</org.s|
13        <org.aspectj-version>1.6.10</org.aspectj-version>
14        <org.slf4j-version>1.6.6</org.slf4j-version>
15    </properties>
```

그림 45. 자바와 스프링 프레임워크 버전 변경

2.4. Update Project…(Alt+F5)

가끔 프로젝트에 빨간색 x표시가 사라지지 않는 때가 있습니다. 특히 pom.xml 파일을 수정한 다음 pom.xml 파일의 소스코드에는 아무런 문제가 없어도 에러표시가 사라지지 않을 때가 있습니다. 그럴 때 이클립스를 종료시킨 후 [내 문서] 폴더에서 .m2 폴더를 삭제하고 이클립스를 다시 시작시키세요. 그리고 프로젝트 컨텍스트메뉴[64]에서 Maven > Update Project…를 실행시키세요. 이런 현상이 발생하는 이유는 Maven 도구에 의해 다운로드 되는

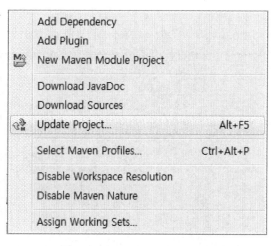

그림 46. Maven > Update Project

라이브러리파일(jar)파일이 다운로드 도중 인터넷 연결 지연 등의 문제로 정상 다운로드되지 않아서 발생하는 문제입니다.

---

63) Maven은 프로젝트에서 필요한 라이브러리들을 관리하는 도구입니다. Maven 설정 파일은 pom.xml 파일입니다.
64) 마우스 오른쪽 버튼을 누르면 보이는 메뉴를 의미합니다.

3. 로그 관리

3.1. 자바 로그 관리 프레임워크

개발자가 프로그램의 실행 중 요청 처리 흐름을 확인하거나, 변수의 값이 올바르게 저장되는지 확인하기 위해서, 또는 디버깅 목적으로 로그(Log)를 남기는 기능(로깅, Logging)은 항상 고민해야 할 문제입니다. 자바는 로깅 프로세스를 간소화하고 표준화하는 여러 프레임워크가 있습니다.

로깅은 로거(Logger), 포맷터(Formatter) 그리고 어펜터(Appender 또는 Handler) 세 가지 주요 부분으로 나뉩니다. 로거(Logger)는 특정 메타 데이터와 함께 기록 할 메시지를 캡처하여 이를 로깅 프레임워크로 전달합니다. 메시지를 받은 후 프레임워크는 메시지와 함께 포맷터(Formatter)를 호출합니다. 포맷터는 출력을 위해 형식을 지정합니다. 그런 다음 프레임워크는 형식화된 메시지를 적절한 어펜더(Appender)에 전달하여 처리합니다. 어펜더의 예에는 console(콘솔 디스플레이), file(파일에 쓰기), DB(데이터베이스에 추가) 또는 email(이메일 발송) 등이 있습니다.

다음 표는 자바 로깅 프레임워크입니다.

표 1. 로깅 프레임워크

프레임워크	지원 로그 레벨	표준 어펜더	라이선스
Log4J	FATAL ERROR WARN INFO DEBUG TRACE	AsyncAppender, JDBCAppender, JMSAppender, LF5Appender, NTEventLogAppender, NullAppender, SMTPAppender, SocketAppender, SocketHubAppender, SyslogAppender, TelnetAppender, WriterAppender	Apache 2.0
Java Logging API	SEVERE WARNING INFO CONFIG FINE FINER FINEST	Sun의 기본 JVM (Java Virtual Machine)에는 ConsoleHandler, FileHandler, SocketHandler, MemoryHandler가 있습니다.	JRE에 포함
Logging	FATAL ERROR WARN INFO DEBUG TRACE	기본 프레임워크에 따라 다릅니다.	Apache 2.0
SLF4J	ERROR WARN INFO DEBUG TRACE	플러그 인 가능한 기본 프레임 워크에 따라 다릅니다. 스프링에서는 콘솔로 출력하기 위해 org.apache.log4j.ConsoleAppender를 사용합니다.	MIT

● 이클립스에서 스프링 프레임워크 프로젝트를 생성하면 디폴트로 설정되는 로깅 프레임워크는 SLF4J입니다.
● 스프링 부트의 기본 로깅 프레임워크는 Logback(https://logback.qos.ch/)입니다.

3.2. SLF4J

스프링 프레임워크는 JCL(Jakarta Commons Logging)을 이용하여 로그를 남깁니다. 스프링에서 Log4J를 이용해 로그 메시지를 남기고 싶다면 log4j 라이브러리를 추가해 주면 됩니다. 그러나 SLF4J(Simple Logging Facade for Java)[65]가 나온 뒤로 JCL 대신 SLF4J를 사용하는 오픈소스 프로젝트가 증가하고 있습니다. 그런데 만일 Log4J와 SLF4J 라이브러리를 같이 추가하고 사용하다 보면 같은 프로젝트 내에 두 로깅 프레임워크가 혼재되어 사용되는 상황이 발생할 수 있습니다. JCL과 SLF4J를 같이 사용해도 문제가 발생하지는 않습니다. 그러나 하나의 로깅 프레임워크를 사용하는 것을 권합니다.

SLF4J는 기존에 JCL을 이용해 남기는 로그를 SLF4J를 통해 남길 수 있도록 jcl-over-slf4j 모듈을 제공하고 있습니다. 스프링을 사용할 때 스프링이 JCL을 이용하지 않고 SLF4J를 이용해 로그를 남기도록 하려면 메이븐 의존성 설정에 다음을 추가해 주면 됩니다.

여러분이 이클립스에서 Spring Legacy Project -> Spring MVC Project로 프로젝트를 생성했다면 아래 코드는 자동으로 포함되어 있을 것입니다.

pom.xml

```xml
        <org.slf4j-version>1.6.6</org.slf4j-version>
    ... 생략 ...
    <!-- Logging -->
    <dependency>
        <groupId>org.slf4j</groupId>
        <artifactId>slf4j-api</artifactId>
        <version>${org.slf4j-version}</version>
    </dependency>
    <dependency>
        <groupId>org.slf4j</groupId>
        <artifactId>jcl-over-slf4j</artifactId>
        <version>${org.slf4j-version}</version>
        <scope>runtime</scope>
    </dependency>
    <dependency>
        <groupId>org.slf4j</groupId>
        <artifactId>slf4j-log4j12</artifactId>
        <version>${org.slf4j-version}</version>
        <scope>runtime</scope>
    </dependency>
    ... 생략 ...
```

> 스프링 부트는 Logback이 기본 로그 라이브러리로 설정되어 있어서 사용시 별도로 라이브러리를 추가하지 않아도 됩니다. spring-boot-starter-web 안에 spring-boot-starter-logging 에 구현체가 있으므로 별도의 설정을 하지 않아도 됩니다.

---

65) https://www.slf4j.org/

3.3. 로그 남기기

소스코드에서 로그를 남기기 위해 LoggerFactory의 getLogger() 메서드를 이용해 Logger 객체를 얻어야 합니다. LoggerFactory와 Logger는 org.slf4j 패키지를 import 해야 합니다.

```
private final Logger logger = LoggerFactory.getLogger(this.getClass());
```

다음 코드는 프로젝트를 처음 생성했을 때 자동으로 추가되었던 HomeController 클래스 일부입니다.

HomeController.java

```java
... 생략 ...
import org.slf4j.Logger;
import org.slf4j.LoggerFactory;

... 생략 ...

@Controller
public class HomeController {

    private final Logger logger = LoggerFactory.getLogger(this.getClass());

    @GetMapping(value="/")
    public String home(Locale locale, Model model) {

        logger.info("Welcome home! The client locale is {}.", locale);

        Date date = new Date();

... 생략 ...
```

getLogger() 메서드의 인자로 현재 클래스를 지정해 주세요. 그러면 로그 메시지에 클래스의 이름이 함께 표시됩니다.

```
정보: Server startup in 1404 ms
INFO : com.coderby.myapp.HomeController - Welcome home! The client locale is ko.
```

그림 47. 로그

개발자는 Logger 클래스의 error(), warn(), info(), debug(), trace() 메서드를 이용하여 로그를 남길 수 있습니다.

● 스프링 부트의 설정은 3.6절에서 설명합니다.

3.4. 로그 레벨

JCL의 로그 레벨은 FATAL(가장 심각한 수준), ERROR, WARN, INFO, DEBUG, TRACE 6단계로 지정되어 있습니다. 낮은 수준의 로그 레벨을 지정하면 해당 레벨과 그보다 심각한 수준의 로그 레벨이 출력됩니다. 그러나 SLF4J는 log4j의 6가지 로깅 레벨 중 5가지 ERROR, WARN, INFO, DEBUG, TRACE가 사용됩니다. FATAL은 로깅 프레임워크가 응용 프로그램이 종료되어야 하는 시점을 결정할 장소가 아니므로 로그 작성자의 관점에서 ERROR와 FATAL 사이에는 차이가 없다는 것을 기반으로 삭제되었습니다.

SLF4J는 로그를 남기기 위해 error(), warn(), info(), debug(), trace() 메서드를 사용할 수 있습니다.

만일 여러분이 DEBUG 레벨의 로깅을 사용하지 않는다면 로깅 프레임워크는 값의 문자열 표현을 평가할 필요가 없습니다. 그러므로 다음 두 구문에서 count와 userAccountList 값은 DEBUG가 enable될 때만 평가되어야 합니다. 그렇지 않으면 작은 차이지만 디버그 호출의 오버헤드가 있을 수 있습니다. 문자열을 이어서 출력해야 한다면 + 연산자를 이용하지 말고 { }를 이용하여 로그로 출력할 문자열을 매핑시키세요.

```
logger.info("There are now " + count + " user accounts: " + userAccountList); // slow
logger.info("There are now {} user accounts: {}", count, userAccountList); //faster
```

출력되는 로그 레벨의 변경은 설정 파일을 통해 가능합니다. SLF4J 설정 파일은 src/main/resources 폴더 아래에 log4j.xml 파일을 이용합니다. 다음 코드는 로깅 설정 파일입니다. 여러분이 애플리케이션의 로그 레벨을 바꾸고 싶다면 <!-- Application Loggers --> 주석 아래의 <logger> 태그의 name 속성의 값이 com.example.myapp인 로그 레벨을 변경시키세요. 아래의 예처럼 로그 레벨을 error로 한다면 warn, info, debug, trace 레벨의 로그는 출력되지 않을 것입니다.

```
1  <?xml version="1.0" encoding="UTF-8"?>
2  <!DOCTYPE log4j:configuration PUBLIC "-//APACHE//DTD LOG4J 1.2//EN" "log4j.dtd">
3  <log4j:configuration xmlns:log4j="http://jakarta.apache.org/log4j/">
4
5    <!-- Appenders -->
6    <appender name="console" class="org.apache.log4j.ConsoleAppender">
7       <param name="Target" value="System.out"/>
8       <layout class="org.apache.log4j.PatternLayout">
9          <param name="ConversionPattern" value="%-5p: %c - %m%n"/>
10      </layout>
11   </appender>
12
```

```
13    <!-- Application Loggers -->
14    <logger name="com.example.myapp">
15        <level value="error"/>
16    </logger>
17
18    <!-- 3rdparty Loggers -->
19    <logger name="org.springframework.core">
20        <level value="info"/>
21    </logger>
22
23    <logger name="org.springframework.beans">
24        <level value="info"/>
25    </logger>
26
27    <logger name="org.springframework.context">
28        <level value="info"/>
29    </logger>
30
31    <logger name="org.springframework.web">
32        <level value="info"/>
33    </logger>
34
35    <!-- Root Logger -->
36    <root>
37        <priority value="warn"/>
38        <appender-ref ref="console"/>
39    </root>
40
41 </log4j:configuration>
```

3.5. Appender 패턴

Appender 패턴을 이용하여 원하는 형식으로 로그가 출력되도록 할 수 있습니다.

다음 코드는 log4j.xml 파일 일부입니다.

```
    ... 생략 ...
    <!-- Appenders -->
    <appender name="console" class="org.apache.log4j.ConsoleAppender">
        <param name="Target" value="System.out"/>
        <layout class="org.apache.log4j.PatternLayout">
            <param name="ConversionPattern" value="%-5p: %c - %m%n"/>
        </layout>
    </appender>
```

로그를 출력하는 코드가 다음과 같다면….

```
logger.info("Welcome home! The client locale is {}.", locale);
```

코드에서 PatternLayout 클래스의 ConversionPattern 파라미터의 value 속성의 값 %-5p: %c - %m%n이 의미하는 것은 다음과 같습니다.

그림 48. 로그 어팬더 패턴 예

%-5p : 로그 레벨을 5자리 문자 크기로 왼쪽(-) 정렬해서 출력합니다.
%c : 클래스 이름은 패키지 이름을 포함해서 출력합니다.
%m : 로그 메시지입니다. logger.info("Hello")이면 "Hello"가 로그 메시지입니다.
%n : 줄 바꿈 합니다.

다음 표는 로그 어팬더 패턴들에 대한 설명입니다.

표 2. Log Appender Pattern

패턴	설명
%p	debug, info, warn, error, fatal 등의 priority를 출력합니다.
%m	로그 내용을 출력합니다.
%d	로깅 이벤트가 발생한 시간을 출력합니다. 포맷은 %d{HH:mm:ss, SSS}, %d{yyyy MMM dd HH:mm:ss, SSS}같은 형태로 사용하며 SimpleDateFormat에 따른 포맷팅을 하면 됩니다.
%t	로그 이벤트가 발생한 쓰레드의 이름을 출력합니다.
%%	% 표시를 출력하기 위해 사용합니다.
%n	플랫폼 종속적인 개행 문자를 출력합니다. ₩r₩n 또는 ₩n일 것입니다.
%c	카테고리를 표시합니다. 예를 들면, 카테고리가 a.b.c처럼 되어있다면 %c{2}는 b.c를 출력합니다.
%C	클래스명을 표시합니다. 예를 들면, 클래스가 com.example.myapp.SomeClass처럼 되어있다면 %C{2}는 myapp.SomeClass를 출력합니다.
%F	로깅이 발생한 프로그램 파일명을 나타냅니다.
%l	로깅이 발생한 caller의 정보를 나타냅니다.
%L	로깅이 발생한 caller의 라인 수를 나타냅니다.
%M	로깅이 발생한 method 이름을 나타냅니다.
%r	애플리케이션 시작 이후부터 로깅이 발생한 시점의 시간(milliseconds)을 출력합니다.
%x	로깅이 발생한 thread와 관련된 NDC(nested diagnostic context)를 출력합니다.
%X	로깅이 발생한 thread와 관련된 MDC(mapped diagnostic context)를 출력합니다.

3.6. 스프링 부트의 로그 관리

스프링 부트의 로깅 프레임워크는 로그백(Logback)[66]입니다. Logback은 SLF4J의 구현체이며, spring-boot-starter-web의 spring-boot-starter-logging에 있습니다.

로그백(Logback)의 로그 레벨은 ERROR, WARN, INFO, DEBUG, TRACE가 있습니다. 기본 로그 레벨은 INFO입니다.

스프링 부트의 로그 설정은 resources 디렉토리 안에 logback-spring.xml 파일을 만들어 사용하거나, 스프링 설정 파일(.properties)을 사용하여 설정할 수 있습니다.

다음은 application.properties 파일에 추가하는 로그 레벨 설정입니다. 전체 로깅 레벨을 설정하거나, 패키지별로 로깅 레벨 설정이 가능하므로 아래 예를 참고하세요.

```
logging.level.root=info  <-- 전체 로깅 레벨을 설정함
logging.level.com.example.demo=info  <-- 패키지별로 로깅 레벨 설정이 가능함
```

로그를 남기기 위해서는 앞에서 설명한 org.slf4j.Logger 객체를 이용합니다. Logger 클래스는 error, warn(), info(), debug(), trace() 등 로깅 레벨별 메서드를 가지고 있습니다. 이 메서드를 이용해서 로그 레벨별 로그를 남길 수 있습니다.

```
import org.slf4j.Logger;
import org.slf4j.LoggerFactory;

... 생략 ...

@Controller
public class HelloController {
    private final Logger logger = LoggerFactory.getLogger(this.getClass());

... 생략 ...

    @GetMapping("/hello")
    public String hello(@RequestParam(required=false) String name, Model model) {
        logger.info("/hello {}", name);

... 생략 ...
```

> Lombok을 사용한다면 클래스 위에 @Slf4j 아노테이션(lombok.extern.slf4j.Slf4j)을 설정해서 로그를 남기기 위한 log 변수를 사용할 수 있습니다.
> 만일 Log4j2를 이용해서 로그를 남기려면 @Log4j2 아노테이션(lombok.extern.log4j.Log4j2)을 추가하세요. 그러면 log 변수를 사용할 수 있습니다.

● 스프링 부트의 로그 기능에 관한 더 자세한 정보는 아래 주소를 참고하세요.
https://docs.spring.io/spring-boot/docs/current/reference/html/features.html#features.logging

---

66) https://logback.qos.ch/

● JDBC에 대한 로그를 남기려면 다음 절차를 따릅니다. 더 자세한 내용은 [6장. MyBatis] > [6절. SQL 쿼리 로그]를 참고하세요.

1. log4jdbc 의존성 설정을 추가하세요.

```
<dependency>
    <groupId>org.bgee.log4jdbc-log4j2</groupId>
    <artifactId>log4jdbc-log4j2-jdbc4.1</artifactId>
    <version>1.16</version>
</dependency>
```

2. resources 디렉토리에 log4jdbc.log4j2.properties 파일을 추가하세요.

```
log4jdbc.spylogdelegator.name=net.sf.log4jdbc.log.slf4j.Slf4jSpyLogDelegator
log4jdbc.dump.sql.maxlinelength=0
```

3. application.properties 파일의 데이터베이스 연결정보를 다음처럼 수정하세요.

```
spring.datasource.driver-class-name=net.sf.log4jdbc.sql.jdbcapi.DriverSpy
spring.datasource.url=jdbc:log4jdbc:oracle:thin:@localhost:1521:xe
```

Instructor Note: Spring Legacy Project 메뉴가 없을 때 스프링 프레임워크 프로젝트 생성은?

Spring Tool Suite 4는 스프링 프레임워크 프로젝트를 만들기 위한 Spring Legacy Project 메뉴가 없습니다. 그럴 때 Maven Project를 이용해서 만들면 됩니다.

메이븐 프로젝트는 File -> New -> Maven Project 메뉴를 통해 만들 수 있습니다. 다음은 메이븐 프로젝트 생성 시 입력해야 할 내용의 예입니다.

- Create a simple project와 Use default Workspace location 체크 후 Next
  • Group id: com.example
  • Artifact id: myapp
  • Version: 0.0.1-SNAPSHOT
  • Packaging: war
  • Name: Spring Sample

pom.xml 파일을 수정해 주세요. 아래의 설정 예는 groupId:artifactId:version:scope 순서입니다. 태그 입력은 자동완성 기능을 사용하세요.
- 〈dependencies〉〈dependency〉 태그를 이용해서 라이브러리 의존성 추가
  • org.springframework:spring-context:4.3.9.RELEASE
  • org.springframework:spring-webmvc:4.3.9.RELEASE
  • javax.servlet:javax.servlet-api:3.1.0:provided
  • javax.servlet:jstl:1.2
  • org.springframework:spring-jdbc:4.3.9.RELEASE
  • org.apache.commons:commons-dbcp2:2.9.0
  • org.xerial:sqlite-jdbc:3.41.0.0
- 〈build〉〈plugins〉〈plugin〉 태그를 이용해서 플러그인 추가
  • groupId:artifactId:version
  • org.apache.maven.plugins:maven-war-plugin:3.3.2
  • org.apache.maven.plugins:maven-compiler-plugin:3.10.1
  • 아래에 〈configuration〉 태그 추가하고 〈source〉, 〈target〉 모두 1.8로 설정

부록 2. 프로젝트 버전관리

이 장에서는 버전 관리 시스템에 대해 소개하며, Github를 활용하여 프로젝트를 어떻게 버전 관리하는지를 설명합니다.

1. 버전관리 시스템

버전관리 시스템(VCS; Version Control System)은 소스코드나 산출물의 버전을 관리하기 위한 시스템으로, 형상관리 시스템이라고도 불립니다. 이는 시스템 개발 중 의미 있는 변화를 관리하는 체계로, 이러한 변화에는 기능 개선, 오류 수정, 고객 요구사항 변경 등이 포함됩니다. 형상관리 시스템은 프로젝트 진행 중 협업하는 개발자들이 코드를 작성하고 관리하는 기능을 제공할 뿐만 아니라, 소스코드의 백업과 이전 버전으로의 롤백 기능도 제공합니다.

이 시스템을 사용하는 이유는 다음과 같습니다.
- 소스코드 백업이 쉽습니다.
- 빌드 후 오류 발생 시 이전 버전의 소스코드로 복구가 가능합니다.
- 여러 작업자나 다른 장소에서의 소스코드 동기화가 간편합니다.
- 동시에 진행되는 여러 프로젝트에서 같은 소스코드에 대한 병합이 쉽습니다.
- 소스코드의 변경 시점과 변경자를 확인하기 쉽습니다.

1.1. 버전관리 도구

버전관리를 위한 주요 도구들에는 CVS[67], SVN[68], Mercurial[69], Git[70] 등이 있습니다.
- CVS는 1980년대에 만들어진 형상관리 프로그램이지만 파일관리나 변경사항 적용 중 오류 시 취소가 되지 않는 등 불편한 문제점이 있어 이후 SVN으로 대체되었습니다.
- SVN은 2000년에 CVS를 대체하기 위해 만들어졌으며 현재까지도 많이 사용되는 형상관리 도구입니다. branch, tag 개념을 지원하여 프로젝트의 버전관리를 편하게 합니다.
- Git은 수많은 병렬 브랜치를 전제로 설계되었고 구현 언어의 특성상 리눅스에서 성능이 더 좋습니다.
- 머큐리얼(Mercurial)은 쉽게 사용하는 데 중점을 두고 있으며 윈도우에서 성능이 더 좋고 패키지에 필요한 대부분의 확장이 포함되어 추가 설정이 필요 없습니다.

형상관리 도구는 소스코드를 작성하거나 관리하는 모든 개발자뿐만 아니라 디자이너, 기획자 등 파일에 대한 변경 이력 관리가 필요한 사람이면 필요한 도구입니다.

---

67) https://ko.wikipedia.org/wiki/CVS
68) https://ko.wikipedia.org/wiki/서브버전
69) https://www.mercurial-scm.org/
70) https://namu.wiki/w/Git

1.2. 버전관리 방법

많은 사람은 프로젝트 소스코드 또는 문서의 버전을 관리하기 위해 디렉토리로 파일을 복사하는 방법을 사용합니다. 이 방법은 간단하므로 자주 사용합니다. 그렇지만, 정말 뭔가 잘못되기 쉽습니다. 작업하던 디렉토리를 지워버리거나, 실수로 파일을 잘못 고칠 수도 있고, 잘못 복사할 수도 있습니다. 이런 이유로 프로그래머들은 오래전에 로컬 버전관리 시스템(Local Version Control System)을 만들었습니다.

1) 로컬 버전관리

로컬 VCS는 아주 간단한 데이터베이스를 사용해서 파일의 변경 정보를 관리했었습니다. 많이 쓰는 로컬 VCS 도구 중 RCS(Revision Control System)는 기본적으로 Patch Set(파일에서 변경되는 부분)을 관리합니다. 이 Patch Set은 특별한 형식의 파일로 저장합니다. 그리고 일련의 Patch Set을 적용해서 모든 파일을 특정 시점으로 되돌릴 수 있습니다.

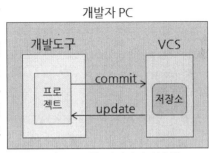

그림 1. 로컬 버전관리 시스템

2) 중앙집중식 버전관리

프로젝트를 진행하다 보면 다른 개발자와 함께 작업해야 하는 때가 많습니다. 이럴 때 생기는 문제를 해결하기 위해 중앙집중식 버전관리 시스템(Centralized Version Control System; CVCS)이 개발됐습니다. CVS, Subversion, Perforce 같은 시스템은 파일을 관리하는 서버가 별도로 있고 클라이언트가 중앙 서버에서 파일을 받아서 사용(Checkout)합니다. 수년 동안 이러한 시스템들이 많은 사랑을 받았었습니다.

중앙집중식 버전관리 시스템은 로컬 버전관리 시스템과 비교하면 장점이 많습니다. 관리자는 누가 무엇을 하고 있는지 알 수 있습니다. 모든 클라이언트의 로컬 데이터베이스를 관리하는 것보다 VCS 하나를 관리하기가 훨씬 쉽습니다.

중앙집중식 버전관리 시스템은 치명적인 단점이 있습니다. 그것은 중앙 서버에 발생하는 문제입니다. 만약 서버가 한 시간 동안 다운되면 그동안 아무도 다른 사람과 협업할 수 없고 사람들이 하는 일을 백업할 방법도 없습니다. 그리고 중앙 데이터베이스가 있는 하드

디스크에 문제가 생기면 프로젝트의 모든 히스토리를 잃습니다. 물론 사람마다 하나씩 가진 스냅샷(snapshot)은 사라지지 않습니다. 로컬 버전관리 시스템도 이와 비슷한 결점이 있고 이런 문제가 발생하면 모든것을 잃을 수 있습니다.

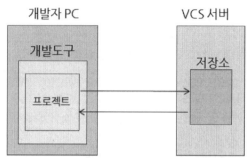

그림 2. 중앙집중식 버전관리 시스템

3) 분산 버전관리

분산 버전관리 시스템(Distributed VCS; DVCS)에서 클라이언트는 단순히 서버 파일의 마지막 스냅샷만 저장해 놓지 않습니다. 클라이언트는 서버의 저장소를 전부 복제합니다. 서버에 문제가 생기면 이 복제물로 다시 작업을 시작할 수 있습니다. 클라이언트 중에서 아무거나 골라도 서버를 복원할 수 있습니다. 모든 Checkout은 모든 데이터를 가진 진정한 백업입니다. 게다가 대부분의 분산 버전관리 시스템에서는 리모트 저장소가 존재합니다. 리모트 저장소가 많을 수도 있습니다. 그러므로 사람들은 동시에 다양한 그룹과 다양한 방법으로 협업할 수 있습니다. Git, Mercurial 등은 분산 버전관리를 지원하는 대표적인 도구들입니다.

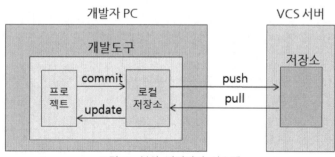

그림 3. 분산 버전관리 시스템

1.3. Git

Git[71]은 빠른 수행 속도에 중점을 두고 있는 것이 특징입니다. 최초에는 리누스 토르발스가 리눅스 커널 개발에 이용하려고 개발하였으며, 현재는 다른 곳에도 널리 사용되고 있습니다[72].

Git은 BitKeeper를 사용하면서 배운 교훈을 기초로 아래와 같은 목표를 세웠습니다.
 - 빠른 속도
 - 단순한 구조
 - 비선형적인 개발(수천 개의 동시다발적인 브랜치)
 - 완벽한 분산
 - Linux 커널 같은 대형 프로젝트에도 속도나 데이터 크기 면에서 유용할 것

Git은 2005년 탄생하고 나서 아직도 초기 목표를 그대로 유지하고 있습니다. 그러면서도 사용하기 쉽게 진화하고 성숙했습니다. Git은 매우 빨라서 대형 프로젝트에 사용하기도 좋습니다.

그런데 아무리 좋은 버전관리 도구일지라도 설치하지 않으면 사용할 수 없습니다. 그런데 Git은 깃허브(Github)를 통해 웹 브라우저를 통해 누구나 리포지토리를 만들어 사용할 수 있도록 했습니다. 깃허브는 Git를 호스팅 해주는 곳입니다.

이 책은 Git을 직접 설치하지 않습니다. 대신 깃허브에 리포지토리를 생성하고 소스코드의 버전관리를 위해 이클립스에 설정하는 방법을 설명합니다.

명령어를 이용한 깃 사용법은 깃 공식사이트를 참고하세요.

---

71) 공식 사이트 : https://git-scm.com/
　 깃 배포 사이트 : https://mirrors.edge.kernel.org/pub/software/scm/git/
72) https://ko.wikipedia.org/wiki/깃_(소프트웨어)

2. 깃허브에 프로젝트 관리하기

2.1. 깃허브(Github)

버전관리 시스템은 저장소(Repository; 리포지토리)를 가지고 있습니다. 이것은 서버의 공간 내에 소스코드 등을 저장하고 관리할 디렉토리입니다. 여러분이 사내의 버전관리 시스템을 사용한다면 사내의 리포지토리를 이용하면 됩니다. 그러나 그렇지 못할 상황이라면 여러분이 직접 버전관리 서버를 구축하고 구성해야 합니다. 그런데 다행히 깃허브(https://github.com)를 통해 누구든지 프로젝트 소스코드를 관리할 수 있습니다.

1) 깃허브 가입

깃허브(Github)는 원격 저장소를 제공합니다. https://github.com에 가입하면 누구든지 무료로 소스코드를 형상 관리할 수 있는 저장소를 만들고 운영할 수 있습니다. https://github.com에 가입 후 로그인하세요.

그림 4. github.com

2) 새 저장소 생성

로그인하면 화면 왼쪽에는 내 저장소들이 보입니다. 저장소가 없으면 화면에서 [Create new repository] 버튼을 볼 수 있습니다. 화면에서 New 버튼 또는 Create repository 버튼을 클릭하면 새로운 저장소(repository)를 만들 수 있습니다.

그림 5. 내 저장소 목록

Create a new Repository 화면에서 Repository name과 Description 항목을 입력하세요. 저장소 타입 Public은 누구든지 이 저장소를 볼 수 있으며, 소스코드 커밋할 수 있는 사람을 선택할 수 있습니다. Private는 저장소를 보거나 커밋할 사람을 선택할 수 있습니다. 저는 예에서 저장소의 이름을 abc로 설정했습니다. 저장소 이름 설정 후 Create repository 버튼을 클릭하면 새로운 저장소가 만들어집니다.

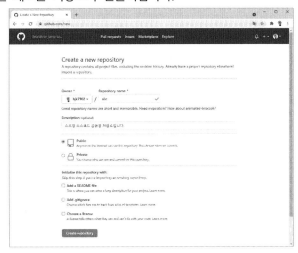

그림 6. 새 저장소 추가

3) 깃허브 리포지토리 URL

다음 그림은 깃허브에 새로 생성된 리포지토리입니다. 여기에서 저장소의 주소를 복사해 놓으세요. 필자의 계정이 hjk7902이고, 방금 만든 저장소 이름이 abc이면 저장소의 주소는 https://github.com/hjk7902/abc.git입니다.

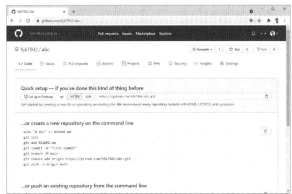

그림 7. 생성된 저장소

2.2. 이클립스에서 깃허브(Github) 저장소 사용하기

이클립스에서 깃허브(Github)의 리포지토리를 사용할 수 있습니다. 이클립스에서 깃허브 리포지토리는 프로젝트와 직접 연결되지 않고 이클립스 내에 로컬 리포지토리를 생성한 후 연결됩니다.

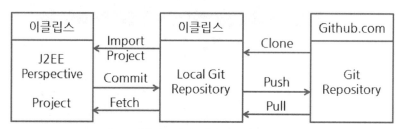

그림 8. 이클립스에서 깃허브 리포지토리 사용

1) Git Perspective

Window -> Open Perspective -> Other에서 [Git] 항목을 선택하면 Git Perspective로 전환됩니다. Git 퍼스펙티브는 로컬 리포지토리를 관리하기 위한 화면을 제공합니다. 다음 그림은 Git 퍼스펙티브를 선택한 화면입니다. 이 화면에서 [Clone a Git repository]를 선택하세요.

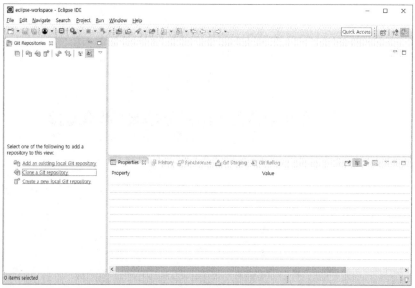

그림 9 Git Perspective

2) Clone a Git repository

Git 퍼스펙티브 화면에서 [Clone a Git repository]를 선택하거나 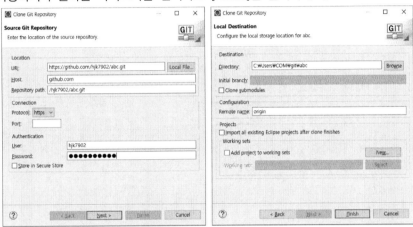 아이콘을 클릭하세요. 그러면 깃허브에서 만든 리포지토리를 로컬 리포지토리에 복사할 수 있습니다. Source Git Repository 창의 URI에 깃허브에서 만든 리포지토리 URI를 입력하세요. 그러면 Host, Repository path가 자동 입력됩니다. 사용자 아이디와 비밀번호는 깃허브의 사용자 아이디와 비밀번호입니다. 깃허브의 리포지토리 URI를 입력하고 [Next]를 클릭하면 로컬 리포지토리 디렉토리를 선택하는 화면이 나타납니다. 로컬 리포지토리는 기본값을 사용하거나 원하는 디렉토리를 선택하고 [Finish]를 클릭하세요.

그림 10. 깃허브 리포지토리 URI 입력   그림 11. Local Destination 선택

3) 이클립스의 로컬 리포지토리

다음은 깃허브의 리포지토리가 로컬 리포지토리에 복제된 결과입니다.

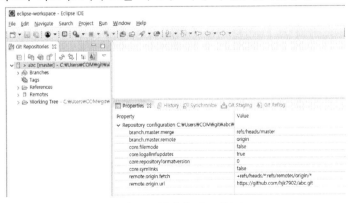

그림 12. 복제된 리포지토리

2.3. 프로젝트 게시하기

이클립스에서 작성 중인 프로젝트를 다른 사람과 공유하거나 버전을 관리하기 위해서는
프로젝트 공유를 시작해야 합니다. 다음 이클립스 화면에 있는 MVCSample 프로젝트를
깃허브에 공유해 보겠습니다.

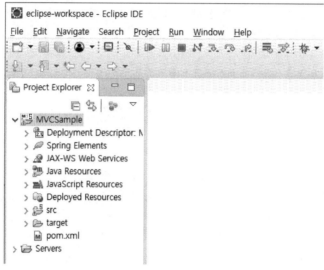

그림 13. 공유할 프로젝트

1) Share Project

프로젝트 선택하고 마우스 오른쪽 버
튼을 클릭하고 Team -> Share
Project 메뉴를 선택합니다.

Share Project 화면에서 Git을 선택하
고 [Next] 버튼을 클릭하세요.

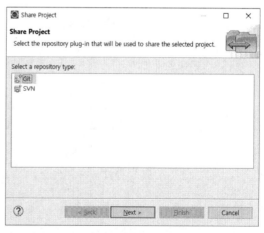

그림 14. Share Project

2) Git Repository 선택

Configure Git Repository 창에서 [Repository:] 항목에는 앞에서 만들었던 로컬 리포지토리를 선택하세요.

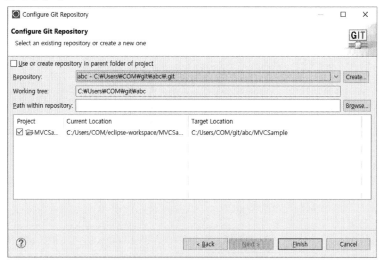

그림 15. Git Repository 선택

3) 로컬 리포지토리에 추가된 프로젝트

Git 퍼스펙티브를 선택하면 Git Repositories 탭에 추가된 프로젝트를 볼 수 있습니다. 로컬 리포지토리의 Working Tree를 아래로 펼치면 MVCSample 프로젝트가 보여야 합니다. 이것은 현재 이클립스의 프로젝트가 로컬 리포지토리에 올려진 것입니다. 아직 깃허브 리포지토리에 프로젝트가 게시된 것은 아닙니다. 이 프로젝트를 깃허브 프로젝트에 업로드해야 합니다.

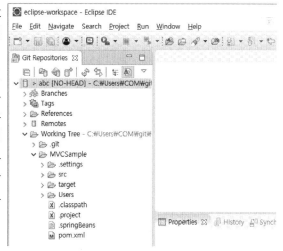

그림 16. 이클립스의 Git Repository에 추가된 프로젝트

4) Commit and Push

Git Staging 탭에서 Unstaged Changes에 있는 항목 중에서 Commit할 항목들을 선택하고 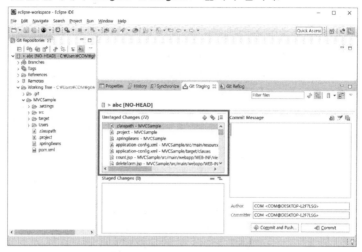 버튼을 클릭해서 Staged Changed로 옮겨야 합니다.

그림 17. Staged Changed 이동 전

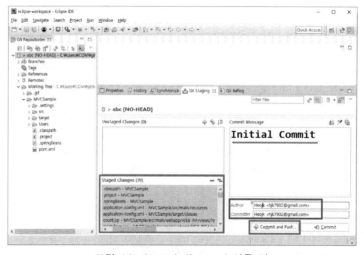

그림 18. Staged Changed 이동 전

Commit Message에 커밋 메시지를 입력하고 [Commit and Push]를 선택하세요. 커밋 사용자의 아이디와 이메일 주소를 지정하려면 Window > Preferences > Version Control(Team) > Git > Configuration 화면에서 [Add Entry...] 버튼을 클릭하고 사용자 이름과 이메일을 등록할 수 있습니다. 사용자 이름은 Key를 user.name으로 지정해야 하며, 사용자 이메일은 Key를 user.email로 지정해야 합니다.

5) Push to Upstream

프로젝트를 업로드할 깃허브의 주소를 확인하고 [Next]를 선택하세요. 그러면 깃허브의 사용자 아이디와 비밀번호를 입력한 후 깃허브 서버에 프로젝트를 업로드할 수 있습니다. 깃허브 리포지토리에 업로드하는 것은 Push라고 합니다.

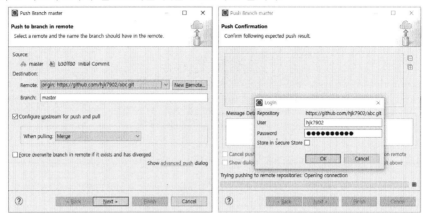

그림 19. Push to Upstream   그림 20. 로그인

● 2021년 8월 31일부터 ID/Password 방식의 인증을 없애고 ID/Personal access token 방식의 인증을 요구하므로 이제 깃허브의 비밀번호로는 커밋할 수 없습니다.

● 토큰 생성은 깃허브 로그인 후 -> 오른쪽 상단의 사용자 아이콘 -> Settings -> 메뉴 맨 아래의 Developer settings -> Personal access tokens -> Tokens (classic) -> [Generate new token]으로 할 수 있습니다. 아래의 항목을 입력하거나 선택하고 [Generate token] 버튼을 클릭하면 생성된 토큰을 볼 수 있습니다.

  - Note: 토큰을 위한 설명을 입력(예: Eclipse Project Commit)
  - Expiration: 토큰 유효기간 설정(예: No expiration)
  - Select Scopes: 토큰으로 접근하기 위해 사용할 범위 선택(예: 모두 선택)

● 아래 그림처럼 토큰이 생성되면 이 토큰을 복사해서 비밀번호 대신 입력하세요.

그림 21. Personal access tokens

다음 그림은 깃허브에 프로젝트가 업로드된 화면입니다.

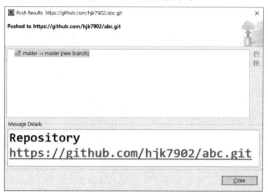

그림 22. Pushed

만일 앞에서 [Commit and Push]가 아닌 [Commit]을 선택했을 때는 로컬 리포지토리를 선택하고 마우스 오른쪽 버튼을 클릭한 후 [Push to Upstream]을 선택해서 깃허브에 프로젝트를 업로드(Push)해야 합니다.

6) 깃허브에서 확인

깃허브의 리포지토리에 다시 접속하면 업로드된 프로젝트를 볼 수 있습니다.

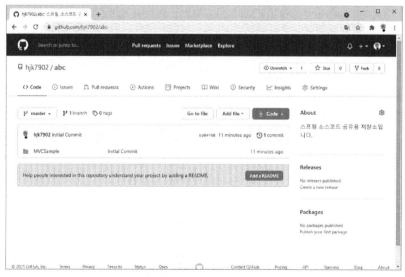

그림 23. 깃허브에 업로드된 프로젝트

2.4. Git Repository에서 프로젝트 가져오기

1) 권한 부여하기

깃허브는 프로젝트를 커밋할 수 있는 사람을 지정하려면 깃허브 프로젝트의 [Settings] 메뉴를 선택하고 그곳에서 [Access] 아래의 [Collaborators] 메뉴를 선택하세요.

그림 24. 커밋 권한 설정 메뉴

권한 설정 화면에서 [Add people] 버튼을 클릭하세요.

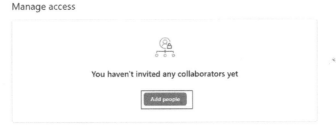

그림 25. Manage access - Add people

협업에 초대할 사용자의 이름이나 이메일 주소를 입력한 후 [Invite to xxx]를 클릭하세요. 그러면 해당 사용자에게 초대 이메일이 전송됩니다.

그림 26. 협업 사용자 초대하기

2) 초대된 사용자

깃허브 프로젝트에 초대된 사용자는 초대 이메일을 받습니다.

이메일에서 [View Invitation] 버튼을 클릭하면 초대 메시지를 볼 수 있습니다.

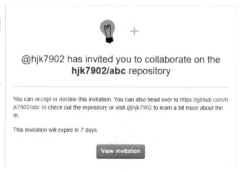

그림 27. 깃허브 초대 메시지

3) 초대 수락

초대된 사용자가 깃허브의 초대 메시지에 응대하면 다음과 같이 협업을 위한 초대를 볼 수 있습니다. 이때 사용자의 계정이 필요합니다. 여기에서 [Accept Invitation]을 클릭하면 깃허브 프로젝트의 커밋 권한을 얻게 됩니다.

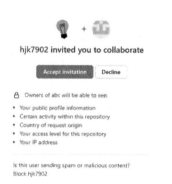

그림 28. 초대 수락

4) Import Projects

초대된 사용자가 프로젝트를 이클립스로 가져오려면 먼저 이클립스에 로컬 리포지토리가 만들어져 있어야 합니다. 앞에서 설명한 [Clone a Git repository]를 통해 깃허브 리포지토리를 복제해 로컬 리포지토리를 만든 것을 참고하세요.

그림 29. 초대된 사용자로 리포지토리 복제

프로젝트를 가져오기 위해 이클립스 로컬 리포지토리에서 Working Tree 아래의 프로젝트를 선택하고 마우스 오른쪽 버튼을 클릭하고 [Import Projects]를 선택하세요.

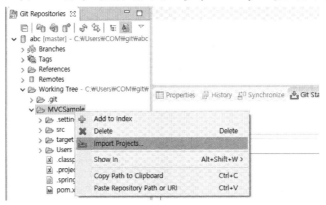

그림 30. Import Projects

[Import source:] 항목의 경로는 로컬 리포지토리의 프로젝트입니다. Folder 항목의 가져올 프로젝트를 체크하고 [Finish] 버튼을 클릭하세요.

그림 31. 임포트할 로컬 리포지토리와 프로젝트 확인

5) Import 된 프로젝트

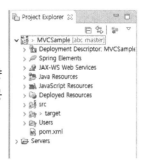

가져오기 한 프로젝트의 디렉토리와 파일들은 아이콘의 모양이 조금씩 달라집니다. 이제 이 프로젝트는 여러 사용자가 공유하는 프로젝트가 됩니다.

그림 32. 가져온 프로젝트

2.5. Git 프로젝트 관리

1) Git ignore

메이븐(Maven)의 target 디렉토리는 빌드된 클래스파일이 들어가게 됩니다. 이 디렉토리는 여러 개발자가 협업할 때 반드시 충돌이 발생하는 디렉토리입니다. Maven의 target 디렉토리를 git에서 무시(ignore)하도록 설정해야 합니다.

커밋에서 제외하려는 target 디렉토리에서 마우스 오른쪽 버튼을 클릭한 후 > Team > Ignore 메뉴를 선택하면 저장소의 프로젝트 아래에 .gitignore 파일이 만들어집니다. 파일이 안보이면 저장소를 새로고침(F5) 하세요. 그리고 이 파일을 서버에 Push하세요.

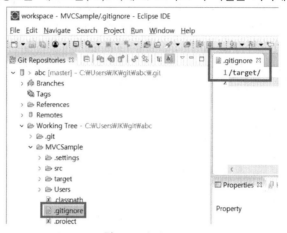

그림 33. git ignore

2) 공유 프로젝트의 아이콘

공유된 프로젝트의 파일 또는 폴더들은 변경이 되면 > 표시가 됩니다. 여러분은 아이콘들을 보고 프로젝트를 Commit & Push 여부를 선택해야 합니다.

그림 34. 공유 프로젝트의 아이콘

3) Fetch & Pull

프로젝트에서 마우스 오른쪽 버튼을 클릭하고 Team > Fetch from Upstream 메뉴를 선택하고 [OK] 버튼을 클릭하면 프로젝트에 ↑ 표시와 ↓ 표시가 나타납니다.

그림 35. Fetch from Upstream

이클립스의 프로젝트에 있는 ↑ 표시와 숫자는 Push 할 Commit이 있음을 의미하며(숫자는 Commit한 횟수), ↓ 표시와 숫자는 Fetch 할 Commit이 존재한다는 의미입니다. 서버에 변경된 코드가 있는 것이 확인되면 Pull을 선택해 프로젝트 파일이 갱신되도록 합니다.

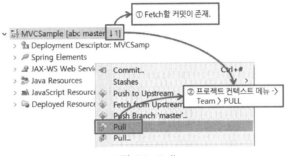

그림 36. Pull

4) rejected - non-fast-forward 오류

여러 개발자가 협업할 때 코드의 충돌은 피할 수 없습니다. 같은 버전의 파일을 다른 개발자가 각각 수정 후 커밋/푸시할 때 나중에 커밋/푸시한 개발자는 다음 그림처럼 [rejected - non-fast-forward] 메시지를 볼 수 있습니다.

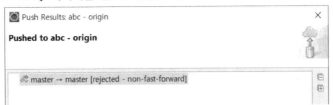

그림 37. reject - non-fast-forward

같은 사용자의 커밋이라도 커밋에 사용하는 도구가 다르면 충돌로 간주합니다. 예를 들면,

저자의 GitHub 저장소(https://github.com/hjk7902/spring)는 스프링 프레임워크 프로젝트와 스프링 부트 프로젝트를 모두 포함하고 있습니다. 1장부터 7장까지는 전자정부표준프레임워크 3.9에서 작업 되었으며, 8장은 전자정부표준프레임워크 4.1에서 작업 되었습니다. 그래서 7장의 프로젝트를 3.9버전에서 수정하고 커밋한 후, 8장의 프로젝트를 4.1 버전에서 수정하고 커밋할 때, 코드 충돌이 발생하지 않더라도 각각의 커밋이 다른 브랜치로 간주되어 [rejected --> non-fast-forward] 오류가 발생할 수 있습니다. 이런 경우, 아래의 절차를 따르세요.

① Git Repositories 뷰에서 Remotes/Origin/ 아래의 Fetch(초록색 ↓)를 선택하고, 마우스 오른쪽 버튼을 클릭하고 [Configure Fetch…] 메뉴를 선택합니다.

② Configure Fetch 창에서 [Advanced…] 버튼을 클릭하세요.

③ Fetch Ref Specifications 창에서 모든 Source Ref 항목을 Remove(휴지통) 아이콘을 클릭하여 해당 항목을 삭제합니다.

④ 그런 다음, Source ref와 Destination ref를 선택한 후 [Add Spec] 버튼을 클릭하여 모든 Spec을 새로 추가합니다. 마지막으로 [Finish] 버튼을 클릭합니다.

⑤ Configure fetch for remote 'origin' 창에서 [Save and Fetch]를 클릭합니다.

⑥ 서버의 변경된 항목이 있으며 Git Repositories 뷰에서 프로젝트를 [Pull]하세요.

⑦ Git Repositories 뷰에서 Branches/Local/ 아래의 브랜치를 선택하고, 마우스 오른쪽 버튼을 클릭하고 [Merge...]메뉴를 선택합니다.

⑧ Merge 창에서 [Merge] 버튼을 클릭하여 브랜치를 병합합니다.

5) 충돌하는 파일 무시

Team Synchronizing 퍼스펙티브에서 충돌이 발생하는 파일을 찾을 수 있습니다. 충돌된 파일 중에서 커밋/푸시에서 제외해야 하는 파일들을 무시(Ignore)할 수 있습니다. 이 예제에서라면 target/ 디렉토리와 그 아래 파일들은 무시하면 되므로 선택 후 마우스 오른쪽 버튼을 클릭하고 Ignore를 선택하세요.

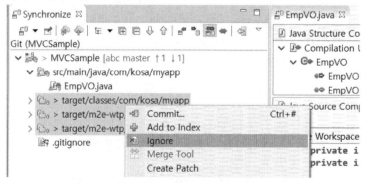

그림 38. 충돌 시 무시

6) 충돌하는 코드 확인

충돌한 파일을 더블클릭하면 다음 화면처럼 로컬 파일과 리모트 파일의 차이점을 비교할 수 있습니다. Java Source Compare에서 왼쪽은 로컬 파일의 내용이고, 오른쪽은 서버에 업로드된 파일의 내용입니다. 여기에서 충돌한 코드를 비교하여 볼 수 있습니다.

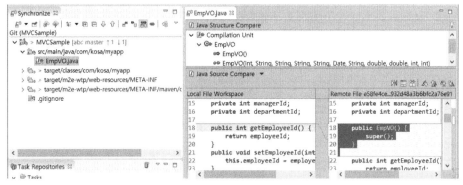

그림 39. 충돌 파일 찾기

7) 충돌하는 파일 수정

충돌이 발생한 파일을 더블클릭한 후 서버의 코드 일부를 로컬의 코드로 옮길 수 있습니다.

왼쪽으로 옮길 코드에 마우스 커서를 두고 [Copy Current Change from Right to Left] 아이콘을 클릭하면 오른쪽 코드에서 블록 설정된 영역의 코드들이 자동으로 왼쪽 코드로 복사됩니다.

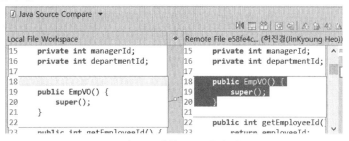

그림 40. 충돌 코드의 수정

충돌된 코드를 수정할 수 있다고 하더라도 이 작업은 매우 번거로운 일입니다. 팀 내에서 자신이 작성하여 커밋한 파일 외에는 가능하다면 직접 수정하지 않는 것이 좋습니다.

8) 병합 후 커밋

프로젝트를 선택하고 마우스 오른쪽 버튼을 클릭하고 Team > Merge를 선택해서 로컬과 리모트의 파일을 병합하세요.

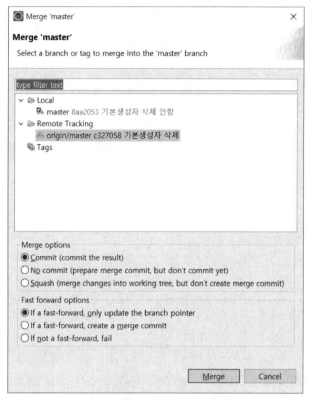

그림 41. Merge

프로젝트를 Merge하면 충돌한 파일들의 커밋 메시지를 볼 수 있습니다.

그림 42. Merge 결과

서버와 리모트 코드가 다를 때 아래처럼 일부가 표시됩니다. 이 코드를 올바르게 수정하고 다시 커밋하세요.

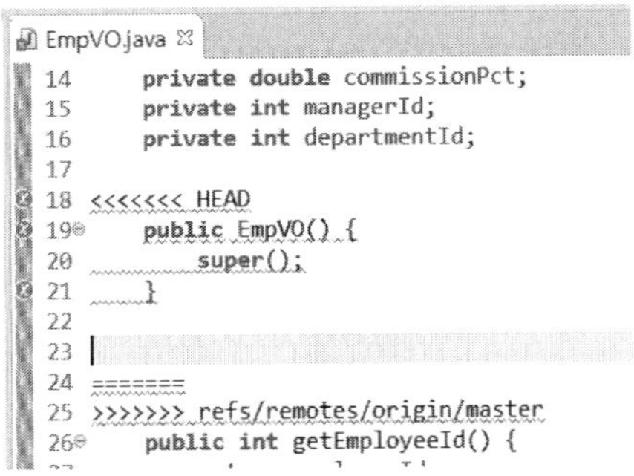

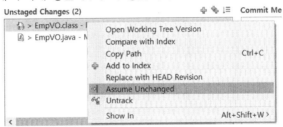

그림 43. Merge 후 표시된 파일

Unstaged Changes 목록에 클래스(.class) 파일이 보이면 마우스 오른쪽 버튼을 클릭하고 [Assume Unchanged]를 선택하면 커밋에서 제외됩니다. 물론 클래스 파일들은 .gitignore 파일에 추가해 놓는 것이 더 좋습니다.

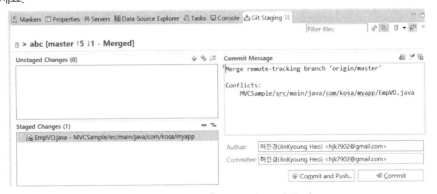

그림 44. Assume Unchanged

Merge 후 커밋할 때 커밋 메시지는 자동으로 입력됩니다. 이제 [Commit and Push]해 보세요.

그림 45. Merge 후 Commit and Push

코드 작업 전에 서버의 코드를 가져와서 작업하는 습관은 충돌을 줄일 수 있습니다.

2.6. 변경 이력 확인 및 이전 버전 가져오기

깃허브에서 관리되는 리소스의 버전을 확인하려면 [Window] -> [Show View] -> [Other] -> [Version Control(Team)] -> [History]를 선택하면 히스토리 뷰를 볼 수 있습니다.

히스토리 뷰에서 [HEAD]는 현재 사용 중인 버전이고, 나머지는 커밋된 메시지입니다. 히스토리에서 작업을 되돌리는 때는 Reset과 Revert Commit 두 가지가 있습니다.

1) Revert Commit

Revert Commit은 소스코드를 한 단계 이전의 커밋된 내용으로 되돌립니다. 한 번에 두 단계를 Revert 하면 충돌이 발생하므로 주의해야 합니다. Revert를 수행하면 새로운 커밋이 생성되어 되돌리기 이력이 유지됩니다.

2) Reset

Reset이 Revert와는 다르게 작업 내역을 완전히 삭제할 수 있습니다. Reset은 Hard, Mixed, Soft 3단계로 모드를 지정할 수 있습니다. 만일 Hard 모드로 Reset 하면 이전 작업내역을 완전히 취소하고 되돌립니다

표 1. Reset 모드

모드	Working Tree	Staging Area	Repository
Hard	되돌림	되돌림	되돌림
Mixed	유지	되돌림 (unstaged로 변경)	되돌림
Soft	유지	유지	되돌림

부록 3.　알아두면 쓸모 있는 기술들

이 장은 JDBC 연결 정보 암호화, 폼 입력값 검증, jQuery를 활용한 비동기 요청 처리, 웹소켓과 서버 푸시, 그리고 단독 톰캣 실행과 같은 다양한 유용한 기술들을 소개합니다.

1. JDBC 연결정보 암호화

1.1. 개발 보안 취약점

JDBC URL, ID, Password 등을 평문(Plain Text) 상태로 프로젝트에 코딩하면 개발단에 보안 취약점이 존재합니다.

```
<bean id="dataSource" class="org.apache.commons.dbcp2.BasicDataSource">
    <property name="driverClassName" value="oracle.jdbc.driver.OracleDriver"/>
    <property name="url" value="jdbc:oracle:thin:@localhost:1521:xe"/>
    <property name="username" value="hr"/>
    <property name="password" value="hr"/>
</bean>
```
그림 1. 평문으로 저장된 데이터베이스 연결정보

데이터베이스 연결정보를 암호화하려면 연결정보를 별도의 파일에 저장해야 합니다. 연결정보는 별도의 프로퍼티 파일(예를 들면 jdbc.properties)에 저장하고 프로퍼티 파일의 암호화를 위한 빈 설정을 추가해야 합니다.

1.2. Jasypt 라이브러리

jasypt(Java Simplified Encryption) 라이브러리를 사용하여 데이터베이스 프로퍼티 파일을 암호화할 수 있습니다. jasypt 라이브러리는 비밀번호 인코딩에도 사용할 수 있습니다.

스프링 프로퍼티 파일을 암호화하기 위해 메이븐 설정 파일에 jasypt[73] 라이브러리와 jasypt-spring[74] 라이브러리 의존성을 추가하세요. 4장의 [6. EMPLOYEES 데이터 관리 MVC 프로젝트] 파일을 이용해서 연결정보를 암호화하는 설정을 해보세요.

pom.xml

```
48      <!-- Jasypt 라이브러리 -->
49      <dependency>
50          <groupId>org.jasypt</groupId>
51          <artifactId>jasypt</artifactId>
52          <version>1.9.3</version>
53      </dependency>
```

73) http://www.jasypt.org/
74) http://www.jasypt.org/spring31.html

```
54
55      <dependency>
56          <groupId>org.jasypt</groupId>
57          <artifactId>jasypt-spring4</artifactId>
58          <version>1.9.3</version>
59      </dependency>
```

● 스프링 3.x버전을 사용한다면 jasypt-spring4를 jasypt-spring31로 바꿔주세요.

1.3. 연결정보 인코딩

JDBC 프로퍼티파일에 인코딩된 문자열을 사용하기 위해 JDBC 연결정보를 인코딩해야 합니다. 다음 코드는 드라이버클래스 이름, URL, 사용자이름, 비밀번호를 모두 인코딩하는 메인 클래스입니다.

JDBCEncryptor.java

```java
1 package com.example.myapp;
2
3 import org.jasypt.encryption.pbe.StandardPBEStringEncryptor;
4
5 public class JDBCEncryptor {
6
7    public static void main(String[] args) {
8        StandardPBEStringEncryptor enc = new StandardPBEStringEncryptor();
9        enc.setPassword("gjwlsrudWkd");
10       System.out.println(enc.encrypt("oracle.jdbc.OracleDriver"));
11       System.out.println(enc.encrypt("jdbc:oracle:thin:@localhost:1521:xe"));
12       System.out.println(enc.encrypt("hr")); // database username
13       System.out.println(enc.encrypt("hr")); // database password
14    }
15 }
```

위 코드를 실행시켜 출력된 문자열을 이용하여 JDBC 연결정보를 설정하면 됩니다. 위 코드는 실행할 때마다 인코딩된 문자열을 다르게 출력합니다.

```
Progress  Problems  @RequestMappings  Console
<terminated> JDBCEncriptor [Java Application] C:\dev\jdk-18.0.2\bin\javaw.exe (2022. 10. 27. 오전 9:58:19)
uLhqlcFiFX4WtMXP8CLH4U9BZrQXmSLt9zSMeRDE56o=
2eseSSaxhlrH/D7SnuCphQhWaj3qATBP3R3UlpsV+lhubFwAdTRYmXQnTTsc0LD1
rTPVyvd+VkLN3bzDEsEJvQ==
RfiV9hw7JoHlEfQesz6rFw==
```

그림 2. 데이터베이스 연결정보 인코딩 결과

1.4. 연결정보 설정 파일에 ENC() 함수 사용

JDBC 연결정보 설정 파일에 ENC() 함수와 인코딩된 문자열을 이용하여 설정 파일의 값을 지정합니다. 아래의 코드는 src/main/resources 아래에 jdbc.properties 파일로 작성하세요.

```
1 jdbc.driverClassName=ENC(uLhqlcFiFX4WtMXP8CLH4U9BZrQXmSLt9zSMeRDE56o=)
2 jdbc.url=ENC(2eseSSaxhlrH/D7SnuCphQhWaj3qATBP3R3UlpsV+lhubFwAdTRYmXQnTTsc0LD1)
3 jdbc.username=ENC(rTPVyvd+VkLN3bzDEsEJvQ==)
4 jdbc.password=ENC(RfiV9hw7JoHlEfQesz6rFw==)
```

그림 3. 인코딩된 문자열로 연결정보 설정

1.5. 스프링 설정 파일

스프링 설정 파일에 jasypt 라이브러리의 EncryptablePropertyPlaceholderconfigurer를 이용하여 설정 파일의 위치를 지정하고 EnvironmentStringPBEConfig 빈을 정의할 때 algorithm과 passwordEnvName 속성을 설정할 수 있습니다. StandardPGEStringEncryptor 빈을 설정할 때 password 속성에 설정하는 값은 데이터베이스 연결정보를 인코딩할 때 사용할 키를 지정합니다.

다음 코드는 스프링 설정 파일에 프로퍼티파일 인코딩을 위한 빈 설정을 한 예입니다. 프로퍼티 파일 암호화를 위한 설정과 데이터소스 설정을 위한 연결정보에 ${ }가 사용된 것을 확인하세요.

root-context.xml

```
    ... 생략 ...
13  <!-- context:property-placeholder location="classpath:jdbc.properties"/-->
14  <bean id="environmentVariablesConfiguration"
    class="org.jasypt.encryption.pbe.config.EnvironmentStringPBEConfig">
15      <property name="algorithm" value="PBEWithMD5AndDES"/>
16      <property name="passwordEnvName" value="APP_ENCRYPTION_PASSWORD"/>
17  </bean>
18
19  <bean id="configurationEncryptor"
    class="org.jasypt.encryption.pbe.StandardPBEStringEncryptor">
20      <property name="config" ref="environmentVariablesConfiguration"/>
21      <property name="password" value="gjwlsrudWkd"/>
22  </bean>
23
```

```
24      <bean id="propertyConfigurer"
   class="org.jasypt.spring4.properties.EncryptablePropertyPlaceholderConfigurer">
25          <constructor-arg ref="configurationEncryptor"/>
26          <property name="locations">
27              <list>
28                  <value>classpath:jdbc.properties</value>
29              </list>
30          </property>
31      </bean>
32
33      <bean id="dataSource" class="org.apache.commons.dbcp2.BasicDataSource">
34          <property name="driverClassName" value="${jdbc.driverClassName}"/>
35          <property name="url" value="${jdbc.url}"/>
36          <property name="username" value="${jdbc.username}"/>
37          <property name="password" value="${jdbc.password}"/>
38      </bean>
   ... 생략 ...
```

연결정보를 정상적으로 설정했을 때 데이터베이스에 연결이 되어야 합니다.

4장의 EMPLOYEES 데이터 관리 MVC 프로젝트 파일을 이용해서 연결정보를 암호화하
는 설정을 해보세요.

2. 폼 입력값 유효성 검증

다음 그림은 사원정보 입력 시 급여를 0원으로 했을 때 발생하는 예외(ORA-02290: check constraint (HR.EMP_SALARY_MIN) violated) 페이지의 소스보기를 한 화면입니다.

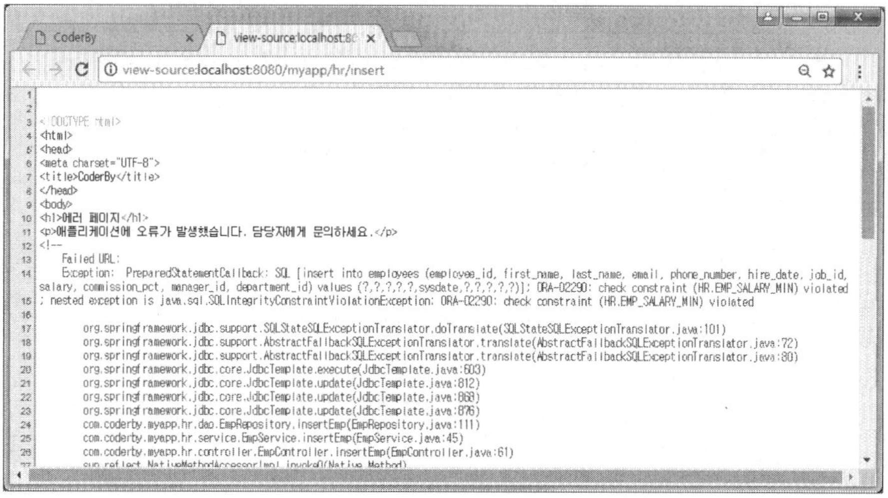

그림 4. ORA-02290: check constraint violated 예외

● 위의 예에서는 사원의 급여 제약조건에 의해 예외가 발생했을 때 예외 페이지를 통해 처리했습니다. 그러나 사용자의 올바르지 않은 입력값에 의해 발생하는 예외는 입력값 검증을 통해 해결해야 합니다.

스프링의 폼 입력값 유효성 검증은 서버사이트의 입력값 검증기능을 제공하면서 사용자가 처음 입력화면으로 되돌아올 때 기존에 입력했던 값들이 지워지지 않고 유지되도록 할 수 있습니다.

스프링의 폼 입력값 유효성 검증은 다소 이해하기 어렵고 복잡하게 보이더라도 더 신뢰도 높은 애플리케이션을 구현하는 데 도움을 줍니다.

● 이 절에서 설명하는 예제는 4장의 완성된 예제를 이용하여 추가 작성했습니다.

2.1. 폼 객체

Spring MVC 폼(form) 처리에 있어서 고려해야 할 사항들은 Form 관련 태그들, 데이터 바인딩, 데이터 유효성 검증, 에러 처리 등입니다.

다음 그림은 입력 양식과 매핑되는 폼 객체를 보여주고 있습니다. 입력 양식의 name 속성의 값과 폼 객체의 변수 이름이 같을 때 스프링은 자동으로 폼 데이터를 폼 객체에 매핑시켜 줍니다.

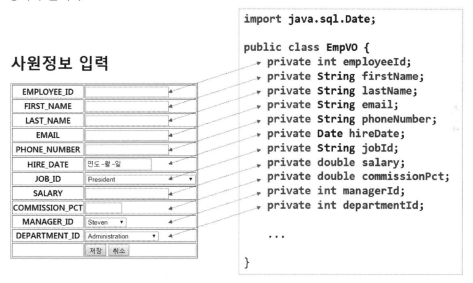

그림 5. 사원정보 입력 폼과 폼 객체

폼 객체는 HTML 입력 양식의 name 속성의 값과 같도록 변수 이름을 지정합니다. 예를 들면 사원의 이름을 저장하는 변수의 이름이 firstName이면 HTML 문서의 〈input〉 태그는 다음과 같이 작성될 수 있습니다.

```
<input type="text" name="firstName">
```

폼 객체는 반드시 setter/getter 메서드를 만들어 줘야 합니다. 그러므로 Emp 클래스에는 변수들의 setter/getter 메서드가 있어야 합니다.

2.2. 데이터 저장 처리 흐름

HTML을 이용해서 데이터를 저장할 때 입력 요청의 처리 흐름을 살펴보겠습니다.

HTML 폼 데이터를 처리하기 위해서 다음 순서를 따릅니다.
1) HTTP GET 방식으로 폼을 요청합니다. 이때 컨트롤러는 폼 객체를 준비해야 합니다.
2) 사용자가 정보를 입력하고 HTTP POST 방식으로 폼 데이터를 전송하면
3) 폼 객체에 사용자가 입력한 값이 저장되고
4) 컨트롤러에서 폼 객체를 데이터베이스에 저장하는 비즈니스 로직을 실행시킵니다.
5) 변경 사항이 저장된 후 다음 실행할 페이지로 리다이렉트(redirect) 시킵니다. 결과를 뷰로 포워드(forward) 하지 않고 리다이렉트 하는 이유는 새로고침(F5) 등에 의한 우발적인 재게시 방지를 위해서입니다.
6) 브라우저는 리다이렉트 페이지를 다시 요청합니다. 리다이렉트된 페이지는 변경 사항을 확인할 수 있는 정보를 제공할 수 있습니다.

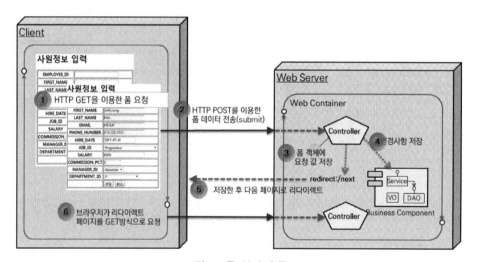

그림 6. 폼 처리 흐름

여러분이 데이터의 변경을 요청한다면 POST 방식으로 실행시키고, 변경 사항을 확인하기 위해 GET 방식으로 실행시킵니다. POST는 데이터를 주는 용도로 사용하고 GET은 데이터를 받는 용도로 사용합니다.

2.3. 입력값 검증 방법

폼 입력 값 검증을 위해 아노테이션을 사용하거나, 스프링의 Validator 인터페이스를 구현한 사용자 정의 유효성 검증을 위한 클래스를 사용할 수 있습니다.

1) 아노테이션을 이용한 검증

스프링 3.0 이후 버전은 폼 객체 검증을 위한 JSR-303(Bean Validation) 아노테이션을 지원합니다. 스프링은 JSR-303을 구현한 라이브러리로 하이버네이트를 사용합니다. 그래서 JSR-303 아노테이션을 사용하려면 Hibernate Validator가 필요합니다[75].

메이븐을 사용하면 pom.xml 파일에 hibernate-validator, validation-api, jaxb-api 라이브러리 의존성을 추가하세요.

pom.xml

```
70      <!-- Form Validation -->
71      <dependency>
72          <groupId>org.hibernate</groupId>
73          <artifactId>hibernate-validator-annotation-processor</artifactId>
74          <version>4.1.0.Final</version>
75      </dependency>
76
77      <dependency>
78          <groupId>javax.validation</groupId>
79          <artifactId>validation-api</artifactId>
80          <version>1.0.0.GA</version>
81      </dependency>
82
83      <dependency>
84          <groupId>javax.xml.bind</groupId>
85          <artifactId>jaxb-api</artifactId>
86          <version>2.3.0</version>
87      </dependency>
```

● JAXB는 JDK 1.6에서 2.0이 내장되어 있었고 JDK 9 에서 모듈화 방식을 사용하면서 vm 옵션을 통해 추가해서 사용할 수 있었으나 Java 11 버전부터 삭제되었습니다. 그래서 java.lang.ClassNotFoundException: javax.xml.bind.JAXBException이 발생하면 추가해 줘야 합니다.

---

75) http://beanvalidation.org/1.0/spec/ http://hibernate.org/validator/ 참고

Instructor Note: JAXBException 예외가 뭐죠?

여러분의 자바 버전이 JDK 9 이상이라면 jaxb-api가 없을 경우 java.lang.NoClassDefFoundError: javax/xml/bind/JAXBException 예외가 발생할 수 있습니다. JAXB(Java Architecture for XML Binding)는 자바 클래스를 XML로 표현하는 자바 API입니다. JAXB API는 Java EE API로 간주되므로 Java SE 9의 기본 클래스 경로에 더는 포함되지 않습니다. Java 11에서는 JDK에서 완전히 제거됐습니다. JDK 9 버전 이상의 모듈 정책에 의해 더는 볼 수 없는 패키지들은 다음과 같습니다.[76]

- java.activation
- java.annotations.common
- java.corba
- java.transaction
- java.xml.bind
- java.xml.ws

다음 그림은 JAXBExceptin이 발생한 예입니다.

```
Caused by: java.lang.NoClassDefFoundError: javax/xml/bind/JAXBException
    at org.hibernate.validator.engine.ConfigurationImpl.parseValidationXml(ConfigurationImpl.java:252)
    at org.hibernate.validator.engine.ConfigurationImpl.buildValidatorFactory(ConfigurationImpl.java:143)
    at org.springframework.validation.beanvalidation.LocalValidatorFactoryBean.afterPropertiesSet(LocalValidatorFactoryBean.j
    at org.springframework.validation.beanvalidation.OptionalValidatorFactoryBean.afterPropertiesSet(OptionalValidatorFactory
    at org.springframework.beans.factory.support.AbstractAutowireCapableBeanFactory.invokeInitMethods(AbstractAutowireCapable
    at org.springframework.beans.factory.support.AbstractAutowireCapableBeanFactory.initializeBean(AbstractAutowireCapableBea
    ... 36 more
Caused by: java.lang.ClassNotFoundException: javax.xml.bind.JAXBException
    at org.apache.catalina.loader.WebappClassLoaderBase.loadClass(WebappClassLoaderBase.java:1309)
    at org.apache.catalina.loader.WebappClassLoaderBase.loadClass(WebappClassLoaderBase.java:1138)
    ... 42 more
```

그림 7. JAXBException

이 문제를 해결하려면 pom.xml 파일에 의존성을 추가해 주세요.

pom.xml

```
<dependency>
    <groupId>javax.xml.bind</groupId>
    <artifactId>jaxb-api</artifactId>
    <version>2.3.0</version>
</dependency>
```

● JDK 버전 6, 7, 8 버전에 맞는 JAX-B 버전은 다음과 같습니다.
- JDK 6 : JAX-B 버전 2.0
- JDK 7 : JAX-B 버전 2.2.3
- JDK 8 : JAX-B 버전 2.2.8

---

76) http://mail.openjdk.java.net/pipermail/jdk9-dev/2016-May/004309.html

2) Validator 인터페이스를 이용한 검증

JSR-303 아노테이션을 사용하면 폼 객체에 아노테이션을 이용해 쉽게 폼 입력 값 검증을 구현할 수 있습니다. 그러나 이 방법은 다양하고 세밀한 방법으로 폼 입력 값 검증을 할 수는 없습니다.

org.springframework.validation.Validator 인터페이스를 구현하여 입력값의 유효성을 검증하는 클래스를 만들 수 있습니다. Validator 인터페이스를 이용해 입력한 값을 저장한 폼 객체의 유효성 여부를 검사하고, 입력한 값이 유효하지 않은 때 Errors에 에러메시지를 저장해서 뷰에 전달할 수 있습니다.

`EmpValidator.java`

```
 1 public class EmpValidator implements Validator {
 2
 3     public boolean supports(Class<?> cls) {
 4         return Emp.class.isAssignableFrom(cls);
 5     }
 6
 7     public void validate(Object target, Errors errors) {
 8         Emp form = (Emp)target;
 9
10         if (form.getSalary() <= 0 || form.getSalary() > 999999 ) {
11             errors.rejectValue("salary", "emp.salary", "0~99999");
12         }
13
14         if (form.getCommissionPct() < 0 || form.getCommissionPct() >= 1.0) {
15             errors.rejectValue("commissionPct", "emp.commissionPct", "0~1.0 미만");
16         }
17     }
18
19 }
```

● 이 코드를 지금 작성할 필요는 없습니다. 뒤에서 다시 소개합니다.

스프링의 Validator 인터페이스를 이용한 커스텀 밸리데이터 구현은 아노테이션을 이용한 입력값 검증 방법보다 더 자세하고 세밀한 입력값 검증이 가능합니다.

2.4. 아노테이션을 이용한 폼 입력값 검증

1) JSR-303 아노테이션

JSR-303 Bean Validation 아노테이션은 Spring 3.0.1 이후 사용할 수 있습니다. 폼 객체의 필드위에 JSR-303 아노테이션을 이용하여 폼 데이터의 유효성을 검증할 수 있습니다.

다음 표는 JSR-303 아노테이션에 대한 설명입니다.

표 1. JSR-303 아노테이션

아노테이션	지원 타입	설명
@AssertFalse	boolean, Boolean	해당 속성의 값이 false인지 검사합니다.
@AssertTrue	boolean, Boolean	해당 속성의 값이 true인지 검사합니다.
@DecimalMax	BigDecimal, BigInteger, String, byte, short, int, long and primitive type에 대한 wrappers	해당 속성이 가질 수 있는 최댓값을 검사합니다. 매개변수 값은 문자열입니다.
@DecimalMin	BigDecimal, BigInteger, String, byte, short, int, long and primitive type에 대한 wrappers	해당 속성이 가질 수 있는 최솟값을 검사합니다. 매개변수 값은 문자열입니다.
@Digits	BigDecimal, BigInteger, String, byte, short, int, long and primitive type에 대한 wrappers	해당 속성이 가질 수 있는 정수의 자릿수와 소수의 자릿수를 검사합니다.
@Future	java.util.Date, java.util.Calendar	해당 속성의 값이 현재일 이후인지 검사합니다.
@Max	BigDecimal, BigInteger, String, byte, short, int, long and primitive type에 대한 wrappers	해당 속성이 지정된 최댓값보다 작거나 같은지 확인합니다.
@Min	BigDecimal, BigInteger, String, byte, short, int, long and primitive type에 대한 wrappers	해당 속성이 지정된 최솟값보다 작거나 같은지 확인합니다.
@NotNull	any type	해당 속성의 값이 Null이 아닌지 검사합니다.
@Null	any type	해당 속성의 값이 Null인지 검사합니다.
@Past	java.util.Date, java.util.Calendar	해당 속성의 값이 현재일 이전인지 검사합니다.
@Pattern	String	해당 속성의 값이 정의된 Regular Expression에 부합하는지 검사합니다. Regular Expression은 Java Regular Expression Convention[77])에 맞게 정의해야 합니다.
@Size	String, Collection, Map, arrays	해당 속성이 가질 수 있는 최대, 최소 Length를 검사합니다.
@Valid	Any non-primitive type	해당 객체에 대해 입력값 검증이 이루어집니다.

---

77) 자바 정규표현식에 관한 자세한 내용은 java.util.regex.Pattern 문서를 참고하세요.
https://docs.oracle.com/javase/10/docs/api/java/util/regex/Pattern.html

2) DTO에 입력값 검증 아노테이션 추가

폼 객체(또는 DTO)의 멤버변수에 아노테이션을 이용하여 입력 값의 유효성 검증을 설정합니다. 다음 코드는 폼 객체의 멤버변수 위에 아노테이션을 이용하여 데이터 검증 설정을 하는 예입니다.

```
1  package com.example.myapp.hr.model;
2
3  import java.sql.Date;
4
5  import javax.validation.constraints.DecimalMax;
6  import javax.validation.constraints.DecimalMin;
7  import javax.validation.constraints.Min;
8  import javax.validation.constraints.Past;
9  import javax.validation.constraints.Pattern;
10
11 public class Emp {
12
13     @Min(value=300, message="사원번호는 300이상여야 합니다.")
14     private int employeeId;
15
16     @Pattern(regexp="[a-zA-Z가-힣]{2,}", message="이름을 입력하세요.")
17     private String firstName;
18
19     @Pattern(regexp="[a-zA-Z가-힣]{1,}", message="성을 입력하세요.")
20     private String lastName;
21
22     @Pattern(regexp="[A-Z0-9]{2,}", message="이메일 주소를 입력하세요.")
23     private String email;
24
25     @Pattern(regexp="[0-9]{2,3}-[0-9]{3,4}-[0-9]{4}", message="전화번호 형식에
       맞지 않습니다.")
26     private String phoneNumber;
27
28     @Past(message="오늘 또는 과거의 날짜만 지정 가능합니다.")
29     private java.sql.Date hireDate;
30
31     private String jobId;
32
33     @Min(value=100, message="급여는 100보다 작을 수 없습니다.")
34     private double salary;
35
36     @DecimalMin(value="0.0", message="보너스율은 0보다 작을 수 없습니다.")
37     @DecimalMax(value="0.99", message="보너스율은 0.99보다 클 수 없습니다.")
38     private double commissionPct;
39
```

```
40      private int managerId;
41
42      private int departmentId;
   ··· 생략 ···
```

3) @Valid와 BindingResult

폼의 입력 값 검증을 위해 컨트롤러의 메서드 매개변수인 폼 객체 앞에 @Valid 아노테이션을 지정하고, 입력값 검증한 결과 에러를 저장할 BindingResult를 선언해야 합니다. BindingResult는 입력양식의 값을 DTO 객체에 바인딩한 결과를 저장하고 에러 코드로부터 에러 메시지를 가져오는 역할을 합니다. 이 객체는 반드시 폼 객체(DTO) 뒤에 정의되어야 합니다.

> ("emp")생략 시 클래스 이름 첫 문자를 소문자로 만든 클래스 이름이 됨(ex: EmpDto-)empDto)

```
68 @PostMapping(value="/hr/insert")
69 public String insertEmp(@ModelAttribute("emp") @Valid Emp emp,
70      BindingResult result, Model model, RedirectAttributes redirectAttrs) {
71      if(result.hasErrors()) {
72 //      model.addAttribute("emp", emp); // @ModelAttribute("emp")와 같음
73          model.addAttribute("deptList", empService.getAllDeptId());
74          model.addAttribute("jobList", empService.getAllJobId());
75          model.addAttribute("managerList", empService.getAllManagerId());
76          return "hr/insertform";
77      }
   ··· 생략 ···
```

@Valid 아노테이션은 객체에 매핑되는 값들의 유효성을 검증하기 위해서 선언한 것이고, @ModelAttribute 아노테이션은 입력한 데이터를 다시 뷰에 전달해야 하므로 선언한 것입니다. 입력값 검증을 통과하지 않은 필드의 에러 메시지는 BindingResult 객체에 저장됩니다. 이 객체의 hasErrors() 메서드는 입력값 검증을 통과하지 못한 필드가 하나라도 있으면 true를 반환합니다.

입력값 검증을 하려면 GET 방식 요청을 처리하는 메서드도 수정해야 합니다. 처음 입력양식을 방문할 때 모델에서 폼 객체를 가져오므로 model에 빈 객체를 넣어줘야 합니다.

```
55      @GetMapping(value="/hr/insert")
56      public String insertEmp(Model model) {
57          model.addAttribute("emp", new Emp());
58          model.addAttribute("deptList", empService.getAllDeptId());
59          model.addAttribute("jobList", empService.getAllJobId());
60          model.addAttribute("managerList", empService.getAllManagerId());
61          return "hr/insertform";
62      }
```

2.5. 스프링 폼 태그

뷰 파일(JSP파일)에서 스프링 폼 태그를 사용하면 서식이 지정된 값으로 HTML 양식 필드를 쉽게 채울 수 있고, 특정 필드의 입력값 오류 메시지를 표시할 수 있습니다.

스프링 폼 태그를 사용하려면 taglib 디렉티브(directive) 정의를 추가해야 합니다.
```
<%@ taglib prefix="form" uri="http://www.springframework.org/tags/form"%>
```

HTML 〈form〉 태그 안에 입력양식을 만들기 위해서 〈input〉, 〈select〉, 〈textarea〉 등의 태그가 있는 것처럼 스프링의 〈form:form〉 태그 안에 〈form:input〉, 〈form:select〉, 〈form:textarea〉 등을 사용하여 입력 양식을 만들 수 있습니다. 게다가 스프링은 폼 입력값 검증 후 반려되는 에러 메시지를 출력하기 위해서 〈form:error〉 태그를 제공합니다. 〈form:error〉 태그를 이용하면 BindingResult 객체에 있는 입력값 검증 오류를 출력할 수 있습니다.

1) 〈form:form〉

스프링 〈form:form〉 태그는 다음 형식으로 사용합니다.
```
<form:form action="./insert" method="post" modelAttribute="emp">
```

〈form:form〉 태그의 modelAttribute 속성은 폼 객체를 지정합니다. 폼 객체는 여러 이름으로 사용됩니다. 폼 객체, 모델 객체, 폼-모델 객체 모두 같은 의미입니다. 이들 폼 객체는 특별히 새로운 객체는 아닙니다. 기존에 사용하던 DTO이며 POJO 클래스로 만들어집니다. modelAttribute 속성은 컨트롤러에서 model(또는 map, request 등)에 저장한 데이터를 갖는 객체를 지정합니다.

modelAttribute 속성의 값은 핸들러 메서드에서 model에 저장한 객체이거나….
```
@GetMapping(value="/hr/insert")
public String insertEmp(Model model) {
    model.addAttribute("emp", new Emp());
```

@ModelAttribute 어노테이션이 설정된 매개변수입니다.
```
@PostMapping(value="/hr/insert")
public String insertEmp(@ModelAttribute("emp") @Valid Emp emp, ...
```

2) 〈form:input〉

폼 input 태그를 HTML로 작성했을 때 아래와 같다면….

```
<input type="text" name="firstName" value="${emp.firstName}"/>
```

위 코드를 스프링의 〈form:input〉 태그를 이용하면 아래처럼 작성할 수 있습니다.

```
<form:input type="text" path="firstName"/>
```

〈form:input〉 태그에서 사용한 path 속성의 값은 〈form:form〉 태그의 modelAttribute 속성의 객체가 가지고 있는 필드의 이름과 일치해야 합니다.

HTML 태그에서 required는 boolean 속성이므로 HTML 태그 안에 required는 속성의 이름만으로 필수 속성임을 지정할 수 있지만 〈form:input〉 태그는 속성과 값을 모두 표기해야 합니다.

```
<form:input path="employeeId" required="required"/>
```

HTML 〈input〉 태그에 type 속성을 명시하려면 〈form:input〉 태그에서도 type 속성의 값을 명시해야 합니다. 특히 hireDate가 달력을 이용해서 날짜를 입력받으려면 다음처럼 type="date"를 〈form:input〉 태그 안에 넣어줘야 합니다.

```
<form:input path="hireDate" type="date"/>
```

3) 〈form:select〉와 〈form:option〉

〈option〉 태그를 갖는 〈select〉 입력 양식을 HTML 태그로 만든다면 아래와 같습니다.

```
<select name="departmentId">
    <option value="10">Administration</option>
    <option value="20">Marketing</option>
    <option value="30">Purchasing</option>
    ... 생략 ...
<select/>
```

앞의 코드를 스프링 〈form:select〉 태그를 이용하면 아래와 같습니다.

```
<form:select path="departmentId">
    <form:option label="Administration" value="10"/>
    <form:option label="Marketing" value="20"/>
    <form:option label="Purchasing" value="30"/>
    ... 생략 ...
<form:select/>
```

스프링의 〈form:select〉 태그는 모델에 저장된 리스트를 이용하여 목록을 자동으로 만들어 주게 합니다. 만일 List〈String〉 형식으로 departmentList에 부서번호들이 리스트에 저장되어 있다면 다음처럼 〈form:select〉 태그를 작성할 수 있습니다.

```
<form:select path="departmentId" items="${departmentList}"/>
```

만일 DepartmentDto 클래스에 departmentId 필드와 departmentName 필드가 있고, List〈DepartmentDto〉 형식으로 저장된 departmentList라면 아래 코드의 예처럼 값과 라벨을 지정할 수 있습니다.

```
<form:select path="departmentId" items="${departmentList}" itemValue="departmentId"
itemLabel="departmentName"/>
```

또는

```
<form:select path="departmentId">
    <form:option value="0">부서를 선택하세요.</form:option>
    <form:options items="${departmentList}" itemValue="departmentId"
itemLabel="departmentName"/>
</form:select>
```

만일 직무아이디와 직무타이틀 데이터가 List〈Map〈String, Object〉〉 형식으로 jobList 변수에 들어있다면….

```
[{JOBID=AD_PRES, JOBTITLE=President}, {JOBID=AD_VP, JOBTITLE=Administration Vice
President}, {JOBID=AD_ASST, JOBTITLE=Administration Assistant}, ...
```

〈form:select〉를 다음처럼 작성하세요.

```
    <form:select path="jobId">
        <c:forEach var="job" items="${jobList}">
            <form:option label="${job.jobTitle}" value="${job.jobId}"/>
        </c:forEach>
    </form:select>
```

4) 〈form:errors〉

에러 메시지 처리는 〈form:form〉 태그와 〈form:errors〉 태그를 이용할 수 있습니다.

〈form:form〉 태그와 〈form:errors〉 태그를 이용하여 에러메시지를 설정하는 예는 아래와 같습니다.

```
<form:errors path="employeeId"/>
```

5) 스프링 폼 태그 사용 예

다음은 입력양식에 스프링 폼 태그를 사용하는 코드입니다.

/WEB-INF/views/hr/insertform.jsp

```
 1 <%@ page contentType="text/html; charset=UTF-8"%>
 2 <%@ taglib prefix="c" uri="http://java.sun.com/jsp/jstl/core"%>
 3 <%@ taglib prefix="form" uri="http://www.springframework.org/tags/form"%>
 4 <!DOCTYPE html>
 5 <html>
 6 <head>
 7 <meta charset="UTF-8">
 8 <title>Example</title>
 9 <style type="text/css">
10 .error {
11     color : red
12 }
13 </style>
14 </head>
15 <body>
16 <h1>사원정보 입력</h1>
17 <c:url value="/hr/insert" var="actionURL" scope="page"/>
18 <form:form action="${actionURL}" modelAttribute="emp">
19 <table border="1">
20 <tr>
21     <th>EMPLOYEE_ID</th>
22     <td><form:input path="employeeId"/>
23         <form:errors path="employeeId" class="error"/></td>
24 </tr>
25 <tr>
26     <th>FIRST_NAME</th>
27     <td><form:input path="firstName"/>
28         <form:errors path="firstName" class="error"/></td>
29 </tr>
30 <tr>
31     <th>LAST_NAME</th>
32     <td><form:input path="lastName"/>
33         <form:errors path="lastName" class="error"/></td>
34 </tr>
35 <tr>
36     <th>EMAIL</th>
37     <td><form:input path="email"/>
38         <form:errors path="email" class="error"/></td>
39 </tr>
40 <tr>
41     <th>PHONE_NUMBER</th>
42     <td><form:input path="phoneNumber"/>
43         <form:errors path="phoneNumber" class="error"/></td>
```

```
44 </tr>
45 <tr>
46     <th>HIRE_DATE</th>
47     <td><form:input path="hireDate" type="date" required="required"/>
48         <form:errors path="hireDate" class="error"/></td>
49 </tr>
50 <tr>
51     <th>JOB_ID</th>
52     <td>
53         <select name="jobId">
54         <c:forEach var="job" items="${jobList}">
55             <option value="${job.jobId}">${job.title}</option>
56         </c:forEach>
57         </select>
58     </td>
59 </tr>
60 <tr>
61     <th>SALARY</th>
62     <td><form:input path="salary" type="number"/>
63         <form:errors path="salary" class="error"/></td>
64 </tr>
65 <tr>
66     <th>COMMISSION_PCT</th>
67     <td><form:input path="commissionPct" type="number"/>
68         <form:errors path="commissionPct" class="error"/></td>
69 </tr>
70 <tr>
71     <th>MANAGER_ID</th>
72     <td>
73         <select name="managerId">
74         <c:forEach var="manager" items="${managerList}">
75             <option value="${manager.managerId}">${manager.firstName}</option>
76         </c:forEach>
77         </select>
78     </td>
79 </tr>
80 <tr>
81     <th>DEPARTMENT_ID</th>
82     <td>
83         <select name="departmentId">
84         <c:forEach var="department" items="${deptList}">
85             <option
   value="${department.departmentId}">${department.departmentName}
86             </option>
87         </c:forEach>
88         </select>
89     </td>
90 </tr>
```

```
91 <tr>
92     <th> </th>
93     <td>
94         <input type="submit" value="저장">
95         <input type="reset" value="취소">
96     </td>
97 </tr>
98 </table>
99 </form:form>
100 </body>
101 </html>
```

2.6. Validator 인터페이스를 이용한 입력값 검증

org.springframework.validation.Validator 인터페이스를 구현하여 입력값을 검증할 수 있는 클래스를 만들 수 있습니다. Validator 인터페이스를 이용해 입력양식에 입력한 값을 저장한 객체의 유효성 여부를 검사하고, 입력한 값이 유효하지 않은 때 Errors에 오류 메시지를 저장해서 뷰에 전달할 수 있습니다. 클래스를 이용해서 폼 입력값을 검증하면 아노테이션에 의한 폼 밸리데이션보다 더 자세하고 정확하게 폼 데이터를 검증할 수 있습니다.

1) 스프링 밸리데이터 API

Validator 인터페이스를 이용한 폼 입력 값 검증을 위해 Validator, Errors 그리고 BindingResult 인터페이스들에 대해 알아둘 필요가 있습니다.

◆ org.springframework.validation.Validator
Validator 인터페이스는 객체 검증에 사용됩니다. 이 인터페이스의 메서드는 supports() 메서드와 validate() 메서드가 있습니다.
 - boolean supports(Class<?> clazz) : Validator가 해당 클래스에 대한 값 검증을 지원하는지 안 하는지를 반환합니다.
 - void validate(Object target, Errors errors) : target 객체에 대한 검증을 실행한다. 검증 결과 문제가 있을 때 errors 객체에 어떤 문제인지에 대한 정보를 저장해야 합니다. 이 인터페이스에는 reject() 메서드와 rejectValue() 메서드들이 있습니다.

◆ org.springframework.validation.Errors

Errors 인터페이스는 유효성 검증 에러를 저장할 때 사용합니다. 아노테이션을 이용한 입력값 검증 시 사용한 BindingResult 인터페이스는 Errors 인터페이스의 하위 인터페이스입니다. BindingResult 객체는 입력값을 폼 객체에 바인딩한 결과를 저장하고 에러코드로부터 에러 메시지를 가져옵니다. BindingResult는 핸들러 메서드의 인자로 정의될 때 반드시 폼 객체 바로 뒤에 정의되어야 합니다.

- void reject(String errorCode) : 전체 객체에 대한 글로벌 에러코드를 추가합니다.
- void reject(String errorCode, String defaultMessage) : 전체 객체에 대한 글로벌 에러코드를 추가합니다. 에러코드에 대한 메시지가 존재하지 않을 때 defaultMessage를 사용합니다.
- void reject(String errorCode, Object[] errorArgs, String defaultMessage) : 전체 객체에 대한 글로벌 에러코드를 추가합니다. 메시지 인자로 errorArgs를 전달합니다. 에러 코드에 대한 메시지가 존재하지 않을 때 defaultMessage를 사용합니다.
- void rejectValue(String field, String errorCode) : 필드에 대한 에러코드를 추가합니다.
- void rejectValue(String field, String errorCode, String defaultMessage) : 필드에 대한 에러코드를 추가합니다. 에러코드에 대한 메시지가 존재하지 않을 때 defaultMessage를 사용합니다.
- void rejectValue(String field, String errorCode, Object[] errorArgs, String defaultMessage) : 필드에 대한 에러코드를 추가합니다. 메시지 인자로 errorArgs를 전달합니다. 에러코드에 대한 메시지가 존재하지 않을 때 defaultMessage를 사용합니다.

2) 스프링 밸리데이터 구현하기

다음 코드는 스프링의 Validator 인터페이스를 구현하여 폼 입력값을 검증하는 클래스를 작성한 것입니다. reject 할 때 사용한 에러코드는 다국어 메시지 처리에 사용합니다. 아노테이션을 이용한 입력값 검증의 결과와 구분되도록 에러 메시지에 [ ]를 추가했습니다.

EmpValidator.java

```
1 package com.example.myapp.hr.model;
2
3 import java.sql.Date;
4 import java.util.regex.Pattern;
5
6 import org.springframework.stereotype.Component;
7 import org.springframework.validation.Errors;
8 import org.springframework.validation.ValidationUtils;
```

```
 9  import org.springframework.validation.Validator;
10
11  @Component
12  public class EmpValidator implements Validator {
13
14      @Override
15      public boolean supports(Class<?> clazz) {
16          return Emp.class.isAssignableFrom(clazz);
17      }
18
19      @Override
20      public void validate(Object target, Errors errors) {
21          Emp emp =(Emp)target;
22
23          int employeeId = emp.getEmployeeId();
24          if(employeeId < 300) {
25              errors.rejectValue("employeeId", "Min.emp.employeeId", "[사원번호는
    300이상여야 합니다.]");
26          }
27
28          ValidationUtils.rejectIfEmptyOrWhitespace(errors, "firstName",
    "NotNull.emp.firstName", "[사원이름은 반드시 입력되어야 합니다.]");
29
30          String firstNamePattern = "[a-zA-Z가-힣]{2,}";
31          String firstName = emp.getFirstName();
32          if(!Pattern.matches(firstNamePattern, firstName)) {
33              errors.rejectValue("firstName", "Pattern.emp.firstName", "[이름은 2
    자 이상 입력되어야 합니다.]");
34          }
35
36          String lastNamePattern = "[a-zA-Z가-힣]{1,}";
37          String lastName = emp.getLastName();
38          if(!Pattern.matches(lastNamePattern, lastName)) {
39              errors.rejectValue("lastName", "Pattern.emp.lastName", "[성은 1자
    이상 입력되어야 합니다.]");
40          }
41
42          String emailPattern = "[A-Z0-9]{2,}";
43          String email = emp.getEmail();
44          if(!Pattern.matches(emailPattern, email)) {
45              errors.rejectValue("email", "Pattern.emp.email", "[이메일은 영문 대
    문자와 숫자로 2자 이상 입력되어야 합니다.]");
46          }
47
48          String phonePattern = "^[0-9]{2,3}[-\\.]?[0-9]{3,4}[-\\.]?[0-9]{4}$";
49          String phoneNumber = emp.getPhoneNumber();
50          if(!Pattern.matches(phonePattern, phoneNumber)) {
51              errors.rejectValue("phoneNumber", "Pattern.emp.phoneNumber", "[유효
```

```
52              }
53
54          Date hireDate = emp.getHireDate();
55          Date today = new Date(System.currentTimeMillis());
56          if(hireDate == null) {
57              errors.rejectValue("hireDate", "NotNull.emp.hireDate", "[입사일을
    선택하세요.]");
58          }else if(hireDate.after(today)) {
59              errors.rejectValue("hireDate", "Past.emp.hireDate", "[입사일은 미래
    의 날짜가 지정될 수 없습니다.]");
60          }
61
62          double salary = emp.getSalary();
63          if(salary<100) {
64              errors.rejectValue("salary", "Min.emp.salary", "[급여는 100보다 작
    을 수 없습니다.]");
65          }
66
67          double commissionPct = emp.getCommissionPct();
68          if(commissionPct<0) {
69              errors.rejectValue("commissionPct",
    "DecimalMin.emp.commissionPct", "[보너스율은 0보다 작을 수 없습니다.]");
70          }
71          if(commissionPct>0.99) {
72              errors.rejectValue("commissionPct",
    "DecimalMax.emp.commissionPct", "[보너스율은 0.99보다 클 수 없습니다.]");
73          }
74      }
75 }
```

ValidationUtils 클래스의 rejectIfEmptyOrWhitespace() 메서드는 값이 비어있거나 공백 문자로 이루어져 있으면 에러를 발생시킵니다. 이 메서드의 인자는 Errors 객체, 폼 필드 이름, 에러코드, 그리고 디폴트 메시지 순서로 입력합니다. 메시지 프로퍼티 파일에 에러 코드가 존재하면 메시지 프로퍼티의 값이 출력되고 에러코드가 없을 때 디폴트 메시지가 출력됩니다.

위 코드 28라인에 있는 코드는 아래의 코드와 의미입니다.

```
28          String firstName = emp.getFirstName();
29          if(firstName == null || firstName.trim().equals("")) {
30              errors.rejectValue("firstName", "emp.firstName.empty", "[사원이름은
    반드시 입력되어야 합니다.]");
31          }
```

3) 컨트롤러와 @InitBinder

스프링 밸리데이터를 사용할 때는 컨트롤러 클래스에 @InitBinder 메서드를 추가해야 합니다.

EmpController.java

```
    ... 생략 ...
28  @Controller
29  public class EmpController {
30
31      @Autowired
32      IEmpService empService;
33
34      @Autowired
35      private EmpValidator empValidator;
36
37      @InitBinder
38      private void initBinder(WebDataBinder binder) {
39          binder.setValidator(empValidator);
40      }
    ... 생략 ...
```

JSR-303 아노테이션과 스프링 밸리데이터를 함께 사용할 때 스프링 밸리데이터가 적용됩니다. 이때 JSR-303 아노테이션에 의한 메시지는 오버라이드 되지 않습니다. @InitBinder 메서드를 삭제하거나 setValidator() 메서드 호출 코드를 삭제하면 JSR-303 밸리데이터가 적용됩니다.

2.7. JSR-303 Validator와 Spring Validator 동시 사용

스프링의 밸리데이터의 메시지는 JSR-303 밸리데이터의 메시지를 오버라이드 하지 않습니다. JSR-303 밸리데이터와 스프링 밸리데이터를 동시에 사용하려면 스프링의 밸리데이터가 실행되기 전에 JSR-303 밸리데이터의 메시지를 불러와 Errors 객체에 저장해야 합니다.

다음 코드는 JSR-303 밸리데이터와 스프링 밸리데이터를 함께 사용하기 위해 밸리데이터 클래스입니다. 이 클래스는 InitializingBean 인터페이스를 구현했습니다. 이 인터페이스는 afterPropertiesSet() 메서드를 가지고 있습니다. 이 메서드는 밸리데이션 펙토리 인스턴스를 통해서 밸리데이터 객체를 가져옵니다. validate() 메서드가 실행될 때 validator 객체의 모든 메시지가 읽혀 error 객체를 통해 rejectValue() 되어야 합니다.

EmpValidator.java

```
 1 package com.example.myapp.hr.model;
 2
 3 import java.sql.Date;
 4 import java.util.Set;
 5 import java.util.regex.Pattern;
 6
 7 import javax.validation.ConstraintViolation;
 8 import javax.validation.Validation;
 9 import javax.validation.ValidatorFactory;
10
11 import org.springframework.beans.factory.InitializingBean;
12 import org.springframework.stereotype.Component;
13 import org.springframework.validation.Errors;
14 import org.springframework.validation.ValidationUtils;
15 import org.springframework.validation.Validator;
16
17 @Component
18 public class EmpValidator implements Validator, InitializingBean {
19
20     private javax.validation.Validator validator;
21
22     @Override
23     public void afterPropertiesSet() throws Exception {
24         ValidatorFactory vFactory = Validation.buildDefaultValidatorFactory();
25         validator = vFactory.usingContext().getValidator();
26     }
27
28     @Override
29     public boolean supports(Class<?> clazz) {
30         return Emp.class.isAssignableFrom(clazz);
31     }
32
33     @Override
34     public void validate(Object target, Errors errors) {
35         Set<ConstraintViolation<Object>> violations =
   validator.validate(target);
36         for (ConstraintViolation<Object> violation : violations) {
37             String propertyPath = violation.getPropertyPath().toString();
38             String message = violation.getMessage();
39             errors.rejectValue(propertyPath, message, message);
40         }
41
42         Emp emp =(Emp)target;
43
   ... 생략 ...
```

예제를 실행해보고 입력값 검증이 잘 되는지 확인해 보세요. 정상적인 상황이라면 아노테이션을 이용한 에러 메시지와 밸리데이터 클래스를 이용한 에러메시지가 모두 출력되어야 합니다.

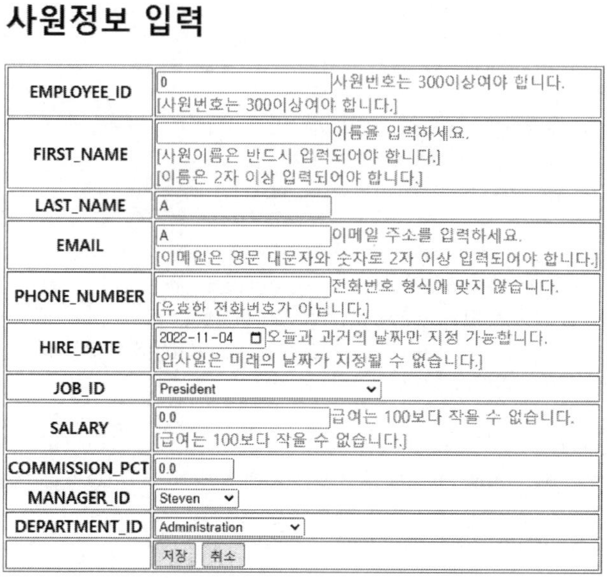

사원정보 입력

EMPLOYEE_ID	0 / 사원번호는 300이상여야 합니다. [사원번호는 300이상여야 합니다.]
FIRST_NAME	/ 이름을 입력하세요. [사원이름은 반드시 입력되어야 합니다.] [이름은 2자 이상 입력되어야 합니다.]
LAST_NAME	A
EMAIL	A / 이메일 주소를 입력하세요. [이메일은 영문 대문자와 숫자로 2자 이상 입력되어야 합니다.]
PHONE_NUMBER	/ 전화번호 형식에 맞지 않습니다. [유효한 전화번호가 아닙니다.]
HIRE_DATE	2022-11-04 □ 오늘과 과거의 날짜만 지정 가능합니다. [입사일은 미래의 날짜가 지정될 수 없습니다.]
JOB_ID	President
SALARY	0.0 / 급여는 100보다 작을 수 없습니다. [급여는 100보다 작을 수 없습니다.]
COMMISSION_PCT	0.0
MANAGER_ID	Steven
DEPARTMENT_ID	Administration
	저장 취소

그림 8. 입력값 검증 예

입력값을 확인하는 방법으로 HTML를 사용할 수 있습니다. 예를 들면 〈input〉 태그에 required 속성을 추가하면 입력 양식에 아무 값도 입력하지 않을 때 폼이 전송되지 않습니다.

```
30 <tr>
31   <th>LAST_NAME</th>
32   <td><form:input path="lastName" required="required"/>
33      <form:errors path="lastName" class="error"/></td>
34 </tr>
```

다음 예에서 COMMISSION_PCT는 HTML5 폼 속성 min, max에 의해 0부터 0.99까지만 입력되도록 합니다.

```
65 <tr>
66   <th>COMMISSION_PCT</th>
67   <td><form:input path="commissionPct" type="number" step="0.05" min="0"
   max="0.99"/>
68      <form:errors path="commissionPct" class="error"/></td>
69 </tr>
```

2.8. 다국어 메시지 처리

입력값 검증 후 에러메시지를 폼 객체 안에 넣으면 메시지를 수정해야 할 때 클래스를 컴파일해야 하며, 국제화 처리도 불가능합니다. JSR-303 폼 유효성 검증 후 에러를 프로퍼티 파일을 이용해 메시지 소스 설정을 해 놓으면 에러 메시지를 바꾸거나 다국어처리하기 쉽습니다.

1) 메시지 소스 설정

메시지 처리를 위해서 servlet-context.xml 파일에 MessageSource 빈을 추가하고 메시지 파일의 경로를 설정해야 합니다.

WEB-INF/spring/appServlet/servlet-context.xml

```
    ... 생략 ...
51    <beans:bean id="messageSource"
   class="org.springframework.context.support.ReloadableResourceBundleMessageSource">
52        <beans:property name="defaultEncoding" value="UTF-8"/>
53        <beans:property name="basenames">
54            <beans:list>
55                <beans:value>classpath:i18n/hr</beans:value>
56            </beans:list>
57        </beans:property>
58    </beans:bean>
    ... 생략 ...
```

만일 위의 코드처럼 메시지 소스의 basenames 설정을 했을 때 메시지 프로퍼티 파일은 아래의 그림처럼 구조를 갖도록 폴더와 파일을 생성하면 됩니다. 프로퍼티 파일의 이름은 *basename_ 언어코드*.properties 여야 합니다.

위의 설정 파일처럼 basename이 i18n/hr이면 한글을 지원하는 메시지 프로퍼티 파일은 i18n 폴더 아래에 hr_ko.properties 이름으로 파일을 만들면 됩니다. 그리고 기본 프로퍼티 파일은 언어코드를 포함하지 않습니다. 이 예에서라면 기본 프로퍼티 파일의 경로와 이름은 i18n/hr.properties입니다.

언어코드는 한글은 ko, 영어는 en, 일본어는 ja, 중국어는 zh, 프랑스어는 fr, 독일어는 de입니다. 언어코드는 ISO 639-1(두 글자 언어 부호)을 사용합니다. 더 자세한 언어코드는 아래의 주소를 참고하세요.

- https://en.wikipedia.org/wiki/List_of_ISO_639-1_codes

2) 메시지 프로퍼티 파일

메시지 프로퍼티 파일을 작성할 때 에러코드와 메시지는 아래의 형식을 따라야 합니다.

```
{constraint-name}.{command-object-name}.{attribute-name}=My Error Message Text
```

에러코드의 맨 처음{constraint-name}에는 폼 객체에 추가한 아노테이션의 이름을 입력합니다. 두 번째 {command-object-name}에는 폼 객체의 이름을 입력하고 마지막 {attribute-name}에는 폼 객체의 필드 이름을 입력합니다.

다음 그림은 다국어 메시지 프로퍼티의 이름과 JSR-303 아노테이션, 폼 객체 그리고 폼 객체 속성과의 관계를 설명합니다.

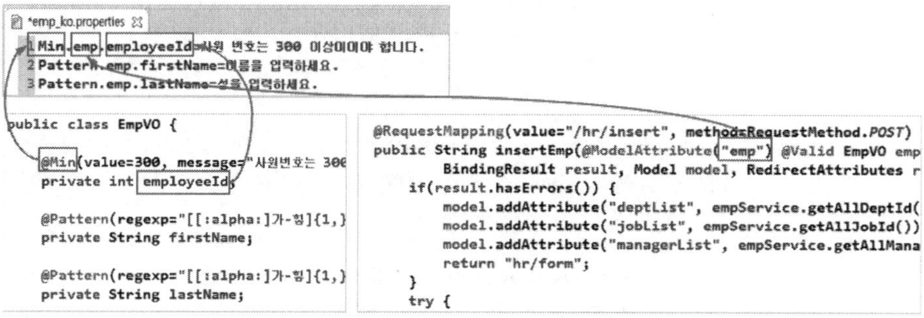

그림 9. 메시지 프로퍼티와 모델 어트리뷰트와 아노테이션 관계

다음 코드는 메시지 프로퍼티 파일입니다.

i18n/hr_ko.properties

```
 1 Min.emp.employeeId=[* 사원 번호는 300 이상여야 합니다.]
 2 Pattern.emp.firstName=[* 사원이름은 2자 이상 입력되어야 합니다.]
 3 NotNull.emp.firstName=[* 사원이름은 반드시 입력되어야 합니다.]
 4 Pattern.emp.lastName=[* 성은 1자 이상 입력되어야 합니다.]
 5 Pattern.emp.email=[* 이메일은 영문 대문자와 숫자 2자리 이상 여야 합니다.]
 6 Pattern.emp.phoneNumber=[* 전화번호 형식에 맞지 않습니다.]
 7 Past.emp.hireDate=[* 오늘 또는 과거의 날짜만 지정 가능합니다.]
 8 Min.emp.salary=[* 급여는 100보다 작을 수 없습니다.]
 9 DecimalMin=[* 보너스율은 0보다 작을 수 없습니다.]
10 DecimalMax=[* 보너스율은 0.99보다 클 수 없습니다.]
```

더 많은 언어를 지원하기 위해 국제화를 위한 프로퍼티 파일을 추가할 수 있습니다. 다음 프로퍼티 파일은 영어 메시지를 지원하기 위한 프로퍼티 파일입니다.

i18n/hr_en.properties

```
 1 Min.emp.employeeId=[* Employee number must be at least 300.]
 2 Pattern.emp.firstName=[* First name must be at least 2 characters long.]
```

```
 3 NotNull.emp.firstName=[* First name must not be null.]
 4 Pattern.emp.lastName=[* Last name must be at least 1 characters long.]
 5 Pattern.emp.email=[* Email must be at least 2 uppercase alphanumeric
   characters.]
 6 Pattern.emp.phoneNumber=[* Invalid phone number format.]
 7 Past.emp.hireDate=[* Only dates from today or past can be specified.]
 8 Min.emp.salary=[* Salary cannot be less than 100.]
 9 DecimalMin=[* Bonus rate cannot be less than 0.]
10 DecimalMax=[* Bonus rate cannot be greater than 0.99.]
```

● 에러코드를 출력하기 위해서만 프로퍼티 파일을 사용하는 것은 아닙니다. 다국어 설정을 위해서도 프로퍼티 파일을 사용합니다.
● 컨트롤러에서 다국어처리를 위한 메시지 코드를 참조하기 위해서 MessageSource 빈을 의존성 받은 후 getMessage() 메서드를 이용합니다. 뷰(JSP) 페이지에서 메시지를 출력하기 위해서 〈spring:message code="..." text="..."/〉를 사용합니다.

3) 실행 결과

브라우저의 언어 설정을 바꿔서 국제화 메시지 처리를 확인할 수 있습니다. 크롬브라우저에서 언어 설정은 도구 -> 설정 -> 고급 -> 언어에서 영어를 맨 위로 올립니다. 다음 그림은 입력 값 유효성 결과를 메시지를 이용하여 처리한 결과입니다.

그림 10. 사원정보 입력 값 유효성 검증 메시지(한글)

사원정보 입력

EMPLOYEE_ID	0 　사원번호는 300이상여야 합니다. [* Employee number must be at least 300.]
FIRST_NAME	이름을 입력하세요. [* First name must not be null.] [* First name must be at least 2 characters long.]
LAST_NAME	A
EMAIL	A 　이메일 주소를 입력하세요. [* Email must be at least 2 uppercase alphanumeric characters.]
PHONE_NUMBER	전화번호 형식에 맞지 않습니다. [* Invalid phone number format.]
HIRE_DATE	2022-11-05 🗓 오늘과 과거의 날짜만 지정 가능합니다. [* Only dates from today or past can be specified.]
JOB_ID	President ∨
SALARY	0.0 　급여는 100보다 작을 수 없습니다. [* Salary cannot be less than 100.]
COMMISSION_PCT	0.0
MANAGER_ID	Steven ∨
DEPARTMENT_ID	Administration ∨
	저장 취소

그림 11. 사원정보 입력 값 유효성 검증 메시지(영어)

그림 11에서 한글이 출력되는 이유는 아노테이션을 이용한 폼 검증과 밸리데이터 클래스를 이용한 폼 검증을 같이 사용해서 Emp의 메시지 설정이 그대로 출력되기 때문입니다. 컨트롤러(EmpController)에서 @InitBinder 아노테이션이 설정된 메서드를 삭제하면 아노테이션에 의한 폼 검증만 실행됩니다. 반대로 밸리데이터(EmpValidator) 클래스에서 validate() 메서드의 아래 코드에 해당하는 부분을 삭제하면 밸리데이터 클래스에 의한 폼 검증만 실행됩니다.

```
33      @Override
34      public void validate(Object target, Errors errors) {
35 //      Set<ConstraintViolation<Object>> violations =
   validator.validate(target);
36 //      for (ConstraintViolation<Object> violation : violations) {
37 //          String propertyPath = violation.getPropertyPath().toString();
38 //          String message = violation.getMessage();
39 //          errors.rejectValue(propertyPath, message, message);
40 //      }
   ... 생략 ...
```

● 인터넷 익스플로러에서는 [인터넷 옵션] -> [언어] -> [추가...] -> [영어[en]]를 선택하여 언어에 영어를 추가한 후 [영어[en]]를 선택하고 [위로 이동] 버튼 클릭하여 영어를 맨 위로 올리면 브라우저 기본 언어가 변경됩니다.

3. 비동기 요청 처리

비동기 방식으로 요청을 처리하려면 어떻게 해야 할까요?

4장의 예제에 있던 JSON을 응답하는 요청을 비동기 방식으로 요청하여 화면에 출력하는 예를 만들어보겠습니다. 비동기 요청을 처리하는 컨트롤러는 HTML 문서로 응답하지 않고 JSON 또는 XML 형식의 데이터를 응답하도록 구현합니다. 4장의 예제에서 JSON으로 응답하는 컨트롤러의 핸들러 메서드는 이미 만들어져 있으므로 뷰 코드에서 비동기 요청을 처리하는 코드만 만들면 됩니다.

3.1. 비동기 요청 처리 구조

그림 12에서 보는 것처럼 비동기 요청을 하는 클라이언트 화면엔 현재 시각이 1초에 한 번씩 출력되고 그 아래 입력 양식과 버튼이 있으며 맨 아래에 서버의 응답 결과를 출력한다고 가정하겠습니다.

입력 양식에 사원번호를 입력하고 버튼을 클릭하면 비동기 방식으로 서버에 사원의 정보를 요청하고 클라이언트는 서버로부터 응답하면 결과를 화면에 출력합니다. 예를 들어 입력 양식에 103을 입력하면 /hr/json/103이 요청되어 서버는 103번 사원의 정보를 데이터베이스로부터 조회한 후 JSON 형식으로 응답합니다.

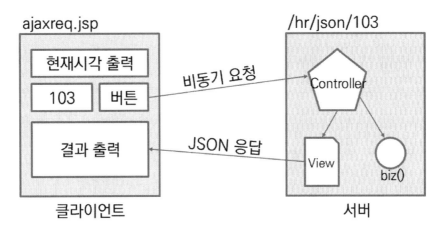

그림 12. 비동기 요청 처리 구조

3.2. jQuery를 이용한 비동기 요청 구현

자바스크립트의 XMLHttpRequest 객체를 이용해서 비동기 요청을 처리하는 코드를 작성할 수 있지만, jQuery[78])를 이용하면 더 쉽게 코드를 작성할 수 있습니다. 코드를 이해하려면 자바스크립트와 jQuery 학습이 선행되어야 합니다[79]). jQuery의 비동기 요청을 처리하는 함수는 $.ajax(), $.get(). $.post() 등이 있습니다.

다음 코드는 페이지가 로드되면 현재 시각을 1초에 한 번씩 출력하고, 입력 필드에 사원번호를 입력하고 버튼을 클릭하면 $.ajax() 함수에 의해 /hr/json/{employeeId} 가 요청됩니다. 서버가 요청을 처리하고 응답하면 success 콜백 함수가 실행되는데 이 함수의 인수로 서버의 실행 결과(result)와 상태 코드(status)를 전달받을 수 있습니다. success 콜백 함수에서 결과를 지정된 위치에 출력하면 비동기 요청 처리가 종료됩니다.

WEB-INF/views/hr/ajaxreq.jsp

```
1  <%@ page contentType="text/html; charset=UTF-8"%>
2  <!DOCTYPE html>
3  <html>
4  <head>
5  <meta charset="UTF-8">
6  <title>Ajax Request</title>
7  <script src="https://code.jquery.com/jquery-3.6.1.min.js"></script>
8  <script type="text/javascript">
9  $(function() {
10     var clockEl = $("#clock");
11     var inputEl = $("#employeeId")
12     var btnEl = $("input[type=button]")
13     var resultEl = $("#result")
14
15     setInterval(function() {
16         clockEl.text(new Date());
17     }, 1000);
18
19     btnEl.click(function() {
20         var empid = inputEl.val();
21         // 비동기 요청을 함
22         $.ajax({
23             type: "GET",
24             url: "hr/json/" + empid,
25             dataType: "json",
26             success: function(result, status) {
```

---

78) https://jquery.com/
79) https://www.w3schools.com/jquery/default.asp

```
27                resultEl.text(result["firstName"]); // JSON.stringify(result)
28            },
29            error: function(error) {
30                console.log(error);
31            }
32        })
33    });
34 });
35 </script>
36 </head>
37 <body>
38    <div id="clock"></div>
39    <input type="number" id="employeeId">
40    <input type="button" value="비동기 요청">
41    <div id="result"></div>
42 </body>
43 </html>
```

25라인의 dataType은 서버에서 응답하는 데이터가 JSON 형식이므로 "json"으로 지정했습니다. 그러면 success 콜백의 result 매개변수는 JSON 객체이고 이 객체에서 원하는 값을 출력하려면 result["firstName"] 형식으로 JSON 객체에서 값을 찾아 출력할 수 있습니다. 위의 코드는 사원의 이름을 출력합니다.

이 페이지를 테스트하려면 servlet-context.xml 파일에 뷰-컨트롤러 설정을 해야 합니다.

```
35    <view-controller path="/ajaxreq" view-name="hr/ajaxreq"/>
```

이 예제는 뷰-컨트롤러의 path를 /hr/ajaxreq로 설정하면 /hr/{employeeId} 형식의 PathVariable을 갖는 URL이 요청됩니다. 그래서 path를 /ajaxreq로 했습니다.

그림 13. 비동기 요청 처리 결과

- ajax 요청 시 URL에 %5B%5D가 있으면 파라미터에 여러 개 값이 매핑되어 있는 경우입니다. 예를 들면 favorite 매개변수에 apple, cherry가 매핑되어 있고, 서버의 요청 URL이 /insert이면 ajax url은 /insert?favorite[]=apple&favorite[]=cherry 형식으로 전달되는데 []가 브라우저에서 %5B%5D로 표시됩니다. 이것을 스프링 핸들러 메서드에서 받으려면 핸들러 메서드 매개변수 파라미터를 다음 예처럼 지정하세요.

```
@GetMapping("/insert")
public String insertDate(@RequestParam(name="favorite[]") List favorite, ...) {...}
```

3.3. POST 방식 비동기 요청 처리

Ajax를 이용해서 비동기 POST 방식으로 요청 시 다음처럼 입력 양식이 되어있다면….

```
<form id="form" method="post">
<input type="number" name="employeeId">
<input type="submit" value="비동기 요청">
</form>
```

jQuery의 ajax() 함수의 data 속성에 다음처럼 serialize() 함수를 이용해서 폼의 데이터를 param1=value1, param2=value2, … 형식으로 만들면 컨트롤러의 핸들러 메서드에서 쉽게 파라미터를 읽을 수 있습니다. 다음 코드는 폼의 submit 버튼을 클릭하면 발생하는 이벤트를 이용해서 비동기 요청하는 코드 일부입니다.

```javascript
<script type="text/javascript">
$(function() {
    var resultEl = $("#result")
    $('#form').submit(function(event) {
        $.ajax({
            url: "hr/ajax",
            type: "POST",
            data: $(this).serialize(),
            dataType: "json",
            success: function(result, status) {
                resultEl.text(result["firstName"])
            },
            error: function(error) {
                console.log(error)
            }
        });
        event.preventDefault();
    });
});
</script>
```

컨트롤러의 메서드는 요청 파라미터를 받기 위해 다음 코드처럼 메서드 매개변수에 int employeeId로 선언해서 파라미터를 개별적으로 받거나….

```java
@ResponseBody
@PostMapping(value="/hr/ajax")
public Emp getEmpByJSON(int employeeId) {
    return empService.getEmpInfo(employeeId);
}
```

다음처럼 폼의 모든 데이터를 DTO에 한 번에 매핑시킬 수 있습니다.

```java
public Emp getEmpByJSON(Emp emp) {
```

4. 웹소켓과 서버 푸시

4.1. 웹소켓

웹소켓(WebSocket)은 HTTP Protocol을 기반으로 웹 브라우저와 웹 서버 간의 양방향 전이중 통신(Full Duplex)을 지원하기 위한 표준입니다. 웹소켓을 이용하면 클라이언트와 서버가 서로 실시간으로 메시지를 자유롭게 주고받을 수 있습니다. 클라이언트는 서버의 변경된 데이터를 화면에 갱신하기 위해 새로고침(F5)할 필요 없습니다. 서버는 서버의 변경된 데이터를 클라이언트의 요청이 없어도 서버가 데이터를 푸시(Push)하여 클라이언트의 화면에 갱신시킬 수 있습니다. 이제 웹소켓 지원으로 인해 클라이언트는 플러그인이 없이 서버의 푸시 데이터를 받을 수 있습니다.

웹소켓에 대한 W3C의 사양에 관한 더 자세한 내용은 다음 주소를 참고하세요.
 - http://www.w3.org/TR/websockets/
웹소켓 프로토콜에 대한 공식 문서는 IETF의 웹소켓 프로토콜 문서를 참고하세요.
 - http://tools.ietf.org/html/draft-ietf-hybi-thewebsocketprotocol

웹소켓을 이용하려면 클라이언트와 서버 모두 웹소켓을 지원해야 합니다. 다음 그림은 클라이언트와 서버 사이에 웹소켓 연결 과정을 보여주고 있습니다.

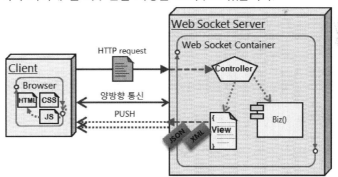

그림 14. 웹소켓 연결

클라이언트가 HTTP 요청으로 웹소켓을 요청하고 서버가 이를 수락하면 서버와 클라이언트는 양방향 통신이 이뤄집니다. 클라이언트와 서버가 웹소켓을 이용해 연결된 상태에서 서버는 클라이언트에 데이터를 푸시합니다. 서버의 응답 데이터는 HTML 문서가 아닌 JSON 또는 XML 형식의 데이터입니다. 서버의 푸시 데이터를 클라이언트 화면에 갱신하기 위해 자바스크립트를 이용합니다.

1) 웹소켓 지원

웹소켓을 이용해 통신하려면 웹소켓 프로토콜을 구현한 서버와 클라이언트가 있어야 합니다. HTML5 스펙에는 공식적으로 웹소켓이 정의되어 있습니다. 인터넷 익스플로러 9버전은 웹소켓을 지원하지 않습니다. 그러나 인터넷 익스플로러 10, 크롬, 사파리, 엣지 브라우저 등은 웹소켓을 지원합니다.

다음 표는 브라우저별 웹소켓을 지원하는 버전입니다.

표 2. Web Sockets 지원 브라우저

	IE	Firefox	Chrome	Safari	Opera	iOS Safari	Opera Mini	Opera Mobile	Android Browser
미 지원	9.0 이하	3.6				3.2-4.1	5.0-7.0	10.0	4.2 이하
지원	10.0	9.0+	17.0+	5.0+	11.6+	4.2+		11.0+	

2) WebSocketHandler API

자바의 웹소켓 표준은 JSR-356[80])에 설명되어 있습니다. 그런데 JSR-356 으로 웹소켓 서버 기능을 개발하기는 매우 힘듭니다. 스프링의 WebSocketHandler는 JSR-356 의 구현체로써 Spring에서 제공되고 있는 객체입니다. WebSocketHandler는 Servlet 3.0 웹소켓에 의존하기 때문에 Servlet 3.0 이상 지원하는 컨테이너[81])에서 사용할 수 있습니다. 그리고 WebSocketHandler 인터페이스는 스프링 4.0부터 사용할 수 있습니다.

다음 표는 WebSocketHandler 인터페이스의 메서드들 입니다.

표 3. WebSocketHandler 인터페이스의 메서드

리턴타입	메서드와 설명
void	afterConnectionClosed(WebSocketSession session, CloseStatus closeStatus) WebSocket 연결이 양쪽에서 닫히거나, 전송 오류가 발생한 후에 호출됩니다.
void	afterConnectionEstablished(WebSocketSession session) WebSocket 협상이 성공하고 WebSocket 연결이 열리고 사용할 준비가 된 후에 호출됩니다.
void	handleMessage(WebSocketSession session, WebSocketMessage(?) message) 새로운 WebSocket 메시지가 도착하면 호출됩니다.
void	handleTransportError(WebSocketSession session, Throwable exception) 기본 WebSocket 메시지 전송 오류를 처리합니다.
boolean	supportsPartialMessages() WebSocketHandler가 부분 메시지를 처리하는지 여부입니다.

---

80) http://www.oracle.com/technetwork/articles/java/jsr356-1937161.html
81) Tomcat 7.0.x 이상부터 웹소켓을 지원합니다.

WebSocketHandler 인터페이스를 구현한 클래스를 상속받아 사용하면 더 쉽게 구현할 수 있습니다. WebSocketHandler 인터페이스를 구현한 클래스들은 다음과 같습니다.

표 4. WebSocketHandler 인터페이스를 구현한 클래스

클래스명	클래스 설명
AbstractWebSocketHandler	빈 메서드가 있는 WebSocketHandler 구현을 위한 기본 클래스입니다.
BinaryWebSocketHandler	바이너리 메시지만을 처리하는 WebSocketHandler 구현을 위한 편리한 기본 클래스입니다. 텍스트 메시지는 CloseStatus.NOT_ACCEPTABLE로 거부됩니다.
ExceptionWebSocketHandlerDecorator	WebSocketHandlerDecorator를 처리하는 예외입니다. 데코레이팅 된 핸들러에서 벗어난 모든 Throwable 인스턴스를 트랩하고 CloseStatus.SERVER_ERROR로 세션을 닫습니다.
LoggingWebSocketHandlerDecorator	WebSocket 라이프사이클 이벤트에 로깅을 추가하는 WebSocketHandlerDecorator입니다.
PerConnectionWebSocketHandler	각 WebSocket 연결에 대한 WebSocketHandler 인스턴스를 초기화하고 파기하고 다른 모든 메서드를 해당 WebSocketHandler 인스턴스에 위임하는 WebSocketHandler입니다. 기본적으로 이 클래스의 인스턴스를 한 번 만들고 각 연결에 대해 만들 WebSocketHandler 클래스 유형을 제공한 다음 WebSocketHandler가 필요한 모든 API 메서드에 전달합니다.
SockJsWebSocketHandler	SockJS 메시지 프레임을 추가하고, SockJS 하트 비트 메시지를 보내고, 라이프사이클 이벤트와 메시지를 대상 WebSocketHandler에 위임하는 WebSocketHandler 구현입니다.
SubProtocolWebSocketHandler	들어오는 WebSocket 메시지를 하위 프로토콜 처리기가 WebSocket 클라이언트에서 응용 프로그램으로 보낼 수 있는 MessageChannel과 함께 SubProtocolHandler에 위임하는 WebSocketHandler 구현입니다. 또한 Message와 관련된 WebSocket 세션을 찾아서 메시지와 함께 하위 프로토콜 처리기로 전달하여 응용 프로그램에서 클라이언트로 메시지를 다시 보내는 MessageHandler의 구현입니다.
TextWebSocketHandler	텍스트 메시지만을 처리하는 WebSocketHandler 구현을 위한 편리한 기본 클래스입니다. 이진 메시지는 CloseStatus.NOT_ACCEPTABLE로 거부됩니다. 다른 모든 메서드에는 빈 구현이 있습니다.
WebSocketHandlerDecorator	다른 WebSocketHandler 인스턴스를 감싸(Wrap)고 위임(Delegate)합니다. 또한 데코레이팅 된 핸들러를 반환하는 getDelegate () 메서드와 getLastHandler () 메서드를 사용하여 중첩 된 모든 위임자를 통과하고 "마지막" 핸들러를 반환합니다.

3) WebSocket 클라이언트 API

WebSocket 클래스는 HTML5 사양에 추가되었으며, 웹소켓 프로토콜을 이용하여 서버와 통신하는 추상화된 클라이언트 측의 자바스크립트 API입니다.

다음은 WebSocket의 주요 메서드와 이벤트에 대한 설명입니다.

표 5. WebSocket 메서드/이벤트

메서드/이벤트	설명
WebSocket(url)	생성자입니다. 서버와 연결하기 위해 사용하며 일반 통신은 ws 프로토콜, 보안 통신은 wss 프로토콜을 사용합니다.
send(msg)	서버에 메시지를 전송합니다. 서버와 연결된 상태이면 true, 서버와의 연결이 끊어진 상태이면 false를 반환합니다.
open	서버와 연결되면 발생하는 이벤트입니다.
message	서버로부터 데이터 수신시 발생합니다. 이벤트 핸들러의 인자는 MessageEvent 객체이며, 이를 이용해 데이터를 수신합니다.
close	서버와 연결이 해제될 때 발생하는 이벤트입니다.

웹소켓 클라이언트에서는 WebSocket 객체를 생성하여 웹소켓 서버에 접속합니다.

```
ws = new WebSocket("ws://" + location.host + "/websocket/memorymonitor");
```

웹소켓 객체를 생성한 다음 send() 메서드를 이용해서 웹소켓에 메시지를 전송합니다. 아래 코드는 버튼의 클릭 이벤트 예시입니다.

```
document.querySelector("button").onclick = function(){
    ws.send("서버에 전송할 메시지");
};
```

● jQuery를 사용한다면 $("button").click = function() { ... } 형식으로 클릭 이벤트를 처리할 수 있습니다.

서버에 접속되었거나 메시지를 받았을 때 처리를 위해 이벤트 핸들러를 작성합니다. 웹소켓이 열렸을 때 발생하는 open 이벤트는 onopen 이벤트 핸들러를 이용합니다.

```
ws.onopen = function(){
    console.log("websocket 서버접속완료");
}
```

서버에서 받은 메시지는 onmessage 이벤트 핸들러를 이용합니다.

```
ws.onmessage = function(event){
    console.log(event.data);
};
```

4.2. 웹소켓을 이용한 서버 푸시

1) Maven 의존 설정

메이븐 라이브러리 의존성 설정 파일에 아래 의존성을 추가해 주세요. 웹소켓은 스프링 4.0 이상부터 지원합니다. 그러므로 스프링의 버전 속성은 4.0 이상으로 설정해야 합니다. 자바 버전은 1.8로 수정하세요.

pom.xml

```
 1 <?xml version="1.0" encoding="UTF-8">
 2 <project xmlns=...
   ... 생략 ...
10    <properties>
11        <java-version>1.8</java-version>
12        <org.springframework-version>4.3.9.RELEASE</org.springframework-version>
13        <org.aspectj-version>1.6.10</org.aspectj-version>
14        <org.slf4j-version>1.6.6</org.slf4j-version>
15    </properties>
   ... 생략 ...
36        <!-- Spring WebSocket -->
37        <dependency>
38            <groupId>org.springframework</groupId>
39            <artifactId>spring-websocket</artifactId>
40            <version>${org.springframework-version}</version>
41        </dependency>
   ... 생략 ...
```

2) WebSocketHandler를 이용한 웹소켓 서버 구현

다음 코드는 TextWebSocketHandler를 상속받아 웹소켓 핸들러를 구현한 클래스입니다. 클라이언트가 연결되면 웹소켓 세션 객체를 Set에 저장하고, 연결이 종료되면 웹소켓 세션 객체를 Set에서 삭제합니다. 메시지 전송은 InitializingBean 인터페이스를 구현하여 빈이 초기화된 후 쓰레드를 이용합니다. 쓰레드는 접속한 모든 클라이언트에 메시지를 보냅니다. 보내는 메시지는 서버의 현재 시각과 1~45사이 임의의 숫자입니다.

MyWebSocketHandler.java

```
1 package com.example.myapp.websocket.handler;
2
3 import java.util.HashSet;
4 import java.util.Set;
5
```

```
 6  import org.slf4j.Logger;
 7  import org.slf4j.LoggerFactory;
 8  import org.springframework.beans.factory.InitializingBean;
 9  import org.springframework.web.socket.CloseStatus;
10  import org.springframework.web.socket.TextMessage;
11  import org.springframework.web.socket.WebSocketMessage;
12  import org.springframework.web.socket.WebSocketSession;
13  import org.springframework.web.socket.handler.TextWebSocketHandler;
14
15  public class MyWebSocketHandler extends TextWebSocketHandler implements
    InitializingBean {
16
17      final Logger logger = LoggerFactory.getLogger(this.getClass());
18
19      private Set<WebSocketSession> sessionSet = new
    HashSet<WebSocketSession>();
20
21      public MyWebSocketHandler (){
22          logger.info("웹소캣 핸들러 인스턴스 생성");
23      }
24
25      @Override
26      public void afterConnectionClosed(WebSocketSession session, CloseStatus
    status) throws Exception {
27          super.afterConnectionClosed(session, status);
28          sessionSet.remove(session);
29          logger.info("접속 세션 삭제");
30      }
31
32      @Override
33      public void afterConnectionEstablished(WebSocketSession session) throws
    Exception {
34          super.afterConnectionEstablished(session);
35          sessionSet.add(session);
36          logger.info("새 접속 세션 추가");
37      }
38
39      @Override
40      public void handleMessage(WebSocketSession session, WebSocketMessage<?>
    message) throws Exception {
41          super.handleMessage(session, message);
42          logger.info("수신 메시지:" + message.toString());
43      }
44
45      @Override
46      public void handleTransportError(WebSocketSession session, Throwable
```

```
     exception) throws Exception {
47          logger.error("웹소켓 에러!");
48      }
49
50      @Override
51      public boolean supportsPartialMessages() {
52          return super.supportsPartialMessages();
53      }
54
55      private class LottoRunnable implements Runnable {
56          @Override
57          public void run() {
58              while(true) {
59                  try {
60                      long time = System.currentTimeMillis() + 32400000;
61                      int lottoNum = (int)(Math.random()*45 + 1);
62                      for (WebSocketSession session: sessionSet) {
63                          if (session.isOpen()) {
64                              TextMessage message = new
     TextMessage("{\"time\":" + time + ", \"lotto\":" + lottoNum +"}");
65                              session.sendMessage(message);
66                          }
67                      }
68                      Thread.sleep(5000);
69                  } catch (InterruptedException e) {
70                      logger.error("쓰래드 중단!", e);
71                      break;
72                  } catch (Exception ignored) {
73                      logger.error("메시지 전송 실패!", ignored);
74                  }
75              }
76          }
77      }
78
79      @Override
80      public void afterPropertiesSet() throws Exception {
81          Thread t = new Thread(new LottoRunnable());
82          t.start();
83      }
84 }
```

● 메시지는 5초마다 웹소켓을 통해 클라이언트에 전송됩니다.
● 이 예제에서 메시지는 JSON 형식으로 보냅니다. 그래야 자바스크립트에서 메시지를 처리하기 쉽습니다.

3) 뷰(JSP)

다음 코드는 웹소켓 요청 이후 서버에서 전송된 메시지를 화면에 출력합니다.

WEB-INF/views/websocket_test.jsp

```
1  <%@ page contentType="text/html; charset=UTF-8"%>
2  <!DOCTYPE html>
3  <html>
4  <head>
5      <meta charset="UTF-8">
6      <title>WebSocket Example</title>
7  </head>
8  <body>
9  <h1>웹소켓 메시지 처리</h1>
10 <p>서버에서 5초마다 전송된 메시지를 출력합니다.</p>
11 <ul id="result"></ul>
12 <script>
13 var ul = document.querySelector("#result")
14 var ws = new WebSocket("ws://" + location.host + "<c:url
   value='/websocket/lotto'/>");
15 ws.onmessage = function(event) {
16     var data = JSON.parse(event.data);
17     console.log(data);
18     var dateTime = new Date(data.time);
19     var li = document.createElement("li");
20     li.textContent = dateTime + ", Lotto: " + data.lotto;
21     ul.appendChild(li);
22 }
23 </script>
24 </body>
25 </html>
```

4) 웹소켓 핸들러 매핑과 뷰컨트롤러 설정

설정 파일에 웹소켓 핸들러 빈 설정과 웹소켓 핸들러 매핑을 설정해야 합니다. 웹소켓 핸들러 설정을 위해 websocket 네임스페이스가 추가되어야 합니다. 기존의 웹 컴포넌트 설정 파일(servlet-context.xml)에 웹소켓 관련 설정을 추가하세요. 그리고 처음 요청하는 페이지의 뷰컨트롤러 설정도 추가해 주세요.

WEB-INF/spring/appServlet/servlet-context.xml

```
1  <?xml version="1.0" encoding="UTF-8"?>
2  <beans:beans xmlns="http://www.springframework.org/schema/mvc"
3      xmlns:xsi="http://www.w3.org/2001/XMLSchema-instance"
```

```
4      xmlns:beans="http://www.springframework.org/schema/beans"
5      xmlns:context="http://www.springframework.org/schema/context"
6      xmlns:websocket="http://www.springframework.org/schema/websocket"
7      xsi:schemaLocation="http://www.springframework.org/schema/websocket
    http://www.springframework.org/schema/websocket/spring-websocket-4.3.xsd
    ... 생략 ...
27
28     <beans:bean id="myWebSocketHandler"
    class="com.example.myapp.websocket.handler.MemoryMonitorHandler"/>
29
30     <websocket:handlers>
31        <websocket:mapping path="/websocket/lotto"
    handler="myWebSocketHandler"/>
32     </websocket:handlers>
33
34     <view-controller path="/wstest" view-name="websocket_test"/>
35
36 </beans:beans>
```

5) 실행 결과

다음 그림은 실행 결과입니다. 요청 주소는 http://localhost:8080/myapp/wstest입니다.

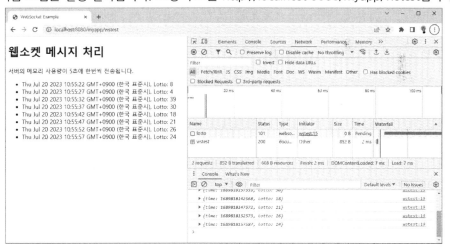

그림 15. 웹소켓 메시지 처리

크롬브라우저의 개발자도구(F12)를 사용해 Network 탭을 보면 요청은 처음에 한번만 이뤄지지만, 이후는 요청 없이 서버로부터 전송된 메시지를 출력하고 있습니다.

4.3. Server-Sent Events

서버의 푸시기술을 구현한 사양이 웹소켓만 있는 것은 아닙니다. Server-Sent Events(SSE)[82]는 비표준 플러그인을 사용하지 않고, 웹 환경에서 서버로부터의 Push 서비스 구현하기 위해 제안된 표준 기술입니다. 그러나 진정한 서버푸시 서비스라고 부를 수는 없습니다. SSE는 푸시 서비스와 비슷한 효과를 낼 수 있는 Polling 방식을 사용합니다. SSE 는 Ajax Long Polling 방식을 표준화한 기술이라고 할 수 있습니다. SSE는 서버에 요청을 보내는 방법과 서버의 응답 포맷이 표준화되어 있습니다.

SSE는 웹소켓을 지원하지 않는 서버 환경에서 웹소켓을 대신할 수 있는 기술입니다. 그러나 SSE는 인터넷 익스플로러에서 지원하지 않습니다.

SSE는 서버 푸시를 구현하기 위한 간단한 자료구조와 인터페이스, 통신 메커니즘을 정의하고 있습니다. 그리고 DOM 이벤트 형태로 수신 데이터를 처리할 수 있습니다. 게다가 서버에 주기적으로 요청을 보내는 작업과 서버의 응답 데이터를 분석하는 작업은 브라우저가 하므로 개발자는 응답 데이터를 처리하는 작업에 집중할 수 있습니다.

1) EventSource

EventSource 객체는 지정된 URL에 주기적으로 요청을 보내는 SSE 구현을 위한 핵심 객체입니다. EventSource는 서버의 요청을 위한 출발점(StartPoint)이며, 또한 데이터 수신을 위해 정의되는 종단점(EndPoint)이라고 할 수 있습니다.

다음은 EventSource의 주요 속성과 이벤트에 대한 설명입니다.

표 6. EventSource 속성/이벤트

속성/이벤트	설명
readyState	서버와의 접속 상태를 나타냅니다. 다음의 상수로 확인이 가능합니다. - CONNECTING : 서버에 접속 요청 중(0) - OPEN : 서버에 접속됨(1) - CLOSED : 서버와 접속되지 않음(2)
open	서버와 접속이 되면 발생합니다.
message	서버로부터 응답이 도착하면 발생합니다.

---

82) Server-Sent Events에 대한 W3C의 사양에 관한 더 자세한 내용은 다음 주소를 참고하세요.
http://www.w3.org/TR/eventsource

2) EventSource 객체 생성

EventSource는 요청 대상이 되는 서버의 URL을 인자로 하여 객체를 생성합니다. 객체가 생성되는 순간 이벤트 스트림이 열리게 됩니다. EventSource 객체 생성은 다음과 같이 합니다.

```
var eventSource = new EventSource("server_push.jsp");
```

3) 데이터 수신

EventSource 객체가 생성되면서 요청을 보내기 시작합니다. 서버로부터 전달받은 데이터를 처리하기 위해서는 데이터 수신 이벤트 핸들러를 정의해야 합니다. 이벤트 핸들러는 EventSource 객체를 이용하여 정의합니다.

서버에서 데이터 포맷에 대한 특별한 이벤트 이름이 지정되지 않은 때 기본값인 message 이벤트로 처리할 수 있습니다. 그리고 이벤트로 전달되는 data 속성을 이용해 수신 데이터에 액세스할 수 있습니다.

다음 코드는 데이터를 수신하는 이벤트 핸들러입니다.[83]

```
eventSource.addEventListener("message",
    function(e) {
        alert(e.data);
    }
    , false);
```

4) 서버의 응답 데이터 형식

SSE에서 사용하는 서버의 응답 데이터는 형식이 정해져 있습니다. 서버에서 클라이언트로 전달하는 데이터는 일반적인 텍스트 형태이어야 하며 다음 몇 가지 규칙이 정해져 있습니다.

- MIME 타입은 text/event-stream이어야 합니다.
- 문자 인코딩은 UTF-8입니다.
- 줄바꿈 기호는 ₩r₩n, ₩n, ₩r 모두 유효합니다.
- 주석은 :으로 시작합니다.
- 빈 줄이나 스트림의 끝은 이벤트 구분자 역할을 합니다.

---

[83] onmessage 이벤트 핸들러를 이용해도 됩니다.

- 주석이나 빈 줄 이외는 '필드명: 필드값' 형태의 응답 데이터 형식을 갖습니다. 콜론과 필드값 사이에는 가독성을 위해 공백 하나를 포함 할 수 있습니다.

응답 데이터 형식에 있어서 유효한 필드명 또한 정해져 있습니다. 다음은 응답 데이터에서 사용할 수 있는 필드명입니다.

- event : 브라우저가 발생시킬 이벤트입니다. 기본은 message입니다.
- data : 서버가 보낼 메시지(값이 없으면 이벤트가 발생하지 않음)로 한 번에 여러 개를 보낼 수 있습니다.
- id : 이벤트 ID입니다. 마지막으로 수신한 이벤트의 ID는 MessageEvent의 lastEventId 속성으로 참조할 수 있으며 요청 헤더에 'Last-Event-ID'로 포함됩니다.
- retry : 다음 재시도까지 시간 간격을 밀리초 단위로 지정합니다. 생략 시 다음 재시도 간격은 브라우저에 따라 다를 수 있습니다. 이 속성을 이용하여 SSE는 주기적인 호출을 위한 반복 시간을 클라이언트가 아닌 서버에서 지정합니다. 이는 기존 폴링 방식보다 통신 구조를 보다 효과적으로 설계할 수 있도록 합니다.

4.4. SSE를 이용한 톰캣 메모리 모니터링

1) 서버 응답 데이터

다음은 서버 응답 데이터 형식을 준수하는 SSE를 활용하여 톰캣의 메모리 사용량을 실시간으로 화면에 표시하는 예시입니다.

WEB-INF/views/sse/memorymonitor.jsp

```
 1 <%@ page contentType="text/event-stream; charset=UTF-8"%>
 2 <%@ page import="java.lang.management.ManagementFactory"%>
 3 <%@ page import="java.lang.management.MemoryUsage"%>
 4 <%@ page import="java.lang.management.MemoryMXBean"%>
 5 <%
 6     MemoryMXBean memoryBean = ManagementFactory.getMemoryMXBean();
 7     MemoryUsage memoryUsage = memoryBean.getHeapMemoryUsage();
 8     long time = System.currentTimeMillis()+32400000;
 9     int committed = (int)(memoryUsage.getCommitted()/(1024 * 1024));
10     int max = (int)(memoryUsage.getMax()/(1024 * 1024));
11     int used = (int)(memoryUsage.getUsed()/(1024 * 1024));
12 %>
```

```
13 retry: 5000
14 data: <%= time %>
15 data: <%= used %>
16 data: <%= max %>
17 data: <%= committed %>
18
19 : 마지막 데이터 필드 아래 빈 줄 두 개를 포함해야 합니다.
```

2) 뷰(JSP)

다음은 하이챠트[84]를 이용해서 서버로부터 받은 데이터를 챠트로 시각화하는 JSP 코드입니다.

WEB-INF/views/sse/display.jsp

```
 1 <%@ page contentType="text/html; charset=UTF-8"%>
 2 <%@ taglib prefix="c" uri="http://java.sun.com/jsp/jstl/core"%>
 3 <!DOCTYPE html>
 4 <html>
 5 <head>
 6 <meta charset="UTF-8">
 7 <title>Example</title>
 8 <script src="https://code.jquery.com/jquery-3.6.1.min.js"></script>
 9
10 <script src="https://code.highcharts.com/highcharts.js"></script>
11 <script src="https://code.highcharts.com/modules/exporting.js"></script>
12 <script defer>
13 var heapMemoryChart;
14 $(function() {
15     heapMemoryChart = new Highcharts.Chart({
16         chart : {
17             renderTo : 'memoryMonitorContainer',
18             defaultSeriesType : 'spline',
19         },
20         title : {
21             text : 'Memory Monitor'
22         },
23         xAxis : {
24             type : 'datetime',
25             tickPixelInterval : 100,
26             maxZoom : 20 * 1000,
27             title : {
28                 text: 'Date'
```

84) https://www.highcharts.com/

```
29              }
30          },
31          yAxis : {
32              minPadding : 0.2,
33              maxPadding : 0.2,
34              title : {
35                  text : '힙 메모리',
36                  margin : 30
37              }
38          },
39          tooltip: {
40              headerFormat: '<b>{series.name}</b><br>',
41              pointFormat: '{point.x:%H:%M:%S} - {point.y:.0f}MB'
42          },
43          plotOptions: {
44              spline: {
45                  marker: {
46                      enabled: true
47                  }
48              }
49          },
50          series : [
51              {
52                  name : 'used',
53                  data : []
54              }, {
55                  name : 'max',
56                  data : []
57              }, {
58                  name : 'committed',
59                  data : []
60              }
61          ]
62      });
63 });
64
65 var source = new EventSource("<c:url value='/sse/memorymonitor'/>");
66
67 source.onmessage = function(event) {
68     var data = event.data.split("\n");
69     var series = heapMemoryChart.series[0];
70     var shift = series.data.length > 20;
71
72     var time = parseInt(data[0], 10);
73     var used = parseInt(data[1], 10);
74     var max = parseInt(data[2], 10);
```

```
75        var committed = parseInt(data[3], 10);
76
77        heapMemoryChart.series[0].addPoint([ time, used ], true, shift);
78        heapMemoryChart.series[1].addPoint([ time, max ], true, shift);
79        heapMemoryChart.series[2].addPoint([ time, committed ], true, shift);
80     }
81   </script>
82   </head>
83   <body>
84   <div id="memoryMonitorContainer"></div>
85   </body>
86   </html>
```

- 65라인의 new EventSource()는 SSE 객체를 만듭니다.
- 67라인의 onmessage 이벤트 핸들러는 서버로부터 데이터가 도착하면 실행됩니다. 이 핸들러에서 차트의 정보를 갱신시키기 위해 series 변수의 값을 업데이트합니다.

3) JSP 페이지를 뷰 컨트롤러에 등록

JSP 페이지를 EventSource를 이용해 직접 호출할 수 있도록 servlet-context.xml 파일에 뷰 컨트롤러를 등록합니다.

WEB-INF/spring/appServlet/servlet-context.xml

```
1  <?xml version="1.0" encoding="UTF-8"?>
2  <beans:beans xmlns="http://www.springframework.org/schema/mvc"
3      xmlns:xsi="http://www.w3.org/2001/XMLSchema-instance"
4      xmlns:beans="http://www.springframework.org/schema/beans"
5      xmlns:context="http://www.springframework.org/schema/context"
6      xsi:schemaLocation="http://www.springframework.org/schema/mvc
   https://www.springframework.org/schema/mvc/spring-mvc.xsd
7          http://www.springframework.org/schema/beans
   https://www.springframework.org/schema/beans/spring-beans.xsd
8          http://www.springframework.org/schema/context
   https://www.springframework.org/schema/context/spring-context.xsd">

   ... 생략 ...

26     <view-controller path="/sse/memorymonitor" view-name="sse/memorymonitor"/>
27     <view-controller path="/ssetest" view-name="sse/display"/>
28
29 </beans:beans>
```

4) 실행 결과

실행은 브라우저 주소표시 줄에 http://localhost:8080/myapp/ssetest라고 입력하세요. 실행 결과는 웹소켓의 실행 결과처럼 서버의 메모리 사용량을 실시간으로 보여줍니다.

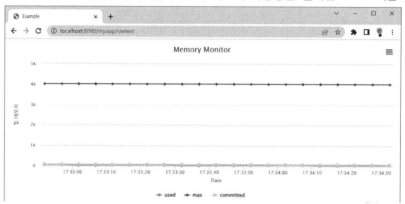

그림 16. SSE를 이용한 톰캣 서버 메모리 모니터

● 크롬, 사파리, 그리고 마이크로소프트의 Edge 브라우저는 SSE를 지원하지만, 인터넷 익스플로러는 SSE를 지원하지 않습니다. SSE는 웹소켓을 지원하지 않는 서버 환경에서 웹소켓을 대체하는 좋은 수단이 될 것입니다.

Instructor Note: 타이머에 의해 일정 시간마다 반복 실행해야 하는 것은 어떻게 구현합니까?

스프링 스케줄러(Scheduler)를 이용하면 일정 시간마다 정해진 작업이 실행되게 할 수 있습니다. 타이머에 의한 작업은 컨트롤러를 사용하지 않습니다. 서비스 클래스에 @Scheduled 아노테이션을 이용해서 스케줄링 작업을 추가할 수 있습니다. 스케줄러 메서드는 리턴타입이 void이고 매개변수가 없어야 합니다. 다음은 스케줄러 작업을 위한 서비스 코드의 예입니다. 다음 코드는 매 0초부터 20초 간격으로 현재 시각을 콘솔에 출력합니다.

```
@Service
public class QuartzService {
    @Scheduled(cron="0/20 * * * * ?")
    public void doIt() {
        // 초, 분, 시, 일, 월, 요일(연도) 순으로 지정, '*'는 모든값
        // '?'는 사용 안함, '-'는 기간, ','는 값을 지정해 나열, '/'는 시작/반복 간격
        System.out.println(new Date());
    }
}
```

공통 빈 설정 파일(예: root-context.xml)에 빈 생성 및 스케줄러를 위한 설정을 추가하세요.

```
<context:component-scan base-package="com.example.myapp.task"/>
<task:annotation-driven/>
```

스프링 부트는 설정 파일에 아노테이션 추가
@EnableScheduling

5. 단독 톰캣 실행하기

프로젝트를 이클립스에서 실행하고 테스트하는 것은 개발 시의 일입니다. 개발이 완료되면 프로젝트를 서버에 배포(deploy)하고 실행해야 합니다.

요즘 애플리케이션 개발 단계를 자동화하여 애플리케이션을 더욱 짧은 주기로 고객에게 제공하기 위해 CI/CD(Continuous Integration/Continuous Delivery)를 사용하기도 합니다. CI/CD의 기본 개념은 지속적인 통합, 지속적인 서비스 제공, 지속적인 배포입니다. CI/CD는 새로운 코드 통합으로 인해 개발 및 운영팀에 발생하는 문제를 해결하기 위한 솔루션입니다. 이를 위한 툴에는 젠킨스(Jenkins)가 대표적입니다. CI/CD 환경은 프로젝트가 깃허브에 커밋되고 푸시되면 젠킨스를 이용해 클라우드의 서버에 배포되도록 만든 환경입니다. 젠킨스에 대한 정보를 알고 싶다면 젠킨스 공식 홈페이지(https://www.jenkins.io/)를 참고하세요.

그런데 이 장은 CI/CD를 설명하는 것이 아닙니다. 모든 개발이 완료된 것을 가정하고 톰캣 서버에 프로젝트를 배포하고 실행하는 것을 설명합니다.

다음과 같은 상황이 준비되어 있어야 합니다.
1. 톰캣 설치: 톰캣이 설치된 위치를 TOMCAT_HOME이라고 정하겠습니다.
2. *JAVA_HOME* 환경변수 설정: tomcat10 이상이면 JDK는 11 이상이어야 합니다.
3. 이클립스에 프로젝트가 작성되어 있다고 가정합니다.

5.1. 톰캣 HTTP 포트 변경

톰캣은 HTTP 포트가 8080으로 설정되어 있습니다. *TOMCAT_HOME*/conf/server.xml 파일에서 톰캣의 기본 포트를 80번으로 수정하세요. 〈Connector〉 태그를 찾아 port 속성을 수정하면 됩니다.

```
<Connector port="80" protocol="HTTP/1.1"
        connectionTimeout="20000"
        redirectPort="8443" />
```

그림 17. 톰캣 HTTP 포트 변경

5.2. 이클립스에서 프로젝트 내보내기

이클립스에서 프로젝트를 선택한 후 WAR 파일로 Export해야 합니다. File > Export > Web > WAR file을 선택하고 프로젝트를 내보내기하세요.

만들어질 war 파일의 경로와 이름을 지정하고 내보내기하세요. war 파일에 소스코드는 포함될 필요가 없으므로 [Export source files]는 체크하지 않아도 됩니다. 만일 같은 이름의 파일이 있어서 기존 파일에 덮어쓰려면 [Overwrite existing file]을 체크하세요.

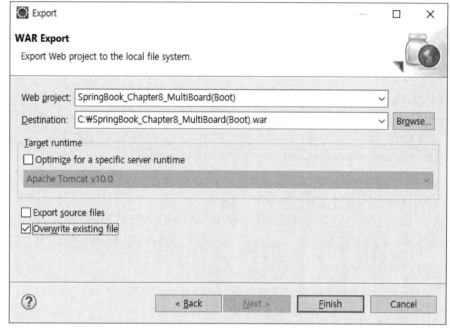

그림 18. WAR 파일로 내보내기

이 파일은 톰캣의 루트 컨텍스트에서 실행시킬 예정이므로 파일의 이름은 뭐가되든지 상관없습니다.

내보내기 한 WAR 파일의 압축을 풀어주세요. 압축을 풀면 META-INF 폴더와 WEB-INF 폴더를 볼 수 있습니다. META-INF 폴더는 메이븐 설정 정보가 들어 있으며 WEB-INF 폴더에는 컴파일된 자바 클래스 파일과 리소스 파일, JSP 및 HTML/CSS/JavaScript 파일이 있는 classes 폴더와 라이브러리 파일이 있는 lib 폴더를 볼 수 있습니다.

5.3. 톰캣에 복사하고 실행하기

TOMCAT_HOME/webapps/ROOT/ 폴더의 내용을 모두 삭제하고 압축을 풀어 놓은 WAR 파일의 내용을 복사하세요.

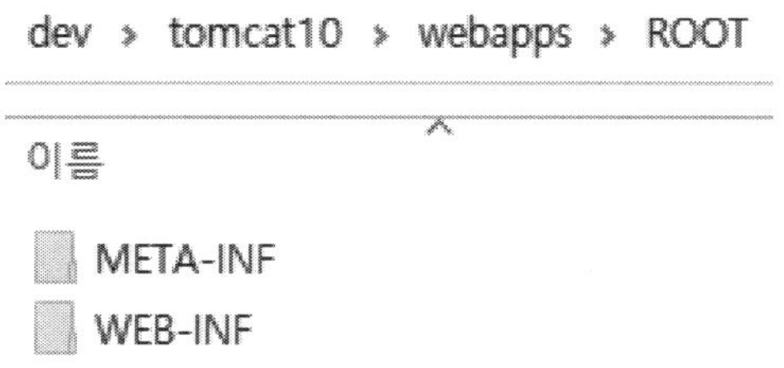

dev › tomcat10 › webapps › ROOT

이름

META-INF

WEB-INF

그림 19. 톰캣 ROOT 폴더

톰캣 실행은 윈도우 운영체제에서 TOMCAT_HOME/bin/ 폴더 안의 startup.bat을 이용하며, 리눅스 운영체제에서 startup.sh를 이용합니다. 톰캣 서버의 종료는 윈도우에서shutdown.bat, 리눅스에서 shutdown.sh 파일을 이용하세요. 리눅스에서는 startup.sh 파일과 catalina.sh 파일, 그리고 shutdown.sh 파일에 실행 권한[85]이 있어야 합니다.

터미널의 로그에 들여쓰기가 있다면 JAVA_HOME 환경변수 또는 다른 톰캣이 실행중인지를 확인하세요. 당연한 이야기입니다만 이클립스에서 또는 다른 톰캣이 실행되고 있으면 안 됩니다. 톰캣이 하나라도 실행 중이면 HTTP 포트번호가 다르더라도 shutdown 포트(8005) 등이 이미 사용되고 있으므로 실행되지 않습니다.

그림 20. 톰캣 실행

윈도우 운영체제에서 톰캣 서버를 실행했을 때 터미널(콘솔)의 한글이 깨진다면 TOMCAT_HOME/conf/logging.properties 파일의 콘솔핸들러 인코딩을 변경하세요. 인코딩 기본값은 UTF-8입니다.

java.util.logging.ConsoleHandler.encoding = EUC-KR

---

85) 리눅스 운영체제에서 startup.sh 파일에 실행 권한을 주려면 아래 명령을 실행하세요.
chmod 755 startup.sh

서버가 실행되면 브라우저를 이용해서 http://localhost로의 연결을 확인해 보세요.

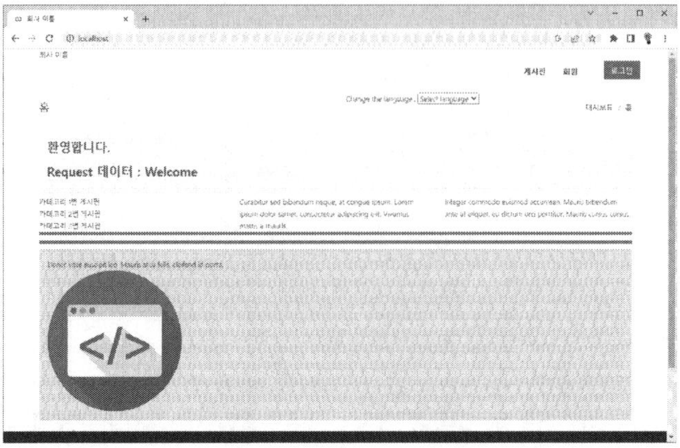

그림 21. http://localhsot/

5.4. 톰캣 JVM 메모리 설정

[Java heap space error][86] 오류는 업로드 파일이 클 때 발생할 수 있으며, 이는 톰캣 설정 파일을 통해 서버의 힙메모리의 크기를 조정하여 문제를 해결할 수 있습니다.

$TOMCAT_HOME/bin[87] 폴더에 아래 코드처럼 setenv.sh(윈도우는 setenv.bat) 파일을 생성하세요. -Xms는 초기 힙 메모리의 크기를 설정하며, -Xmx는 최대 메모리의 크기를 설정합니다. -XX:MaxMetaspaceSize[88]는 클래스 로딩을 위한 메모리(Permanent Generation)의 최대 크기를 설정합니다. 이 크기가 작을 때 [Out of Memory Error] 오류가 발생합니다.

setenv.sh(리눅스용)

```
export CATALINA_OPTS="$CATALINA_OPTS -Xms512m"
export CATALINA_OPTS="$CATALINA_OPTS -Xmx1024m"
export CATALINA_OPTS="$CATALINA_OPTS -XX:MaxMetaspaceSize=256m"
```

setenv.bat(윈도우용)

```
export CATALINA_OPTS="%CATALINA_OPTS% -Xms512m"
export CATALINA_OPTS="%CATALINA_OPTS% -Xmx1024m"
export CATALINA_OPTS="%CATALINA_OPTS% -XX:MaxMetaspaceSize=256m"
```

---

86) PC 환경에서 테스트할 때는 흔히 볼 수 있는 오류는 아닙니다. 웹 호스팅 서비스를 받아 실행시키는 환경이라면 고려해야 할 사항입니다.

87) *$TOMCAT_HOME*은 톰캣이 설치된 폴더의 위치를 의미합니다.

88) -XX:MaxMetaspaceSize는 JDK 1.7 이하이면 -XX:MaxPermSize로 사용해야 합니다.

6. CSRF 보안 취약점

6.1. CSRF 개요

CSRF(Cross-Site Request Forgery)는 웹 응용프로그램의 보안 취약점 중 하나로, 공격자가 희생자의 권한을 이용하여 악의적인 요청을 보내는 공격입니다. 이 공격은 주로 사용자가 웹 애플리케이션에 로그인한 상태에서 이뤄지며, 희생자가 공격자가 의도한 동작을 수행하도록 속입니다.

CSRF 공격의 주요 공격자는 희생자의 인증된 세션을 이용하여 악의적인 요청을 전송하거나, 사용자의 동의 없이 요청 전송하여 희생자는 공격의 의도를 모르고 악의적인 요청이 수행되게 할 수 있습니다.

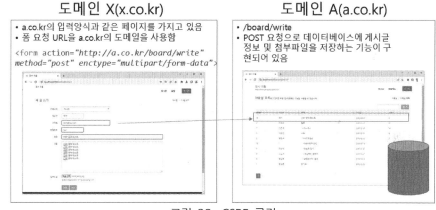

그림 22. CSRF 공격

CSRF 공격을 방어하는 몇 가지 방법은 아래와 같습니다.
Anti-CSRF 토큰 사용: 웹 애플리케이션은 각 요청에 대한 고유한 토큰을 생성하고 이를 웹 페이지와 함께 제공합니다. 공격자는 이 토큰을 알 수 없으므로 CSRF 공격이 어려워집니다.
SameSite 쿠키 속성 사용: SameSite 쿠키 속성을 사용하여 요청이 같은 사이트에서만 허용되도록 설정할 수 있습니다.
Referrer 검증: 요청의 Referrer 헤더를 검증하여 요청이 올바른 출처에서 온 것인지 확인합니다.
더블 쿠키 제어: 쿠키를 사용할 때 두 번째 인증 요소를 추가하여 공격을 어렵게 만듭니

다.

웹 개발자들은 보안 취약점에 대해 주의를 기울이고, 사용자의 데이터 및 권한을 보호하기 위해 적절한 보안 메커니즘을 구현해야 합니다.

다음은 CSRF 토큰을 이용하여 공격을 방어하는 방법을 소개합니다.

6.2. CSRF 토큰을 이용한 공격 방어

CSRF 공격을 방어할 수 있는 쉬우면서도 효과적인 방법은 세션과 CSRF 토큰을 이용하는 것입니다.

세션과 CSRF 토큰을 이용하려면 아래의 절차를 따릅니다.
① Get 방식으로 폼을 요청할 때 UUID를 생성해서 세션에 저장하고 뷰로 포워드 합니다.
② 뷰페이지(JSP 또는 Thymeleaf html)에서 세션의 UUID를 〈input type="hidden"〉 태그를 이용해서 페이지가 UUID를 갖도록 합니다.
③ Post 방식 요청을 처리할 때 요청 파라미터의 UUID와 세션의 UUID를 비교하여 두 UUID가 같은 경우만 요청이 처리하도록 하는 것입니다.

다음은 GET 요청시 UUID를 만들고 세션에 UUID를 저장하는 코드의 예입니다.

```
70    @GetMapping(value="/hr/insert")
71    public String insertEmp(Model model, HttpSession session) {
72        String csrfToken = UUID.randomUUID().toString();
73        session.setAttribute("csrfToken", csrfToken);
74
75        model.addAttribute("emp", new EmpVO());
76        model.addAttribute("deptList", empService.getAllDeptId());
77        model.addAttribute("jobList", empService.getAllJobId());
78        System.out.println(empService.getAllJobId());
79        model.addAttribute("managerList", empService.getAllManagerId());
80        return "hr/insertform";
81    }
```

다음은 폼 페이지가 UUID를 갖도록 〈input〉 태그를 추가한 예입니다.

```
<form th:action="@{/hr/insert}" method="post" th:object="${emp}">
<input type="hidden" name="csrfToken" th:value="${session.csrfToken}">
```

다음은 POST 요청을 처리하는 핸들러 메서드입니다. 서비스의 메서드를 실행하기 전, 요청 파라미터의 CSRF 토큰(csrfToken과) 세션의 토큰이 다르면 예외를 발생시킵니다.

```java
83      @PostMapping(value="/hr/insert")
84      public String insertEmp(@ModelAttribute("emp") @Valid EmpVO emp,
85              BindingResult result, String csrfToken, HttpSession session,
86              Model model, RedirectAttributes redirectAttributes) {
87          if(result.hasErrors()) {
88              model.addAttribute("deptList", empService.getAllDeptId());
89              model.addAttribute("jobList", empService.getAllJobId());
90              model.addAttribute("managerList", empService.getAllManagerId());
91              return "hr/insertform"; //forward
92          }
93          String sessionCsrfToken = (String)session.getAttribute("csrfToken");
94          if( (csrfToken==null) || !csrfToken.equals(sessionCsrfToken)) {
95              throw new RuntimeException("CSRF Token Error.");
96          }
97          try {
98              empService.insertEmp(emp);
99              redirectAttributes.addFlashAttribute("message",
100                     emp.getEmployeeId()+"번 사원정보가 입력되었습니다.");
101         }catch(RuntimeException e) {
102             redirectAttributes.addFlashAttribute("message", e.getMessage());
103         }
104         return "redirect:/hr/list";
105     }
```

회원가입, 게시글 쓰기 및 수정 등 입력 양식이 있는 곳이라면 어디든지 CSRF 취약점이 있을 수 있습니다. 항상 보안에 대비하는 코드를 작성하는 습관이 필요합니다.

Instructor Note: 'factoryBeanObjectType'오류

스프링 부트 3.2에서 다음의 오류가 발생하면 마이바티스 의존성 설정 버전을 3.0.0에서 3.0.3으로 바꿔주세요.

```
java.lang.IllegalArgumentException: Invalid value type for attribute
'factoryBeanObjectType': java.lang.String
```

pom.xml

```xml
<dependency>
    <groupId>org.mybatis.spring.boot</groupId>
    <artifactId>mybatis-spring-boot-starter</artifactId>
    <version>3.0.3</version>
</dependency>
```

Instructor Note: DatsSource url 오류

연결이 잘 되던 데이터베이스에 데이터소스 URL 설정 오류가 발생하면…,

```
Description:

Failed to configure a DataSource: 'url' attribute is not specified and no embedded
datasource could be configured.

Reason: Failed to determine a suitable driver class
```

프로젝트에서 마우스 오른쪽 버튼을 클릭한 후 Maven -> Update Project를 통해 프로젝트를 업데이트하세요.